俯仰悲歌

黄仲则与乾隆诗坛

赵鸿飞 著

中西書局

图书在版编目(CIP)数据

俯仰悲歌：黄仲则与乾隆诗坛／赵鸿飞著. —上海：中西书局，2019.8

ISBN 978-7-5475-1584-6

Ⅰ.①俯… Ⅱ.①赵… Ⅲ.①黄景仁(1749—1783)—诗歌研究 Ⅳ.①I207.227.49

中国版本图书馆 CIP 数据核字(2019)第 091089 号

俯仰悲歌：黄仲则与乾隆诗坛

赵鸿飞 著

责任编辑 唐少波

装帧设计 黄 骏

出版发行 上海世纪出版集团 中西書局(www.zxpress.com.cn)

地 址 上海市陕西北路 457 号(邮编 200040)

印 刷 上海盛隆印务有限公司

开 本 700×1000 毫米 1/16

印 张 26

字 数 426 000

版 次 2019 年 8 月第 1 版 2019 年 8 月第 1 次印刷

书 号 ISBN 978-7-5475-1584-6/I·187

定 价 78.00 元

目录

绪 论

一、黄仲则其人其诗

黄景仁(1749—1783),字仲则,又字汉镛,号鹿菲子,江苏武进人。四岁丧父,十七岁为秀才,不久就读于常州书院,屡应乡试不第。因家贫,早年即为谋生奔走四方,客游湘皖等地,曾入湖南按察使王太岳、安徽学政朱筠之幕,后游京师。乾隆四十一年(1776)应乾隆皇帝"东巡召试",列名二等。曾任武英殿书签官,以例得仕主簿,后纳捐为县丞,候选时为债家所逼,欲往西安依陕西巡抚毕沅,病死于途中,年仅三十五岁。有《两当轩集》存世。

黄仲则像

黄仲则一生多次应试不中,潦倒而多病,穷愁困顿的生活际遇也就成为其诗歌的主要内容,如"我生万事多屯蹶,眄到将圆便成阙"①"全家都在风声里,九月衣裳未剪裁"②"惨惨柴门风雪夜,此时有子不如无"③,寒士的悲酸一览无遗。他的诗,常常揭露人情浇薄,世态炎凉,如《沙洲行》《啼乌行》《和钱百泉杂感》;有的表现出对于人格尊严的珍视和由此产生的孤傲之情,典型的如

---

① 黄仲则《中秋夜雨》,[清] 黄景仁《两当轩集》,李国章校点,上海古籍出版社,1983年版。本著所引黄仲则之诗,均出自此书,故后只注篇名。

② 黄仲则《都门秋思》其三。

③ 黄仲则《别老母》。

《圈虎行》；有的感念民生之艰，同情百姓之苦，如《涡水舟夜》《苦暑行》等。他还在诗里抨击荒诞黑暗的世道，如《献县汪丞座中观技》《悲来行》《泥涂叹》等，唱出封建时代寒士的心声，也撕开了“盛世”的虚幻面纱。

他的诗中，最动人、也最具艺术价值的是许多缠绵悱恻的爱情诗，诸如《绮怀》十六首、《感旧》四首、《感旧杂诗》四首，低回婉转，哀感顽艳。此外还有大量的模山范水、咏史怀古、吊古伤今、逞才使学之作。他的诗“好作幽苦语”，纵恣流露对“盛世”的怨愤，如“我曹生世良幸耳，太平之日为饿民”①。这在当时，无疑是尖锐高亢的变徵之音。

黄仲则的七言律绝能广采博取而自成一格，语言自然秀逸，意象鲜明而具有独创性，感情表达得深沉细腻，《感旧》《绮怀》等篇，有晚唐李义山诗之风味。“独立市桥人不识，一星如月看多时”②，写孤寂心情；“似此星辰非昨夜，为谁风露立中宵”③，写相思之苦，都善于用精美的语辞写出忧郁的心绪，令人情为之感动而一读难忘。在他的时代，他终究是最具诗人气质和才华的，其诗中深层的感染力一直漫渗到现代④。那些表现愁苦寒贫之作，精警生动，扣人心弦，相传毕沅“见《都门秋思》诗，谓值千金，姑先寄五百金，速其西游”⑤。现代作家郁达夫也说：“要想在乾隆两代的诗人之中，求一些语语沉痛、字字辛酸的真正具有诗人气质的诗，自然非黄仲则莫属了。”⑥由此，黄仲则的诗受到知识阶层的广泛好评，“声称噪一时，乾隆六十年间，论诗者推为第一”⑦。

二、相关研究的过去与现状

这样一位身世坎坷、境遇凄凉的优秀诗人，虽然一直偃蹇蹭蹬、沦落不偶，但生前就因其绝世的才情和行云流水般的诗篇，而在士林中享有盛誉，引起世人的关注也在情理之中。纵观近两百年来，对黄仲则其人其诗的研究，可以说代不乏人，但每一个时代又因风会的差异及其趋向的不同，呈现出各自不同的面貌。对此，我们将进行一番认真的梳理与胪列，以期对研究的过去与现状有一个相对来说比较全面的了解和把握。

① 黄仲则《朝来》。
② 黄仲则《癸巳除夕偶成》。
③ 黄仲则《绮怀》其十五。
④ 章培恒、骆玉明《中国文学史》，上海：复旦大学出版社，1996 年版，第 501—503 页。
⑤ [清] 陆继辂《春芹录》，引自黄葆树、陈弼、章谷编《黄仲则研究资料》，上海古籍出版社，1986 年版，第 179 页。
⑥ 郁达夫《关于黄仲则》，系作者为金天民编《黄仲则诗词》所作的前言，引同上书，第 256 页。
⑦ [清] 包世臣《齐民四术》，《小倦游阁集》卷九《正集》九，清小倦游阁钞本。

(一) 后世学术视野中的接受:文学史著述中的黄仲则评价

进入 20 世纪,随着东西方文化的交流、碰撞和融汇,文学研究也开始步入现代学术时代。特别是古代文学研究领域中,我们今天所用的许多术语、概念、范畴、理论、观念,乃至创作方法、批评方法等,都在不同程度上受到西方的影响。中国文学源远流长,存世作品浩如烟海,这一状况是难寻其匹的。对这一笔丰厚的历史遗产作一种鸟瞰式的宏观把握,对于全面和深入理解关于中国文学的系统知识,是必不可少的。"文学史"作为文学研究的一个学科分支和一种著述类型,和许多现代学科一样,是以日本为中介从欧洲引入的。在这种现代学术视野中受到关注,并给予较高评价的作家作品、文学现象、文学运动、文学批评等等,较之那些被忽略、被遗弃和被淹没的种种,也就有了一种独特的身价和地位,因而也就有了不同寻常的意义。黄仲则应当说是比较幸运的一位,在许多有关的文学史著述中差不多都能看到他的名字,这标志着黄仲则其人其诗,不仅为一般同病相怜的文人骚客所认同,也为客观冷静、以理性思考见长的学者和学术界所接受。为论述方便起见,我们以中华人民共和国成立这样一个时间节点为界限,大致分为两个阶段。

1. 1949 年前学者的评价

(1) 单篇论文

20 世纪二三十年代这一时期,就成果的物化形式而言,率先进入学术视野的黄仲则,学者们通常是以单篇论文的方式来实现其学术表达的,而且在观点及文献的运用上,有大致相同的倾向。大部分学者集中在对黄仲则情诗的探讨上,1926 年,黄侃的弟子武酉山有《薄命诗人黄仲则》一文,特别提到了黄仲则的风流倜傥和儿女情长。1927 年,淦克超《黄仲则的诗》专门探讨《感旧杂诗》《感旧》《绮怀》等诗。1932 年,陶愚川在《大夏期刊》第三期发表《论诗人黄仲则》一文,也集中论述了黄仲则的情诗。此外,还有 1929 年《新月》第二卷第十期所载邱竹师的《黄景仁及其恋爱诗歌》、1935 年《江苏研究》第一卷第六期所载陆树枬的《哀愁诗人黄仲则(1749—1783)》、1935 年《人间世》第四十二期谢悯生的《诗人黄仲则的恋爱》,以及 1945 年《大众》第三十一期谭正璧的《清代诗人黄仲则恋爱事迹考》等,亦着重于对黄仲则情事和情诗的探究①。

① 参阅叶倬玮《抒情传统与现代——黄仲则诗在民国》,《淡江中文学报》第 29 期,2013 年 12 月,第 407—437 页。本文承业师陈广宏先生赐示,在此谨表谢忱。

（2）年谱、评传

较早以现代学术观念关注黄仲则的，还有几部关于诗人的评传和年谱。主要有章衣萍的《黄仲则评传》、丁蕴琴的《黄仲则评传》、伍合的《黄景仁评传》，以及黄逸之据清人毛庆善、季锡畴编纂的《黄仲则先生年谱》增订而成的《黄仲则年谱》。

通常认为，章衣萍的《黄仲则评传》是其中较早的一部，分上下篇，分别刊载于1925年《学林杂志》卷一的第十二期和卷二的第二期。章衣萍，字鸿熙，安徽绩溪人，暨南大学教授，曾与鲁迅创办《语丝》周刊，著有《衣萍文存》。章衣萍的这部评传，1930年3月由北新书局出版。作者以抒情之笔，把黄仲则置于世界文学的大视野中，大量运用西方言说，把他与济慈、歌德、卢梭、尼采、托尔斯泰、易卜生、拜伦等相比较，认为他们都是天才、狂人，是美和爱的创作者。评传论及诗人的生平、才性、诗风，其中对爱情诗的分析着墨较多，对其"好作幽苦语"的诗风也能从诗人自身性格及其社会际遇方面入手，尚属中肯。对其诗的价值及其在文学史上的地位，也作了较为允当的分析和评价。

丁蕴琴的《黄仲则评传》原载1943年《东方杂志》第三十九卷第十四期，认为"盖仲则天分绝高，义气豪宕，复继之考据之学，艳之以藻绘之华，咳唾珠玉，不肯以一语落第二乘，固非寻常以诗称者所能及也"。从诗人的天分、学养、手法等方面对仲则作了评价，此评传之价值与意义也仅限于此。其后将黄仲则诗词分为游览、宴集、题句、酬赠、感怀、绮语、伤悼几类，各举数首，以见一斑，并无分析鉴赏文字，类似诗词选本，意义不大。

伍合的《黄景仁评传》，原载1943年11月《教育时报》（双月刊）第十五期，分"前言""黄景仁事略""黄景仁诗集的版本"和"黄景仁的诗"四部分，其中第四部分"黄景仁的诗"较有价值。在这里，作者按照编年顺序，选取诗人代表作品加以具体分析，对其贫病交加的凄凉身世表达了同情，对其愁苦感伤的诗风略作点评。

这几部评传性质的著作，总起来看，虽建树无多，但其开辟鸿蒙，导夫先路，居功甚伟。

黄逸之的《黄仲则年谱》，1934年3月由上海商务印书馆初版，1980年由台湾商务印书馆再版，书名改为《清黄仲则先生景仁年谱》。黄逸之乃诗人之后裔，感念先人精神，生平注重搜集相关资料，在《黄仲则先生年谱》基础之上，补充大量新资料，较之前作，翔实许多，是研究黄仲则生平的重要资料之一。

(3) 文学史著述

胡怀琛、容肇祖、赵景深、龙沐勋、谢无量等人撰著的文学史著作，对黄仲则作出了不同程度的分析和评价①。

胡怀琛(1886—1938)，安徽泾县人，著名学者胡朴安之弟。在他的《中国文学史概要》中，谈到黄仲则的地方，只有寥寥数语，曰："黄景仁，字汉镛，一字仲则。以能诗著称。尝与洪亮吉等十数人于采石太白楼作诗，仲则年最少，诗最先成，同人为之搁笔。张南山(维屏)尝谓余欲选黄仲则诗、王仲瞿(昙)诗合刻之，题为《乾隆二仲》云。"这标志着黄仲则开始进入现代文学史著述的学术视野。

容肇祖(1897—1994)，字元胎，广东东莞人，著名中国哲学史研究专家、民俗学家和民间文艺学家。他在1935年出版的《中国文学史大纲》中论及黄仲则，把他的诗学渊源上溯至沈德潜，认为沈的诗学衣钵一传为王昶，一传为黄仲则。而黄仲则不仅绍述乃师，且有青出于蓝之势。容肇祖也指出黄仲则诗"希踪太白，清峭高妙"，认为"清诗至此，颇有难继之叹"。这种评价还是准确允当的，但认为仲则诗宗沈氏，似有不妥，仲则之诗广学博取，并不专主一家。

赵景深(1902—1985)曾名旭初，笔名邹啸，祖籍四川宜宾。中国戏曲研究家、文学史家、教育家、作家。1930年起任复旦大学中文系教授。其《中国文学史新编》论及黄仲则时，也认为黄是沈德潜的再传弟子，"是一个薄命诗人"。引述洪亮吉《北江诗话》中对仲则的评价，谓《两当轩集》为"咽露秋虫，舞风病鹤"。其后引述黄诗，作摘句批评。

龙沐勋，即龙榆生(1902—1966)，别号忍寒居士、风雨龙吟室主，江西万载人。在《中国韵文史》上篇第二十一章《清诗之复盛》中论述乾隆诗坛时，于袁枚、赵翼、蒋士铨三大家之后，提及黄仲则曰："是时诗人，尚有黄景仁(字仲则，武进人)、张问陶(号船山，遂宁人)、舒位(号铁云，大兴人)等，景仁《两当轩诗》，才气豪放似太白，近乃大行于世。"是以仲则继三大家之后，与舒位、张问陶等为伍。评价不太好，但也不太差，属中等档次。

谢无量(1884—1964)，四川乐至人。著名学者、诗人、书法家。谢氏在《中国大文学史》中，仍然将黄仲则与袁、赵、蒋三大家并置，谓其诗风与张问

---

① 参阅黄葆树、陈弼、章谷编《黄仲则研究资料》，上海古籍出版社，1986年版，第482—498页。

陶相近，“才气豪放，惜其早逝”，“乾隆以来，作者虽众，往往文胜而意浅。厉太鸿、黄仲则、张皋文、郭频伽诸家，略称较工，时有隽句，或通篇不能全称”。把黄仲则置于乾隆以来诗坛中来考虑，认为其诗已能够超越其时“文胜而意浅”的弊端，偶有隽言佳句，但通篇尚不能“全称”。

总之，在上述几部文学史著作中，黄仲则其人其诗虽得到了一定的重视，但还没有得到足够的重视。即从著述及行文的规格而言，往往是夹在数人之间，或是随在他人之后，约略提及，语均极简省，至多不过百余字，并未享专章或专节的待遇。在论及其人与诗风时，也多仓促落笔，着墨不多，或仅从某一角度切入，即其一点，不及其余，且点到即止，不作详论，尚有待作全面深入的分析论述。谢无量《中国大文学史》和龙沐勋《中国韵文史》在篇幅的容量和论说的深度上，较之前此几种，略有提高。当然，这一时期，学术界对文学史著作这种新著述模式的操作尚处于摸索并逐步走向成熟的阶段，因而对某些作家作品的评介有时难免失之允当，缺乏应有的厚重感和思辨色彩，这都是后来学人需要努力的。

2. 1949 年后学者的评价

1950 年代后，随着中华人民共和国的成立，确立了历史唯物主义的历史观。社会机制发生的这种巨变，及由此带来的学术研究的变化，特别是古代文学研究领域的变化是空前的。20 世纪三四十年代，强调文学表现情感、反映人性内涵的价值，曾经为多数人所赞同。1950 至 1970 年代，“阶级斗争”观念无远弗届，古代文学研究亦受其影响。1980 年代中后期，随着改革开放政策的实行，学界痛定思痛，进行了深刻的反思与扬弃，其后问世的一系列新的文学史著作，才焕发出新的光彩。

从 1950 年代到 1970 年代末，产生了许多具有当时特定时代特色的文学史著作，在指导思想上，它们很难不受“阶级斗争”扩大化的影响，以时间的先后顺序论，有林庚的《中国文学简史》、詹安泰等的《中国文学史》、杨公骥的《中国文学史》、北大中文系的《中国文学史》、复旦大学中文系的《中国文学史》、中国社科院文学研究所的《中国文学史》、刘大杰的《中国文学发展史》(1963 年新一版)、游国恩等的《中国文学史》，等等。

刘大杰的《中国文学发展史》最早由中华书局于 1941 年出版发行，后来又在 1957 年、1962 年、1973 年、1976 年进行了多次修改。在该书的第二十九章《清代的诗歌》中，刘大杰论及黄仲则之诗，认为与袁简斋之“性灵说”态度情趣大略相近，“因常年漂泊江湖，寄人篱下，怀才不遇，贫病交加”，由此而形成诗人多愁善感的性格气质，并影响其诗风的形成。刘大杰摘举仲则的名句如“十年挟瑟侯门下，竟日驱车官道旁”“全家都在风声里，九月衣裳未剪裁”“悄立市桥人不语，一星如月看多时”等，稍加点评，指出其诗能为人所接受和欣赏，原因就在于此。刘大杰认为，黄仲则诗学李白，但因生活基础不厚，才力不够，始终缺乏李白的那种旷达萧逸的豪迈气魄和纵横飘逸的神韵，时时流露出无限的感伤和不平的哀怨。他的诗是真性真情的表露，有时不免过于消极，使人感到一种颓废的个人主义色彩。谈到黄仲则所擅长的诗体时，刘大杰认为，七古、七绝是其所长，最能代表其个性，而为毕沅所称道的七律则“意味多不深厚”，《都门秋思》亦甚平常①。刘大杰的评价，应该说还是切中肯綮的，并无过头之处。至于对脍炙人口的《都门秋思》，未作过高评价，也是见仁见智，并无不妥。正如台湾学者指出的那样，“刘氏的主要理论基础及脉络，是进化论、历史有机循环的命定论和反传统精神”②，与胡适思想及文学史观是一脉相承的。

中国社会科学院文学研究所编写、1962 年出版的《中国文学史》，是这一时期又一部有重要影响的文学史著作。在大约五百字的篇幅中，论者也注意到了诗人“举债度日，家境困难”的境遇。分析其诗风为“豪宕感慨”，不满黄诗感伤缠绵的情感基调，但也肯定了其诗的某些佳篇佳句和独特的艺术感染力，如《绮怀》《都门秋思》《笥河先生偕宴太白楼醉中作歌》等。论及其诗的题材内容时，说“他的绝大部分的诗是反映了他个人的愁苦生活”，这种说法和上述刘大杰先生的说法是一致的，言外之意就是说黄诗的主题欠深刻，缺乏社会意义，“阶级斗争”学说之痕十分明显③。

游国恩、王起、肖涤非、季镇淮、费振刚五教授编写的《中国文学史》出版于 1964 年，是发行量很大的一部文学史著作，许多高校将其作为教材，因而影响也十分巨大。在这部书的第八编《清初至清中叶的文学》之第十章《清中叶的诗文》之第一节《乾隆间的诗派和诗人》中，作者在罗列了这一时期的几位著名诗人，如沈德潜、厉鹗、郑燮、袁枚、赵翼、翁方纲之后，才提及后辈诗人黄仲则。在谈到黄仲则的诗时，不长的篇幅中，先提到了他的几个名篇，如《观潮行》《圈虎行》《都门秋思》和《笥河先生偕宴太白楼醉中作歌》等。

---

① 刘大杰《中国文学发展史》(下册)，上海古籍出版社，1982 年版，第 1197 页。

② 龚鹏程《试论文学史之研究——以刘大杰〈中国文学发展史〉为例》，载《古典文学》第五集，台北：台湾学生书局，1983 年版。

③ 中国社会科学院文学研究所编《中国文学史》(三)，北京：人民文学出版社，1962 年版，第 1071 页。

黄仲则出身贫苦，一生落魄，怀抱不平的身世也为该书所认同。该书认为黄诗表现了“哀怨婉丽”的独特风格，但缺乏力量。黄诗所以传诵一时，在于他一定程度上透露了“盛世”士大夫的苦闷。该书认为，黄诗的根本缺点，“仍在于缺乏广阔的现实社会内容，不能深入揭露社会矛盾”[①]。这个论点则显然是有些强人所难，削足适履了。黄仲则本就是一个封建社会的落魄文人，他的诗歌是他自己苦难生活的自然流露，至情至性，发自肺腑。他不可能具备所谓的阶级意识，有意地承担起批判社会、揭露矛盾的重任。

改革开放后，学术研究的大背景有了根本性的变化，随着思想解放的大潮，学术研究突破了“极左”思想的樊篱，进入了百花齐放、百家争鸣的新局面[②]。出现了一些新的中国文学史著作，影响较大的有：褚斌杰、袁行霈、李修生编著的《中国文学史纲要》四册，1990 年出齐；中国社会科学院文学研究所新编的《中国文学通史》、林庚的《中国文学简史》修订本全本 1995 年出版，章培恒、骆玉明主编的《中国文学史》1996 年出版，以及袁行霈主编的《中国文学史》，亦于是年出版。

由复旦大学章培恒教授和骆玉明教授主持编撰、复旦大学出版社于 1996 年出版的《中国文学史》，专列《清代中期的诗歌》一节，论列沈德潜、袁枚、赵翼、蒋士铨、张问陶、郑燮等人，黄仲则为其中之一，对其诗歌的内容与艺术表现上的独到之处给予了较高的评价。认为他的某些诗“反映着乾隆时代文学中个体意识的复苏和强化”，“能广采博取而自成一格，语言自然秀逸，意象鲜明而具有独创性，感情表达得很深细”，“在他的时代，他终究是最具诗人气质和才华的，其诗中深层的感染力一直漫渗到现代”。评述篇幅也较为可观，约 1 300 多字[③]。

2007 年 9 月，仍由复旦大学章培恒教授和骆玉明教授主持编撰的《中国文学史新著》，由复旦大学出版社和上海文艺出版社共同出版发行。《新著》秉承了 1996 版的指导思想和写作原则，继续坚持“文学的发展与人性的发展同步，文学内容的演进是通过形式的演进而体现出来的”的理念，而且在深度上较前有了更大的突破。在该书的下卷第九编《近世文学·嬗变期》第二章《袁枚及其同调与异趋——乾隆中叶至嘉庆时期的诗文》中辟出专节

---

① 游国恩等《中国文学史》(四)，北京：人民文学出版社，1964 年版，第 296—297 页。

② 孙明君《追寻遥远的理想——关于 20 世纪〈中国文学史〉的回顾与瞻望》，北京大学学报(哲社版)，1997 年 1 月。

③ 章培恒、骆玉明《中国文学史》，上海：复旦大学出版社，1996 年版，第 501—503 页。

来讨论黄仲则的诗。认为黄仲则是当时除袁枚外"创作上成就最为突出的",其诗中流露出来的孤独感"是强烈的自我意识的产物",他的爱情诗《绮怀》十六首"也是中国古代爱情诗中的特绝之作","诗中表现出的这种对诗艺的讲究,正是当时的清代诗坛十分缺乏的"[①]。这些评价,比1996年版的《文学史》更到位、更恰切,也更允当。篇幅上也接近2 000字。

2003年,由北京大学袁行霈教授领衔编著、由高等教育出版社出版的《中国文学史》,亦将黄仲则和沈德潜、翁方纲、厉鹗、袁枚、赵翼、蒋士铨、张问陶、舒位、郑燮等一道置于清代中叶流派纷呈、多元共生的乾隆诗坛上加以考量,在《流派纷呈的诗坛和袁枚》一节中,对其诗歌的内容与艺术表现上的独到之处均给予了客观的评价,将其和郑燮的作品一道视为"盛世中的衰唱",也是清代中叶多元诗坛的表现者之一[②]。但总体上评价略低于章本,篇幅上也稍逊1996年版的章著,约近1 000字。

作为通史,在体例和篇幅的安排上,须作通盘考虑,不可能对某一家特别青眼有加。上述二著,对黄仲则的安排显然已经十分到位了,黄仲则其人其诗能在文学史中占据如此位置,可见学界对其的接受进入了一个新的阶段。

在专门的断代分体文学史中,黄仲则的地位和影响得到了进一步的提升。1998年,严迪昌在其编著的《清诗史》第三编中,设专章第八章《黄仲则论》,更给黄仲则以足足一整章的篇幅,分四小节,从他的生平、作品内容、艺术特色等多方面对其人其诗进行了专题讲解和评论。

第一节《凄怆的心魂》,综论诗人生平。在概述其凄苦生平时,严先生能结合诗人的创作,从诗人的心态入手,分析其人生境遇与诗风悲苦之内在联系。严先生认为,"对像黄仲则这样一个'事有难言天似海,魂应尽化月如烟'的心有隐痛、沦落天涯的绝代才人来说,除却这'枉抛心力作诗人'的血泪文字之外,他的心魂已别无依傍和寄托处"[③]。本节结束时,还谈到了仲则诗作的版本问题,叹息其诗作编纂之不易和刊刻之艰难。

《〈两当轩诗〉的认识意义》着重分析仲则诗歌的主题。首先是那些在文网高张、钳口结舌年代里,诗人倾泻"盛世"现实在他心头积聚的怨愤。像《耒阳杜子美墓》"埋才当乱世,并力做诗人"、《重九夜偶成》"有花有酒翻寂

---

① 章培恒、骆玉明《中国文学史新著》,上海:复旦大学出版社/上海文艺出版社,2007年版,第463—467页。

② 袁行霈主编《中国文学史》(四),北京:高等教育出版社,2003年版,第414—421页。

③ 严迪昌《清诗史》,台北:五南图书出版公司,1998年版,第937页。

寞，不风不雨倍凄凉”，以及《悲来行》《泥途叹》等篇。其次是对人情浇薄的指斥，《何事不可为》《和钱百泉杂感》《话吟秋斋头次韵》《圈虎行》《与稚存话旧》等。再次是对社会下层的关爱和同情，诸如《铺海》《骤寒作》《新仆》。与友朋的交往唱和，如《和容甫》《遇故人》等。

《〈两当轩诗〉的审美特征》探讨黄仲则诗歌的审美特质，主要敷衍“诗人之诗”一说以成文。认为“诗人之诗”的特点就是以情胜，其次才是“才”，黄仲则之所以被认为是天才，其诗之所以超逸时辈，就“在于他哀乐过人，情思绵密，触怀抽思，骋情深微”。严先生在本节归纳说，《两当轩集》之诗乃黄仲则的一腔“痴情、怨情和愤情”所化。

最后一节《黄仲则诗文化渊源辨》，主要是分析黄仲则诗歌艺术风貌的继承性。通过辨析解读黄仲则的具体诗篇如《桂未谷明经以旧藏山谷诗孙铜印见赠》，以及仲则论诗的几则言论，严先生认为黄仲则在学习和继承前人时，能做到“变”和“化”，博取精粹，不名一家，有继承，有发展。所以，在门户林立的乾隆诗坛上，黄仲则能独树一帜，自成一家[①]。

严迪昌的这部《清诗史》，作为一部专门以清诗为研究对象的断代分体文学史，为乾隆著名诗人黄仲则立专章设论，当为题中应有之义。就论述的学理结构而言，按照其生平、时代背景、思想内容、艺术特色几大板块模式敷衍成文，总体较为平实。指导思想上，也还强调其诗的社会功用价值，注重其反映社会、同情下层人士的思想倾向。在行文和遣词用语上，严先生也倾注了强烈的情感色素。应当说，在严肃规范的文学史著述中，是严先生第一次给了黄仲则这个落魄诗人如此之高的礼遇，这当然是一件令人高兴的事。

朱则杰所著《清诗史》，由江苏古籍出版社 1992 年初版，之后又有多个版本。该书在第十三章《乾隆盛世的衰音》中，将黄景仁和舒位、王昙并置一章，分节论列。朱著对诗人的生平、作品内容、艺术特色等所作的分析，持论允当。对诗人的身世、性格，及其乡邦文化土壤对其的熏染，以及由此而构成其诗歌独特风貌的分析，则令人有耳目一新之感[②]。

刘世南所著《清诗流派史》的一个突出之处是，在该书的第十六章《常州诗派》中，把黄仲则归入其中，认为他是常州诗派中最优秀的诗人，并先从“性”即天性，实即亲子之情、亲情方面入手分析黄仲则诗作，如《与稚存话

---

① 严迪昌《清诗史》，杭州：浙江古籍出版社，2002 年版，第 954—980 页。
② 朱则杰《清诗史》，南京：江苏古籍出版社，2000 年版，第 292—300 页。

旧》《春感》《闻稚存丁母忧》《移家来京师》《都门秋思》等，都是这样的诗篇。其次是从“情”，即人情，友朋和男女之情这一角度分析，如《泗州喜洪大从姑苏来》《送容甫归里》《别内》《秋夕》《绮怀》《感旧》《感旧杂诗》等。第三是“气”，包括正气和豪气，如《圈虎行》《别稚存》《何事不可为》等。第四是“趣”，仲则生世不谐，故诗多苦趣，“好作幽苦语”，《即事》《响山潭》等。最后是“剑气”，即豪气。在论及黄仲则诗歌的艺术风格时，同样强调其“诗人之诗”的特色，也注重其性情之真，以及善用白描、事典等具体手法上的讨论。这些看法，中规中矩，也符合仲则诗的实际，不谓无见[①]。不过，仲则素不喜依傍门户，崇尚自成一家，将其归作某派，恐有违黄仲则本意。

（二）当下黄仲则诗歌的研究与学习

1. 单篇论文、硕博论文、选本、年谱、网络论坛

进入到 1980 年代中后期，一直延续到目前为止，黄仲则又一次引起了学界的兴趣和关注，成为清诗研究领域中的一个新的热点。就笔者搜集到的材料来看，近三十多年来，有单篇研究论文一百多篇（不包括杂感、随笔、鉴赏、笔记、诗话），散见于各种学术类期刊。较有代表性的文章，以时间的先后来说，主要有陈友琴《略论清代名家黄仲则的诗》[②]、严迪昌《论黄仲则》[③]、陈祥耀《黄仲则的〈圈虎行〉》[④]、黄葆树《一梦西湖一见君——纪念诗人黄仲则逝世二百周年》[⑤]、吴德铎《读〈两当轩集〉新刊本》[⑥]、彭胤嘉《浅谈黄景仁的诗词》[⑦]、朱舒甲《黄仲则和〈两当轩集〉》[⑧]、冶芳《薄命诗人黄仲则——为纪念诗人黄仲则逝世二百周年而作》[⑨]、钱璱之《浅谈两当轩诗的社会意义——纪念清代诗人黄仲则逝世二百周年》[⑩]、李国章《论黄仲则在清代中期诗坛的地位》[⑪]、金性尧《两当轩的历史风貌》[⑫]、任嘉尧《黄仲则和两当

① 刘世南《清诗流派史》，北京：人民文学出版社，2004 年版，第 398—410 页。
② 《河北师院学报》，1980 年第 1 期。
③ 原载《明清诗文研究丛刊》第一辑。后收入《清诗史》第三编第八章《黄仲则论》中，并有所增益。杭州：浙江古籍出版社，2002 年版。
④ 《诗探索》，1983 年第 2 期。
⑤ 《西湖》，1983 年第 5 期。
⑥ 《人民日报》，1983 年 7 月 21 日。
⑦ 锦州师院《语文教学与研究》，1983 年第 2 期。
⑧ 镇江师专《教学与进修》，1983 年第 4 期。
⑨ 《安徽大学学报》，1983 年第 2 期。
⑩ 《常州报》，1983 年 6 月 7 日。
⑪ 《苏州大学学报》，1984 年第 3 期。
⑫ 《文献》，1983 年第 2 期。

轩诗》[1]、沈宗威《黄景仁年表》[2]、彭靖《略论两当轩与春星阁诗》[3]、尚永亮《黄仲则的心态及其诗词的深层意蕴》[4]、赖汉屏《无边春色化秋声——黄仲则的爱情诗》[5]、刘世南《谈〈黄仲则诗选〉的注释——与止水先生商榷》[6]、毛信德《孤傲独立的零余者》[7]、王英志《常州二俊山水诗论略——洪亮吉的无我之境与黄景仁的有我之境》[8]、叶悬冰《有酒有花翻寂寞，不风不雨倍凄凉——略论清代诗人黄仲则的人生孤独感》[9]、刘扬忠《新妆不为投时艳——黄景仁〈竹眠词〉平议》[10]、彭崇伟的系列论文《两当轩诗伤感情绪产生之客观原因》[11]、《两当轩诗伤感情绪的悲剧性》[12]、《两当轩诗伤感情绪的主观原因》[13]等。此外还有沈行恬《试论黄景仁诗的哀情与豪气》[14]、张如中《盛世外壳里的酸苦内核》[15]、许隽超《略论黄仲则诗歌的艺术风格和意象》[16]、敖运梅《从杂感看黄仲则诗歌的思想蕴涵和艺术特质》[17]、林威《论黄仲则诗歌创作心态及其美学特色》[18]、王子宽《论黄仲则的人格弱点与其诗歌之风格》[19]、陈肃《乾隆六十年第一诗人——纪念黄仲则逝世二百二十周年》[20]、王猛《狂狷人格与盛世哀音》[21]、许隽超《略谈黄仲则诗歌的感愤主题》[22]、傅瑛《黄仲则与安徽》[23]等等。

这一时期，也有一批鉴赏性的文章问世，对黄仲则的若干诗篇进行赏

---

① 上海《社会科学》，1983年第6期。
② 《上海博物馆集刊2》(建馆30周年特辑)，1983年7月。
③ 《中国古典文学论丛》第3辑，1986年。
④ 《文学评论》，1988年第5期。
⑤ 《明道文艺》(二十)，1993年第8期。
⑥ 《古籍整理研究学刊》，1995年第6期。
⑦ 《上海师范大学学报》，1997年第1期。
⑧ 《齐鲁学刊》，1997年第6期。
⑨ 《厦门教育学院学报》，1999年第2期。
⑩ 《天府新论》，1999年第2期。
⑪ 《中国韵文学刊》，1999年第2期。
⑫ 《船山学刊》，2000年第4期。
⑬ 《衡阳师范学院学报》(社会科学版)，第21卷第5期，2000年10月。
⑭ 《南通师范学院学报》第16卷，2000年第3期。
⑮ 《新疆石油教育学院学报》第6卷，2001年第4期。
⑯ 《中国韵文学刊》，2002年第1期。
⑰ 《社科纵横》第18卷，2003年第1期。
⑱ 《牡丹江师范学院学报》，2003年第2期。
⑲ 《厦门教育学院学报》第5卷，2003年第4期。
⑳ 《江苏工业学院学报》第5卷，2004年第1期。
㉑ 《甘肃社会科学》，2004年第6期。
㉒ 《甘肃高师学报》，2005年第4期。
㉓ 《安徽教育学院学报》，2006年第5期。

析、品鉴，主要收录在中国文联出版社的《历代名篇赏析集成》、中国民间文艺出版社的《中国历代诗歌鉴赏辞典》、南京大学出版社的《金元明清词鉴赏辞典》、江苏古籍出版社的《金元明清词鉴赏辞典》；江苏古籍出版社的《中国历代山水诗鉴赏辞典》、中国旅游出版社的《山水诗歌鉴赏辞典》、山西北岳文艺出版社的《诗词曲赋名作鉴赏辞典》等书中。这批文章主要精力集中在对黄仲则诗歌中的某些名篇进行介绍，鉴赏的意义大于学术研究的意义，因而学术价值一般。

李国章《论黄仲则在清代中期诗坛的地位》一文认为：黄仲则是“康乾盛世”特定历史时期的诗人，从诗歌的内容和艺术成就看，他能自成一家，独异时流，处于十分突出的地位。由于黄仲则博观约取，自出机杼，形成了自己独特的艺术风格。黄仲则诗歌是清诗中的佼佼者，毫不逊色于顾炎武、吴伟业、王士禛、袁枚、龚自珍辈。在中国古代诗歌发展史上，黄仲则应该占有重要的位置。但天妒英才，假以寿考，黄仲则的前程不可限量，或成为一代之宗师亦未可知。

尚永亮《黄仲则的心态及其诗词的深层意蕴》一文指出：黄仲则实实在在是一个悲剧诗人，他以自己的千首遗作，唱响了那个荒谬时代的挽歌。文章认为，要想全面理解其人其诗，必须要做到知人论世，深刻地认识、确切地理解他“狂”的内涵，并将其诗词作品当作一个整体来对待，才会如愿以偿。观点新颖，颇具启发性。

王英志《常州“二俊”山水诗论略——洪亮吉的“无我之境”与黄景仁的“有我之境”》认为：乾隆时期，洪、黄齐名，人称“常州二俊”，但二人因个性遭际不同，山水诗歌内容风格亦有差异。洪氏因性情狂放，早期多借山水抒写狂情，晚期则超越功利之心，达“无我之境”；诗擅古体，风格奇险。黄氏性情狷介，一生沦落，常借山水抒写凄苦之境，多“有我之境”；诗擅近体，风格多样。黄氏艺术造诣高于洪氏，洪氏则更贴近山水之美质。

彭崇伟连续发表研究黄仲则诗歌的系列论文：《两当轩诗伤感情绪产生之客观原因》《两当轩诗伤感情绪产生之主观原因》和《两当轩诗伤感情绪的悲剧性》。文章结合黄仲则的遭遇和诗作，从家贫多累、体弱多病、怀才不遇、世途险恶等多方面探讨了两当轩诗伤感情绪产生的客观原因，并在一些重要问题上提出了自己的见解。论及黄仲则诗歌伤感情绪产生之主观原因时，文章认为，主要是因为黄仲则对于自己的诗才有着充分的自信，但他只是那个时代众多落魄寒士中无足轻重的一个，而天纵的才情又加重了这种挫败感，所以这些都构成了两当轩诗伤感情绪产生的主观方面的原因。彭崇伟指出，诗人个人的悲剧使得其诗的伤感情绪带有悲剧的性质。作者特别强调了诗人的精神世界昂扬向上的一面，也意在说明两当轩诗的伤感情绪与诗人追求理想的进取精神并无矛盾，恰是形成其诗浓重伤感色彩的最根本的原因之一。

这一时期，黄仲则及其诗歌进入了更高更广阔的学术视野，许多高等院校、研究院所等科研机构的硕士、博士研究生，也将黄仲则其人其诗作为学位论文的题目。

博士论文有一篇，是南京师范大学许隽超 2004 年 5 月完成的，题目是《黄仲则研究》，指导教师为钟振振教授。他指出，黄仲则是中国古代落魄文人的代表，其遭遇是盛世中无数科场失利、沉沦不偶者的缩影，在“宋调”弥漫的乾隆诗坛，他以清纯的“唐音”独树一帜，其人其诗均具有重要的认识意义。作者认为，目前国内外对黄仲则及其诗歌的研究尚属薄弱，尚没有一部有关黄仲则及其诗歌的研究专著，为数不多的论文也仅是对其诗歌某一题材或总体风格的概论，同其诗歌的地位和影响很不相称。有感于此，论文选取黄仲则诗歌作为研究对象。此论文以描述与论述、感性与知性相结合的方法，将黄仲则及其诗歌置于乾隆诗坛的大背景来考察，力图准确把握黄仲则“诗人之诗”的审美特质及其在清诗史上的特殊地位。论文第一章在描述黄仲则生平际遇的基础上，着力探讨其盛世寒士的性格特征及其成因。第二章分析其诗歌创作的主题取向，重点是感愤诗和恋情诗。第三章分别从基调、意象和语言等方面分析其诗歌的审美特质。第四章以“诗人之诗”为切入点，将其诗歌分别与袁枚、洪亮吉、黎简的诗歌作具有针对性的比较，以阐发其诗歌感情真

洪亮吉像

挚、才情焕发的特质。第五章论述黄仲则诗歌的认识意义。附录《黄仲则北上京师缘由考略》和《黄仲则佣书四库身份考略》，前者考察了黄仲则北上京师的相关背景，揭出其北上的深层动因是欲占籍顺天以应举；后者揭示了他佣书四库的确切身份是“自备资斧效力”的誊录生，厘清纠正了前人和时贤某些似是而非的提法①。

硕士论文较多，截至本著完稿，共查到18篇，兹以完成时间为序，开列如下：

1.《黄仲则诗歌研究》，方建中，北京大学，导师夏晓虹，1995年1月完成。

2.《千秋多逸气，一往有深情——黄仲则〈两当轩诗〉研究》，郦波，南京师范大学，导师陈美林、陈少松，1997年3月完成。

3.《抑情无计总飞扬——黄仲则诗歌研究》，蒋郁葱，湖南师范大学，导师刘上生，2004年8月完成。

4.《论黄仲则“好作幽苦语”及其成因》，范瑞雪，山东师范大学，2004年完成。

5.《春鸟秋虫自作声——黄仲则诗歌研究》，魏传强，山东师范大学，导师石玲，2005年4月完成。

6.《黄景仁诗歌研究》，石雪珺，华东师范大学，导师刘永翔，2005年4月完成。

7.《黄仲则诗歌研究》，甘宏伟，郑州大学，导师李圣华，2005年5月完成。

8.《黄仲则诗歌意境研究》，邢侠，辽宁师范大学，导师梁归智，2005年5月完成。

9.《黄仲则研究》，胡雅莉，复旦大学，导师马美信，2006年完成。

10.《黄仲则〈竹眠词〉研究》，仲爽，上海交通大学，导师沙先一，2007年1月完成。

11.《晓天星影暮天鸿——清代诗人黄仲则研究》，蓝士英，苏州大学，导师张修龄，2007年完成。

12.《试析黄仲则人格的诗性魅力》，杨巧云，山东师范大学，导师裴世俊，2008年完成。

---

① 参阅南京师范大学许隽超博士论文《黄仲则研究》，指导教师为钟振振教授，完成于2004年5月。

13.《黄仲则诗歌研究》,陈涛,山东大学,导师孙枝梅,2008 年完成。

14.《黄景仁词研究》,张立彦,西南大学,导师胥洪泉,2009 年完成。

15.《黄仲则恋情诗词研究》,王红利,河北大学,导师王素美,2009 年完成。

16.《黄仲则纪游诗研究》,王茹辉,长沙理工大学,导师颜建华,2010 年完成。

17.《黄景仁诗歌意象研究》,姚春玉,广西师范大学,导师阙真,2010 年完成。

18.《黄景仁及其诗歌研究》,李俊丽,陕西师范大学,导师霍有明,2011 年 5 月完成。①

除了单篇论文、硕博士论文之外,这一时期还出现了若干清诗选本,如福建师范大学中文系古典文学教研室选注的《清诗选》,1984 年由人民文学出版社出版;丁力选注、乔斯补注的《清诗选》,1985 年由湖南人民出版社出版;刘逸生主编、止水选注《黄仲则诗选》,1985 年由广东人民出版社出版;钱仲联、钱学增选注的《清诗精华录》,1987 年由齐鲁书社出版;胡忆肖选注的《黄景仁诗词选》,1988 年由华中工学院出版社出版等,都或多或少地选录了若干首黄景仁的诗作。2009 年 1 月,人民文学出版社出版了李圣华选注的《黄景仁诗选》;2011 年 3 月,中华书局出版了蔡义江、沈开生、李梦生选注的《黄仲则诗选》,成为为数不多的专门选黄诗的选本。

此外,还有年谱及其他研究资料的汇编等成果,如北京图书馆出版社 1999 年整理出版了毛庆善、季锡畴编纂的《黄仲则先生年谱》;上海古籍出版社 2008 年出版了许隽超的《黄仲则年谱考略》;上海书画出版社 1983 年出版了黄葆树编的《黄仲则书法篆刻》;学林出版社 1983 年出版了黄葆树编的《纪念诗人黄仲则》。

这一时期最值得提及的、也是最有价值的成果,当属下列两项:一是李国章校点的《两当轩集》,1983 年由上海古籍出版社出版;一是由黄葆树、陈弼、章谷编纂的《黄仲则研究资料》,1986 年由上海古籍出版社出版。这两部重要著作,成为这一时期黄仲则研究的奠基之作,与黄仲则有关的所有研究,几乎毫无例外地以此为重要参考资料。

这一时期,研究的从业人员,呈多元分布,既有学养深厚的资深学者,也

① 参阅刘红利《二十世纪以来黄仲则研究综述》,国学网,http://www.guoxue.com/? p=4505.

有术业专攻、初出茅庐的青年学子。

这一时期的研究在广度上也有明显的深化，研究者一般多将关注的重点放在其诗上，而且分类也渐趋精细化，爱情诗、山水诗、感遇诗等均有专文论及，对其诗歌意象、风格等亦有专文探讨。这一时期也有人开始对其词作进行研究，钱璱之的《盛世哀音，词林劲羽——读黄仲则诗词》[①]，以大量篇幅分析《两当轩集》诗词的创作特色以及艺术风格，将对黄仲则词的研究提升到一个新的高度。之后对于黄仲则词的专门研究陆续出现，龙沐勋在《中国韵文史》中曾将其划入常州词派，刘扬忠在其《新妆不为投时艳——黄景仁〈竹眠词〉平议》[②]中反驳这种观点，更为细致地分析了仲则词的艺术特征。上海交通大学仲爽的硕士论文《黄仲则〈竹眠词〉研究》、西南大学张立彦的硕士论文《黄仲则词研究》都是关于黄词研究的论文。也有若干关于黄仲则书法、篆刻、绘画艺术的研究文章出现，体现了对黄仲则研究的全面性。

就研究的深度而言，许多文章都涉及关于黄景仁幽苦诗风的表现，不仅仅从内容上分析，还涉及意象和意境。对其幽苦诗风形成的原因的研究，从个人经历、社会环境，开始深入到其人格方面，并把其人格的形成和社会环境结合起来，达到了一定的深度。

就研究的视角而言，从意象角度研究黄仲则的诗是这一时期出现的研究新现象。其中李明军的《长留天地作秋声》[③]结合当时社会状况剖析了黄仲则诗歌中月、剑、秋三个意象深蕴的精神内蕴和文化内涵，见解独到深刻。其余几篇论文，如许隽超《略论黄仲则诗歌的艺术风格和意象》[④]、蒋郁葱《抑情无计总飞扬——黄仲则诗歌研究》、魏传强《春鸟秋虫自作声——黄仲则诗歌研究》、石雪珺《黄景仁诗歌研究》都是从艺术风格角度谈黄仲则诗歌的意象，多谈其诗歌意象与其幽苦诗风的关系。选取的意象都是黄仲则诗中公认的典型意象：秋虫、鹤、月、酒、病马等，尚有待于作进一步的突破。

2008 年 1 月，上海古籍出版社出版了许隽超撰写的《黄仲则年谱考略》，成为此一时期唯一的一部研究黄仲则的专著。根据书末的《跋》，我们知道，该书是著者在复旦大学的博士后出站报告，经多方增益后付梓。本谱在清人毛庆善、季锡畴《黄仲则先生年谱》和民国黄逸之《黄仲则年谱》之基

① 镇江师专《教学与进修》，1983 年第 3 期。
② 《天府新论》，1999 年第 2 期。
③ 《信阳师范学院学报》，2007 年第 2 期。
④ 《中国韵文学刊》，2002 年第 1 期。

础上增修而成，并沿用其纲目体例。黄仲则《两当轩集》及现存零星手稿是本谱的重要基础材料，同时还证以其时往来师友之诗文集，与谱主有关的社会背景亦略作描述，亦有适当考辨。此谱还对谱主的存世诗词、手迹、篆刻等作品，加以系年。此谱于征引原文多所过录，从文后的参考书目录中我们看出，著者征引的各类文献近400种之多，足见其用力之勤。该谱厘清了黄仲则的世系，对其传世作品作了较准确的系年，对其生平事迹亦有多处订正和发展。作为迄今为止关于黄仲则研究的唯一一部专著，其意义是不言自明的。但坦率而言，其中的某些地方略显不足，譬如，对于黄仲则情事的考略语焉不详，其青年时代曾有过两次不成功的恋爱，但诗人所追慕的对象的具体身份并不清楚。与此相关，他的许多与风月有关的诗作也未见在考略中有所反映，特别是他客寓京华时期的许多诗作也未能闻其所详。另外，造成他出走京师、最终客死解州的讨债风波，其本事到底如何？诸如此类的问题，仍有待进一步加以探讨。

此外，许隽超先生还与他人合作，于2012年9月出版了《黄仲则资料汇编》（黑龙江大学出版社），补充了一些关于黄仲则生平、创作、交游等方面的新材料。所收文献多采于善本古籍，丰富翔实，考订精良，成为研究黄仲则的重要文献工具书。本著对时贤群彦，尤其是许隽超先生的研究成果多所借重，在此深表谢忱。

近年来，随着IT业的迅猛发展，网络虚拟世界不仅提高了信息传播的速度，也扩大和延伸了信息存储的空间，海量信息呈铺天盖地之势，让我们实实在在感受到了信息爆炸带来的丰富、快捷和烦恼。一些喜爱黄仲则诗歌的网络人士，纷纷利用这一先进技术，开办个人博客或微博，或者建立网上贴吧、话吧、论坛，交流学习黄仲则诗歌的感悟和体会。只要打开Baidu、Google等搜索引擎，输入“黄仲则”“黄景仁”或“两当轩”等关键词，稍一点击，就会出现数十万条相关信息，黄仲则诗歌电子版随处可见，介绍、鉴赏文章层出不穷，研究分析论文也所在多有，看来黄仲则在信息时代也并不乏知音。

2. 海外的影响

对于黄仲则这样一个著名诗人，引起学界的关注与接受，并不鲜见。而且，对于视界宏阔、喜欢剑走偏锋的海外学界来说，黄仲则自然也是一个不可忽视的学术热点，对其的研究也不会很寂寞，只不过论者本人孤陋寡闻，闻见狭窄，未及一一检视，仅将视野所及境外（主要涉及中国港台地区，日、美、韩等地详尽的研究情况，因手头资料欠缺，故暂付阙如，以俟来日）有关研究略作管窥。

硕士论文：

1.《黄景仁研究》，魏仲佑，台北：文津出版社，1977 年版。

2.《黄景仁竹眠词研究》，曾惟文，台湾中兴大学中国文学系硕士在职专班九二级硕士研究生，导师为徐照华。

3.《黄景仁诗研究》，姜淑敏，台湾师范大学硕士论文，1993 年 6 月，导师为汪中。

4.《黄景仁及其词研究》，薛乐蓉，台湾东吴大学九三级，导师为苏淑芬。

5.《黄仲则讽谕诗研究》，庄淑慧，台湾高雄师范大学回流中文硕士班九四级硕士研究生，导师为林晋士。

6.《黄仲则山水纪游诗研究》，黄琬真，台湾中山大学中国文学系研究所九四级研究生，导师为廖宏昌。

7.《黄仲则感遇诗初探》，林瑞明，香港新亚中文研究所硕士论文，1996 年 6 月。

8.《黄仲则（1749—1783）咏史怀古诗研究》，林瑞明，香港大学，2009 年 6 月。

选本及年谱：

1. 华超编注《详注黄仲则诗选》，香港：上海印书馆，1958 年版。

2. 方颖民编校标点《两当轩诗词全集》，诗词二十一卷、附录二卷，收录了黄仲则 1 152 首诗与 216 首词。台北文粹书局，1959 年版；台北文景出版社，1970 年版。

3. ［清］毛庆善、季锡畴《黄仲则先生年谱》，台北：文海出版社（影印清光绪版），1959 年版。

4. 黄逸之《清黄仲则先生景仁年谱》，台北：台湾商务印书馆，1980 年版。

5.《黄仲则诗选》，仁爱书局编辑部编，台北：仁爱书局，1984 年版。

单篇论文：

1. 盘若《杂谈黄景仁》，台北《中央日报》第七版，1950 年 6 月 29 日。

2. 郑经生《黄景仁两当轩》，台北《中央日报》第六版，1961 年 4 月 21 日。

3. 南湖《黄景仁清才斩寿》，台北《中央日报》第七版，1962 年 2 月 18 日。

4. 伍稼青《黄仲则评传》，《畅流》杂志，1966 年 8 月。

5. 蓝星《薄命诗人黄仲则》,《中国文选》(4),1967 年 8 月。

6. 陈作云《郁达夫与黄仲则两人诗的欣赏》,《建设》(19：1),1960 年 6 月。

7. 潘礼诒《黄仲则诗之研究》,珠海书院中文研究所,1976 年。

8. 杜若《清代诗人黄仲则》,《合肥月刊》(21：8),1980 年 8 月。

9. 杜若《太白楼上才子笔——清代诗人黄仲则》,《自由谈》(31：8),1980 年 8 月。

10. 藤村浩一《黄景仁之"狂"》,《立命馆文学·白川静博士古稀纪念》,1981 年 6 月。

11. 孙朝华《黄仲则及其诗词》,《合肥月刊》(24：8),1983 年 8 月。

12. 鹫野正明《黄景仁的诗——以月之诗为中心》,《国士馆大学文学部人文学会纪要》(18),1986 年 1 月。

13. 叶倬玮《抒情传统与现代——黄仲则诗在民国》,《淡江中文学报》第二十九期,2013 年 12 月。

总体上看,这一时期对黄仲则的研究呈现出一种繁荣之势,研究成果的数量是空前的,质量上也有某些进步。但客观地讲,扛鼎之作还不是很多,许多问题仍然有待更为深入的挖掘和开拓,我们仍然任重而道远。

三、本选题的意义

传统的、标志性体裁的诗歌,到了清代,也呈现着不同于以往的特质与风貌。

第一是作家作品浩如烟海。沈德潜的《清诗别裁集》,选录清初至乾隆间二百七十五家诗;王昶的《湖海诗传》,所录起自康熙五十一年,下迄嘉庆初,凡六百余家;张应昌的《清诗铎》,上起清初,包括明末遗民,下迄同治年间,共九百十一家,诗五千余首;陈衍的《近代诗钞》,收咸丰至辛亥革命后诗作凡三百七十家。仅徐世昌辑录的《晚晴簃诗汇》所收诗人就多达六千一百余家,诗作两万七千余首。较之《全唐诗》的两千家多出近三倍。

第二是流派纷呈,各具面目。前中期有遗民诗人、贰臣诗人,神韵说、格调说、肌理说、性灵说等;中晚期有提倡汉魏六朝和盛唐的湖湘派,有提倡两宋的宋诗派,此外还有同光体、江西派、南社、革命派等。可谓异彩纷呈,各擅胜场。

第三是内容丰富,呈现近世文学的若干特质。清代诗歌的内容有三,一是清初的故国之思，一是中叶的人性光辉，一是末期的反抗外来侵略，鼓吹民族、民主革命的情怀。尤为值得珍视的是，至清中叶，诗歌中有大量体现反封建、提倡个性解放、呼唤人性觉醒之作。朱彝尊的长篇五言排律《风怀二百韵》，就原原本本地描写了他个人的一场婚外恋；袁枚坚持不删集内大量“缘情”之作，力主“情所最先，莫如男女”①。其后，黄仲则、王昙、舒位，从个人“九上春宫，卒不得遇”的切身感受出发，强烈表达“如我文章遭鬼击”的不满和愤懑。黄仲则的《绮怀》十六首、《感旧》四首和《感旧杂诗》四首等，尤为脍炙人口。

第四是艺术上多元共生。清代诗坛上，广师前贤与力去依傍并存，热心复古与自出机杼同在，但其借鉴和依据的标准仍不出唐宋之樊笼。

沈德潜像

但是，我们也不得不面对现实，清代文学是整个古代文学的黄昏，它意味着古代文学的终结，也意味着我国近世文学的嬗变期——向现代文学的嬗变②。如何对这一时期的诗歌的成就与特色给予更准确、更全面、更深刻、更普遍的认识，正确把握在这一嬗变期内诗歌自身的发展脉络与走向，厘清古代诗歌终结期的各方因素，都将有助于我们客观评价这一时期的诗歌，乃至整个近世文学，在向现代文学转变过程中，以及这种转变对现代文学本身的影响与作用。清代诗歌这份宝贵的历史遗产，也才能真正发挥其应有的作用。

作为清诗研究的个案，黄仲则诗歌的研究自有其不可替代的价值和意义。他生于乾隆盛世，但身世孤寒，终生不得志。他的诗从汉魏、唐宋中广泛汲取营养，为我所用，形成独特的风格。而且他的诗长于抒情，皆为用情极深之作，语言清切，音调铿锵，悠扬激楚，婉丽动人。他的诗以写个人的凄

① ［清］袁枚《答蕺园论诗书》，《小仓山房文集》卷三十，清乾隆刻增修本。

② 参见章培恒、骆玉明《中国文学史新著》，上海：复旦大学出版社/上海文艺出版总社，2007 年版，第 209 页、第 389 页。

凉的身世之感为主，给读者的影响也可能是感伤情绪为多。可以说，黄仲则将爱情、亲情、友情、乡情，乃至个体身心与灵魂所受到的压抑、滞塞，以至于与周遭环境的种种矛盾与冲突，这些人性当中深刻而隐秘、卑微而崇高、苦痛与苍凉，一并化入他的诗肠，通过他呕心沥血的调制，由他的诗笔，成就了一篇篇哀感顽艳、脍炙人口的佳构杰作。

所以，黄仲则其人其诗研究的意义至少有以下数端：

第一，文化价值。如前所述，清代是离我们最近的古代，清人是离我们最近的古人。所以，对清代文学的研究是在进行一种近距离的文学研究，是一种近距离的文化观照所总结出来的文化价值，它所面临的文化环境，诸如商品经济的繁荣、社会道德状况，文化状况、文学创作的状况，包括人、人性的表述，与我们当下有许多相似之处。通过这种比较，我们或许可以获得某些有益的启迪。

第二，历史启示。黄仲则生活的时期，是后世所津津乐道的所谓“康乾盛世”，而事实上这是封建社会的回光返照期，表面的繁盛掩饰不住内里的空疏与腐朽。因为极度的专制统治，不仅大大制约了整个社会的创新机制，压抑了生机盎然的生命个体独放异彩的空间和时间，而且唯我独尊的皇权思维代替了全体臣民的独立思考，“人”已经彻底堕落成了三拜九叩、打躬作揖的奴才。而此时的欧洲，已经彻底摆脱了中世纪的梦魇，经历了文艺复兴、启蒙运动的洗礼，重新发现了“人”的尊严和价值，个体的创造力得到了空前的发挥，工业革命的强大动力迅速把欧洲推向了近代化和现代化的进程。世界潮流，浩浩汤汤，顺之则昌，逆之则亡。在这样空前未有之大变局下，抱残守缺、固步自封，其结果不言自明。传统文化在显示其巨大生命力的同时，也凸显了其同样巨大的拒斥力和顽固性，换言之，就是其难以融入现代化的强烈抗异性和排他性。黄仲则作为这一时期最有才华的诗人之一，连基本的生存都成了问题。这样的历史情境，对今天又有何样的隐喻和启示，正是选择这一课题的意义之一。

第三，人生定位。我国知识精英阶层的形成，大致可以追溯到春秋战国时期。从战国四君子门下所养的诸多食客，再到当时风行的合纵连横策略，再到苏秦、张仪的快意人生，无不昭示着知识精英阶层的存在与能量。经过数千年的发展，到明清之际，知识分子阶层已经成长到了烂熟的阶段，而且与政治、学术、文学等各个上层建筑部门相融合。就文学角度而言，某种意义上，一部文学史，其实就是一部文人抑或知识分子的失意史和牢骚史，他们在仕途上、爱情上以及其他人生领域内的种种不如意，他们对人生的种种追求、探索和失败，构成了一部文学史的大端。黄仲则的一生，就是一方面在内心情感的感召下努力生活的豁达潇洒，另一方面又不得不在功名利禄驱策下疲于奔命。终其一生，他始终在两线作战，始终在旅途中苦苦跋涉，最终倒在了尘土飞扬、前路茫茫的旅途上。这种模糊不定的人生定位，其实是造成黄仲则人生悲剧的十分重要的原因，探索这种原因背后的社会机制，及诗人自身的性格缺陷，就成为本课题的另一重要意义。

第四，学术操作。清代文学的状况，较之前代要复杂许多。除了作家、作品车载斗量、浩如烟海外，文体上也诸体兼备，且都到了烂熟的地步，同时也与其他领域盘根错节，相当复杂，也相当庞杂。因此，需要有较为完备的知识结构，和较为深厚的知识储备，方可对黄仲则诗歌进行全方位的解读和研究。黄仲则的诗歌创作转益多师，从先秦汉魏，到唐宋元明，可以说都曾有所借鉴，但具体情况究竟如何，就需要对前代各时期诗歌的创作与诗学发展了如指掌；黄仲则生活在乾隆时期，他的师友中有许多都是经学家兼文学家，如洪亮吉、汪中、毕沅、王昶、朱筠等，这批人的经学思想、文学思想以及与文学创作本身关系如何，他们对黄仲则有何影响，也都是需要深入考察的问题；清代刻书业相当发达，随之而来的版本学也就更具特色。面对诸多文献典籍，没有版本、目录、训诂、校勘等文献学方面的修养，恐怕难收事半功倍之效；从更宏观的视野来看，黄仲则实际上处于世界文化和世界文学的大坐标系中，在这样的一种浩大的时空中，黄仲则处在一个什么样的位置，也需要具备某些西学的知识背景。因此，就学术操作层面来看，这样的选题是颇具挑战意味的，而这样的挑战同样是有意义的①。

四、指导思想、应用的方法及基本的路径与框架

1996年，复旦大学出版社正式出版了由章培恒、骆玉明两位教授领衔主编的《中国文学史》，该书突破了以往文学史撰著中对意识形态、社会政治和阶级斗争的过分强调，而将文学中人性的发展作为贯穿中国文学演进过程的基本线索，“对人性的强调与张扬是章编文学史区别于以往文学史著作的最大特征”，“开创了文学史研究的新境界”②。钱伯城先生誉为“石破天

---

① 参阅郭英德《明清文学史讲演录》，桂林：广西师范大学出版社，2005年版，第53—60页。
② 孙明君《追寻遥远的理想——关于20世纪〈中国文学史〉的回顾与瞻望》，《北京大学学报》，1997年第1期。

惊”之作，此说并得到了钱谷融先生的赞同。章培恒先生在《中国文学史导论》中曾经指出，文学的发展与人性的发展同步，文学的价值与意义不在于它是否反映了社会生活，以及反映得是否深刻，而在于它对人类共同情感表现的宽度、深度和力度，“作品越是能体现出人类本性，也就越能与读者的感情相通”，越能引起读者的共鸣，文学作品越能成为传世佳作。中国古代文学的发展进入近世以来，更加注重和强调个人的情感、欲望、自由和尊严，这种倾向日益扩大和深化，对个人与环境的矛盾和对立的表现日益丰富、深入、细腻和强烈。清中叶乾嘉时期是近世文学的嬗变期，黄仲则作为乾隆诗坛上的一位重要的诗人，其诗歌绝大部分是其自身遭际和情感的深刻展示与自然抒发，充满了世路艰难的感喟与人生苦短的咏叹，至情至性，发自肺腑，可谓“语语沉痛，字字心酸”，正是其人性的全面流露与表现。因此，从人性的视角对其诗歌所蕴含的情感向度进行开掘和分析，应当是一个较为恰切的突破口。

如前所述，清代是离我们最近的古代，清人则是离我们最近的古人。因此，有关清代文学的研究资料非常之多。而任何事物都是特定时空下的产物，离不开当时的历史背景，要想对过往的事件进行研究论列，就必须最大限度地将相关的事物还原到当时具体的历史语境当中去。唯其如此，我们的研究庶几可以接近历史的真相，黄仲则研究自然也不能例外。黄仲则本身是一个才华绝代、文采风流的才子型诗人，与其交往的几乎没有等闲之辈，这些人对他的人生轨迹、诗歌创作都有许多重要的影响。那么这些与他来往的师友故交、酒朋诗侣的文集也就必须纳入考察的范围。同时，他所处的乾隆时期，社会各个领域都发生着极大的变化，尤其是文化学术上的变化也不能不加以梳理和考察，更何况尚有许多前人的成见亦当有所了解。这样说来，需要阅读的材料实在是浩如烟海，汗牛充栋。所以，研究者就必须在上述思想的指导下，按照文献学的规律，寻找切实可靠、翔实丰富的第一手原始材料，“采铜于山”，从文本出发，采取文本细读的原始办法，真正把第一手材料读透吃透，把实证研究和宏观研究结合起来，这样才不至于构建子虚乌有的空中楼阁。

通常的文学活动理论认为，文学活动由世界、作家、作品、读者四要素以及文学创作、文学传播和文学接受等几个具体活动过程组成①。在这种文学

① [美] M.H.艾布拉姆斯《镜与灯——浪漫主义文论及批评传统》，北京大学出版社，1989年版，第5页。

活动框架内，文学价值的生产被描绘为如下基本过程：作家生产创造文学价值，即作为文学创作主体的作家，从世界中获取创作素材，进行审美加工，形成蕴含审美价值的文学作品；读者接受文学价值，即作为文学阅读活动主体的读者，在阅读欣赏文学作品时，感受、体验作品审美意蕴，使作家创造的文学价值最终得以实现①。在生产和接受的过程中，还有一个重要的中间环节不可忽视，那就是文学作品的传播。缺少了这一环节，作者和读者之间无法建立起顺畅的沟通和交流渠道，则文学生产所创造的潜在价值就无从谈起。如果我们要研究一个作家及其作品，就必须同时考虑到这几个方面，不可挂一漏万，不可顾此失彼。因此，我们考察和研究黄仲则的诗歌创作，就必须将其还原到当时特定的历史时空中去，将其置于乾隆时期具体的社会文化生态环境中，联系当时的诗风和士风，并结合其生活境遇和秉性气质，以及其在诗歌方面的师承、学养和修为，全面考察其诗歌的生产、传播和接受的全过程，这样我们或许才能对其有一个相对来说比较全面的关照和把握。

所以，本著的基本架构，隐性体现为三个组成部分，即创作过程、传播过程和接受过程。创作过程是本著的主体，构成其中大部分篇章，分别从黄仲则的家世生平、黄仲则的自然生存空间和社会生存空间、黄仲则诗歌的主题选择与审美维度、黄仲则诗歌的诗学渊源、乾隆时期社会文化生态、黄仲则与乾隆诗坛的互动等方面，全面考察其诗歌的生产创作过程。传播与接受过程主要考察黄仲则诗歌的刊刻及版本的流布，以及其诗作的精神内涵对当世与后代士人的影响，也兼及学术视野中对黄仲则的接受与评价。

---

① 单小曦、邢红梅《从再度创造到审美实现——谈文学传播与接受环节中的文学价值生成》，《鲁东大学学报》(哲社版)，2007 年 11 月。

第一章

黄仲则的家世及生平

西方有学者认为,地理位置、气候、土壤等自然环境因素,会影响个别民族的特性,甚至社会性质。譬如希腊半岛处于炎热与寒冷气候之间,希腊人被赋予优良品性,故天生能统治其他民族。这些论点虽未必完全允当,无法解释当时希腊半岛各民族的历史进程,但却影响深远。我国地域辽阔,各地自然生存环境各异,既有高山峻岭,也有平原滩涂,既有严寒酷暑,也有四季如春,一方水土养一方人,各种自然环境哺育了性情迥异的不同族群和千差万别的独特个体。爱山者仁,爱水者智。因此,一个人所处的自然生存环境,对其性格、气质、学识等诸方面的形成,其影响都意味深长。黄仲则作为乾隆诗坛上声名卓著的杰出诗人,其生存的自然环境理所当然应当纳入我们的考查范围。

第一节　黄仲则家世述略

一、常州地理历史及其文化意义

黄仲则的故乡武进系清代常州府唯一的附郭县,位于丰饶富庶的江南地区,所辖范围相当于今天行政概念上的常州市区。其地理位置相当优越,北枕长江,南接安徽,东濒太湖,西邻南京、镇江,与上海、苏州、无锡阡陌相通。这种独特的地理位置和区位优势,使得常州在历史上就成为"江南"的核心区域,靳辅曾称:"其江南之苏、松、常、镇,浙江之杭、嘉、湖等府,在汉唐以前,不过一泽国耳!自钱镠窃据,南宋偏安,民聚而地辟,遂为财赋之薮。"①即

① [清] 靳辅《生财裕饷第一疏》,[清] 贺长龄等编《皇朝经世文编》卷二六《户政・理财》上,清光绪十二年思补楼重校本。

使在今天，仍为中国经济最具活力、最具潜力的长江三角洲经济带的重要组成部分。

地理位置和地理环境对一个部落或者一个地域，乃至一个国家和民族的社会经济文化发展，十分重要。尤其是靠海的远近，对于这个国家和民族的文化和历史的发展，具有十分重要的意义。不仅如此，不同的地理环境和地理位置，对于人们性情、气质、性格，以及该区域文化传统的形成与建构，也都会有直接的影响。其实，这种由于地理环境所造成的文化差异，由来已久，前人也早就论及，《礼记·王制》所谓"广谷大川异制，民生其间者异俗"；《史记·货殖列传》"夫自淮北沛、陈、汝南、南郡，此西楚也。其俗剽轻，易发怒，地薄，寡于积聚。江陵故郢都，西通巫、巴，东有云梦之饶。陈在楚夏之交，通鱼盐之货，其民多贾。徐、僮、取虑，则清刻，矜已诺"；《世说新语·文学第四》"北人学问，渊综广博""南人学问，清通简要"；魏徵《隋书儒林传论》"南人简约，得其英华，北人深芜，穷其枝叶"①。这些都说明了古人很早就意识到，一个民族外在生存环境对其文化生成的独特性具有重要的影响。

这个由特殊的地理环境孕育而出的江南地域色彩十分明显的城市——常州，迥异于北方或者其他地域的文化，而有自己独出的江南文化的光彩和魅力，同样也就成就了其自身独特的文化传统和丰厚的文化遗产。

常州的历史，可以追溯至春秋，时吴王寿梦之子季札为避让王位躬耕于舜过山（今武进郑陆东）。周灵王二十五年（公元前547），吴公子季札被封于延陵，从季札在此建立城池，得名延陵，约位于今常州、武进、江阴、丹阳一带，是为常州历史上见诸文字最早的名称，至今已有2 500多年。

季札是周朝吴国人，是吴王寿梦的四子，因受封于延陵一带，又称"延陵季子"，季札"让国""观乐""挂剑"等故事，《左传》《战国策》《史记》中均有记载，古今传诵。季札也是孔子的老师，是与孔子齐名的圣人，被称为"南季北孔"，同时也是孔子最仰慕的圣人之一。季札不仅是先秦时代伟大的外交家、美学家、艺术评论家，也是中华文明史上礼仪与诚信的代表人物。这种"延陵世泽，让国家风"，克逊、谦让、诚信，以德为本，崇尚仁义，和谐相处的美好品格，绵远流长，代代相传，融入了常州人的血脉之中，成为常州的人文精神，深深地影响着常州的后人们。

---

① 引自[宋] 李昉等《文苑英华》卷七百五十五《编史论》二，明刻本。

常州在历史上的开发及其繁荣富庶，是与整个江南的开发与富庶同步的。魏晋时期，由于战乱频仍，大批北人流亡南迁，北方移民不仅带来了大量财富，也带来了先进的生产技术和文化。晋太康二年(281)设毗陵郡，立郡建城标志着常州作为一个独立的行政建制和区位体系的确立。杜佑《通典》云："永嘉之后，帝室东迁，衣冠避难，多所萃止，艺文儒术，斯之为盛。"① 隋唐时期，大运河的开通，使得常州的经济发展步入了快车道，《元和郡县志》云："隋开皇九年，平陈，废郡，于常熟县置常州，因县为名。后割常熟县入苏州，移常州理于晋陵县。"②安史之乱和唐末战乱所导致的人口南迁和经济重心的南移，也进一步推动了常州的繁荣。时人曾称："常州为江左大郡，兵食之所资，财赋之所出，公家之所给，岁以万计。"③常州逐渐成为当时的商业贸易中心之一。南宋定都临安，两浙西路(辖今杭嘉湖与苏锡常地区)成为当时垦田最盛的地区，"膏腴沃衍，无不耕之土"④，成为宋代最大的粮食产地，所谓"苏、常、湖、秀，膏腴千里，国之仓庾也"⑤。常州已成为重要的粮食产地和集散地之一，时有"苏常熟，天下足"⑥之说。

此外，常州的"漕运"在历史上也占重要地位，上通京口，下行姑苏，北环长江，南抱滆湖，东南占太湖一角，襟江带湖，形胜甲于东南，故常州成为"三湖襟带之邦，百越舟东之会"的重要经济和交通枢纽。明代开始，常州便成为承担赋税的重地之一。丘濬言："韩愈谓赋出天下，而江南居十九。以今观之，浙东、西居江南十九，而苏、松、常、嘉、湖五府又居两浙十九也。"⑦清康熙十九年，江南巡抚慕天颜也奏称："江南财赋甲天下，苏、松、常、镇课额尤冠于江南。"⑧

常州美丽的自然风光和丰腴的山水形胜，不仅是常州殷实富足的物质基础，也成为文人墨客笔下歌吟不绝的诗材诗料。清代毗陵的著名诗人洪亮吉赞美家乡的诗句曰："出郭闲行阅岁华，风光偏足野人家。凉生碧玉参天树，秋到黄金布地花。小阁四围巢燕栋，夕阳三面响鱼叉。林园不

---

① [唐] 杜佑《通典》卷一百八十二《风俗》，清文渊阁四库全书本。
② [唐] 李吉甫《元和郡县志》卷二十五，清武英殿聚珍版丛书本。
③ [唐] 梁肃《独孤公行状》，载清董诰《全唐文》卷五百二十二，清嘉庆内府刻本。
④ [元] 马端临《文献通考》卷五《田赋考》五，清浙江书局本。
⑤ [宋] 范仲淹《上吕相公并呈中丞咨目》，《范文正集》卷九，清文渊阁四库全书本。
⑥ [宋] 陆游《常州犇牛闸记》，《渭南文集》卷二十，清文渊阁四库全书本。
⑦ [明] 丘濬《大学衍义补》卷二四，清文渊阁四库全书本。
⑧ [清] 高士鸃《(康熙)常熟县志》卷之六，清康熙二十六年刻本。

欲穷幽处，留与闲时共斗茶。”[①]赵翼在《阳湖晚归》一诗中，也饱含深情地描绘了家乡美景：“布帆轻漾晚风微，回首阳山正落晖。鹭点碧天飞白字，树披红叶赐绯衣。诗情澄水空无滓，心事闲云淡不飞。最喜渔歌声欸乃，扣舷一路送人归。”[②]

明媚的秀山丽水之助，繁荣富庶的经济基础，深厚悠久的历史文化积淀，诸种因缘际会，共同促成了常州文化的繁盛。

常州物华天宝，地灵人杰，独特的地理环境和区位优势，美丽富饶的自然风光，及由此而形成的殷实富足的经济基础，共同构成了常州绵延数千年人文阜盛局面的物质基础，而崇文重教、“士尚儒术”的人文环境，则为其提供了有力的智力支持和精神动力。

应当说，南朝齐梁时期是常州文化发展的第一个高峰。萧氏家族作为帝室之胄，拥有尊贵的文化血统，其家族中有著作留存传世的多达四十多人，如萧子显、萧纲、萧统、萧子良、萧绎、萧子云等，产生了一大批成就卓著的学者、诗人、文学家、书画家、音乐家。梁元帝萧绎的《金楼子·立言》《金楼子·志怪》等，是我国古代重要的散文理论著作和笔记体小说。梁简文帝萧纲以宫廷贵族生活为描写对象，创“宫体诗”，对后世影响较大。萧子显撰的《南齐书》为二十四史之一。其他如经、文、书、画、医，乃至佛学均出现了初步繁荣的局面，昭明太子萧统组织编纂的《昭明文选》三十卷，在中国文学史上占有极其重要的地位。唐代，齐梁后裔萧氏一门出了八位宰相，至于公卿大臣更是不绝于朝。在他们的推动和影响下，常州尚文之风日趋明显。

被奉为儒家经典“四书”之一的《礼记·大学》曾以“三纲八目”作为知识分子的修身立德之道，从此，格物、致知、正心、诚意、修身、齐家、治国、平天下，就成了中国传统知识分子一直坚守并终生秉持的情怀和理念，“格物、致知、正心、诚意、修身”是手段，是前提；“齐家、治国、平天下”，是目的，是终极价值取向。隋唐以来科举制度的盛行，为实现这种价值取向提供了制度保证，也为读书人提供了一个依靠自身能力平等竞争的机遇和平台，成为白屋贫寒阶层改变命运、跻身上层精英集团并接近权力核心的最佳途径。经过历朝历代的实行、补充、修正，到明清时，科举取士的用人机制更趋完善和成熟。因而，“学而优则仕”，学成文武艺，货与帝王家，成了古代读书人恒久不

① ［清］洪亮吉《东郊憩刘氏花圃》，《洪亮吉集》卷第八《灵岩天竺集》，北京：中华书局，2001年版，第620页。

② ［清］赵翼《阳湖晚归》，《赵翼诗编年全集》卷一，天津古籍出版社，1996年版，第24页。

变的理想。

因此，文化繁盛之地的重要标志之一，即是科第隆盛，人才辈出，金榜题名之士联翩而至，衣青腰紫之辈层出不穷。反过来，科考之盛又推动促进了地方教育事业和地方文化的发展，两者是互为表里、相辅相成的。根据有关材料，自隋朝科举取士以来，常州的科第之盛亦为其他地方难以匹敌。据清初庄柱[①]所著《毗陵科第考》记载，截至彼时，常州一共出了 9 位状元，1 546 名进士。而据《常州科举三鼎甲》[②]统计，常州历史上一共出了 16 位状元，还出了 11 位榜眼，16 位探花。获第四名传胪的有 7 名，而进士则多达 1 947 人。

唐开元二十二年(734)，常州人萧颖士(南朝梁鄱阳王萧恢七世孙)中了状元，这也是常州第一位状元。科考之盛在两宋时尤为明显，常州城内目前保存完好的宋代科第牌坊有四处，即双桂坊、椿桂坊、早科坊、世科坊。清康熙二十七年(1688)建世科坊，盖其名出于“世科第”牌坊，乃世世代代有人登科及第之意。有意思的是，常州人杨延鉴在崇祯十六年(1643)高中状元，明朝最后一位状元出自常州。清朝定鼎后，于顺治四年(1647)举行首次科举考试，常州人吕宫高中状元。巧合的是明朝最后一位状元和清朝第一位状元都是常州人。

一旦中式，不仅本人、本族踌躇满志，春风得意，即使地方官员、乡里百姓也都感到与有荣焉。地方官甚至皇帝的嘉许褒奖，以及科举及第后，在个人仕途上、家族声望，及其他许多方面带来的实际的政治经济利益，又为古代读书人寒窗苦读提供了一种巨大的驱动力，使“士尚儒术”之风尚经久不衰。“万般皆下品，惟有读书高”，洵非虚誉。科第之盛为地方文化的发展提供源源不断的人才，进一步推动了常州文化的繁荣。

金榜题名，光宗耀祖，不仅成为读书的动力，对优质教育资源的需求也大为迫切，也成为教育兴盛的契机。遍地开花的书院应运而生，发挥了提供名师名校等优质教育资源的作用。可以说，书院教育、科举制度是一种互相促进、荣损与俱的共同体。本地大批人才的风云际会、出人头地，无疑与当地教育事业的兴盛关系密切。因此，书院的兴盛在江南尤为突出，仅常州府

① 庄柱(1690—1759)，常州毗陵人。字书石，号南村。康熙五十九年(1720)乡魁，雍正五年(1727)进士，由翰林院庶吉士，特简顺天大兴县知县，历任温州府知府，浙江温处海防兵备道副使。年五十二，引疾致仕归里。工诗文，善书法。其子庄存与榜眼、庄培因状元及第，世称“父子文宗”与“兄弟翰林”。著有《毗陵科第考》《南华九老会唱和诗谱》《静永斋文稿》《庄氏乡试会试朱卷》等。

② 邵玉健、包立本《常州科举三鼎甲》，北京：中国文联出版社，2006 年版。

一地，历代就有常州府儒学、武进儒学、道南书院、东坡书院、龙城书院、城东书堂、延陵书院、城南书院、龟山书院、青山书院、溪南书院等。兴办书院的目的则是："所以导进人才，广学校所不及。"[①]《清史稿·选举志》说："各省书院之设，辅学校所不及，初于省会设之。世祖颁给帑金，风励天下。厥后府、州、县次第建立，延聘经明行修之士为之长，秀异多出其中。高宗明诏奖劝，比于古者侯国之学。儒学浸衰，教官不举其职，所赖以造士者，独在书院。其裨益育才，非浅鲜也。"[②]清代书院几乎成为府州县学之外的另一种官学体系。一些大书院如衡阳船山书院和江阴南菁书院成为本省或周围地区举、贡、生、监的肄业之所。州县书院山长往往由举人出身者担任，省城书院山长常由进士出身的学者担任。书院的教学也多以研习举业为主，考课成为多数书院教学活动的主要内容。这些有名的书院，经常延聘名师任教讲学，各县的儒学、书院、书馆、义塾、社学等，也广纳常州学子，相互研习学问。流风所向，深刻地影响着一地之风尚，"而邑之人才风俗实有赖焉"[③]，常州文人学子求学上进，蔚然成风。据朱熹《常州宜兴县学记》记载："开之以道德性命之指，博之以诗书礼乐之文，使其知士之所以学，盖有卓然科举文字之外者。于是县人学子知所乡慕，至于里居士大夫之贤者，亦携子弟来听，席下无不更相告语，更相勉励，而自恨其闻之之晚也。"[④]

地方政要的奖掖和倡导，营造了浓郁的氛围和宽松的环境，为常州文化的繁荣起到了推波助澜的作用。通常来说，通过科举选拔的人才，都有较高的文化素养。此外，前代齐梁帝王右文尚儒的流风余韵，仍然不绝如缕。其后历代在常州任职的地方政要，大多沿袭、弘扬了重视和倡导文化的传统。地方官中有些还是著名的文学家，如唐代常州刺史李栖筠、独孤及，宋代常州知州王安石，以及苏东坡、杨万里等等。

众所周知，王安石是著名的思想家、政治家、文学家、诗人，"唐宋八大家"之一。嘉祐二年(1057)七月，王安石受命至常州就任知州。王安石到常州后，曾计划疏浚境内运河，但受到其政敌司马光之兄、时任宜兴县令司马旦的极力反对。又兼当时秋雨大作，连绵不断，督工者纷纷托病不就，各县夫役也叫苦不迭。王安石面对"天灾人祸"，无计可施，只好宣布停工。开浚

① [清] 官修《皇朝文献通考》卷七十一《学校考》，清文渊阁四库全书本。
② 赵尔巽等《清史稿》卷一百六《志》八十一，民国十七年清史馆本。
③《常州府风俗考》，载《古今图书集成》第 118 册，北京：中华书局影印本，第 2 页。
④ 引自[清] 李绂《朱子晚年全论》，北京：中华书局，2000 年版。

运河一事，就此作罢。对于他的这一失败，反对者又作为讥议之话柄，致使王安石愧恨万分。不到一年，嘉祐三年(1058)二月，王安石就被调任为提点江南东路刑狱。虽然他在常州的时间很短，但他的政声和人格魅力十分彰显，常州人民为纪念他，在惠民桥畔建有"半山亭"一座。

苏东坡作为宋代首屈一指的文坛魁首，多次在常州逗留，晚年曾两次上表乞居常州，并曾在宜兴买田置房。建中靖国元年(1101)，他从岭外回归之后，便卜居于常州，寓顾塘桥孙氏宅，并于是年七月二十八日终老于此寓所。所谓"枝园笠屐祝生朝，玉局风流迹未消。欲问紫藤花在否，几回行过顾塘桥"[①]。清初孙氏宅一度属于洪亮吉外家蒋氏，洪亮吉回忆说："裕中先生分宅在北岸顾塘桥侧，实宋苏文忠公撤顾之所，相传卒时嬾板即设宅东小楼下，余童时每过此楼，徘徊不忍去。壬辰继在毕秋帆先生四安据署，十二月十九日作东坡生日诗，内有四语云：'公生于蜀卒在吾，吾乡一楼还号苏。人传树古楼亦古，公昔撤瑟余悬弧。'盖纪实也。"[②]相传馆内有东坡手植的海棠和朱藤，藤花旧馆便以此得名。藤花旧馆后属于汤雄业(1739—?，常州武进人，贡生出身，捐南宁府横州知州，后官至广西布政使)，并一直归属汤氏至今。舣舟亭则在东门外文成坝运河，传说是苏东坡系舟处，苏东坡诗《除夕夜宿常州城外》便是作于此地。乾隆南巡时，改建成园林，改名为万寿亭，为乾隆行宫，同时将藤花旧馆中的洗砚池移至此。作为文坛领袖，苏东坡在常州的同声相应同气相求的知音众多，可以说常州丰厚的文化积淀、崇文重教的社会风尚，也使他流连忘返，乐不思蜀，苏氏与常州结下的不解之缘，成为他最后定居并终老常州的重要原因。同时，苏东坡傲岸孤绝的人格力量、渊博深厚的学识才华，也给常州文化以绵延不绝的影响。

这些在常州任职的地方官员积极进取的人生态度，包容豁达的品格操守，文采风流的人文情怀，出类拔萃的文学成就，不仅起着表率和引领作用，对地方文化的影响更是功不可没，而且在潜移默化中滋润和影响着常州的文化环境，成为常州历史血脉中根深蒂固、历久弥新的文化基因。

清代是常州城市文化最繁荣的时期，袁枚曾有"近世文人，常州为盛"的感叹，龚自珍更有"天下名士有部落，东南无与常匹俦"[③]的赞誉。以恽敬、张惠言为代表的阳湖文派，以庄存与、刘逢禄为代表的常州学派(今文经

---

① [清] 金武祥《续忆补咏》，《粟香室丛书》清光绪刊本。
② [清] 洪亮吉《外家纪闻》与《遣戍伊犁日记》《天山客话》合钞，民国钞本。
③ [清] 龚自珍《常州高材篇送丁若士履恒》，《龚自珍全集》，上海古籍出版社，1975 年版，第 494 页。

学派），以张惠言、周济为代表的常州词派，诗坛上的毗陵诗派，以恽南田为代表的常州画派，还有常州孟河医派，彼此相与辉映，相互影响，争奇斗艳，姹紫嫣红，成为特色鲜明、具有全国影响的几大学派。这都是常州浓郁的文化氛围，深厚的学术文化土壤所孕育出的奇葩，黄仲则就是其中最绚丽的一朵。[①]

二、黄仲则家世述略

黄景仁，又有别字西蠡[②]，因生于高淳，故小名高生。生于清高宗乾隆十四年己巳(1749)正月四日[③]。

1. 远祖　黄庭坚之弟黄叔达。据金武祥(1841—1924)光绪戊子年(1888)所刻《粟香室丛书》辑录《存斋古文》中黄氏族人黄怀孝撰《重修宗谱序》所述，黄仲则的远祖系出于宋代黄庭坚，“吾宗之黄出自荷湖，荷湖之黄又出自双井。始居双井者曰赡，婺州金华人，仕南唐为著作郎，知分宁县，因家于分宁之双井。……余读文节公《黄育字说》：‘会稽黄渥与庭坚皆出自婺州之黄，由七世以上失其谱。’则公之世已不可考矣，后之人又孰从而知之！今修家乘，自明以来确然无疑，若荷湖、双井之源流，则惟文节、松轩两公之言为断，不敢远征以失实也”[④]。黄怀孝对黄氏与庭坚皆出自婺州之黄表示肯定，但对先祖是否如所言在南唐，持慎重态度，“不敢远征以失实也”。就是说，黄仲则家族在明代的世系比较清晰，但自黄庭坚以上七世则不甚了然。咸丰八年(1858)黄仲则之孙黄志述作《两当轩集考异》，其卷下引用其十世祖松轩先生《新城黄氏族谱序》说：“宋大中大夫庶生五子，长曰大临，次曰庭坚，曰叔献，曰叔达，曰仲熊。叔达子，徙清江荷湖，十世而至余。”

民国《浮桥黄氏宗谱》卷一《世系发源图》载：“景祥，宋知命公叔达九世孙，为松轩公祖，世居江西临江府清江县。善卿，景祥公子，松轩公父。遵，普卿公子，是为迁常始祖。”[⑤]黄叔达是一位个人气质、行事风格异于常人的奇士。嘉靖《宁州志》卷十七云：“黄叔达，字知命，山谷弟也。立迹虽异，意气和其臭味者，极力推挽之不遗力。味其言，不合其意，虽衣冠贵人，亦唾辱

---

① 参阅纪玲妹博士论文《清代毗陵诗派研究》，南京师范大学，导师陈书录，2007年。

② “西蠡”，指南水门的西蠡河，相传为范蠡所凿。故名。

③ 黄逸之《清黄仲则先生景仁年谱》，台北：台湾商务印书馆，1980年版，第1页。

④ [清]黄怀孝《存斋古文》，金武祥辑《粟香室丛书》清光绪刊本。

⑤ 参阅许隽超《黄仲则年谱考略》，上海古籍出版社，2008年版，第2页。

之。与彭城陈师道友。尝自双井之京师，与师道俱谒法云禅师于城南，夜归，过龙眠李伯时。时(知命)着白衫，骑驴道中，摇头而歌，师道负杖挟囊于后，一市皆惊，以为异人。伯时素善画，因写为图，刑夫(邢敦夫)作《夜归图诗》以形容之。公小诗、乐府皆清丽可爱，有诗四十首，附《山谷集》中。山谷常称其斟酌世故，铨品人物云。”①这种意气相投则竭力推挽不遗余力、不合己意即使达官贵人也弃之不顾的秉性气质，深为后世黄仲则所承袭。他在游幕时遇小人谣诼攻讦，则掉头而去，连幕主亦一并弃之而去，看来是渊源有自，并非无缘无故。

由此可知，黄仲则可追溯远祖至宋代，乃黄庭坚之弟黄叔达之后人，系名门之后。这样，诗人就有了一个相当正宗的家族世系，保证了自己门第之高贵尊荣，家学渊源之悠久深厚，这在当时以及后世都是十分重要的。

有人怀疑黄仲则家谱是否也有谬托知己、妄攀名人作自己祖先之嫌。在族谱中，黄仲则的祖先被认定为黄庭坚之弟黄叔达，而非黄庭坚本人。笔者觉得，如果单纯为了追求名人效应，何不直接以黄庭坚为先祖，却又要绕此小弯子，欲说还休呢？之所以有这种怀疑，恐是后人不加细察，枉自猜疑，误读了黄氏族谱，反而厚诬古人。即使族谱真的作假，也不干仲则之事，毕竟族谱不是他做的。须知对于诗人身份的黄仲则而言，“山谷诗孙”的名号，是可以当作旗号招摇挥舞的。依黄仲则之刚烈狷介，他连“江西诗派”的招牌都不肯接，这个遥远的先祖对他的实际生存没有任何意义，所以认与不认，意义都不大。因而上述的怀疑同样没什么意义。

翁方纲像

当然，黄仲则对自己的家族世系也不无敬仰与骄傲，翁方纲《悔存诗钞序》

① 参阅许隽超《黄仲则年谱考略》，上海古籍出版社，2008年版，第2页。

"仲则为文节后裔,每来吾斋,拜文节像,辄凝目沉思久之"[①],颇有一种慎终追远、深切缅怀的意味在其中。黄在《送冯鱼山庶常归钦州》中曾说:"西江诗派一口吸,却疑涪翁(黄庭坚号)之后身。我无笔力愧衰叶,得君并世气乃伸。"对其先祖黄庭坚充满了向往景仰之情。

2. 十代祖 黄遵,字至善,号松轩,洪武初举人,为人伉简有奇气。学问渊博,怀才抱德,曾授南康府学训导。明永乐年间,黄遵举家由鄱阳迁至武进,自此便在武进落户。掌武进县学教事期间,由于望重四方,秩满将归时,百姓恐其一去不返,恳切挽留。

乾隆《武进县志》卷六下《名宦·县教谕训导》亦有记载:"黄遵,号松轩,清江人。洪武初任教谕,兼署教授事。时国法严,刺史以法死者接踵,铨授者辄逸去,郡篆屡悬,遵以望重辟署府事。五邑绅士攀辕,遂入籍武进。著有《松轩集》《至善堂诗稿》。"[②]所记稍详,主要记其政声。

《光绪武进阳湖县志》卷二十七之《人物志·寓贤》所记大致相同,但除政声外,还涉及其学问,曰:"明黄遵,字至善,号松轩,江西清江人也。为人伉简有奇气,学问浩博,为文章尚清丽,不为世俗羁。洪武初举人。怀才抱德,授南康府学训导,永乐癸未(1403)调常州,洪熙元年(1425)迁武进县学教谕。时国法严,刺史多以墨败,铨授者辄逸去,遵以望重辟署府事。秩满将归,民恐其去,恳留于执政而达之朝,遂老于常(《旧志》)。"[③]可见仲则之十代祖黄遵不仅学问渊博,且有文集存世,同时也是一位政声甚佳、颇有民望的下级地方官员。

民国《浮桥黄氏宗谱》卷二《始迁祖表》所载则十分详尽:"遵,宋大中大夫亚夫公之后,知命公十一世孙,普卿公子。字至善,号松轩,江西临江府清江县之荷湖人。明初,举通三经、怀才抱德,授江西南康府学训导,改江南常州府学训导。永乐庚子,主试福建;癸卯,主试山东。升武进县学教谕,掌常州府印务二十余年,因绅士攀辕,遂入籍武进。以子舆贵,累赠通奉大夫、福建布政使司左布政使,著有《松轩存稿》。崇祠名宦、乡贤,有传。配周氏,赠太夫人。生子三,礼、庆、勉,俱在江西原籍。继配杨氏,赠太夫人,合葬西门石塔主穴。生子四,舆、肃、时、观,俱随任武进。公生于元至正二十年庚子,

① 载黄葆树、陈弼、章谷编《黄仲则研究资料》,上海古籍出版社,1986 年版,第 119 页。
② 参阅许隽超《黄仲则年谱考略》,上海古籍出版社,2008 年版,第 3 页。
③ [清] 汤成烈等纂,王其淦、吴康寿修《光绪武进阳湖县志》,载《中国地方志集成·江苏府县志辑》三十七,南京:江苏古籍出版社,1991 年版,第 707 页。

永乐元年癸未来常时，年四十四岁。至七十七岁正统丙辰，云谷公登进士，与祖妣杨氏犹具庆。"[①]不仅采纳了《武进阳湖县志》的材料，还记录其子嗣、配偶、生卒等情况，对于了解黄氏宗族的来龙去脉极有帮助。

3. 曾祖　黄觐龙，字云会，赠修职佐郎。民国《浮桥黄氏宗谱》卷四《谱图指掌四房正庵公世表》载曰："觐龙，原名元龙，字云会，以子大乐贵，敕赠修职佐郎。配王氏，太学生、考授县丞曰善女，敕赠太孺人。生子三，大乐、大夏、大濩。女二，一适周，一适沈。公生于康熙癸卯七月二十日，卒于乾隆戊午八月十一日，寿八十六。配生于康熙癸卯七月二十日，卒于乾隆丙戌五月十四日。合葬石塔钱家墩侧。"[②]黄仲则曾祖觐龙本身在学问、功名上的修为和造诣都乏善可陈，只是因为父以子贵，黄仲则的祖父大乐以岁贡生身份任高淳县训导，才"敕赠修职佐郎"，是个虚职。值得注意的是，其寿考颇长，从康熙癸卯(1663)七月二十日，到乾隆戊午(1738)八月十一日，享年八十六岁。比起黄仲则的年仅三十五岁来，真是不可同日而语。再联系到其祖父黄大乐寿享七十八龄来看，黄仲则的短寿，并非家族遗传，实是在于他自己的命途多舛。

4. 祖父　黄大乐，字韶音，以岁贡生为高淳县学训导。光绪《武进阳湖县志》卷十八《选举志・岁贡生》载："清雍正十二年甲寅，黄大乐，高淳训导。"生于康熙癸卯七月二十九日，卒于乾隆庚辰三月十五日，寿七十八。配吕氏，生于康熙癸亥四月初八日，卒于乾隆辛巳十一月十五日，寿七十九，封孺人。大乐有子一人，即仲则之父，名之掞；女一人，适李洪涛。仲则与乃祖关系较为密切，乃父之掞曾祷于高淳县学宫神祠，乾隆十四年己巳(1749)正月初四日，仲则生于祖父黄大乐高淳训导学署。黄仲则一生悲苦凄凉的命运，就此拉开了序幕。也许是巧合，也许是上天的刻意安排，黄仲则犹如扫帚星，给他的家人带来了诸多不幸。他出生不久，亲人便纷纷谢世。四岁时，其父亡故。七岁随祖父从高淳迁回武进，居白云溪上。乾隆二十五年(1760)，十二岁时，祖父去世。次年祖母去世。三年后，兄长又去世。

5. 父亲　黄之掞[③]，原名炳勋，字端衡，县学生。元配吴氏，生有一子，即庚龄。续配屠氏，生子仲则。之掞生于康熙癸巳(1713)十月十五日，卒于乾隆癸酉(1753)九月十六日，年仅四十。自黄遵迁武进，而至仲则，凡十四

① 参见许隽超《黄仲则年谱考略》，上海古籍出版社，2008年版，第3页。

② 同上，第5页。

③ 许隽超据民国《浮桥黄氏宗谱》改作"之琰"。同上，第6页。

代。之揆亡故时仲则仅四岁，父子共处的时间仅有四年，而且当时仲则尚在襁褓之中，对父亲基本上没什么印象，感受不到父爱的慈祥和温厚，故仲则与父亲的关系比较淡漠。幼年失怙，孤儿寡母，使得仲则备尝人间艰辛。《两当轩集》卷八有《高淳，先大父官广文处也，景仁生于此，四岁而孤，至七岁始归。今过斯地，不觉怆然》一诗，对当年的生活有非常痛切的追忆。

6. 母亲　父之揆元配吴氏，生于康熙辛卯(1711)五月初七日，卒于乾隆乙丑(1745)七月十八日，年仅三十四岁。时年父之揆亦仅三十二岁，故继娶屠氏，即仲则生母。屠氏生于康熙辛丑(1721)九月初八日，卒于乾隆戊申(1788)六月十八日，享年六十七岁。屠氏在丈夫去世之后，独力主持家计，上侍父姑，下抚幼子，备极艰辛。据黄怀孝《存斋古文》之《节孝屠孺人传》载："……丙申，兄应津门召试，入二等，在武英殿为书签官。丁酉，迎养京师，以长安居不易也，庚子复南回。孺人食贫茹苦凡三十年，方谓自兹以往可以稍息肩矣。乃爱日方长，而修文遽召。癸卯，先兄卒；丙午，嫂赵氏卒。孺人以垂尽之年，悼子悼妇，抚孤孙而哭，其酸楚有莫可名言者。越二年，戊申，而孺人亦以忧死矣。"[①](从这段文字可知黄怀孝乃黄仲则族弟，但晚生约几十年)仲则进京后，赴津门应试，获二等，由此被录用为武英殿书签官，第二年即将母亲迎养于京师。三年后终因无力奉养，不得不送其南归。两年后，仲则辞世，随即仲则之妻赵氏亦辞世。本来屠氏夫人以为进京后可以依仗儿子颐养天年，奈何打击接踵而至，子、媳先后离她而去。白发孤孙，益复凄苦，真是让人不忍卒读。

知子莫如母，其实屠氏夫人对仲则的前程命运始终有一种隐忧。据《节孝屠孺人传》云，"先兄以才名闻海内，人皆为孺人贺，而孺人独忧之，戒先兄曰：'水能载舟，亦能覆舟。才而狂，是益之疾也。'先兄谨受命，而抑塞磊落之气终不能掩"[②]。虽然仲则久负才名，可喜可贺，但她深知仲则孤傲的气质，谆谆告诫仲则，切勿因才而狂，否则"是益之疾也"，因为她也深知"水能载舟，亦能覆舟"的古训。仲则虽然答应母亲，但性情使然，"而抑塞磊落之气终不能掩"。果不其然，仲则确实因才而名，后来也确实因才而亡。屠氏夫人守节凡三十余载，忍辱负重，含辛茹苦，育孤而成，教导有方，是一位伟大的母亲。仲则因自幼与母相依为命，故屡于作品中表达出对母亲深

① [清] 黄怀孝《存斋古文》，金武祥辑《粟香室丛书》清光绪刊本。
② 同上。

厚的情感，如“搴帏拜母河梁去，白发愁看泪眼枯。惨惨柴门风雪夜，此时有子不如无”[①]。其《题洪稚存机声灯影图》亦云：“君言弱岁遭孤露，却伴孀亲外家住。尘封蛛网三间楼，阿母凄凉课儿处。读勤母颜喜，读倦母心悲。不惜寒机杼千匝，易得夜灯膏一瓶。灯灭尚可挑，机断不可续。楼风刮灯灯一粟，书声机声互相逐。”诗中充满着泪痕、苦心和诗人坚毅的力量。既是写北江，也是写自身遭际。

7. *兄庚龄* 黄仲则有一个异母兄名庚龄，字绍基。庚龄生于乾隆庚申(1740)二月初八日，卒于乾隆甲申(1764)七月初七日，年仅二十五岁，且未婚娶。以是故，里中友人如洪亮吉辈呼仲则为“黄大”，间呼为“黄二”。《两当轩集》中未提及其兄庚龄，故后人多莫名诧异，不解其故。盖因庚龄长仲则九岁，去世时仲则十六岁，两人相处的时间长达十五年。依据诗人有闻必录、有感必发的习惯，仲则成年后应当在其作品中对这位亡兄有所忆及，但《两当轩集》中，基本上看不到有关庚龄的片言只语，个中缘由，耐人寻味。

8. *妻子* 黄仲则之妻赵氏。据民国《浮桥黄氏宗谱》卷四，“(仲则)配生于乾隆己巳(1749)七月十一日，卒于乾隆丙午(1786)二月二十二日”。黄怀孝《存斋古文》之《节孝屠孺人传》载，“丙午，嫂赵氏卒”。则赵氏与仲则同年而生，晚于仲则三年而殁，在世时间三十八年，虽比仲则多三年，亦为短寿而亡。据黄逸之著《清黄仲则先生景仁年谱》所载：“先生十九岁娶赵夫人，仍从邵齐焘游，秋应江宁乡试，遂至杭州”[②]。黄仲则自与赵氏结婚后，共同生活的时间有十六七年。但仲则多数时间都客居在外，或四处浪游，鲜少陪在妻子身旁。不能说他对妻子感情不好，更多的原因可能是他为生计所迫，不得不常年在外奔波，所以他曾写下《别内》《踏莎行·十六夜忆内》《催雪·怀远舟夜忆内》等怀念妻子的诗词。除了远游忆内，面对家贫子弱，却也无可奈何。赵氏嫁给一位才高八斗、目空四海的诗人，就注定了她要过一种与众不同的清寒生活。诗人就是诗人，在创作诗情并茂、声闻遐迩的诗歌外，并不长于聚财养家。贫贱夫妻百事哀，所以，赵氏在黄家的日子过得艰辛而凄苦，在《春城》一诗中，黄仲则写道：“有子常若无，不得相对贫。孤灯耿白发，茹苦何能伸。亦有蓬头妻，抱病卧积薪。自为我家妇，甑釜常生尘。”诗人长

---

① 黄仲则《别老母》。

② 黄逸之《清黄仲则先生景仁年谱》，台北：台湾商务印书馆，1980 年版，第 7 页。

年远游在外，和妻儿相处时间甚少，连妻儿最基本的温饱都不能保障，心中不免对妻儿感到愧疚，亦属情理中之事。长期的贫病劳累，且因先天的体质欠佳，加上后天营养失调，不擅养生，黄仲则于乾隆四十八年(1783)过世，结束了他悲苦多舛而又短暂匆促的一生。

9. 独子　黄仲则有子乙生，字小仲。据民国《浮桥黄氏宗谱》卷四："乙生，行一，字小仲，太学生。道光元年保举孝廉方正，著有诗文集，有传。……生于乾隆辛卯(1771)九月十七日，卒于道光壬午(1822)四月二十九日。"[①]乙生出生这一年，仲则二十三岁。这年的冬天，仲则到安徽学政朱筠幕府作客，甚为幕主所重。包世臣《齐民四术》卷六《黄征君传》云："道光纪年，诏举孝廉方正，有司以君应，佥以为名实相称也。未就征，以道光二年三月廿九日卒于家，年五十岁。………小仲卒数年，同人谓小仲不可无后，求于其族，得一独子，广两祧之例，以为小仲嗣。名志述，字仲孙，今已二十五六岁，甚醇谨，能文，予未识。道光乙巳夏，次婿杨传第言之如此，故附记于后。"[②]黄乙生少年痴憨，不喜读书。黄仲则之《除夕述怀》诗曾写道："有儿名乙生，废学增痴憨。曾不识之无，但索梨与柑。"不过这只是乙生小时之状，废学贪玩，娇痴贪吃，与一般的儿童并无不同。这些对于尚未成年的孩童而言，倒平添了许多童趣，并不可厌。成年后的乙生，虽然在才情、风神上远逊乃父，但毕竟不失为诗人之后，个人的学行操守与学业修为勉强说得过去。《清史列传·黄景仁》说："子乙生，通郑氏《礼》，行不违其言，早卒。"[③]因乙生刻苦于学，通郑氏《礼》，时为里友李兆洛所重，且以子从其学，并于嘉庆时补监生。嘉庆十六年，在江宁与纂《江宁府志》。道光初，举孝廉方正，但未及应召，卒于道光二年(包世臣《齐民四术》为三月二十九日，《浮桥黄氏宗谱》为四月二十九日，二说相差一个月)，年五十二。乙生曾有一子，天赋聪颖，将冠而夭，乙生遂无子。友人为择其族以为后，得黄志述、字仲孙为嗣，其后黄志述与夫人吴氏，刊刻黄景仁诗集不遗余力，对于搜罗保存先人遗稿居功厥伟。

黄仲则父子二人均工书法，《清史列传》曰："(仲则)骈体文绝似六朝，工书，擅山水，皆极古质。"[④]包世臣《齐民四术》："君(小仲)又嗜书，攻之甚力，自董文敏后两百年书靡疲无可采，君志在复古，尝曰：'书诀多伪托，唯用笔

---

① 引自许隽超《黄仲则年谱考略》，上海古籍出版社，2008年版，第106页。

② [清]包世臣《齐民四术》，同治十一年湖北包诚注经堂刻本。

③《清史列传》卷七十二，王钟翰点校，北京：中华书局，1987年版，第5942页。

④ 同上。

者天，流美者地，非凡庸所知。'是真太傅语也。"[①]此外，《艺舟双楫》卷五《述书上》记载，黄乙生嘉庆二十年客扬州时，曾与包世臣切磋书道，并教以执笔之法。看来，仲则嗣子虽无乃父之赫赫才名，但并非一无是处，还是秉承了书香门第诗礼传家的美德美誉，在个人学识和品行诸方面亦小有所成，不算辱没黄氏门第与家风。

10. 二女　黄仲则育有二女，长女仲仙，乾隆三十三年(1768)生，嘉庆十二年(1807)卒。年二十一时，由仲则生前挚友洪亮吉主持，适顾九苞次子顾麟瑞。此女颇得其父遗教，亦能诗词，有《仲仙诗钞》。据兴化《顾氏族谱》卷十八《列女传》载："黄孺人字仲仙，拔贡生芝衫公讳麟瑞配，毗陵诗人黄仲则之女。幼秉父教，能诗词，气宇清雅似儒者。于归后，躬操井臼，孝养孀姑，深自韬晦。耻以才智显，昼理家事，夜览《通鉴纪事本末》，与夫子剪灯唱和，每作必焚草。殁后，芝衫公忆其遗诗数十首，录之藏于家。"[②]仲则在《除夕述怀》诗中曾提及长女："有女已上头，长欲与母参，心性稍姑慧，恨渠不为男。"李福祚辑《昭阳述旧编》卷一《桑梓述》卷末附录上引顾麟瑞撰《黄孺人传》亦载："孺人性和缓，遇拂意事，余或叫嚣无聊，气郁郁不能下，孺人尝笑解之。余憨直负气，里党间有越礼事，余必面争之，辞色不稍假，孺人辄曰：'人之爱礼，孰不如君？或事有不得已耳。'余亦解容谢之。工诗词，绰有家风，然不欲示人，成辄焚去。余或强索之，曰：'妇人不以此事称。如文姬、易安者，岂明教中人哉！'"[③]仲则长女仲仙，确是一个知书达礼、颇有修养的诗礼人家之女。心性聪慧，气宇清雅，性情温婉，气质醇静。婚后与顾麟瑞琴瑟相谐，不仅亲自操持家务，孝敬赡养孀居的婆婆，而且晚上披览诗书，与丈夫剪灯唱和。为人也十分低调，并不以才学自矜。诚如论者所言，人患不读书耳。苟读书，气质鲜不醇静。信哉斯言！

仲则另一女早夭，其诗集中有诗《得家书悼殇女》云："初月才生落已催，好花差喜未曾开。珠从慈母掌中夺，书自山妻病里裁。终傍人家何足恋，暂为而父讵忘哀。我从客邸闻缄惯，略欠平安是此回。"时为乾隆四十年乙未(1775)，诗人二十七岁。外出四年后，不幸获得女儿夭折的噩耗。一别成永绝，叫人如何不泪垂。月亮还没升起，就被催落；花苞正长势喜人，却遽然凋零。白发人送黑发人，诗人除了悲痛外，更多的是悔恨、自责和控诉。

① 参见黄葆树、陈弼、章谷编《黄仲则研究资料》，上海古籍出版社，1986 年版，第 497 页。
② 参见许隽超《黄仲则年谱考略》，上海古籍出版社，2008 年版，第 348 页。
③ 同上，第 347 页。

悔恨自己“终傍人家”，自责自己没有尽到做父亲的责任，控诉老天夺去自己幼女的生命。父女一场，本是一种由血脉亲情缔结的不可拆解的永久性生死之约，可诗人偏偏用了“暂为而父”。这是诗人独特的丧亲之痛，是诗人敏于常人的更深层次的情感体验。这是一个多么巨大的嘲讽，也是多么无奈的喟叹啊！而“略欠平安”，大概是诗人精神剧烈痛苦之后的一种麻木状态吧。

第二节　黄仲则生平述略

黄仲则的一生，只有短暂的三十五年。研究者一般将其一生分为三期：以二十二岁前为居家及浪游时期；二十三至二十七岁为游幕时期；二十八至三十五岁为困顿时期。这样的分法并无不妥，关键在于是否有利于论说的方便，是否能把问题讲清楚。

一、早期(1749—1764)：少年早慧与坎坷艰辛

黄仲则出生时，其祖父黄大乐尚在高淳县学任训导。按照其家乘记载，清代毗陵浮桥黄氏一脉，远绍宋代文节公黄庭坚，亦可算得上名门望族了。但到了仲则这一代，其实已经沦为孤门细族，家族中并无声名显赫的名公显宦。所谓县学训导，不过是品秩极低、未入流的微官。不过社会地位恐怕还是要比一般引车卖浆者流高出许多，毕竟是诗礼传家。所以，对于仲则而言，其时也谈不上家道衰落，因为原本也未曾兴盛过，何来衰落？据《两当轩集·自叙》所言：“景仁四岁而孤，鲜伯仲，家壁立，太夫人督之读。”[①]等到四岁父亲去世时，仲则就沦为孤儿，七岁时随祖父从高淳回武进，居白云溪上。

黄仲则早慧，很有读书天赋。清人潘瑛《诗萃》云：“仲则天分绝伦，幼有神童之目，朱竹君学士以天才称之，良非虚誉。”[②]虽然黄仲则自幼性不耽读，但因为自幼就跟随母亲屠氏读书，开蒙的时间较早。由于母亲的督责，所接受的知识远胜一般的儿童。再加上仲则天性颖悟，一点即透，所以，七八岁时便能写文章，尤耽于诗。其诗集《自叙》中写道：“稍长，从塾师授制艺，心

① ［清］黄景仁《两当轩集》，李国章标点，上海古籍出版社，1983 年版，第 1 页。
② 引自黄葆树、陈弼、章谷编《黄仲则研究资料》，上海古籍出版社，1986 年版，第 497 页。

块然不知其可好。先是，应试无韵语，老生宿儒，鲜谈及五字学者，旧藏一二古今诗集，束置高阁，尘寸许积，窃取翻视，不甚解。偶以为可解，则栩栩自得曰：可好者在是矣。间一为之，人且笑姗，且以其好作幽苦语，益唾弃之，而好益甚也。"[①]见出仲则对诗的痴迷与执着。有云："九岁应学使者试，寓江阴小楼，临期犹蒙被卧，同试者趣之起，曰：顷得'江头一夜雨，楼上五更寒'句，欲足成之，毋相扰也。"[②]按照其祖教训，黄仲则起初并未学诗，而是研习制举文，攻八股制艺。因为在正统读书人看来，只有举业才是正途，其他途径都是野狐禅，是邪门外道。所以，黄仲则直到十五岁始攻诗，十六岁应童子试，府试列第一名，于三千人中拔第一，翌年补博士弟子员。黄仲则在《贺新凉》小序云："寿州遇桐城吴竹亭丈话旧，因及甲申岁常州知府潘峨溪先生试童子，拔余第一，丈即先生中表也。先生后作浙江宁绍台道，卒于官。"上阕曰："往事为翁数。记当日、词场跳荡，猛于乳虎。正值怜才潘骑省，籍甚众中一顾。把江夏无双见许。是日论文翁在座，费三条红烛三挝鼓。感此意，极辛苦。"忆起当年往事，仍然历历在目，对时任常州府知府潘恂、武进县知县王祖肃对自己的知遇之恩，感念不已。洪亮吉《国子监生武英殿书签官候选县丞黄君行状》(下简称《黄君行状》)云："年八九岁，试使为制举文，援笔立就。学使者岁、科二试，吾乡应童子试者至三千人，君出即冠其军，前常州府知府潘君恂、武进县知县王君祖肃，尤奇赏之。君美风仪，立俦人中，望之若鹤。慕与交者，争趋就君，君或上视不顾，于是见者以为伟器，或以为狂生，弗测也。"[③]虽然许多人争与之交往，但年轻气盛的黄仲则均不屑一顾，足见其倜傥洒脱、狂放不羁的形貌。

按照通常的道理，一个人拥有了出类拔萃的才华，那就意味着拥有了一张出人头地、飞黄腾达的通行证。在人生旅途上，黄仲则的起跑速度远远快过常人，一路领跑，独占鳌头似乎也不成问题，但事情往往出乎意料，开局好，未必结局也好，反之亦然。黄仲则的天分才情极高，但是，命运却是悲苦的。年少的天才特出并未为他带来日后的顺遂腾达，不幸的命运仍如梦魇般不断纠缠着他。从四岁时父亲去世，十二岁时祖父去世，十三岁时祖母又逝，到十六岁时兄长的亡故，黄仲则大半日子是在家乡度过的，年少的黄仲

---

① [清] 黄景仁《两当轩集》，李国章标点，上海古籍出版社，1983 年版，第 1 页。

② 同上书。附录三，[清] 毛庆善、季锡畴《黄仲则先生年谱》按引《印人传》，第 614 页；又附录二，[清] 汪启淑《鹿菲子小传》亦载此事，略有不同。

③ [清] 洪亮吉《卷施阁文甲集》卷十，光绪三年洪氏授经堂刻洪北江全集增修本。

则目睹至亲者一一离去，一次次饱尝痛失亲人的深哀剧痛。这种痛彻入髓的情感忧患，对少年黄仲则的心灵究竟产生了怎样的震撼，刻下了怎样的印痕，我们已经无法加以确切的考察了。但我们知道，黄仲则日后高傲孤独且阴郁抑塞性格的形成，与此不能不有极大的关系。加上孤儿寡母生活孤苦无助，凄凉贫穷之景况实为悲惨。他与生俱来的多愁善感，再加上这一连串家庭的变故，自然就更使他忧郁孤独的个性雪上加霜了。他在《入市》诗中回忆童年的生活时如此描写："人多路窄卒难避，顿触凄凉幼时事。蓬头敝履书塾归，正值天寒冻消地。道逢中丞卤簿来，失足堕沟颜死灰。吞声饮气哭不得，归语阿母肝肠摧。即今依然穷乞骨，那得车前八驺列。"可以说都是悲酸之语。

孤儿寡母度日之艰辛，可以想见。即使诗人天才早慧声闻遐迩，也并未带给他多少幸运。反而因命途多舛，形成他悲观愁苦的主要人生基调和诗歌风格。这可从其诗词中略见一斑，如："苍苍者天，生余何为？令人慷慨！叹其年难及，丁时已过，一寒至此，辛味都尝。"[①]"落魄吾之分。叹年来、病魔穷祟，公然作横。"[②]《两当轩集》所收第一首诗《初春》诗云："中宵感幽梦，冰雪尚嶙峋。"[③]此诗大约写于诗人十五岁左右，年未弱冠的少年诗人，如同破土而出的幼苗，面对万物复苏、春回大地的明媚春光，本应欣欣然充满欢欣喜悦之情，但我们从诗中感受到的是一片入骨的寒意。诗人的灵魂和精神世界，与欣欣向荣的外物有十分遥远的距离，这与诗人的年龄和时令是极不相称的。这样的诗词，处处反映他对生命及未来的悲观隐忧，看不到青春少年的热情与期盼。悲苦艰难的日子，加上勃发充溢的才华，交融凝结，造成另一种古怪诡谲的性格：冷若冰霜，自视甚高，颇有拒人千里之外之感。其好友余少云在《次韵与仲则作》诗中云"半世狂名馀白眼，十年残事有青灯"[④]，可谓中肯。

二、中期(1765—1775)：落寞与辉煌共在

黄仲则步入人生之旅的最初阶段，展示了特异的禀赋和不错的开局。亲人的相继辞世，使得他失去了坚强的亲情奥援，也使他在受伤时得不到精

---

① 黄仲则《沁园春·壬辰生日自寿时年二十四》。
② 黄仲则《金缕曲·劳濂叔手书大悲咒以赠云诵此可却一切魔障报之以此》。
③ 黄仲则《两当轩集》卷一。题注"癸未年起"，即1763年。诗人时年十五岁。
④ 引自[清]王昶《湖海诗传》卷三十八，清嘉庆刻本。

神方面的慰藉，只能独自在暗中垂泪，然后默默地上路。一如鲁迅所言，继续在人们的威严和冷眼中走着所谓人生的路，而这路的尽头是连墓碑也没有的坟墓。从十七岁至二十七岁，乾隆三十年（1765）到乾隆四十年（1775）至京城，黄仲则的人生之旅开始步入青年期。在这十年的时间里，黄仲则一路走来，遇到了他生命之途中许多重要的人，完成了许多重要的事，一如既往地承袭着从前的荣耀和苦难。二者的力度，较前也都有了大幅度的提升，或许上天是在有意考验黄仲则的包容极限和抗打击能力吧。

读书、求学、应举、游幕、交友、恋爱、作诗、养亲，共同构成黄仲则此一时期主要的生活内容。

乾隆三十年（1765），黄仲则十七岁，据左辅《念宛斋集》卷四《黄县丞景仁状》云："（仲则）性颖悟，工诗歌，能文章，为人俶傥有奇气，试童子，辄冠其曹。年十七，补博士弟子员。"也是在这一年，黄仲则读书宜兴氿里姑母家，在这里开始了他的初恋。同一切初恋一样，注定这也是一场刻骨铭心、痛彻肺肝的苦恋，其失败的结局从一开始几乎就已经确定无疑。为此，黄仲则写下了大型组诗七律《绮怀》十六首。诗中黄仲则的恋爱对象身份究竟如何，已经很难确考，但这场恋爱以失败告终的结局则是显而易见的。诗人本是多情才子，对月伤怀，迎风流泪，无端的长吁短叹，莫名的多愁善感，都是可以想见的事。不单是《绮怀》，黄仲则还写了另外许多诗来缅怀这段不成功的初恋，如《感旧》四首、《感旧杂诗》四首、《秋夕》《秋夜曲》等。在去世前的四年，即乾隆四十四年己亥（1779），他三十一岁那年的岁暮，诗人一口气写了二十首七绝怀人组诗，总题曰《岁暮怀人》。第一首为引起，第二至十八首怀想未在京师之诸师友，如郑虎文、朱筠、袁枚、孙星衍、沈业富、杨芳灿、仇养正、左辅等十七人。但结末两首未明言所怀对象，根据内容推测，显然是对初恋的追忆，则所怀之人也就不言自明了。诗曰："故家庭院水般清，手撚花枝一笑成。乍见还惊却回顾，不恒风调太憨生"（其十九）；"乌丝阑格鼠须描，爱我新诗手自抄。莫怪年来抛韵语，此生无分比文箫"（其二十）。情致宛然，此恨绵绵。

乾隆三十一年（1766），黄仲则十八岁。当时，常州知府潘恂延邵齐焘主持龙城书院，多选士之优者入学，并丰其廪给。仲则由此得从邵先生游，师生相处甚洽，情同父子。邵齐焘十分赞赏黄仲则的奇才，诗曰："妙年才气今如此，令我咨嗟意无已。"且作《劝学一首赠黄生汉镛》以勉之，前序云："黄生汉镛，行年十九，籍甚黉宫，顾步轩昂，姿神秀迥，实廊庙之瑚琏，庭阶之芝兰者焉。”[①]据黄仲则《两当轩集》卷首《自叙》云：“岁丙戌，常熟邵先生齐焘主讲龙城书院，矜其苦吟无师，且未学，循循诱之。景仁亦感所知遇，遂守弗去。”又卷二《哭叔宀先生兼怀仲游》诗其一云：“我生受恩处，虞山首屈指。我愧视犹父，视我实犹子。”邵齐焘先生是黄仲则起步阶段最重要的伯乐和导师，对其一生人格乃至诗风的形成，均具有十分重大的意义。

邵齐焘像

乾隆三十二年(1767)十九岁时，黄仲则娶妻赵氏，完成了人生中的一件大事。从此又多了一份牵挂，也多了一份责任和担当。他为了实现人生价值，也为了养家糊口，奔波东西，浪迹南北，先后在乾隆三十二、三十三、三十五、三十六及三十九年等，多次应江宁乡试，均以失败告终，未能中试。一次次的落榜，对黄仲则来说，不能不说是沉重的打击。其间，为排遣郁闷，黄仲则曾与郑虎文游，并浪迹四方，屐痕遍及苏、浙、皖、直、鲁、湘等地。洪亮吉在《黄君行状》中称他：“是时君已揽九华，陟匡庐，泛彭蠡，历洞庭，每独游名山，经日不出，值大风雨，或瞑坐崖树下，牧竖见者，以为异人。”可见其好游至此。自湖南归后，友人认为黄仲则诗益奇肆，充满雄宕之气，有若鼓怒于海涛，其诗风诗境，由此而锐变。

乾隆三十三年(1768)，黄仲则二十岁，长女出生，初为人父，其恩师邵齐焘亦于此年过世。次年，即乾隆三十四年(1769)，黄仲则开始浪游。其《自叙》中说：“三年，公卒，益无有知之者，乃为浪游。由武林而四明，观海；溯钱塘，登黄山，复经豫章，泛湘水，登衡岳，观日出；浮洞庭，由大江以归。是游凡三年，积诗若干首。”但这三年并非一直在外，而是时出时归，归而复出。且曾抱病客杭州至湖南一游，友人仇丽亭还以湖湘道远，且怜其病，劝其勿

① 《两当轩集》附录五《唱酬/题赠》，上海古籍出版社，1983 年版，第 640 页。

往，黄仲则有词《水调歌头》一首以谢之。年纪轻轻才二十一岁，黄仲则身体即已羸弱多病到令友人担心的地步了。

"嘤其鸣矣，求其友声"，交友在黄仲则生活中占有十分重要的位置，据《两当轩集》附录四所载《先友爵里名字考》，黄仲则一生中有重要交往的朋友不下百人，大部分是志同道合、情意相投的良朋挚友，皆为君子之交，道义之交，洪亮吉就是其中最重要的一位。乾隆三十一年(1766)，黄仲则十八岁时，于江阴旅舍中与洪亮吉订交，且终身不渝。在此之前，黄仲则七岁时即已与十岁的洪亮吉结识。二人幼时家贫孤露之状相同，且同样博学才高。他们不仅是幼年即相识的同乡挚交，日后他们师从邵齐焘先生，在常州龙城书院从学，所以也是同门同学。这些密不可分的关系，皆是造成他们友情弥笃、至死相托的原因。乾隆三十五年(1770)，黄仲则二十二岁，仍客王介子幕中，狂傲少谐，落落寡合，独与诗人曹以南交往，其余不通一语，余暇则幞被独游名胜。乾隆三十九年(1774)，仲则二十六岁，又与孙星衍、徐书受等人结识，且唱酬无间，号为"毗陵七子"，一时名重乡里。"是岁，始与孙星衍订交。同里则孙(星衍)、黄(景仁)、赵(怀玉)诸君外，复偕杨君伦、吕君星垣、徐君书受，唱酬无间，里中号为七子。"[①]

弹铗依人，游幕四方，是黄仲则在读书应举、吟诗作赋之外的另一种生存方式。乾隆三十六年(1771)，黄仲则二十三岁，春至嘉兴，客于时任太平知府的沈业富署中。

这年冬天，黄仲则再次来到太平，客安徽学使朱筠署中。在恩师邵齐焘去世三年后，黄仲则再次受到上天眷顾，结识了大名鼎鼎的朱筠先生。当时朱筠延揽名宿校文，宾从称盛。素闻黄仲则之名，筠礼致之，复延请洪亮吉于幕中。朱筠作书致钱大昕、程晋芳曰："甫到江南，即得洪、黄(洪亮吉、黄景仁)二生，其才如龙泉、太阿，皆万人敌。"[②]且夸赞："仲则天才也。"[③]乾隆三十七年(1772)，黄仲则二十四岁，仍在朱筠署中。次年三月，朱筠学使召集时八府士子集会于采石矶太白楼吟诗作赋，"三月上巳，为会于采石之太白楼，赋诗者十数人，君(黄景仁)年最少，着白袷，立日影中，顷刻数百言，遍视坐客，坐客咸辍笔。时八府士子，以辞赋就试当涂，闻学使者高会，毕集楼

① [清]吕培等《洪北江先生年谱》，《洪亮吉集·附录》，北京：中华书局，2001年版。

② 《两当轩集》附录三《黄仲则先生年谱》按语，上海古籍出版社，1983年版，第618页。

③ 同上。赵渭川《校仲则诗付梓有作》注云："昔在笥河师座，有少年以己诗方仲则者，笥河师大噱曰：'仲则天才也。'"

下，至是咸从奚童乞白袷少年诗竞写，一日纸贵焉”（洪亮吉《黄君行状》），黄仲则以《太白楼醉中作歌》名扬大江南北。一时之间，黄仲则成了八方士子倾慕膜拜的偶像，他的诗也成了众口相传的名作。万众瞩目，名噪海内，这是诗人这一时期最为风光的时刻。

黄仲则原本就多才多艺，他能诗，且量丰质佳。采石之会的太白楼赋诗，使他再一次得到了极好的发挥机会，并就此声名远播，屡屡受到同侪的赞叹。吴嵩梁（字兰雪）《石溪舫诗话》曰：“仲则诗无奇不有，无妙不臻，如仙人张乐，音外有音；名将用兵，法外有法。天纵其才，不能不夺其福；人忌其才，不能不发其光。……吾尝论海内诗人，能从古人出而不为古人所囿者，藏园而外，必推仲则第一。”

风光是寂寞的孪生姐妹，诗人风头正健的时候，也是他最落寞的时候。卓著远播的诗名，并未给诗人带来多少实际的利益，诗毕竟不能当饭吃，当衣穿。稻粱之谋，衣食之道，貌似简单，实则大有玄机。有的人不劳而获，衣食无忧；有的人终其一生也不过仅得温饱；而有的人，虽则忙碌一生亦衣食无着，终日为饥寒所迫，惶惶然终生不得安逸。他是诗国的骄子，却是谋生的弱者，就养家奉亲而言，他智竭才穷。他也深知，仅凭几首赚人眼泪的诗来安身立命确实有些天真，真正靠得上、也靠得住的，还是科举之路。毕竟举业是正途，近可荣及己身，远可惠及子孙，光宗耀祖，显亲扬名，是一劳永逸的长久之计。所以，尽管他确知本人之所长在诗，而非八股制艺，但还是勉力为之，从乾隆三十二年到三十九年，五应江宁乡试，却均报罢。

黄仲则一方面试图寻求解决温饱问题的长久之计，一方面也不得不采取一些权宜之计，游幕即为其中之一。在这一阶段，他先后在潘恂、王祖肃、沈业富、郑虎文、王太岳、朱筠等人的幕府中充当幕宾，以求升斗之禄。但这些既未改变仲则困顿艰危的物质生活，也未改变其辗转奔波、卑微劳碌的生活状态。他的偃蹇困顿，他的坎坷悲苦，他的贫病穷愁，并未因诗名远播而有所改观。所以，这一阶段，诗人的境遇仍然可以说是一如既往，仍然是落寞与辉煌结伴而行。穷则思变，诗人必须寻找新的出路、新的机运，才能提高生存的质量，实现生命的价值。

三、末期(1776—1783)：永远的光荣与梦想

乾隆四十年（1775），黄仲则时年二十七岁，他于是年夏天主讲于正阳书院，但不久即蓄意北游京师。表面的原因是他嫌自己的诗作失之柔弱，无北

方幽并豪士之气，有诗《将之京师杂别》六首其一为证："翩与归鸿共北征，登山临水黯愁生。江南草长莺飞日，游子离邦去里情。五夜壮心悲伏枥，百年左计负穷耕。自嫌诗少幽燕气，故作冰天跃马行。"但实际上恐怕并非如此简单。根据他后来给友人的诗中的句子"虚传蓟北黄金贱，自别江南白发新"[①]来看，定是以为入京谋生容易，才辞去不曾坐温的教席。《将之京师杂别》其四有"原尝好客都依遍，邹季论交别更浓"，史上好客的平原君、孟尝君都依附殆尽，出于自尊，怎好一再叨扰？这显然有所指，对他恩重如山的潘恂、王祖肃、沈业富、郑虎文、王太岳、朱筠等等，黄仲则哪一个不曾过从甚密，多有依附？所以，诗人怀着新的希望，在年关将近、本应返乡归里之际，顶风冒雪，朝着京师进发了。我们不无心酸地感叹，诗人此一去，就此踏上了不归路。从二十八岁至三十五岁，从乾隆四十一年(1776)北游幽燕始，到乾隆四十八年(1783)客死山西运城终，在京八年。最终倒在了躲避债家、远赴陕西的旅途中，这位才华横溢的诗人，就此结束了辛酸坎坷的一生。

乾隆四十年(1775)岁暮，经过近两个月的奔波，黄仲则终于抵达了北京。"平生知己数公最，朱王翁毕同栽培"[②]。由于恩师朱筠的延誉，以及王昶、翁方纲、毕沅、袁枚、蒋士铨等人的提携，年轻且多才多艺的黄仲则很快就名满京华。据其师长王昶《黄仲则墓志铭》叙述："都中士大夫如翁学士方纲，纪学士昀、温舍人汝适、潘舍人有为、李主事威、冯庶常敏昌，皆奇仲则，仲则亦愿与定交。"[③]诗人的面眼前似乎呈现出一片灿烂的前景。所以，抵京约一年左右，即乾隆四十二年丁酉(1777)二十九岁那年，他即托洪亮吉把家乡仅有的半顷田、三椽老屋变卖，将家眷接到北京。他与诸友诗词唱和，时习书画，极尽友朋之乐。孰料京都居大不易，官卑俸薄，家计艰难，加上疾病缠身，他只好又于三十二岁那年，把家眷送回南方，有《车中杂诗》其一记之："天寒行旅稀，语闻浣花老。我见殊不然，劳人多草草。前车接后车，鱼贯争古道。行色或辉煌，形容半枯槁。是各有室家，亦岂无翁媪。置酒亦足娱，塞墐讵不早。而必冲寒行，风霰犯昏晓。我亦厕其间，躯比一粟渺。何意号

---

① 黄仲则《夜坐示施雪帆》。

② ［清］吴嵩梁《读黄仲则诗书后》，载《香苏山馆诗集》古体诗钞卷十三，清木犀轩刻本。

③ ［清］王昶《春融堂集》卷五十八《墓志》，清嘉庆十二年塾南书舍刻本。也作《黄子景仁墓志铭》，参见［清］钱仪吉《碑传集・卷一百四十一・文学下之下》，中华书局，1993 年版；《黄仲则研究资料》，上海古籍出版社，1986 年版。

寒虫，转作流离鸟。一贫能驱人，环顾忧心悄。”行色仓皇，形容枯槁，号寒虫、流离鸟一样的境遇，使诗人倍感无奈。

虽则如此，黄仲则在京城的生活仍然是忙碌的，但核心的内容依然不过是作诗、交游、应举。就应举而言，北上前他已经参加过五次乡试，但均报罢。流寓京师期间，又在乾隆四十二、四十四、四十五年，三度应考顺天乡试，亦均落第。乾隆四十一年(1776)，黄仲则于津门应召试，列二等，充武英殿书签官，即《四库全书》誊录员。这次召试并非正常的科考，乃是因为高宗平定大小金川奏捷，为安抚笼络大批献诗献赋的士子，而临时特加的恩科。这也算得上是黄仲则在京城仕宦道路上小有斩获吧。虽然书签官职卑俸微，甚至还要自备资斧[①]，好歹也算是公务员，可谓有了正规的身份了。二十九岁时，由于名作《都门秋思》传到西安，得到陕西巡抚毕沅的激赏。乾隆四十六年(1781)，黄仲则三十三岁，游西安，与友人余少云同寓法源寺养病，得毕沅资助入赀捐得县丞。过了两年，以武英殿书签官，例得主簿，加捐了县丞，于是寓居京师法源寺俟铨选。

朱筠像

这一时期，除了朱筠、毕沅等人的提携外，王昶、翁方纲、蒋士铨、程晋芳、周厚辕、吴锡麒、张埙等也对黄仲则多有奥援，曾结“都门诗社”，经常邀宴京都名流雅集，每次集会都邀请黄仲则、洪亮吉与会，二人每有诗篇，即在士人中广为流传。应该说，不论在何时何地，江南还是塞北，黄仲则的诗作有很多机会面世，命运对他似乎并不特别苛刻。遗憾的是，黄仲则总是一再坐失改变命运的良机。乾隆四十三年(1778)，他受业于王昶门下，王昶深感其才气之高超与个

① 许隽超《黄仲则佣书四库考略》，《江海学刊》，2005年3月。

性之难与人谐:“读其诗固已奇之,及久与之处,落落然,招之不来,麾之不去,因以益奇其人。”(《黄仲则墓志铭》)。孤傲的个性又使他不能心甘情愿地成为达官贵人的附庸,他时时渴望保持独立人格和自由的精神,这在当时的社会中显然是一条两难之路。坦率地讲,是他过分执拗狂狷的性格,造成了他一生的悲剧,而无关乎他人与环境!

乾隆四十八年(1783)三月,黄仲则为债家所迫,抱病离京,再赴西安依陕西巡府毕沅,卒于山西解州。据洪亮吉《萧寺哭临图》跋云,仲则殁后洪赶到时,沈业富已移其殡古寺中,“入门,而遗篇断章,零墨废纸,尚狼籍几案”,境况十分凄凉。这位身负绝世才华的天才诗人,在为升斗之禄奔竞的旅途中,凄凉地结束了他短暂侘傺、贫病交迫的一生,诗人一生的光荣与梦想,也就此风流云散。

时至今日,他短短三十五年的人生履历中,留给后人的就是一部《两当轩集》,中有《竹眠词》三卷,又名《两当轩诗馀》《悔存词钞》。他也长于骈文,《清史列传》亦称其:“骈体文绝似六朝,工书,擅山水,皆极古质。”除作诗词骈文外,亦精书画篆刻。曾有《西蠡印存》一卷,久佚,至今仅存少数篆刻传世。其词曰“莫恤讥弹,何妨篆刻,世上由来几壮夫。人间事,被几番钟鼎,换尽虫鱼”①,见出其于篆刻上的造诣亦自不凡。汪启淑《鹿菲子小传》称黄景仁:“兼长鉴古,以其余技,旁通篆刻,文秀中含苍劲,间仿翻沙法制铜印,直逼汉人气韵。惜天不永其年,所著有《鹿菲子诗钞》若干卷,《西蠡印稿》若干卷。”②绘画作品及书法作品若干,大都已亡佚,存世极少。

金武祥《粟香二笔》卷二载:“黄仲则先生客死西安,……左仲甫中丞挽联云:‘潦倒三十年,生尔何为,合与虫沙同朽质;凄清五千首,斯人不死,长留天地作秋声。’”③可谓的评!

第三节 “两当轩”释名

黄仲则诗集通常以《两当轩集》,或《两当轩诗集》《两当轩诗词》《两当轩全集》等名刊刻行世。“两当轩”是其书斋之名,然其书斋何以如此命名,抑或此命名有何寓意?有必要加以讨论。

---

① 黄仲则《沁园春·题程仲南印谱即索刻小印》。

② 《两当轩集》附录二《传状志文》,上海古籍出版社,1983年版,第610页。

③ [清]金武祥《粟香室丛书》,光绪十六年刻本。

关于“两当轩”命名的含义，历来说法不一，概而言之，大致有以下数端：

1. 黄志述　倾注全力编刻《两当轩全集》的黄仲则之孙黄志述，在其《两当轩集考异》序中说，黄仲则命名他的书斋曰“两当轩”，乃是取自唐代刘知几《史通·隐晦》篇“以两当一”之语，这是最早提出的对“两当轩”含义的一种解释。由于他是黄仲则的裔孙，他的这一解释也就随着其编刻的《两当轩全集》而流传下来，并影响了后人的理解。

2. 陈友琴　唐诗研究专家陈友琴认为，“以两当一”的说法“庸俗鄙陋，买卖贸迁与诗人的气习不相类”。他另提出别解，谓：“《地理志》：凤州两当县，州西八十五里，汉故道县，后魏置两当。用地名较为雅正。”①

3. 羊牧之　在《“两当”一解》一文中先评论了陈友琴的观点，说陈对传统的“以两当一”的批评，“余亦以为甚是”。但对于陈以地名释“两当”，则不以为然：“这一说甚是费解。盖仲则故居在常州马山埠白云溪上，何以用凤州两当县名作为轩名？”羊牧之早年曾踏访过黄仲则故居，见所谓“两当轩”老屋之西厢，“狭小可置一榻一桌”，因而提出“盖仲则幼年家贫，是处既当书斋，复当寝室，故名‘两当’”的解说。②

4. 马惠如　《释“两当”》说：“诗人黄仲则却以此为轩名，其自谦之意是很明显的，不仅谦自己的诗文是‘以两当一’，且‘才乏隽颖，思多昏滞’。我认为其积极意义是在‘以两当一’的反面，轩名‘两当’是诗人时时以‘持一当百’的要求鞭策自己，从事诗文创作时无‘以两当一’之弊，它显示了诗人严格认真、刻苦创作的态度。斋名‘两当轩’亦很别致，不落俗套。”③

5. 赵敬立　在两当县新闻网的《说两当》一文中，赵敬立以“晚食以当肉，安步以当车”作解。盖因其偶阅《乐府诗集·杂曲歌辞二·悲歌行》，其中有“悲歌可以当泣，远望可以当归”一语，认为得到了“两当”的确解。

诸家之说，都有各自的道理，均可作为一家之言，但未必完全允当。黄志述之说所据，乃出自刘知几所谓“盖作者言虽简略，理皆要害，故能疏而不遗，俭而无阙。譬如用奇兵者，持一当百，能全克敌之功也。若才乏隽颖，思多昏滞，费词既甚，叙事才周；亦犹售铁钱者，以两当一，方成贸迁之价也”（《史通·内篇·叙事》第二十二），是从史家角度立论，针对史家才识与叙事

---

① 参阅陈友琴《关于“两当”含义的另一种见解》，载《常州古今》，1982年第3辑，第44页。

② 参阅羊牧之《“两当”一解》，《读书》，1983年第6期。

③ 马惠如《释“两当”》，引自黄葆树、陈弼、章谷编《黄仲则研究资料》，上海古籍出版社，1986年版，第591页。

方法而言。才高者,自然游刃有余,能做到以少胜多,以简驭繁,“疏而不遗,俭而无阙”。反之,“费词既甚,叙事才周”,则会出现下笔千言,离题万里,啰唆半天才勉强把事情交代清楚的情况。前一种情形刘知几以用兵为喻,后一种情形则以商贸为喻。故刘知几所论,与作为诗人的黄仲则之间,基本上没有必然的联系。何况以仲则之才,几乎没有他驾驭不了的诗体、诗风和诗歌题材,可以说黄仲则是当之无愧的诗国王者,几乎不存在刘知几所说的“以两当一”的情况。

马惠如所说,黄仲则以“两当轩”名其书斋,是取谦虚之意,自己作诗时不要犯“以两当一”的毛病。其实,认真体味仲则处世为人的方式,谦虚似乎与他也是不沾边的。他应童子试,三千人中取第一;太白楼朱笥河先生延宴八方士子,饮酒赋诗,黄仲则一挥而就,当仁不让,由此而一举成名。不管他是否谦虚,他一出手,就是名篇,因为他是天纵之才,其才名根本无法掩抑。他的狂狷、清高、孤傲,他的与世不谐,早已为世所周知,哪里谈得上谦虚呢?

陈友琴“地名说”,确实别致。据《汉书·地理志》所载“凤州两当县,州西八十五里”,即今甘肃省两当县,其得名于境内的两当山和两当河。今两当县有史可考的最早建置为“故道”,始建于秦惠文王十三年(前312)。周振鹤编著的《汉书地理志汇释》对“故道”作如下解释:“故,同姑,本作故;道,导也,县南之三道河,东北对嘉陵江;即《水经注疏》之故道水,像女子仰卧,据手举首,有所导也,故名故道,以水名县。”认为故道县是因“故道水”而名。后晋刘昫等撰《旧唐书》载:“凤州两当县,汉故道县地。晋改两当,取水名。”(卷三十九《志》第十九《地理》二)也认为两当县是取自水名。

其实,两当县之名,始自北魏,沿用至今,已有一千五百多年。“两当”二字究竟何指,历来有多种说法。概括其说,主要有三:一曰因山水而得名。北魏郦道元《水经注·漾水/丹水》(卷二十)云:“浊水又东南,两当水注之,水出陈仓县之大散岭(今宝鸡西南秦岭山),西南流入故道川,谓之故道水。”唐李吉甫《元和郡县图志·凤州》曰:“两当县……因县界两当水为名。或云,县西界有两山相当,因取为名。”宋王存《元丰九域志》(卷三)载:“大散关地势隘险,西南有嘉陵谷。”以上诸文献均认为两当县得名,与当地的山水有关系。二曰因空间距离相当而得名。据宋祝穆《方舆胜览》载:“两当县,东抵京都(开封),西抵益州(益州在蜀境),皆为三十六程,故曰两当。”(卷六十九《利州西路·凤州·馆驿·两当驿》)三曰因特殊地理位置和本地特产而得名。以两当地处汴京和益州之间、凤州和徽州之间,距离相当而得名。另一说因两当南北二山盛产党参而得名“两党”，后误传为“两当”[①]。

所以，“地名说”与黄仲则书斋之间的关系也有些勉强，无所谓雅正不雅正。

其实，斋号是一种文化现象，且历史悠久。学者、文人、雅士、官员等，除了在自己诗文、著作中表达思想感情、性格趣味、人生憬悟外，还有许多其他方式也常被用来作相应的表达。例如自己重起的名字、别号，有时还涉及出生地、所住院落、书房及楼台馆阁等等，为其起个某某楼、堂、馆、阁、庐、苑、轩、斋这类字眼的名称。据《渊鉴类函》卷三百四十六引《晋传》，嵇含以“慎终”为其室名。另据房玄龄《晋书》（卷八十五）所载，桓玄因斋中悉画盘龙，因号“盘龙斋”。所以斋号的产生，至迟当不晚于汉晋之际。

一般而言，古人的斋号多以所居之处、所藏之物、所敬之人、所寓之志，或某一诗文名句命名。譬如陆游，有一个书室，即名之曰“书巢”。纪晓岚则以“阅微草堂”名其书斋。其中“阅微”取自成语“见微知著”，典出于《韩非子·说林上》：“圣人见微以知萌，见端以知末，故见象箸而怖，知天下不足也。”又见于班固《白虎通义·情性》：“智者，知也，独见前闻，不惑于事，见微而知著也。”清末两代帝师翁同龢罢官，归隐于萧寺，寺为万松寺故址，因自号“松禅”。

明清之际，文人雅士通过命名斋号寄托某种情怀，成为普遍现象，也成为学者文人们的一种雅嗜。他们的居处或书房，固多深宅大院，亦不乏蜗居、斗室。从中可以看到主人的向往和寄托，心绪与情趣，有时也可感到某种时代气息。如明代王守仁有阳明洞、归有光有项脊轩、徐渭有青藤书屋、汤显祖有玉茗堂、胡应麟有少室山房等，清代朱彝尊有曝书亭、蒲松龄有聊斋、曹雪芹有悼红轩、钱大昕有十驾斋、鲍廷博有知不足斋、洪亮吉有更生斋，等等。

赵敬立以《乐府诗集·杂曲歌辞二·悲歌行》中“悲歌可以当泣，远望可以当归”一语为独得之秘，认为得到了“两当”的确解。其实，晚清文史大家平步青早就指出，“黄仲则‘两当轩’取《史通·隐晦》篇‘以两当一’之语，与颜斶对齐王语、古乐府‘悲歌可以当泣，远望可以当归’、马援‘老当益壮，穷当益坚’不同”[②]，故此说亦不足为训。平步青此处还引了另外一则掌故：“宋

① 参阅成仁才、李兴林《两当史话》，兰州：甘肃文化出版社，2011年版，第5—6页。
② ［清］平步青《霞外攟屑》卷二《執香峪贗话》，《香雪崦丛书》民国六年刻本。

尤(袤)文简公,每公退,则闭门谢客,以钞书为事。其子弟及女婢,亦计日分钞。尝语李太史焘曰:'吾所钞书若干卷,将汇而目之,饥以当食,寒以当衣,孤寂以当友朋,幽忧以当金石琴瑟。'"①尤袤将所抄之书"当食、当衣、当友朋、当金石琴瑟",所谓"四当"。平氏羡慕尤袤的清才雅致,曾试图仿而效之,将自己的书斋命名为"四当",所钞各本名曰《书汇》,只是怕人讥其效颦仲则才作罢。不过,这种对"两当"解读的方式倒是不无启发。

因此,笔者认为,上述几位对黄仲则"两当轩"所作的种种解释,均未尽如人意。其中,倒是羊牧之所说能够从黄仲则身世、际遇出发,知人论世,有一定的合理性。

"两当",亦作"两裆"②,即半臂,古时指短袖衣,称"两当衫",为一般下层小民日常服饰之一。换言之,短衣即是穷人的标志。古代有身份有地位的所谓衣冠缙绅之士,通常都是长袖阔带,衣冠俨然,极少以短衣为常服。如果一个人由长衣变成了短衣,而且面呈菜色,眉带悲苦忧戚之色,则此人必定落魄无疑。黄仲则曾有号曰"鹿菲子""鹿菲道人"。对此,其裔孙黄志述《两当轩集考异》卷下解释道:"谨按《盐铁论》:'古者庶人鹿菲芰草,缩丝尚苇而已。'大父自号,盖取此义。"(《初学记》卷二六引《盐铁论》文作"麄扉草履")"鹿菲"即粗陋的草鞋之意③。黄仲则际遇之偃蹇、生活之困顿、情绪之感伤,先于他,后于他,乃至与他同时代的人,凄惨悲苦能够超越他的恐怕不多。故黄仲则"两当轩"之命名,很大程度上是暗喻了自己衣食无着、颠沛流离的生存窘境。

在黄诗中,描写生活艰辛、困顿的诗,无处不在。从二十岁起,为衣食奔波劳累的情形在他的诗中即屡有反映,如《客中闻雁》中的诗句"我亦稻粱愁岁暮,年年星鬓为伊加",二十一岁时所作的《和仇丽亭》第二首"鸿爪游踪首重回,经年褦襶逐尘埃。青山笑客不归去,为报饥寒驱又来"。感叹谋生乏术的诗句也有很多,洪亮吉曾说黄仲则"三度营巢,依旧无家住"(《蝶恋花·啼鸠和仲则》)。他自己也曾屡次提及,如"畏寒偏欲冲寒来,我辈谋生不如雁"④

---

① [清]平步青《霞外攟屑》卷二《埶香峪賸话》,《香雪崦丛书》民国六年刻本。

② [宋]欧阳修《新唐书·车服志》:"两裆之制,一当胸,一当背,短袖覆膊。"北京:中华书局,1995年版,第521页。

③ 此条材料亦承业师陈广宏先生见示,于此谨表谢忱。

④ 黄仲则《东阿道中逢汪剑潭》。

“五载营巢苦未安”[①]“栖迟人海营巢拙”[②]，等等。这种谋生乏力、拙于应世的直接后果，就是家庭物质生活的极度困窘：“老亲病妇瓮牖底，忧饥苦暑谁相怜？”[③]“亦有蓬头妻，抱病卧积薪。自为我家妇，甑釜常生尘。”[④]更有甚者，“嗟哉小子幼苦饥，典书易米供衰慈”[⑤]“疗饥字少怜予陋”[⑥]，几乎到了山穷水尽的地步。《移家来京师》六首和《都门秋思》四首，均作于乾隆四十二年(1777)，是他举家北上、迁至京师后所作，也是黄诗中的名篇。如果以“贫是吾家物，其如客里何”为自问之句，那么其自答之语更是令人不忍卒读：“全家如一叶，飘坠朔风前”，“全家都在风声里，九月衣裳未剪裁”，加以“一梳霜冷慈亲发，半甑尘凝病妇炊”的具体描写，真可谓“满纸伤心语，一把辛酸泪”。类似“浪游京洛困尘缁”[⑦]“旅食京华计苦辛”[⑧]一类直抒感慨之句，在其他作品中也时有所见。这些饱含血泪的诗句，是展示，也是抱怨，更是乞怜，诗人在向世人昭示自己的苦难，期冀能引起垂怜者的瞩目。当然，这种乞怜是一种高度艺术化了的诗意表白。

为了生存，出于无奈，就不得不靠典书、卖字度日。“两当”的“当”字，还有典当之意。对于黄仲则来说，除了容身之处，他没有多余的房屋地产，没有金银珠宝，除了典书、卖字之外，就剩下妻子儿女和年迈老母了。所以，“两当轩”之意，其实也就隐然暗喻了诗人的这种典书、卖字的生活苦况。

此外，“两当轩”对黄仲则来说，也有弦外之意。他一生穷愁、贫病交加，多病自然体弱，《清史列传·黄景仁》中有“景仁体羸长身”的记载。他自己及其师友的诗文中亦多形象性的描述，如他在《自叙》中就曾说过自己“体羸疲役，年甫二十七耳，气喘喘然有若不能举其躯者”，可见其体弱多病已经到了一个正常人难以承受的地步。其《秋兴》诗序中曾提及少壮白头之事：“昔潘黄门以三十二见二毛，为赋《秋兴》。余则二十有三耳，临风揽鉴，已复种种，早凋如此，其何以堪！”诗人二十一岁时的作品《病愈作歌》中对自己的病史有过概括性的描述：“我曾大小数十病，虽脱鬼手生则残。有如老将身经

① 黄仲则《重至新安杂感》。
② 黄仲则《述怀示友人》。
③ 黄仲则《苦暑行》。
④ 黄仲则《春城》。
⑤ 黄仲则《上朱笥河先生》。
⑥ 黄仲则《送容甫归里》其二。
⑦ 黄仲则《闻郑诚斋先生主讲崇文书院寄呈二首》。
⑧ 黄仲则《送陈理堂学博归江南》。

百余战，遍体刻画皆疮瘢。重经战处始长叹，孤军弱垒心茫然。”诗人年仅二十一岁，本应是如乳虎出谷般的生气勃勃，如初生朝阳般的阳光灿烂，但诗人却暮气沉沉，未老先衰，如同身经百战的老将，不知同病魔进行了多少次搏斗，历经坎坷，身心疲惫，自可知诗人虽年少却已疾病缠身。其诗如“楚天归思暮飞腾，破浪乘风病未能”[①]“灯下故衫交酒泪，风前羸骨战冰霜”[②]等，把诗人的愁苦心境和悲苦状况描述得十分真切。洪亮吉《黄君行状》中也写道：“君自知年命不永，尝共赴吊邵先生于常熟，夕登虞山，游仲雍祠，北望先生墓，慨然久之曰：‘知我者死矣，脱不幸我先若死，若为我梓遗集，如《玉芝堂》乎！’《玉芝堂》者，王君太岳为邵先生所刊诗文集名也。亮吉以君语不伦，不之应，君就便爇神祠香，要亮吉必诺乃已。”提前将身后之事托付于平生最知心、最亲密的朋友。

他自知年寿不永，一直有一种生命的紧迫感，“茫茫来日愁如海，寄语羲和快着鞭”[③]。所以，他骨子里始终有一种只争朝夕的匆促感，促使他“以两当一”“以一当两”，把一天当两天过，或者把两天当一天过，力求以生命的宽度和深度来弥补长度的不足，来增加生命的成色与质量，提升生命的价值和意义。如果把诗人的年寿翻一番的话，则“两当”之内在深意当更为显豁。清才折寿，诗人硬生生将本当年逾古稀的人生打了个对折，“以两当一”“以一当两”，虽为人力，亦属天意。青山寂寞，苍天无语！

一方面，困顿的生活境遇，迫使诗人为了生存不得不典书、卖字；另一方面，贫病交加的身体状况，又逼迫诗人只争朝夕，充实度过人生的每一天。所以，“两当轩”斋名之内涵，作上述解释，庶几近乎诗人之本意吧。

---

① 黄仲则《湖上阻风杂诗》其五。
② 黄仲则《微病简诸故人》。
③ 黄仲则《绮怀》其十六。

第二章

黄仲则的社会生存空间

第一节　黄仲则交友述略

黄仲则门祚孤微，终鲜兄弟，父兄先后离他而去。他是一个孤单凄凉的"畸零人"。但他有一批趣味相近、情投意合的师友朋辈，始终围绕在他的周围，不离不弃，成为他极大的情感寄托和精神归宿。不仅如此，这些师友也是他研讨诗艺、切磋学问，乃至于声气相求、砥砺情操的主要社会活动畛域，所以他极重友情。"我生笃求友，识子非等闲"[①]"万事不如知己乐，一灯常记对床时"[②]，把寻求志同道合的友情，当作一生的追求。据《两当轩集》附录四所载黄仲则的后人黄志述所作《先友爵里名字考》，此文末云："相传大父择交甚严，今记先友，凡集中未见，及虽见而非有交谊者，概不著录。闻见孤陋，所记尚多缺佚，容续搜补入。志述谨识。"黄仲则一生中有重要交往的朋友有大约一百二三十人。这批人身份不同，地位各异，有位高权重的在朝阁老，也有不名一文的布衣寒士。其中就身份与科名而言，有状元如毕沅。获进士者有四十四人之多，举人二十人，诸生二十三人，获功名者近九十人，几达交友总数的七成。黄仲则交接的友朋大致分为若干类：亦师亦友，情同父子，如邵齐焘、朱筠等；名公巨卿，谊兼师友，如郑虎文、王太岳、袁枚、王昶、毕沅、蒋士铨、纪晓岚；同窗朋辈，情同手足，如洪亮吉、汪中、孙星衍、杨伦、吴蔚光等。这些人都是当时的文化精英，身份、地位、学识，乃至人品、操守，均极不凡，堪称人中龙凤。黄仲则在同这些师友朋辈的交往中，不仅声

① 黄仲则《和杏庄赠别》。
② 黄仲则《赠杨荔裳即寄酬令兄蓉裳》。

气相通，志同道合，而且互相切磋，相互请益，于才情、学问、识鉴、操守诸方面，砥砺奋进，相互感荡，确实遇到了许多良师益友，以至诤友、畏友、死友。黄仲则对他们都一视同仁，不论贵贱贤愚，贫富穷通，一概平等交往，绝不趋炎附势。因此，黄仲则在朋友圈中享有极好的口碑，拥有极高的声望。除了佩服倾慕其天才俊逸的诗才，他这种恪守交友之道的优秀品质，也为他赢得了朋友的尊重。当然，黄仲则的才华、气质、秉性都异于常人，他择友甚严，绝不滥交，一旦订交，便成莫逆。洪亮吉《黄君行状》有云："君性不广与人交，落落难合，……独与亮吉交十八年。"我们依据年辈、声望等，将其朋友大致分作同龄侪辈和名公巨卿两类，并选择对其成长和诗风有重要影响的代表人物加以考察分析。

物以类聚，人以群分。黄仲则虽个性落落寡合，但其才情自有过人之处，并以此与当时皆为一时之选的文人雅士相互交往。在这批同龄或年辈大致相近的朋友当中，有许多是乾隆年间的举人或进士，皆博学多闻，多才多艺。与仲则关系较为密切、声望较为显著的有以下诸人：

曹学诗(1697—1773)，字以南，号震亭。安徽歙县人。雍正举人，乾隆进士，知湖北西陵、崇阳县，有政声，以艰归，后遂不出。著有《竺荫楼诗钞》《香雪文钞》等。黄仲则二十二岁在王太岳介子幕中，独与曹以南交往，其余不通一语，有《赠曹以南》《雨中入山访曹以南》《访曹以南五明寺》等诗。

蒋士铨(1725—1785) 字心馀，号藏园，江西铅山人。清文学家，乾隆进士，官编修。著有《忠雅堂集》《铜弦词》《藏园九种曲》等。诗与袁枚、赵翼并称"乾隆三大家"。他与翁方纲、程晋芳、吴锡麒等人结"都门诗社"，邀黄仲则入社，时相唱和。黄仲则有《蒋心馀先生斋头观范巨卿碑额拓本》诗记之。

钱坫(1741—1806)，字献之，号十兰，江苏嘉定(今属上海)人。累官乾州知州。著有《史记补注》《尔雅释义》等书。精训诂、地理，工书法、篆刻。为经学家钱大昕之族侄。曾入毕沅幕中，与洪亮吉、孙星衍交谊深，游学京师期间，朱筠引为上客，且与黄仲则定交。

邵晋涵(1743—1796)，字与桐，号二云，又号南江。浙江余姚人。乾隆进士。少多病，善读书，博闻强识，四部七录无不研究，尤长于史。有《尔雅正义》《韩诗内传考》《南江诗文钞》《方舆金石编目》等书。长黄仲则六岁，彼此相识于太平沈业富署中。

吴蔚光(1743—1803)，字悊甫，号竹桥，别号湖田外史。江苏昭文(今常熟)人。乾隆进士，官礼部主事。工诗，性淡泊，有《素修堂集》《小湖田乐府》

等。与黄仲则先后客沈业富、朱筠署中。

黎简(1747—1799),字简民,号二樵。广东顺德人,贡生。毕生未涉足仕途,安贫自乐,操行廉介。兼擅诗书画篆刻,有《五百四峰堂诗钞》等。据《黎简先生年谱》载“今存《两当轩诗》中,虽仅得题二樵画一首,未见投赠之作,而二公神交始末,生死不渝,概可想见”。黎简长仲则两岁,晚于仲则十六年殁世。由于地域阻隔,二人生前并未谋面,只是文字之交,自然也是君子之交。

杨伦(1747—1803),字西禾,又字敦五,江苏阳湖(今常州)人,乾隆进士。著有《杜诗镜铨》《九柏山房诗稿》。是仲则之同乡,二人同为“毗陵七子”,博极群书,早传声誉。

赵怀玉(1747—1823),字亿孙,号味辛,又号牧庵。江苏武进人。乾隆举人,有《亦有生斋诗文集》。亦为仲则同乡,“毗陵七子”之一,黄仲则集中有多首诗记述二人的交往。

汪端光(1748—1826),字剑潭,又字涧昙,号睦严。江苏仪征人,原籍安徽歙县(居丛睦坊)。乾隆举人,工诗词。有《剑潭诗钞》《丛睦山房诗稿》等。曾与黄仲则相遇于东阿道上,遂并辔北上。

左辅(1751—1833),字仲甫,一字蘅友,号杏庄。江苏阳湖(今常州)人。乾隆进士,著有《念宛斋集》《念宛斋词》。与黄仲则同乡,小仲则两岁。

杨芳灿(1753—1815),字才叔,号蓉裳,江苏金匮(今无锡)人。乾隆拔贡生,有《芙蓉山馆诗文钞》。杨氏小黄仲则四岁,工骈文,缀玉联珠,惊才绝艳。袁枚有诗:“毗陵星象聚文昌,洪顾孙杨各擅场”①,“杨”即指杨芳灿。

孙星衍(1753—1818),字伯渊,又字渊如,号季逑,又号芳茂山人。江苏阳湖(今常州)人,乾隆进士。幼有异禀,过目成诵,官山东督粮道,精校勘。有《雨粟楼诗集》《平津馆文稿》等。两人同里,结交于武进,孙氏小黄仲则四岁。曾与洪亮吉等人号为“毗陵七子”。

龚怡,生年不详,卒于1776年,字爱督,号梓树,江苏武进人。官布政司经历,为朱筠之婿。黄仲则十七岁时与之同在宜兴氿里读书。其病笃弥留之际,仲则在侧。

仇养正,生卒年不详,一名永清,字丽亭,号一鸥,浙江仁和(今杭州)人。乾隆举人,官桐庐训导。有《未学斋集》。曾因湖湘道远,且怜黄仲则体弱多

① [清]袁枚《仿元遗山论诗》,《小仓山房集》小仓山房诗集卷二十七,清乾隆刻增修本。

病，劝其勿往。

杨揆(1760—1804)，字荔裳，江苏金匮(今无锡)人。早年与兄杨芳灿齐名，乾隆举人。为人为文，俊逸清新，有《桐华吟馆集》《卫藏纪闻》。

万应馨，生卒年不详，字黍维，江苏宜兴人。乾隆进士，官广东仁化知县。有《味馀楼賸稿》。黄仲则在宜兴氿里读书之同窗。

余鹏，生卒年不详，字少云，安徽怀宁(安庆)人，监生。著有《韩文公文集编年考》《词曲遗稿》等书。少有逸才，工水墨画。往来燕晋，行遇名山水，辄以诗写。二十八岁去世。与黄仲则皆体弱多病，曾同寓法源寺养病。

闵贞，生卒年不详，字季心，江西南昌人，官都事。黄仲则在宜兴氿里读书之同窗。

劳宗茂，生卒年不详，字濂叔，一字思木，浙江钱塘(今杭州)人。乾隆进士，官工部主事。劳曾手书《大悲咒》赠仲则，仲则有词《金缕曲》以谢。

蒋青曜，生卒年不详，字良卿，号耘庄。江苏阳湖(今常州)人，监生。黄仲则之同乡。

这批人当中，洪亮吉和汪中是最重要的两位。

洪亮吉(1746—1809)，字君直，一字稚存，号北江，别号藕庄，又号对岩、梦姝，晚号更生居士，江苏阳湖(今常州)人。生于乾隆十一年，卒于嘉庆十四年。六岁时，父亲病逝，家境贫困，随母蒋氏及姐弟共六口寄居外祖母家。洪亮吉自幼警敏强记、天资聪颖。据《洪北江先生年谱》记载，他四岁已能识七八百字，五岁就从叔父读《四书》《论语》，直到二十岁设帐授经时为止。洪亮吉先后拜师十五人，学习内容涉及经史子集各部，故学问根底非常深厚，亦擅于诗词、古文、骈文等。一生著述宏富，有《卷施阁文集》《更生斋诗》《附鲒轩诗集》《北江诗话》《玉尘集》《四史发伏》等书。洪亮吉一生创作数量甚大，诗作就有五千五百余首，而且擅骈文，书法也颇受推崇，尤善篆隶。他的知识面宽广，学问渊博，在经学、哲学、人口学、社会学、史学、方志学、历史地理学上，都有所贡献，堪称乾隆时期的大学者。与黄仲则同乡，年长其三岁。他们的家境、经历和性格，有诸多相似之处，都是幼年失怙，家境贫寒；而且都勤苦力学，各有所成；成年后狂傲嗜酒，疾恶如仇，不攀附权贵，至情至性，且好游名山大川。乾隆四十八年(1783)，黄仲则临终遗札以身后事相嘱，洪亮吉由西安假驿骑，四昼夜驰七百里抵安邑，为措资送其柩归里，并为其营葬。

据吕培《洪北江先生年谱》，乾隆十七年(1752)，洪亮吉父亲过世，“贫无所依，随蒋太宜人及姊弟寄居外家，外王母龚太孺人之意也”[①]。就在这段时间内，洪亮吉得与黄仲则相识。乾隆二十年(1755)，是黄、洪初识之年。时年，黄仲则甫七岁，是在父亲去世后，随祖父自高淳归武进，居于白云溪上。而洪亮吉稍长，年方十龄，亦居于此，并就学其舅家之私塾中，二人均为失怙少年。《清黄仲则先生景仁年谱》云：“先生至友洪亮吉十岁，幼孤，得母夫人训，自力于学，壬申以后四年，皆读书舅氏塾中，与先生同在白云溪上，两小相识，时相过从。”[②]黄仲则曾有诗《题洪稚存机声灯影图》叙述当时的情状：“君家云溪南，我家云溪北。唤渡时过从，两小便相识。”《醉歌寄洪华锋》诗亦曰“我家君家不半里，中间只隔白云渡”。二人生小相识，并时相过从，开始了绵延十八年之久的友谊。

乾隆二十一年(1756)，“蒋太宜人率先生归兴隆里旧宅”[③]。十年后，乾隆三十一年(1766)，两人始订文字之交。时年黄仲则十八岁，与二十一岁的洪亮吉一同就读于由邵齐焘先生主持的龙城书院，并先后与杨伦、杨梦符、邵圣艺等同学。洪亮吉所撰《黄君行状》有云：“岁丙戌，亮吉亦就童子试，至江阴，遇君于逆旅中。亮吉携母孺人所授汉、魏乐府锓本，暇辄朱墨其上，间有拟作，君见而嗜之，约共效其体，日数篇。逾月，君所诣出亮吉上，遂订交焉。及常熟邵先生齐焘主常州书院，亮吉及君皆从游，君学益大进。”洪、黄二人深受邵先生器重，称之为“二俊”。黄仲则向有早慧之誉，年未弱冠，所写之小赋、新诗已有“烟月扬州”之誉，而洪亮吉则以骈文名世。二人均为一时俊彦，以才高而著，早慧颖悟同时扬名乡里，早为世人所知。洪、黄受教于恩师邵齐焘，蒙其栽培，学业大进。邵先生学识渊博，为人旷放洒脱，有名士之风，又兼性爱山水，对二人日后学业、诗风，乃至人格的形成都十分重要。

乾隆三十五年(1770)，二人同至江宁乡试，均未上榜。相同的遭际，一样的心境，二人都心灰意冷，牢骚满腹，经常借酒浇愁，与马鸿运、左辅等人过饮甚频，黄仲则有诗《二十三夜偕稚存、广心、杏庄饮，大醉作歌》记之。

乾隆三十六年(1771)，二人被一同延揽，同客于朱筠学政幕中。朱筠一如邵齐焘先生，对黄、洪之才学，倍加青睐，称赏二人之才如“龙泉”“太阿”。洪亮吉《黄君行状》云：“君日中阅试卷，夜为诗，至漏尽不止。每得一篇，辄就榻呼亮吉起夸视之，以是亮吉亦一夕数起，或达晓不寐，而君不倦。”由此

---

① [清] 吕培《洪北江先生年谱》，清光绪洪北江遗集本。
② 黄逸之《清黄仲则先生景仁年谱》，台北：台湾商务印书馆，1980年版，第2页。
③ 同①。

可见，洪、黄二人生死不渝的交情是其来有自，非止一日。两人是同乡、同学，又一同落榜，同为幕客，同寝一室，也一同揽胜。切磋诗艺，不分时地，达到了“心有灵犀一点通”的地步。

乾隆三十七年(1772)，两人仍在朱筠幕中，并多次一道游历黄山、九华、采石、六安等安徽诸名胜。这一年，学使朱筠先生在采石矶太白楼举行诗酒之会，仲则躬逢其盛，并即席赋诗，由此声名益噪。黄仲则当时文(诗)不加点，一挥而就，技惊四座，令人叹服。

乾隆三十九年(1774)，二人又同赴江宁乡试，同寓明代名将徐达东园旧址。不久榜发，仲则落第，而亮吉中副车。此时，仲则心中已有北游京师之意。是年十月，偕洪亮吉一道至常熟，拜谒恩师邵齐焘先生墓于虞山。彼时，黄仲则即以身后事托挚友。这一年，黄仲则年仅二十六岁，正值青春韶华，却以身后事相托，已寓不祥之兆。但所托得人，还是可以由此见出两人的交谊之深。

乾隆四十年(1775)，黄仲则二十七岁。这年的春天二月，黄仲则写信给洪亮吉，告知自己将要北上，洪亮吉写了《送黄大景仁至都门》组诗四首。应当说，北上京师，对于黄仲则来说，是一个十分重大的举措，从此改变了黄仲则的人生走向。他在作出如此重大决策并付诸实施之前，将其通报给了洪亮吉，见出二人关系确实非同寻常。而且，此后由这一重大举措带来的种种事件，洪亮吉都参与其中，并都发挥了十分重要的作用。黄仲则筹备北上期间，洪亮吉时在江宁句曲(今句容境内)，但心中牵挂仲则，有诗《丹阳郦布衣□为予写〈云溪一曲图〉，时予客句曲，而黄二景仁则远在淮颍间，因命人写入图，复作诗寄黄》曰：“溪南狂客吟欲颠，月出唤渡愁无钱。”显然是在担心仲则。十一月，仲则从安徽凤阳出发，孤身北上。岁暮，历经一个多月的长途跋涉，终于抵达北京。其后不久，黄仲则错误判断形势，拜托洪亮吉将黄母及家人护送至北京，欲以就近奉养。然而，“全家都在风声里，九月衣裳未剪裁”，“强作欢颜亲渐觉，偏多醉语仆堪憎”[①]，京城的生活远非仲则想象得那样风光无限，终因职卑俸低、无力养家，而不得不于乾隆四十五年(1780)，移家南旋。这一次仍然是洪亮吉为之筹资，并安排各项事宜。据洪亮吉《黄君行状》：“君果以家室累，大困，亮吉复为营归资，俾君妇及子奉君母先回，而君已积劳成疾矣。”

---

① 黄仲则《元夜独坐偶成》。

乾隆四十四年(1779),黄仲则为了生计和前途,仍然滞留在京师,并再次应顺天乡试。洪亮吉携弟来京,寓于仲则斋中,仲则有《与稚存话旧》诗记之。

乾隆四十六年(1781),一向身体羸弱、愁病交侵的黄仲则病势沉重,不得不暂时寓居北京法源寺,期间洪亮吉多次往访存问,并作诗《法源寺访黄二病因同看花》。同年四月,黄仲则又邀洪亮吉等友人一同饯春,洪亮吉有诗《四月初二日黄二仲则邀同人于法源寺饯春即席同赋得饯字》。五月份,病势稍转好后,为谋选资,黄仲则扶病辞京师,往西安依毕沅。七月份,在西安闻恩师朱筠之讣,黄仲则偕亮吉同哭于西安兴善寺,共同痛悼、感念恩重如山的朱笥河先生。深秋九月,又与好友洪亮吉、孙星衍等同游荐福寺。其后不久,黄仲则由陕西返都待选,临行前,洪亮吉有《关中送黄二入都待选》一诗送别:"君言少贱耽百忧,欲为卑官已不羞。长生如鹤善俯仰,莫更高视轻同俦。"诗中满含一位兄长的理解和体谅,同时也不无祝福语善意规劝,情真意切,发自肺腑,一片至诚之心跃然纸上。

乾隆四十八年(1783),是黄仲则人生中的最后一年。为避债家催逼,他不得不再次抱病出都,欲投靠陕西巡抚毕沅。途经山西,抵运城,客河东盐运使沈业富官署中,不幸于四月份病逝于沈业富署中。临终前,曾有书信寄洪亮吉,促其速行以嘱后事。洪亮吉接书后,由西安假驿骑,四昼夜驰七百里,抵安邑,为黄仲则措资送其灵柩南归。洪亮吉《黄君行状》有云:"君……独与亮吉交十八年,亮吉屡以事规君,君虽不之善,而亦不之绝,临终以老亲弱子拳拳见属,君之意殆以亮吉为可友乎! 此或君之明,而亮吉亦有不敢辞者矣。"黄、洪相交前后达十八年之久,黄氏卒前还将老母幼子托付给洪亮吉,足见两人相知之深,而洪亮吉亦是重然诺之人,最终不负死友仲则所托。毕沅所辑的《吴会英才集》形容洪亮吉:"至性过人,笃于友谊,暨黄客死,素车千里,奔赴其丧,世有巨卿之目。"仲则殁后,洪亮吉不仅扶柩南归,为其营葬,还做了长篇组诗《自西安至安邑临黄二景仁丧奉挽四首》表达哀思。为表彰仲则行迹、品德,又作了《黄君行状》。其后,还为其侍奉老母,照料遗孤,为仲则后人读书、婚嫁事宜竭尽全力。对黄仲则遗稿的整理刊刻亦多所贡献,功不可没。

洪亮吉为仲则奔丧途中给毕沅的信《出关与毕侍郎笺》,荡气回肠,义薄云天。其撰挽联云:"遗札到三更,老母孤儿惟我托;炎天走千里,素车白马伴君还。"这种生死贫贱不移,肝胆相照,赴汤蹈火亦在所不辞的友情,足可长留天地之间，让人不得不心生敬佩。

黄仲则另一位同病相怜的生死之交是汪中。汪中，字容甫、思复，江苏江都人（今属扬州）。生于乾隆九年（1744），卒于乾隆五十九年（1794），享年五十一岁。乾隆四十二年（1777）拔贡，终身未仕。七岁丧父，家境贫困，合家所居仅有三席之地。其《先母邹孺人灵表》中道："先君子下世，世叔父益贫，久之散去。母教女弟子数人，且缉屦以为食，犹思与子女相保，直岁大饥，乃荡然无所托命矣。再徙北城，所居止三席地，其左无壁，覆之以苫，日常使姊守舍，携中及妹傫然丐于亲故，率日不得一食，归则藉藁于地。每冬夜号寒，母子相拥，不自意全济。比见晨光，则欣然有生望焉。"[①]遂无力求学，由寡母邹氏启蒙。十四岁入书店当学徒，鬻书于市，与书商相熟，始得博览经史百家之书。而汪中天资极高、触目成诵，刻苦自学、毅力过人，故扬州民间云"无书不读是汪中"。乾隆二十八年（1763），以《射雁赋》应试，列扬州府第一名，补诸生。乾隆三十三年（1768），乡试落第。据汪中后人汪喜孙所作《容甫先生年谱》记载："先君省试后以文就质于沈先生廷芳，先生叹赏不已。将出榜，使人候江口，寻被放，惆怅久之。是科主司点定，其文已中式矣，不审何以被落，先君寻病怔忡，遂不就省试。"[②]自此未再参加乡试。他生性伉直，狂傲少偕，至情率真，一身傲骨。但事母至孝，笃于友朋，受到时贤的称赞。汪中才高博学，一生著述丰富，有《广陵通典》三十卷、《春秋后传》二十卷、《述学》四卷，又选屈原、宋玉以下哀艳之文为《伤心集》若干卷。能诗，工骈文，二十七岁时所作《哀盐船文》，为杭世骏所叹赏，评为"惊心动魄，一字千金"[③]，因此文名大显。但存诗不多，后人编为《容甫先生遗诗》五卷，《补遗》一卷。

据黄逸之《清黄仲则先生景仁年谱》所载，黄、汪二人的频繁交往，集中在黄仲则二十二岁至二十五岁时，即乾隆三十五年（1770）至乾隆三十八年（1773）之间。乾隆三十四年（1769），汪、黄初识于安徽太平知府沈业富署中，当时汪中二十六岁，黄仲则二十二岁，二人始订文字之交。据汪喜孙《容甫先生年谱》所引汪中《与秦丈西岩书》云："武进黄景仁字仲则，昨以事客游

① ［清］汪中《述学》，戴庆钰、涂小马校点，沈阳：辽宁教育出版社，2000 年版，第 92 页。

② ［清］汪喜孙《容甫先生年谱》，《北京图书馆藏珍本年谱丛刊》111 册，民国十四年（1925）影印刊本。

③ ［清］王引之《汪容甫先生行状》，李金松《述学校笺》附录一《传记资料》，北京：中华书局，2014 年版。

汪中像

于此，其人年二十有一，所作诗千有馀篇，雄才逸气，与李太白、高青邱争胜毫厘，实非今世上所有，某虽负气于诗，自愧弗如也。"[①]汪中当时即已为黄仲则的才气所深深折服，并且自叹不如。汪中有《赠黄仲则诗六首》，而黄仲则也有《和容甫》诗，表达与汪中相契的情感。《两当轩集》中黄仲则提到汪中或为汪中而写的诗有十三首之多。乾隆三十六年(1771)，黄逸之《清黄仲则先生景仁年谱》中又说："时太守署中宾客有邵晋涵、高文照、汪中。是时先生与容甫唱和诗最多。"乾隆三十六年，二人同客于太平知府沈业富幕中这一阶段，是二人相处最久、也是相知最深的一个时期。这年的春天，仲则作《春日和容甫》诗，并同游绛雪亭，仲则作《偕容甫登绛雪亭》诗，有云"凭高眺远吾两人，心孤兴极牢忧并"。三月二十一日，汪中夜和仲则所赠诗《三月二十一日夜和仲则》诗云："丛薄风生窗淅淅，夜火欲尽作青色。病客独坐毛发立，鬼适何来太相逼。飒然雨落林鸟啼，空堂曳革行来迟，终夜作索心然疑。天明向壁块然卧，与汝相守能几时。"[②]结末两句，表达了汪中对仲则友谊的无比珍重和留恋。但仲则的原诗不见载于《两当轩集》，或已散佚。其后汪中离开太平，别沈业富幕归里，以书籍寄仲则处，仲则赠以长剑，《两当轩集》卷四有《以所携剑赠容甫》诗。

仲则不久也离开此地，乾隆三十六年(1771)冬，赴安徽，入学政朱筠幕。乾隆三十七年(1772)，当时黄仲则仍在朱筠幕中，有诗《送容甫归里》，其三有"聚本无端别可惊，寄书寄剑是生平"句，自注曰："以所携剑赠容甫，容甫亦以书寄余，今归之。"二人相互激赏，性情相契，彼此以书剑互赠，大有英雄

① [清]汪喜孙《容甫先生年谱》，《北京图书馆藏珍本年谱丛刊》111册，民国十四年(1925)影印刊本。

② [清]汪中《容甫先生遗诗》卷四，清光绪乙酉维扬述古斋木活字本。

相惜之意。汪中以经学名世,三十岁后即不再作诗,但却与黄仲则在短时间之内往来唱和多首诗。出于对朋友的关心,汪中也曾劝仲则关注经训,专心举业,毕竟在当时科举是正途。黄仲则在《送容甫归里》诗其二回应云:"疗饥字少怜予陋,劝学言温鉴尔真。自忖不材终放弃,江潭瓠落寄吟身。"虽然也体会到友人的一片至诚之心,但出于自己的性情,他自知自己不是做学问的材料,所以此时索性明言已弃经训矣。另外,黄仲则还有词《念奴娇·送容甫归真州》送别汪中。

乾隆三十八年(1773),黄仲则由乡里复返安徽朱筠学政署,两人又同在朱筠署中相逢,并为程厚孙作书与汪容甫定交。黄仲则有古诗《赠程厚孙时为厚孙作书与汪容甫定交》,仲则对好友汪中的学问人品推崇备至,并对自己学问不及容甫而表示歉疚。见出对友人的评骘是真心而发,绝非言过其实,也见出二人是真心相契,心心相印。汪中、洪亮吉是黄仲则平生最好的两位至交,相同的身世、共同的志向,使得三人情同手足,真是到了一日不见如隔三秋的地步。而在是年三月,三人同游城东古院,有词《念奴娇·清明偕容甫稚存访城东古院》。二人的往来书信、诗词唱和的诗稿,黄仲则都始终存留,情谊绸缪深挚,可见对友人情谊的珍重和怀念。汪喜孙《容甫先生年谱》述道光四年(1824)事曰:"汪容甫子喜孙,尝介庄绶甲访遗诗于小仲家,时小仲已卒。绶甲乃小仲里友,有覆书致喜孙曰:'前承尊属至亡友小仲家检觅尊公遗诗,久未报命,负疚滋深。今于夏间旋里,偕友人遍检小仲遗箧,于汗出如浆之际,忽惊得数纸,狂喜交集,如获至宝。'"[①]仲则对汪中诗稿手迹的珍藏与保存,成为汪家后人收集到汪中生前所作诗文遗稿的主要来源,其宝重珍藏之功,确实值得嘉许。二人交契之深,于此可见一斑。

汪中著述已散佚不少,在黄仲则死后,似乎并未见到汪中有哀悼诗文,或许有但已亡佚。汪喜孙《容甫先生年谱》附《马秀才书事》载:"乾隆五十九年九月廿九日,赴杭,应直指全德聘也。是时扬州文汇阁、金山文宗阁《四库书》校毕,直指延至杭州校文澜阁《四库书》,屡辞不果,始成行。十月朔,至常州,有旧友赵君来访,因同登岸。归舟,有《怀杭州故人口占绝句》,末云'行将挥泪过西州',盖为郑炳也先生作。过白云尖怀旧友孙渊如、黄仲则诸

① [清]汪喜孙《容甫先生年谱》,《北京图书馆藏珍本年谱丛刊》111册,民国十四年(1925)影印刊本。

先生，黄已殁于山西解州邸舍，访其后人，不值。自是日行一程，十二三日始抵杭州。”[①]身临故地，不忘踏访旧友后人，而且将追怀之意、悲悼之情行诸笔墨，以诗记之，则可知汪中对旧友还是心存牵念、难以忘怀的。

纵观二人交往过程，两人都少年失怙，家境贫寒，又都少怀异禀，才华特秀。虽然日后所学异趋，一以诗歌著，一以经学名，却又都能不傍他人，自成一家。且二人性情相近，皆孤傲自负，与世少谐，终身偃蹇落魄，一生未遂青云之志，寂寞凄凉，抱才而终。共同的遭际，相同的性情，使得二人惺惺相惜，互相激赏，成为至交好友。这种交谊，不为势位所诱、不为生死所阻、不为时空所隔，是纯粹的、超越任何名缰利锁的道义之交，因而能历久弥坚，终身不渝。

第二节　黄仲则求学、游幕及其他

汉唐时期，“幕府”是一个具备军事功能，或者行政功能，或者兼而有之的决策辅助机构，在政治活动中发挥着重要作用。同时，幕府也是一个人才储备的机构，主要职能是佐人为治，即提供决策、经办庶务等。幕主通常是主持军事或行政的主要官员，幕主为提高办事效率，常常会自主录用一些办事人员，其中就有一些知名文人。这些入幕文人，通常都是有一定学识和才略的在野之士，借此逐渐积累人脉资源和行政经验，最终平步青云。幕府也就成为人才的渊薮，入幕也就成为士人步入仕途、致身通显的要津。“唐词人自禁林外，节镇幕府为盛。如高适之依哥舒翰，岑参之依高仙芝，杜甫之依严武，比比而是，中叶后尤多。盖唐制，新及第人，例就辟外幕。而布衣流落才士，更多因缘幕府，蹑级进身。”[②]高适、岑参、韩愈、杜甫等唐朝著名诗人都有过游幕的经历。

较之传统幕府制度，明清之际，这一制度发生了一些新的变化。首先是幕府人员的身份有别，“古有幕僚，今惟幕友”[③]，“幕僚”属于国家公职人员，“幕友”则不是。其次是职掌相异。幕友处理的是具体的、琐碎的行政性事务，幕僚除此之外，还在政治上有更大的影响和作为。其三是地位悬殊。幕友

---

① ［清］汪喜孙《容甫先生年谱》，《北京图书馆藏珍本年谱丛刊》111 册，民国十四年（1925）影印刊本。

② ［明］胡震亨《唐音癸签》卷二十七《谈丛》三，清文渊阁四库全书本。

③ ［清］陈文述《颐道堂文钞》卷六，嘉庆丙子刻本。

阮元像

为人作嫁，默默无闻，而幕僚声名显赫，受人敬重。最后是与长官的关系上，幕僚同长官有上下级名义，拘于尊卑之礼，做事有所顾忌，而幕友和长官是主客平等关系，秉正自持，敢于抗礼，不迁就主官，能够保持人格的独立完整①。尽管如此，对于不能找到更好出路的大批落第举子、失意文人而言，跻身名人幕府仍不失为一个暂时获得存身之地、衣食温饱和诗酒文会的上佳选择。

乾隆时期，朱筠、毕沅、阮元、谢启昆、卢见曾、曾燠的幕府是这一时期几个重要的学人幕府，聚集了大批文人学士，出现了持续一百多年文人游幕的盛况，形成幕府文学的兴盛局面。

黄仲则才名远扬，享誉士林，不仅同辈友朋企羡追慕，而且才学、年辈和声望远在其上的硕学耆宿、名公显宦也都对其关爱有加，如潘恂、王祖肃、邵齐焘、王太岳、郑虎文、朱筠、王昶、翁方纲、毕沅等，或者片言延誉，或者延揽入幕，或者悉心奖掖，以不同的方式对黄仲则表示了惜才、爱才之意。其中延揽黄仲则入幕是比较重要的一种方式。

潘恂(1719—1770)，字兰谷，号峨溪，安徽桐城人。乾隆六年(1741)举人，七年(1742)成进士。据《清代官员履历档案全编》，潘恂"乾隆十二年用江苏知县，二十七年用苏州同知。二十九年四月内，奉旨补授江南常州府知府。乾隆三十三年五月内，用浙江宁绍台兵备道，乾隆三十五年六月内，调浙江杭嘉湖道"。乾隆二十九年(1764)，黄仲则十六岁。这年，他在武进读书，应童子试，府试第一。当时，潘恂任常州府知府，王祖肃任武进县知县，两位地方父母官对乡邦的青年才俊还是相当器重的。黄仲则少小年纪，即以自己出众的才华，引起了二人的注意，三千人中被取为第一名，赢得了人生的第一份荣耀。黄仲则对潘、王的知遇之恩十分感佩，一直铭记于心。他

① 参阅李志茗《离异与回归——中国幕府制度的嬗变》，《史林》，2008年5月。

有《贺新凉》词纪之，词曰："往事为翁数。记当日、词场跳荡，猛于乳虎。正值怜才潘骑省，籍甚众中一顾。把江夏无双见许。是日论文翁在座，费三条红烛三挝鼓。感此意，极辛苦。"后来潘恂调任宁绍台兵备道，驻宁波。洪亮吉《黄君行状》载："君为诸生，家甚贫，不愿授徒，值潘君恂、王君祖肃迁官杭、歙，君遂历访之。"黄仲则因为家贫，又不愿做教书先生坐馆授徒，于是就找老恩师寻求帮助。

王祖肃(1717—1792)，字季龙，号敬亭，山东济南府新城县人。贡生，王士禛从曾孙。历任武进县知县、徽州府同知、贵州镇远府知府，事具王祖肃《敬亭自记年谱》。黄仲则与王祖肃的交往，开始时间与潘恂相同，都是在他应童子试时。后来，王祖肃任徽州府同知，乾隆三十三年(1768)，黄仲则二十岁时，"事迫饥驱，义兼负米"①，曾经打算赴徽州依王祖肃。行前，黄氏恩师邵齐焘先生有诗《送黄生汉镛往徽州》②送之。十一月，至徽州，客徽州同知王祖肃署，为游幕之始。时为徽州府知府徐硕士所重，为座上客。仲则有《获港舟次遇徐逊斋太守罢官归滇南》《忆徐逊斋滇南》诗纪之。乾隆三十四年(1769)，黄仲则二十一岁，春夏仍在徽州王祖肃幕。据郑虎文《吞松阁集》卷二十六《送王十一敬亭之建昌守任序》文，王祖肃本年升江西建昌府知府，仲则是时去徽，当与此有关。所以，这年秋天，黄仲则离开安徽，经杭州归里，冬则远赴湖南，客按察使王太岳幕。这一段时间，从乾隆三十三年(1768)戊子十一月，到乾隆三十四年(1769)己丑秋，前后大约半年左右。乾隆三十七年(1772)，仲则二十四岁在安徽学政朱筠做幕时，重至徽州，感触良多，有诗《重至新安杂感》四首，怀曹以南、王祖肃。

邵齐焘(1718—1769)，字旬慈，号叔宀。江苏昭文(今常熟)人。乾隆七年(1742)进士，授编修。主讲常州龙城书院，黄仲则、洪亮吉曾从受学。齐焘善为骈体文，意欲矫陈维崧、吴绮、章藻功三家之失，故所作以气格排奡、色泽斑驳为宗。吴鼒选其文，与刘星炜、袁枚、吴锡麒、洪亮吉、孙星衍、孔广森、曾燠等所作，编为《八家四六文钞》。著有《玉芝堂诗文集》(文集六卷、诗集三卷)行于世。邵齐焘的才名与风骨，早已播于众口，声闻遐迩。他在书法、文学上都有很深的造诣。据《清史列传》卷七二记载，其章草入晋人室，

① [清] 邵齐焘《玉芝堂文集》卷六《送黄生汉镛往徽州序》，清光绪己卯湘南节署刻本。
② [清] 邵齐焘《玉芝堂诗集》卷下《送黄生汉镛往徽州》诗四首，清光绪己卯湘南节署刻本。

且善为骈体文……秀水郑虎文曰："今古骈散，殊体诡制。道通为一……君于本朝，一人而已。"[①]彭启丰云："我朝文教跨越前古，腾芳艺林，擅声馆阁者多矣，而吾独有味乎荀慈之文也。其论古人有云：于绮藻丰缛之中，存简质清刚之制。观其所作，诚践斯言。华不失实，炼不伤雅，洵足上追李唐、远攀晋宋者欤！"[②]邵齐焘的诗，徐世昌《晚晴簃诗汇》中这样评价："冲淡闲适，如瘦竹幽花，翛然相对。"而汪佑南《山泾草堂诗话》亦以"清雅绝俗"评之。[③] 由此可见，邵齐焘的诗也是相当不错的。但邵齐焘为人冲淡，落落寡合，不省揣摩迎合，性情与官场殊非所宜，年三十六即罢职归田，嗣后到常州主讲龙城书院。

黄仲则与邵齐焘的初次相识是在乾隆丙戌年（1766），邵先生初到龙城书院的时候，是年仲则十八岁。

这年春天，常州知府潘恂延邵齐焘先生主龙城书院，选拔大批优秀学子入学，并给予丰厚的助学津贴，使贫寒学子免除后顾之忧，黄仲则也在这时如龙城学院读书。黄仲则《自叙》云："岁丙戌，常熟邵先生齐焘主讲龙城书院，矜其苦吟无师，且未学，循循诱之。景仁亦感所知遇，遂守弗去。三年，公卒，益无有知之者，乃为浪游。"[④]在同邵先生相处的三年时间里，彼此感情甚深，情同父子。仲则好友洪亮吉是时也就读龙城书院，同从邵先生游。邵先生甚为欣赏二人才华，呼为"二俊"。称仲则为"顾步轩昂，姿神秀迥，实廊庙之瑚琏，庭阶之芝兰也"[⑤]，欣喜称举之情溢于言表。

关于邵先生初到龙城书院的确切时间，洪、黄二人的记述稍有不同。按照上述黄仲则的《自叙》所言，是岁丙戌，而洪亮吉《伤知己赋》自注则云"岁丁亥、戊子，邵先生主龙城书院讲席"[⑥]，邵先生在龙城书院掌教的时间，洪亮吉的回忆是在这两年，黄仲则《自叙》则明确说"三年，公卒"。但乾隆戊子（1768）夏，黄仲则游徽州，邵先生作了《送黄生汉镛往徽州》，序中有"余讲文此邦，才逾二载"之语，则邵先生掌教龙城书院的时间，显然不止两年。由

---

① ［清］郑虎文《翰林院编修邵公墓志铭》，载王昶《湖海文传》卷五十六《墓志》，清道光十七年经训堂刻本。［清］钱仪吉所辑《碑传集》，由黄彭年编校，卷四八所收称《翰林院编修邵公齐焘墓志铭》，有光绪十九年江苏书局刻本。上海师范大学图书馆整理钱仪吉《碑传集》，编入《清代碑传全集》上册，由上海古籍出版社1987年影印，收录此铭。

② ［清］彭启丰《芝庭诗文稿・跋邵荀慈集》文稿卷八《行述杂著》，清乾隆刻增修本。

③ 参见钱仲联主编《清诗纪事》，南京：凤凰出版社，2004年版，第5257—5258页。

④《两当轩集》，上海古籍出版社，1983年版，第1页。

⑤ ［清］邵齐焘《玉芝堂诗集》卷下《劝学一首赠黄生汉镛・小序》，清光绪己卯湘南节署刻本。

⑥《洪亮吉集・卷施阁文乙集》卷二，刘德权点校，北京：中华书局，2001年版，第289页。

此，黄说丙戌年到龙城的可能性比较大，这与邵先生诗序中的话相一致。至于洪亮吉“丁亥、戊子”之说，根据洪氏门人吕培等编的《洪北江先生年谱》，可能因为丙戌年他“仍在外家授徒，……又在杨氏腾光馆会课”[①]，他是第二年即丁亥年才到龙城书院追随邵先生受业，比黄仲则晚了一年，所以总共是两年。这是由于二人根据自身实际上追随邵先生左右的具体时间所作出的判断，因而并无抵牾之处。

邵先生深知仲则性情，循循善诱，苦口婆心，作《劝学一首赠黄生汉镛》诗，反复教导，屡加规箴。其后，仲则作《对镜行》古风一篇呈邵先生，自伤身世。邵先生感其诗意，遂和诗一首《和汉镛对镜行》以宽之，据《玉芝堂文集》卷六《跋所和汉镛对镜行后》文云：“去年冬，观汉镛所作《对镜行》，爱其光怪有古意，又伤其贫病伶仃，词旨凄怨。因和其诗，晓之以功名富贵之不足重，而终以劝学。盖以汉镛之材之美而充之以学，其所造岂可量哉！然以其体弱多病，又不欲其汲汲发愤以罢敝其精神，而第劝以博观泛览，优游而自得焉，则于进学养身均有助矣。……”[②]邵先生不仅关心仲则之学业，也关心其身心健康，忧虑其未来前途，可谓用心良苦。在《和汉镛对镜行》诗中，邵先生劝仲则勿为自身苦况而悲伤，应当自强，自我宽慰，看淡功名富贵，这些都不过是身外之物，应戒除少年轻狂、意气之争，而应当潜沉静养，才有利于身体，有利于养身之道。人生如白驹过隙，倏忽而过，要珍惜时光，少壮不努力，老大徒伤悲。一片苦心，再三致意，真是其情可感。

乾隆三十三年戊子(1768)，仲则二十岁，这年邵齐焘不幸辞世。邵先生在去世前不久，还不忘关心这位才高命蹇的弟子。四月，以论诗主“性灵”而闻名的诗人袁枚，过龙城书院拜访邵齐焘，在邵先生的引荐下，仲则得以拜识这位声名赫赫的大诗人。不久，仲则欲赴徽州依王祖肃，行前邵先生有赠诗四首以别，仲则亦和之。

在这段短暂的时光里，师生二人彼此相谐，情同父子，邵先生的人品学识、道德文章，以及对仲则苦口婆心的谆谆教导，使得仲则终生难忘，每每想起，都止不住潸然泪下，《两当轩集》中追怀邵先生的诗词，篇不绝书，如《哭叔宀先生兼怀(邵)仲游》《展叔宀先生墓》二首、《木兰花慢・月下登虞山，哭邵叔宀先生》二首、《检邵叔宀先生遗札》《寒夜检邵叔宀师遗笔因忆别时距

① 参阅《洪北江先生年谱》，《洪亮吉集・附录》，刘德权点校，中华书局，2001年版，第2328页。
② 参阅《两当轩集》附录五《唱酬/题赠》，上海古籍出版社，1983年版，第642页。

今真三载为千秋矣不觉悲戚俱集》等。

沈业富(1732—1807),字方谷,江苏高邮人,乾隆十九年(1754)进士,官至翰林院编修、太平知府、河东盐运使,著有《味灯斋诗文集》。

乾隆三十四年(1769),当时仲则为王祖肃幕僚,大概因公事至安徽当涂,得以初识太平府知府沈业富及汪中。乾隆三十六年(1771),仲则二十三岁。这年上半年,他客太平知府沈业富幕,冬天时入安徽学政朱筠幕。他在沈业富幕中的时间不长,时来时走。乾隆四十年(1775),仲则再次到沈业富署中,三月十三日,夜饮沈业富座中,分韵赋诗,即《三月十三日沈既堂先生座中十二人合年五百岁分韵得少字》诗,云:"緊惟主人贤,高义云日皦。"又云:"我辈客天涯,聚散枝上鸟。去日何堂堂,后会方渺渺。眷言主情厚,顿释羁愁扰。锡类惟绵长,回心更倾倒。给席喜价增,赍翰疚言小。行买千丈丝,一绣平原赵。"对沈业富如平原君般的好客表示了感激之情。在后来的《岁暮怀人》二十首诗中,有怀念沈业富的一首。乾隆四十八年(1783),仲则三十五岁,是他在世的最后一年,三月,为了往西安谋选资于毕沅,虽已病势甚重,但还是力疾出都。四月,勉强抵达运城,再次见到了沈业富,此时仲则经过旅途劳顿,病势越发沉重。四月二十五日,终以肺病不治,卒于河东盐运使沈业富署中,黄仲则与沈业富的交往就此画上了句号。

郑虎文(1714—1784),字炳也,号诚斋,浙江秀水(今嘉兴)人。乾隆七年(1742)进士,官编修,学问渊博,工诗。著有《吞松阁集》。黄仲则曾受教于郑氏。因母老家贫,欲至四方以求升斗之养,后辞别郑氏,另谋他就。

王太岳(1722—1785),字基平、介子,直隶定兴(今属河北)人。乾隆七年(1742)进士,曾任四库馆总纂官。著有《泾渠志》《清虚山房集》等。邵齐焘、王太岳、郑虎文、潘恂是同科进士,彼此相契,相知甚深。乾隆三十四年己丑(1769)冬,黄仲则二十一岁,王太岳时任湖南按察使,因邵齐焘生前的推荐,而客其幕中,深受王氏赏识。

洪亮吉《黄君行状》云:"后复携邵先生书,客湖南按察使王君太岳署中。是时,君已揽九华,陟匡庐,泛彭蠡,历洞庭,每独游名山,经日不出,……自湖南归,诗益奇肆,见者以为谪仙人复出也。"赴湘路上及在湘逗留期间,黄仲则乘便游览了湘赣诸多名胜。据左辅《黄县丞状》云:"时湖南布政使定兴王公太岳,郑(虎文)同年友也,遂游焉。过湘潭,酹酒招魂吊屈原、贾谊,作《浮湘赋》以寄意,悲慨伤怀。王故名士,负其才,及见心折,每有所作,必持质黄秀才定可否。然狂傲少谐，独与诗人曹以南交，馀不通一语。”[①]他凭吊了屈原、贾谊、杜甫等人之墓，酹酒招魂，做了《浮湘赋》《洞庭赋》以寄慨。《两当轩集》卷二还有《闻子规》《登衡山看日出用韩韵》《辰阳道中》《黔阳》诗，卷十七《百字令·登益阳城楼》词，卷二十二《湘阴夜泊》等诗赋，记录此一段游幕湖南的经历。因为王太岳是邵先生的好友，有邵先生书信的介绍，黄仲则受到了王太岳的礼遇，彼此相处甚洽，如上所述，“王故名士，负其才，及见心折，每有所作，必持质黄秀才定可否”。除了对幕主王太岳以及诗人曹以南外，狂傲的黄仲则对其他人是不屑一顾的，这无异于给自己四面树敌，所以，湖南之行持续的时间也不太长，前后也不过五六个月而已。

十年后，乾隆四十四年(1779)，黄仲则在京时，还到王太岳府上话旧，有《百字令·宿王介子先生斋头话旧》词云：“荆州初识，记霜清宪府，天寒梦泽。丝竹后堂容我到，醉倒留髡十石。湘月窥帘，岳钟殷榻，半载长沙客。楚云千里，回头都是陈迹。　　今日金马还公，蹇驴老我，相见黄尘陌。住近城南天尺五，一水遥通太液。药圃围棋，草堂剪烛，话到东方白。殷勤强饭，苍生还望安石。”二人的交谊并未因时光荏苒而变淡。

朱筠(1729—1781)，字竹君，号笥河，直隶大兴(今属北京)人。乾隆十九年(1754)进士，授翰林院编修。乾隆三十三年(1768)擢侍读学士，充日讲起居注官，三十六年提督安徽学政，大力扶植学术。程晋芳、任大椿皆其所取之士，戴震、邵晋涵、章学诚、王念孙、黄仲则等先后受其指导。三十八年，乾隆下诏求遗缺之书，朱筠奏请从《永乐大典》中辑录古书，使得数百种佚书因收入《四库全书》得以保存下来。长于经学，善书法，好金石文字。著有《笥河集》。书法与刘墉、翁方纲、梁同书、王文治等人齐名。

乾隆三十六年(1771)，仲则二十三岁。这年朱筠就任安徽学政。十一月，仲则在龚怡的引荐下，入朱筠幕，作《上朱笥河先生》诗[②]。其好友洪亮吉亦于此时入朱先生幕，二人同执弟子礼。邵齐焘先生曾称赏二人为“二俊”，朱筠先生向有爱才之名，对二人亦赞不绝口。到安徽学政任上不久，朱先生即致信京中好友钱大昕和程晋芳说，“甫莅江南，晤洪、黄二君，其才如龙泉、

① [清]左辅《念宛斋文稿》卷四，引自黄葆树、陈弼、章谷编《黄仲则研究资料》，上海古籍出版社，1986年版，第8页。

② 黄仲则《闻龚爱督从河南归》(卷八)诗云：“北海空劳荐祢书，仲宣未是依刘客。”知仲则得入朱筠幕，龚怡有书荐之。

太阿，皆万人敌'"[①]。在自己的诗中，朱先生亦对黄、洪二人青眼有加，"洪生才如矛，决刺快棘矜。从我我来南，得子色已欣。更有黄生奇，猿骨鹤之筋。二生于常士，两扛龙文斤"[②]。黄、洪二人在朱筠幕府中所为，通常都是事务性的琐事，整理文书、处理来往信函、起草文稿、批阅试卷等。工作之余的业余生活自然不外吟诗作赋、诗酒流连、游山玩水之类。这年的十二月二十六日，黄仲则与座主朱筠及同僚张方海、章学诚、邵晋涵、徐瀚、洪亮吉、莫与俦诸人同游位于当涂附近的采石矶各处诸胜，三元洞、妙远阁、虞宗肃祠、观澜亭等，并饮宴于太白楼，日暮返学署。此外，还陪同朱先生一同游览了许多其他的当地名胜，每游一地，均有诗纪之。

次年上巳，正是江南草长，杂花生树，群莺乱飞之时。朱筠偕诸幕友高会于采石太白楼，在这场宴会上，黄仲则吟出了他的成名作《笥河先生偕宴太白楼醉中作歌》。黄仲则能诗之名早已远播乡里，至此而声名益噪。左辅《黄县丞状》亦有相同的记载，云："学使尝游宴太白楼赋诗，时宾从数十人，皆一时名彦。仲则年最少，着白袷，颀而长，风貌玉立，朗吟夕阳中，俯仰如鹤，神致超旷。学使目之曰：'黄君真神仙中人也。'俄诗成，学使击节叹赏，众皆阁笔。一时士大夫争购白袷少年太白楼诗，由是名益噪。"[③]采石太白楼之吟，技惊四座，力压群雄，彻底奠定了黄仲则"诗人之诗"的美誉。从此，黄仲则一举成名，享誉大江南北。他的这首《笥河先生偕宴太白楼醉中作歌》痛快淋漓，一气呵成，全诗既有激情豪壮之气，也有苍凉哀婉之声。铸词新奇瑰丽，立意新颖独特。飞扬激荡，气势非凡，确有青莲遗风。

在朱先生幕府这一段时间，黄仲则有时陪朱先生出行，有时自己独自出行，遍游皖中名胜。他的足迹遍及安徽大江南北、淮河两岸，从当时该省最北部的亳州，到最南部的徽州，诗人走遍了颍州、凤阳、庐州、安庆、池州、宁国、太平七府，以及泗州、滁州、六安三州，几无遗漏。所作诗篇达数十首，如《浴汤泉》《夜从慈光寺步至茅蓬庵再浴汤泉》《慈光寺前明郑贵妃赐袈裟歌》《由慈光寺至老人峰》《文殊院》《白猿》《题文殊院》《天都峰》《山中见月》《黄山松歌》《小心坡》《遇雨止云谷寺》《铺海》《黄山寻益然和尚塔不得偕邵二云作》《别松上人》《池阳杜牧祠》《秋浦怀李白》《寄怀顾文子》《写怀》《昭明太子

---

① 参阅[清]洪亮吉《卷施阁文乙集》卷二《伤知己赋》"复飞笺于虎观，喻得士于龙泉"句下自注。中华书局，2001年版，第290页。

② [清]朱筠《笥河诗集·赠洪稚存归以寿其母》卷十一癸巳，清嘉庆九年朱珪椒华吟舫刻本。

③ 参阅《两当轩集》附录二《传状志文》，上海古籍出版社，1983年版，第607页。

祠》《池口写望》《池阳杂诗》《苦雨》《邵二云自江上归余姚》《齐山》《望华亭》《发一宿庵》《游九华山放歌》等，均为此时所作。

在朱先生的幕府中，黄仲则过着诗酒优游的生活，常昼阅试卷，夜晚作诗，乐此不疲。是他一生中比较惬意的时日。

乾隆三十八年(1773)，黄仲则二十五岁的这年，上半年仍在安徽学政幕，时从朱先生出行，随幕校文，时有诗作，《两当轩集》卷八有《舟夜寄别左杏庄》《悲来行》《乌江吊项羽》《横江春词》三首、《濑水浣女祠》《对月感怀》诗，卷二十二(补遗)有《乌江项王庙》等。六月辞幕赴徽州，七月游杭州，八月复返徽州，冬由杭归里。黄仲则辞朱先生之幕的原因不得其详，不过，大致还是可以做些推测。仲则此时虽然生活适意，但他个性极强，幕府日常生活的单调琐屑，枯燥乏味，幕友间也难免间生龃龉，这些与其诗人气质恐怕不无冲突。再兼经济上所得薪俸未必能完全满足仲则养家糊口之需要，所以日久萌生去意，另谋他就亦未可知。九月，随着朱先生降调入都，黄仲则与朱先生在江南的这一段因缘际会就此暂告结束。

乾隆四十年(1775)，二十七岁时，黄仲则只身北上，远赴京师。抵京后的第一个落脚点即是朱先生府邸。其后，黄仲则在京度过了人生的最后八年时光。八年当中，朱先生仍然给予仲则许多帮助。据《朱筠年谱》载："(乾隆四十年)十二月，弟子黄景仁举家入京，位于先生家左近，先生为之区画。俾举家入都，告诸位名士爱才者，醵金若干，月馈薪米。岁暮则为其母制寒衣，于是景仁得从容翱翔，以成学问。"①黄仲则年谱中也提到黄甫至北京，即乾隆四十年十二月，"是年先生寓日南坊西，而朱筠亦在咫尺"②。不仅如此，后来黄仲则举家北上入都后，又是朱先生发动京中人士，为仲则"醵金若干，月馈薪米"，而且还为其母缝制寒衣御寒，可谓关怀备至。黄仲则《移家来京师》其五云"当代朱公叔，怜才第一人。传经分讲席，傍社结比邻"，无疑对此也是十分感念的。

更重要的是朱先生在事业上对仲则给予了更多的帮助。黄仲则抵京几天后，朱筠、何青就共同出面，在陶然亭举行了一个中小型文人聚会③，算作是为黄仲则接风吧。出席此次聚会的名流有翁方纲、程晋芳、程瑶田、丁逵鸿、吴省兰、吴兰庭、吴蔚光、洪榜、汪端光、温汝适、金翀、杨芳灿诸人。据《两

① 姚名达《朱筠年谱》，载《民国丛书》第三编，上海书店，1991年版，第73页。
② 黄逸之《清黄仲则先生景仁年谱》，台北：台湾商务印书馆，1980年版，第43页。
③ 许隽超《黄仲则年谱考略》，上海古籍出版社，2008年版，第211页。

当轩集》卷十一，有《乙未除夕前五日笥河先生偕集陶然亭分韵得影字》诗。

身居都门的朱筠，德高望重，桃李满天下，门生故吏遍布京师。黄仲则的好友洪亮吉不无自得地说，“窃以先生之门，著录弟子不下千人，咸负盛名，各官内外”[①]。姚名达《朱筠年谱》后附有“门人一览表”，所列朱门弟子有：王复、何青、汪端光、汪中、李威、余鹏年、余鹏翀、吴兰庭、武亿、洪亮吉、胡梅、高文照、施晋、徐书受、孙星衍、张彤、陈宋赋、庄炘、章学诚、钱坫、程晋芳、温汝适、温景莱、赵希璜、万应馨、杨芳灿、杨揆、陆锡熊等。这是一份朱门弟子的不完全名单，但可以肯定的是，其中所列大都为知名之士，确如洪亮吉所言，“咸负盛名，各官内外”。应当说，这是一个京城中士林的精英集团，设若不是朱先生的引荐，黄仲则想要厕身其中，实属不易。

有恩师朱筠的提携揄扬，黄仲则得与都中名流如翁方纲、程晋芳、蒋士铨、纪昀、孔继涵、李威、张埙、赵秉渊、王念孙、钱坫、陈以纲、王复、张彤、胡量、许乃扬、金翀、钱伯埛、徐书受等往还甚密。乾隆四十四年（1779），翁方纲、蒋士铨、周厚辕、吴锡麒、张埙等结都门诗社，邀洪亮吉、黄仲则入社[②]。赵希璜诗曰：“每自手钞传好句，曾闻拍案叹天才。主盟已占骚坛久，献赋同随翠辇来。”[③]陈燮诗曰：“同游得江夏，高吟下黄鹄。才继谪仙后，名与少陵续。汪汪千顷波，分我水一掬。……骚坛整旗鼓，往往偪他族。主盟得黄子，壁垒竖高纛。……”[④]黄仲则被当时都门诗坛尊为执牛耳之人。

乾隆四十六年（1781）辛丑六月二十七日，朱筠卒于京师日南坊之里第，享年五十三岁。是时，仲则与洪亮吉一道在陕西巡抚毕沅幕中，七月，始闻朱筠师之讣，随后即偕洪亮吉哭于西安兴善寺，共同祭奠这位恩重如山的老师。《两当轩集》卷十四《岁暮怀人》诗怀朱笥河先生曰：“小谪陈芳现在身，人间何事敝精神？幔亭仙客休相待，八百孤寒要此人。”对于朱先生在困顿中给予自己的无私关爱表示了深切的缅怀。

袁枚（1716—1798），字子才，号简斋。浙江钱塘（今杭州）人。乾隆四年

---

① ［清］洪亮吉《卷施阁文乙集》卷八《椒花吟舫图序》。

② 据［清］吕培《洪北江先生年谱》“乾隆四十四年条”云：“时四库馆甫开，雠校事繁，座师董公诰为总裁官，属总校江宁孙舍人溶延先生至打磨厂寓斋，总司其事，……时翁学士方纲、蒋编修士铨、程吏部晋芳、周编修厚辕、吴编修锡麒、张舍人埙共结诗社，首邀先生及黄君入会。每一篇出，人争传之。”

③ ［清］赵希璜《校仲则诗付梓不觉怆然》其二，引自《两当轩集》附录六《唱酬/题赠》，上海古籍出版社，1983年版，第670页。

④ ［清］陈燮《忆园诗钞》卷一《白门旅次赠施雪帆兼怀顾文子黄仲则》，参阅黄葆树、陈弼、章谷编《黄仲则研究资料》，上海古籍出版社，1986年版，第165页。

(1739)进士,授翰林院庶吉士。后任溧水、江宁等县知县。因无意仕途,于乾隆十四年(1749)辞官隐居。诗主"性灵",著有《小仓山房诗文集》《随园诗话》等。黄仲则曾于二十六岁时至江宁谒袁枚,并寓居随园。

仲则与袁枚的相识当在乾隆三十三年(1768)戊子四月,仲则二十岁时。袁枚过龙城书院拜访邵齐焘,仲则时从邵先生就读于此,故有机缘得以拜识随园。

袁枚像

乾隆三十九年(1774)甲午冬,黄仲则二十六岁,至江宁,于袁枚随园中度岁。据黄逸之《清黄仲则先生景仁年谱》本年条云:"虞山游后,亮吉先行。先生遂至江宁谒袁简斋(枚)太史。时简斋寓小仓山,所构随园,以吟咏著作为乐,放情于声色,尤好宾客,四方之士,投诗文者无虚日。先生至,太史亦优待之,即度岁于随园中。"并作诗《呈袁简斋太史》四首(卷十)。简斋长仲则三十三岁,且其"性灵说"已流布人口多时,其年辈与声望显然远在仲则之上,所以仲则诗中语极恭敬,诗其一曰:"一代才豪仰大贤,天公位置却天然。文章草草皆千古,仕宦匆匆只十年。暂借玉堂留姓氏,便依勾漏作神仙。由来名士如名将,谁似汾阳福命全?"

袁枚在读了仲则的《观潮行》和《后观潮行》之后,拍案叫绝,并立即写了一首《仿元遗山论诗》:"常州星象聚文昌,洪顾孙杨各擅场。中有黄滔今李白,看潮七古冠钱塘。"[①]将仲则比之为"当今的李白",见出这位诗坛前辈对黄仲则的倾心奖掖。

黄仲则家境贫寒,急谋禄养,期望能在科举上有所突破,但多次参加乡试均以失败告终。究其原因,主要是他将大部分时间和精力都放在作诗上,而应举所需的八股制艺显然有所欠缺。他的师友如邵齐焘、王太岳[②]、洪亮吉、孙星衍、汪中等辈都曾劝其改弦更张,致力于考据学问。黄仲则一度十

① 《两当轩集》附录五《唱酬/题赠》,上海古籍出版社,1983年版,第645页。

② [清]王太岳《清虚山房集》卷九《与郑诚斋书》云:"念此君(仲则)贫甚,亟谋禄养,且欲劝之俯首下心,勤习举子业耳。得不得自是有命,要不可操瑟当竽耳。"光绪十九年定兴鹿传霖刻本。

分矛盾，想抛开"并力作诗人"的追求，埋首考据。袁枚赞赏黄仲则才情，当得知他亦欲束诗高阁，从事考据时，出于维护"小道"的尊严与独立，在《随园诗话》[①]及《再答黄生》[②]中，都表达了他极力反对这种想法，批判了当时诗坛和学界斤斤于考据之学的偏颇。黄仲则寄书，今已不存，但可以推测信中大抵流露了致力考据的想法。袁枚的这些规劝，对于仲则人生道路的选择，无疑起了十分重要的作用。

仲则殁后，袁枚闻讣后十分悲痛，《小仓山房诗集》卷二十九《哭黄仲则·有序》云："仲则名景仁，常州秀才，工诗，七古绝似太白。流落不偶，年三十馀，客死山西。"诗云："叹息清才一代空，信来江夏丧黄童。多情真个损年少，好色有谁如《国风》？半树佛花香易散，九天仙曲韵难终。伤心珠玉三千首，留与人间唱《恼公》。"对仲则的英年早逝表示了惋惜，同时也给了他极高的评价。

翁方纲(1733—1818)，字正三，号覃溪，顺天大兴(今属北京)人。乾隆十七年(1752)进士，选庶吉士，授编修。提倡"肌理说"诗论，为乾隆诗坛三大流派之一。翁氏长仲则十六岁，黄仲则至京未久，即于朱筠先生的酒宴上结识翁氏。其后，多次一道共同出席京中名流的诗文雅集，互有诗酒唱和，如《丙申冬于王述庵通政斋见邝湛若八分铭天风吹夜泉研为作歌今翁覃溪先生复出邝书洗研池三字拓本与研铭合装属题池在广州光孝寺邝读书处也先生视学广东曾访之》诗、《翁覃溪先生以先文节公像属题像李晞古笔藏夏邑彭春衣侍讲家此先生属山阴朱兰圃临本也》诗、《人日登黑窑厂归集翁学士覃溪诗境斋》诗二首等。翁方纲《复初斋集外诗》卷十五有《题仲则〈印传书屋图〉，即送其出都二首》诗，其《题黄仲则〈江上愁心图〉二首》诗，其一："秋水娟娟隔，美人谁目成。蘼芜香自结，杜若碧无情。弥櫂憺延伫，乘云翩上征二玉箫何处起，天阔乱山横。"其二："阻风眠饭话，心事有谁知。廿载诗狂后，三更酒渴时。读书今得路，奉母喜伸眉。莫信骚人辈，烟江叠嶂词。"[③]仲则殁后，翁方纲亦有诗怀悼，并为其刊刻诗集《悔存斋诗钞》，但删除所谓不和合雅正之作甚多，洪亮吉讥为"删除风月少精神"。

---

① [清]袁枚《随园诗话》卷二："近今风气，有不可解者：士人略知写字，便究心于《说文》《凡将》，而束欧、褚、钟、王于高阁；略知作文，便致力于康成、颖达，而不识欧、苏、韩、柳为何人。间有习字作诗者，诗必读苏，字必学米，侈然自足，而不知考究诗与字之源流。皆因郑、马之学多糟粕、省费精神，苏、米之笔多放纵，可免拘束故也。"《袁枚全集》，南京：江苏古籍出版社，1997年版，第37页。

② [清]袁枚《小仓山房尺牍》卷四，《袁枚全集》，同上，第81页。

③ [清]翁方纲《复初斋诗集》卷十八，民国六年《嘉业堂丛书》刻本。

王昶(1724—1806),字德甫,号述庵,又号兰泉。江苏青浦(今属上海)人。乾隆十九年(1754)进士,授内阁中书。嗜好金石之学,编有《金石萃编》《明词综》《国朝词综》《湖海诗传》等书。王昶与朱筠当时有"南王北朱"之称。仲则到京后亦多有提携,屡次举行诗酒之会,邀请仲则出席,为其延誉。闻黄仲则之丧,厚赙之。《春融堂集》卷十八有《哭黄仲则六十六韵》长诗。

毕沅(1730—1797),字纕蘅,号秋帆,又自号灵岩山人,江苏镇洋(今太仓)人。乾隆二十五年(1760)进士,廷试第一,状元及第,授翰林院修撰,累官至湖广总督。少孤,资性颖悟。从沈德潜、惠萧游。著有《山海经校注》《续资治通鉴》《灵岩山人集》等。长黄仲则十九岁,有诗相互酬唱。爱才下士,又好刻书,乾隆四十八年刊刻《吴会英才集》。尝读黄仲则诗《都门秋思》,奇其才,予其五百金邀其西游。

第三节　黄仲则的科场鏖战

科举制从隋唐时期产生,到清末废止,历经一千三百多年。在这么多年中,科举制的弊端迭经诟病。清代著名学者顾炎武批评说:"八股盛而《六经》微,十八房兴而廿一史废。"①又说:"愚以为八股之害,甚于焚书。"②但不可否认的是,作为一种官方主导的人才选拔机制,科举发挥了不可替代的作用。坦言之,能够过五关斩六将,通过科考成为进士者,多数都非等闲之辈。这就确保了大批优秀人才进入权力体系的各个层面,维持了国家机器的正常运转,对保证社会整体的稳定起了相当大的作用。对个人而言,明清两朝的进士之中,接近一半是"寒门"出身。只要他们能一登龙门,便自然能身价十倍。历代以来,千万莘莘学子,寒窗苦读,白首场屋,目的亦不过希望能借此一举成名,光宗耀祖,所谓"十年寒窗无人问,一举成名天下知"。

洪亮吉在《黄君行状》中说:"(黄仲则)平生于功名不甚置念,独恨其诗无幽并豪士气,尝蓄意欲游京师,至岁乙未乃行。"作为黄仲则一生相契的挚友,洪亮吉对黄仲则的了解是深刻的,他之所谓"于功名不甚置念",实际上是从仲则的性情出发,对其作出的恰切的评价。众所周知,黄仲则是一个天分极高的诗人,他性情中最充沛的是鲜活玲珑、飞扬灵动的诗思和诗意。如

① [清] 顾炎武《十八房》,《日知录》卷十六,清乾隆刻本。
② [清] 顾炎武《拟题》,同上。

果在确保衣食无忧的前提下，让他在做诗人和做官之间做单项选择的话，依其性情而言，他更愿意选择作诗人。“倘来事业惭青鬓，未了名心为老亲。”[①]他所面临的困境，是先要谋生，养家糊口，解决一家老小现实的温饱问题，这是生存的基本要义之一。理论上讲，写诗这样的高层次精神需求，是在衣食住行等基本生存条件满足之后才可以考虑的事。而对于像黄仲则这样谋生乏术、除读书吟诗外别无长计的下层知识分子，在当时唯一的出路就是参加科考，由此步入仕途，利用朝廷俸禄或者纳贿、搜刮、贪污等其他灰色收入，获得稳定丰厚的经济来源。只有如此，才能过上悠游自得、体面尊荣的生活，俗谚所谓“书中自有黄金屋，书中自有颜如玉”是也。因此，我们考察黄仲则的年谱，从其经历中，可以清楚地看到，从十六岁到三十二岁，黄仲则于十六年间陆陆续续参加了大大小小十几次考试，几乎平均一年就是一次。黄仲则参加的大型考试如乡试，就达八次之多，但都以失败而终。这种名落孙山、屡试不第的痛苦经历，对其人格、诗风以至心态、情感、思想等都有着极大的影响，因此，有必要对其进行认真的梳理和考察，以便我们更好地理解黄仲则其人其诗。笔者根据清人毛庆善、季锡畴《黄仲则先生年谱》、民国黄逸之《黄仲则年谱》，以及许隽超先生《黄仲则年谱考略》，按编年对黄仲则参加科考的情况做些论列。

乾隆二十二年丁丑(1757)，黄仲则九岁，正在武进读书。这年春天，他到江阴初应童生试。当时江苏的学政是李培因，学使署驻江阴县，隶属常州府[②]。也许是年龄太小，初涉科考，对其中的水深水浅还茫无头绪。总之，黄仲则这次童试状态欠佳，结果未售。

乾隆二十九年甲申(1764)，黄仲则十六岁，应府县童子试，当时仍在武进读书[③]。这次的成绩相当不错，府试名列第一，且受知于潘恂、王祖肃。这是时隔七年后黄仲则再次参加秀才资格考试。这一年他已十六岁，将及弱冠。随着年龄的增长，学问自然也长进许多，何况这一次是有备而来，所以，这次他在府试三千人中名列第一。时任常州府知府潘恂、武进县知县王祖肃，对黄仲则十分赞赏，成为最早赏识黄仲则的伯乐。洪亮吉《黄君行状》云：“学使者岁、科二试，吾乡应童子试者至三千人，君出即冠其军，前常州府知府潘君恂、武进县知县王君祖肃尤奇赏之。君美风仪，立俦人中，望之若

① 黄仲则《丁酉正月四日自寿》。

② 许隽超《黄仲则年谱考略》，上海古籍出版社，2008 年版，第 17 页。

③ 同上，第 23 页。

鹤，慕与交者争趋就君，君或上视不顾，于是见者以为伟器，或以为狂生，弗测也。”后来回忆起这一美好时刻，黄仲则也忍不住有自得之意：“我昔三五日，壮气干星杓。自拟罗预间，置身惟云霄。”[①]以为平步青云指日可待了。

第二年，即乾隆三十年乙酉(1765)，黄仲则十七岁时，到江阴应院试。依据惯例，府县试案首即第一名，院试时可直接取中入泮。由于黄仲则上年被取为府试第一，所以今年被补为博士弟子员，为常州府学生员。左辅《黄县丞景仁状》云：“(仲则)性颖悟，工诗歌，能文章，为人俶傥有奇气，试童子，辄冠其曹。年十七，补博士弟子员。”

乾隆三十二年丁亥(1767)，黄仲则十九岁。据清人毛庆善、季锡畴《黄仲则先生年谱》、民国黄逸之《黄仲则年谱》载，这年秋，黄仲则首赴江宁应乡试，未售。当时潘恂升任浙江观察，邀请黄仲则，所以，不久之后，黄仲则即赴杭州，为武林之游。这年对黄仲则来说，有几件大事发生：一是邵齐焘先生主讲常州龙城书院，黄仲则从其游，师生十分相得，情同父子；二是娶妻赵氏，毕婚姻大事；再就是首应乡试。科举序列中，乡试是由秀才晋升举人的必由之路。通常每三年一次在各省省城举行，凡本省生员与监生、荫生、官生、贡生，经科考、录科、录遗考试合格者，均可应考。逢子、卯、午、酉年为正科，遇庆典加科为恩科。考期在八月，分三场，考中的即为举人。获得举人身份，也就意味着可以取得进一步科考的资格，如会试、殿试等，而且同时也取得了做官的资格，社会地位和经济地位均会有大幅度的提高。但黄仲则在向举人竞奔的角逐中，显然开局不利。

乾隆三十三年戊子(1768)，黄仲则二十岁，这年秋，第二次至江宁应江南乡试，据毛庆善、季锡畴《黄仲则先生年谱》本年条，依行程，仲则当于八月下旬抵宁。九月十一日，江南乡试榜发，荐而未售[②]。黄仲则《两当轩集》卷八《过全椒哭凯龙川先生》序云：“戊子乡试，公同考入闱，景仁受知于公，荐而未售。”据此，则凯音布事先可能为仲则向考官说项，但未果。仲则与凯音布具体关系如何不详。凯音布，字龙川，汉军，举人，官全椒知县，乾隆三十五年(1770)卒。但黄仲则对此人的知遇之恩念念不忘，乾隆三十八年癸巳(1773)在朱筠幕中时，途经全椒县，特意作诗怀念他。

乾隆三十五年庚寅(1770)，黄仲则二十二岁。这年春，黄仲则客寓长沙

① 黄仲则《赠程生人中》。

② 许隽超《黄仲则年谱考略》，上海古籍出版社，2008年版，第44。

湖南按察使王太岳幕中，夏天返归故里。秋偕好友洪亮吉一道至江宁应江南乡试，二人乘舟由运河经丹徒入江，一路前行，七月下旬行至江宁。沿途黄仲则作了许多诗，如《舟泊偕稚存饮江市次韵》《舟中再叠前韵》《三叠前韵》《江上晓发》诗[①]。其《舟中再叠前韵》（卷二）诗云："万株衰柳黯津亭，湖海相邀作客星。此去故人衣脱白，但逢狂客眼同青。江城雁带边声苦，泽国秋蒸海气腥。幞被依依两愁绝，夜深击楫溯空冥。"九月初，恩科江南乡试榜发，与亮吉俱报罢。据法式善《清秘述闻》卷七载，本年江南乡试恩科的主考官为吏部侍郎曹秀先。三场制艺题目分别为"六十而耳"二句，"及其广大"四句，"召大师日之乐"。试帖诗题为"赋得桂林一枝得馨字"。

乾隆三十六年辛卯(1771)，黄仲则二十三岁。这年上半年的时候，仲则客太平知府沈业富幕中。秋天，他买舟从当涂出发，赴金陵四应江南乡试。大约一个月后，约当七月八日至十五日间，仲则到达金陵[②]。八月，下场应试。途中有《金陵杂感》（卷四）诗云："平淮初涨水如油，钟阜嵯峨倚上游。花月即今犹似梦，江山从古不宜秋。乌啼旧内头全白，客到新亭泪已流。那更平生感华屋，一时长恸过西州。"不久，九月十一日，江南乡试榜发，黄仲则与好友洪亮吉、赵怀玉、邵圣艺等俱未售。

至此，黄仲则五年间四进乡试考场，结果都不令人满意。科场失意，屡战屡败，对仲则的打击无疑是沉重的，他心境之恶劣亦可想见。就在此次落第不久，他作了《秋兴》诗二首，语极悲苦。仅仅二十三岁的诗人，原本就体弱多病，年纪轻轻，揽镜自照，就已白发丛生，让人感到，诗人所承受的精神痛苦和心理压力是何等巨大！

苦闷彷徨中，黄仲则在江南的第五次乡试，一直推延到了三年以后，即乾隆三十九年甲午(1774)，诗人二十六岁的时候。这年春夏，诗人游历扬州。七月，再偕好友洪亮吉由扬州赴江宁，应江南乡试，抵宁后，同寓东花园[③]。赴江宁途中，黄仲则有《念奴娇·渡江至京口》词。九月发榜，不幸的是，仲则再次名落孙山。但几家欢喜几家愁，同来的考友中，邵培德、洪亮吉是科中副车，而吴蔚光、孙星衍、杨揆、赵怀玉等亦落第。命运之神十分吝啬，总是垂青极少数幸运儿。在随后的《访吴竹桥》诗中，诗人写道："敦牂季秋月，文战各云罢。君时抱微疴，我亦整游驾……"诗人已经厌倦了这种屡

① 许隽超《黄仲则年谱考略》，上海古籍出版社，2008年版，第83页。
② 同上，第102页。
③ 同上，第179—180页。

战屡败的游戏，萌生了另辟蹊径之意。果然，第二年的冬天，为了转换一下久已厌倦的环境，也为了寻找更大的发展空间，同时也为了自己的诗风多些幽燕之地的刚健爽朗之气，诗人北上京师，开始了新一轮的努力和挣扎。

到北京后的第二年，即乾隆四十二年丁酉(1777)，仲则二十九岁的这一年秋天，他第一次在北京参加顺天乡试，结果仍未如愿。他的一班好友赵怀玉、杨揆、余鹏翀、赵渭川、金翀等辈，亦皆下第，而是科吴蔚光终于榜上有名，乡试中举。仲则的好友洪亮吉、孙星衍、何青则在南闱下第[①]。黄仲则的心情是不言而喻的，其享誉海内的《都门秋思》就写于这一阶段。“同是天涯沦落人，相逢何必曾相识”，在一同下第的友人中，虽然彼此处境相似，但还能彼此宽慰，互诉衷肠。赵渭川下第欲归罗浮，仲则赋诗《送赵渭川归罗浮》赠别，赵亦有诗《丁酉报罢南归》《老将一首贻黄仲则即以志别》留赠。其《老将一首贻黄仲则即以志别》诗云：“几人猿臂到三公，百战沙场未论功。身隐瘢痕雕羽箭，架腾宝气铁胎弓。受知国士恩非浅，曾读阴符遇亦穷。自是长安多骏骨，黄金台上想高风。”[②]对彼此屡试不第的心境做了恰切的描述。

乾隆四十四年己亥(1779)，黄仲则三十一岁，八月，再于京师应顺天乡试，与好友杨揆、余鹏翀、余鹏年、王复一道，皆落第[③]。这已是黄仲则来京的第四个年头了。在恩师朱筠及一批都中名流的提携下，黄仲则的诗名在京师益发显赫，被朋辈同侪公认为执诗坛牛耳之才，但他也不得不面对日益高涨的诗名与科举失意的巨大反差与尴尬。

乾隆四十五年庚子(1780)，黄仲则三十二岁，八月在京师与洪亮吉、杨伦等第三次应顺天乡试，也是他最后一次出入科场。洪亮吉、杨伦领乡荐，徐书受中副车，赵希璜、黄仲则再次落第[④]。这一次黄仲则终于撑不住了，他在居大不易的京城，已无力养家奉亲，九月初七日，不得已移家南旋，将妻儿老母送回江南。但此时的诗人贫病交加，已呈病入膏肓之势，只是勉强支撑才不致卧病不起，其悲苦贫寒之状已到了无以复加的地步。《两当轩集》卷十五《移家南旋是日报罢》诗：

> 朝来送母上河梁，榜底惊传一字康。咫尺身家分去住，霎时心迹判

---

① 许隽超《黄仲则年谱考略》，上海古籍出版社，2008年版，第247页。

② [清]赵希璜《四百三十二峰草堂诗钞》卷二，乾隆五十八年安阳县署增修本。

③ 许隽超《黄仲则年谱考略》，上海古籍出版社，2008年版，第284页。

④ 同上，第297页。

行藏。岂宜便绝风云路，但悔不为田舍郎。最是难酬亲苦节，欲笺幽恨叩苍苍。

《直沽舟次寄怀都下诸友人》其二：

读书击剑两无成，辞赋中年误马卿。欲入山愁无石髓，便归舟已后箪羹。谙成野性文焉用，淡到名心气始平。长谢一沽丁字水，送人犹有故人情。

《历城道中》诗云：

北游忽不乐，东来揽齐岱。

《董子读书台》诗云：

……对策未竟用，说灾行见收。遂令王佐才，老逐经生游。东海牧羊叟，乃是平津侯。……感激士不遇，此意良悠悠。

均可概见仲则此时彷徨失计、进退无据的愁苦心境。

江藩《国朝汉学师承记》卷四《武亿传》载：

庚子年，阳湖洪亮吉稚存、黄景仁仲则流寓日下，食不能归，偕饮于天桥酒楼，遇君（指武亿），招之入席，尽数盏后，忽左右顾盼，哭声大作，楼中饮酒者骇而散去。藩尝叩之曰："何为如此？"曰："余幸叨一第，而稚存、仲则寥落不偶，一动念，不觉涕泣随之矣。"

这种友朋间彼此心知、相互牵念的真挚情谊，使人动容。

当局者迷，也许黄仲则终其一生也不清楚其征战科场、屡困场屋的真正症结究竟何在，而徒然抱怨上天的不公。当然，名额的限制，对手的实力强大，个人运气的糟糕等等，都可能是失利的原因。但客观地说，导致他科举失利主要的、也是最根本的原因，在于他忽视了对八股制艺的研习和钻研。其《自叙》说：

稍长从塾师授制艺，心块然不知其可好。先是应试无韵语，老生宿儒，鲜谈及五字学者。旧藏一二古今诗集，束置高阁，尘寸许积，窃取翻视，不甚解。偶以为可解，则栩栩自得曰：可好者在是矣。

他是以其所长应其所短，方枘圆凿，格格不入，所败宜其然也。

众所周知，科举考试的内容主要是八股文。八股文主要测试的内容是经义，是从《诗》《书》《礼》《易》《春秋》五经里选择一定的题目来进行写作，所谓“代圣贤立言”。八股文在当时是非常重要的，它关系到一个人能不能在科考中考中进士，能不能升官。明清小说中说：“当今天子重文章，足下何须讲汉唐。”“汉”是指汉代的文章，“唐”指的是唐诗，汉代的文章也好，唐代的诗歌也好，都不如当今皇帝所看重的八股文，只有八股文章才能敲开科举考试的大门，其重要性不言而喻，黄仲则恰恰在这点上做得差强人意。无视这一点，盲目应考，仅凭灵感和运气是远远不够的。若因此而怨天尤人，则更是不客观的。乾隆四十年(1775)夏，应寿州知府张佩芳之邀，仲则曾到凤阳县正阳镇主持正阳书院讲席。清代的书院，某种程度上，就是一个考前培训班，主要职责之一是讲解作文之道，指导士子应试。山长一般由德高望重、品学兼优的致仕官员或知名学者等科举成功人士担任。黄仲则当时虽已名声大噪，但毕竟不过一白衣秀士，个人举业成绩平平，显然并不胜任这一工作。在《院斋纳凉杂成》其三中，这样描述自己的尴尬：

> 为师实人患，而我适坐之。奇字或相叩，大半心然疑。所愧来问意，赠尔惟不知。比舍闻诵读，暇即相追随。露坐当风轩，谈剧鲜所羁。聚首岂不乐，安能无别离。努力二三子，何患乎无师。

他显然不具备为人师表“传道、授业、解惑”的资质，原因就在于他自身的知识结构有重大缺陷，知识储备不够，“奇字或相叩，大半心然疑。所愧来问意，赠尔惟不知”，文字、章句、义理，各路功夫都有待进一步提高。

他的兴趣、精力、时间，大都花在了切磋琢磨诗歌上，而对举业用心不专，他的许多师友如邵齐焘、朱筠、王昶、洪亮吉、汪中等屡次对他苦口婆心、耳提面命，劝他不要耽于作诗荒疏了科举，都苦无成效。且看他如何回答：

> 多君怜我坐诗穷，襆被萧条囊橐空。手指孤云向君说，卷舒久已任秋风。[①]

几乎有点执迷不悟、一意孤行，乃至破罐子破摔的意味了。杨芳灿也曾有书道：“……人之聪明才力，当用其所长，掩其所短，预期博而不精，毋宁严而不滥。……吾恐愿奢志纷，终至白首乡间耳。”[②]王太岳对此担忧不已：“此君(黄仲则)贫甚，亟谋禄养，且欲劝之俯首下心，勤习举子业耳。得不得自

---

① 黄仲则《和仇丽亭》其四。

② [清] 杨芳灿《芙蓉山馆文钞・与黄仲则书》卷二，清嘉庆刻本。

是有命，要不可操瑟当竽耳。”[①]入京后，其境遇受到大家的同情。其恩师朱筠之弟朱珪对仲则劝勉有加：“天予人慧，必与之福，君当保慧以凝福，无忘老生常谈。”[②]奈何仲则“以为平平，不屑意也”，根本未将众人好意当作一回事。以致一误再误，终至不可收拾，无可救药。

高才沦落，终身不第，这种境况对他人生器局，尤其是诗风影响甚巨，直接促成了其“好做幽苦语”愁苦诗风的形成。洪亮吉《北江诗话》卷一形象地评价说“黄二尹景仁诗，如咽露秋虫，舞风病鹤”。而感伤苦寒的诗风又使其与功名渐行渐远。当时之“为诗者，济之以考据之学，艳之以藻绘之华，才人、学人之诗，屈指难悉，而诗人之诗，则千百中不得什一焉”[③]，黄仲则之诗就是这难得的千百中之一，这一点黄仲则无疑是成功的。但对他个人生存的当下性而言，却是他最大的不幸。因为社会主流价值取向的单一化和凝固化，势必造成其对丰富性和多样性的排斥，这就使他呕心沥血、量高质佳的诗篇，很难转化为切实的物质利益。“全家都在风声里，九月衣裳未剪裁”“著书充栋腹常饥，他年沟壑谁相贷”[④]，是一种社会公约数之下的个体牺牲吧。惜哉，悲哉！

第四节　黄仲则平生游踪所至

黄仲则性喜山水，一生与山水结缘，游踪所至，遍及大江南北，许多名山大川、古迹胜景都留下他忙碌的身影和匆促的足迹，“湖上群山对酒尊，无山无我旧吟魂。不须剪纸招魂去，留伴梅花夜月痕”[⑤]，成为他的绝好写照。《清史列传・黄景仁》称其“性高迈，好游，尽观江上诸山水，每独游名山，经日不出，值大风雨，或瞑坐崖树下，牧者见之，以为异人。”他“少长遍游江、浙诸名胜，以为未足，每读《离骚》，欲吊屈原所自沉处”[⑥]。他自己的故乡常州，也是江南的历史名城，自有许多名人胜迹，他足履所践，自不必言。当然，熟

① [清] 王太岳《清虚山房集・与郑诚斋书》卷九，光绪十九年定兴鹿传霖刻本。

② [清] 朱珪《知足斋诗集・题黄仲则遗稿小序》卷十四，见许隽超《黄仲则年谱考略》，上海古籍出版社，2008 年版，第 213 页。

③ [清] 万应馨《味馀楼賸稿序》，见[清] 黄志述辑《两当轩全集・附录》卷六，咸丰八年(1858)黄氏家塾刻本。

④ 黄仲则《偕容甫登绛雪亭》。

⑤ 黄仲则《冬日过西湖》其二。

⑥ 参见黄葆树、陈弼、章谷编《黄仲则研究资料》，上海古籍出版社，1986 年版，第 1 页。

悉的地方无风景，除了故乡的山水之外，在少年时代及其初长成人阶段，他对家乡附近江浙山水也青睐有加。随着年齿渐长，他视野更其远大，江赣、湖湘等地的诸多名胜也成了他向往之地。他性情中这种对自然山水的由衷喜爱之情，早为师友所熟知。

其师邵齐焘称其“性爱岩壑”，“生来寤寐爱青山，但恨郡郭无烟鬟。今春忽过铜官下，躧步直上饥忘餐”[①]，洵非虚语。乾隆三十二年丁亥(1767)，黄仲则十九岁时，应恩师邵齐焘之邀，赴常熟拜访邵先生并同游铜官山，面对佳山秀水，仲则竟达到了“饥忘餐”的地步，足见山水对他的吸引力之大。不久，黄仲则就有了游览湖湘之意。据黄逸之所著《黄仲则年谱》乾隆三十四年条记载：“是冬，先生续有湘游之意，先是抱病客杭州时，杭友仇丽亭辈，以湖湘道远，且怜其病，劝勿往，先生以词谢之：‘一事与君说，君莫苦羁留。百年过隙驹耳，行矣复何求？且奈残羹冷炙，还受晓风残月，博得十年游。若待嫁娶毕，白发待人不？’其性爱岩壑有如此。”[②]他甚至还说过“平生涉险轻性命”[③]的话，颇有几分寻幽探胜的冒险精神，则他对自然山水的这种由衷喜爱也就实至名归。

兹仍据清人毛庆善、季锡畴《黄仲则先生年谱》、民国黄逸之《黄仲则年谱》，以及许隽超先生《黄仲则年谱考略》等诸家年谱，并参阅其他资料，按编年对黄仲则游踪所至做些梳理。

乾隆三十一年丙戌(1766)，黄仲则十八岁，这年他在武进龙城书院读书，拜邵齐焘先生为师。这年岁暮，游京口(今江苏镇江)。《两当轩集》卷一《晓雪》诗云：“……微哦忽忽思前游，丙戌岁暮吴陵舟。压篷大雪苦无饮，至今典却相如裘。回头此景如电掣，其间聚散复一瞥。范阳公子诗中豪(谓闵季心)，白战何曾持寸铁。”《典衣行》云：“夷陵道中游客归，广陵驿前暮雨飞。……前村有新酿，何如典征衣。我闻此言神色豫，舟子持衣出林去。千村雪拥犬不鸣，典衣典衣竟何处？”诗人为了招待友人，不惜在雪天典衣沽酒，令人感佩。此次游历还有《舟中咏怀》《登北固楼》诗纪之。[④]

乾隆三十三年戊子(1768)，黄仲则二十岁。其恩师邵齐焘不幸遽归道山，仲则《自叙》：“益无有知之者，乃为浪游，由武林而四明，观海；溯钱塘，登

---

① [清]邵齐焘《汉镛以长句述余衡山旧游赋示》，《玉芝堂集》卷下，光绪五年刻本。
② 引自黄葆树、陈弼、章谷编《黄仲则研究资料》，上海古籍出版社，1986年版，第33页。
③ 黄仲则《大雷雨过太湖》。
④ 参阅许隽超《黄仲则年谱考略》，上海古籍出版社，2008年版，第34页。

黄山；复经豫章，泛湘水，登衡岳，观日出；浮洞庭，由大江以归。是游凡三年，积诗若干首。”洪亮吉《黄君行状》称其“年甫壮岁，踪迹所至，九州岛历其八，五岳登其一，望其三”。浙江山水是他多次游历的地方，《两当轩集》中也有不少有关诗作，如《两当轩集》卷一中有《秋风怨》《湖上和酬仇丽亭》《雨后湖泛》《重过席氏别业》《游湖遇雨》等。这年秋天，黄仲则由杭州启程赴徽州，途中有诗，即《两当轩集》卷一《过钓台》，卷二十一《舟过龙门山》诗[①]。

乾隆三十四年己丑(1769)，黄仲则二十一岁，秋天，又至杭州，与诸友盘桓兼旬，有诗纪之[②]，如《两当轩集》卷一《遇故人》《僧舍夜月》《醉醒》《石鳌坞洞天福地遗址》《客中闻雁》诗，卷二十一《僧舍客感》《夜偕蒋大荡桨青波涌金之间乘兴直过孤山至六一泉》《渡钱唐怀蔡芝山剡中》《初秋苦热步至孤山之阴即用东坡腊日游孤山韵》《答仇一鸥和韵》等诗。据《答仇一鸥和韵》诗中“连旬买棹圣湖边”句，仲则此行滞杭约在二十日左右。他之屡次游玩杭州，不只是因为杭州有仇丽亭等好友，更重要的是杭州秀美的湖光山色深深吸引了他，以致常常经旬盘桓，流连忘返。

这年冬天十一月，为了排遣邵先生去世带来的郁闷忧伤，也为了赴湖南依按察使王太岳幕，以谋生计，黄仲则从杭州买舟出发，经江西赴湖南长沙[③]。据左辅所撰《黄县丞状》记载：“闻秀水郑先生虎文贤，谒之于杭州，郑爱异之。居月余，泫然辞郑曰：‘景仁无兄弟，母老家贫，居无所赖，将游四方，觅升斗为养耳。’时湖南布政使定兴王公太岳，郑同年友也。遂游焉……”途中尝遘病，所历皆有诗纪之。《两当轩集》卷二《钱塘舟次》《夜泊闻雁》《舟发西安至东岩夜泊》《晓发》《途中遘病颇剧怆然作诗》二首、《病愈作歌》《秀江夜泊》《湘江夜泊》，卷二十二《兰溪》《殷中军宅》《自常山至玉山途中大雪》《章江晓雪有怀》《题萍乡旅店》《停舟晚步归而有诗》《南昌》《山店独饮苦无美酒薄醉题壁而去》等诗，即为此时所作。这次旅行的路线，大致如下：首从钱塘江乘舟而行，西南行经富春江、桐江、东阳江、衢江、金溪，至衢州府常山县。然后弃舟登岸，陆行至江西广信府玉山县，复乘舟至南昌府。继由赣江入袁江，再陆行至江西袁州府萍乡县，而后乘舟由渌江入湘江，抵长沙府[④]。一路长途跋涉，舟车劳顿，仲则乐此不疲，其热爱山水丘壑之情，寻幽探胜之

① 许隽超《黄仲则年谱考略》，上海古籍出版社，2008年版，第45页。
② 同上，第59页。
③ 同上，第67页。
④ 同上，第76页。

兴，确实无以复加。舟过湘潭，作了《浮湘赋》。左辅《黄县丞状》云："时湖南布政使定兴王公太岳，郑（虎文）同年友也，遂游焉。过湘潭，酹酒招魂，吊屈原、贾谊，作《浮湘赋》以寄意，悲慨伤怀。"《浮湘赋》惜今不传。期间，黄仲则游历了屈贾祠和马氏宫址，有《过马氏宫址》四首和《屈贾祠》诗纪之。游橘子洲头，有诗《题橘洲僧楼》；访定王台，有《长沙定王台》诗；独游岳麓山，观禹碑，有《游岳麓》《禹碑》诗；至耒阳，拜谒杜甫墓，则有《耒阳杜子美墓》诗。

在王太岳幕中时，黄仲则还随王氏至辰州、沅州，途中游衡山，所历均有诗，即《闻子规》《登衡山看日出用韩韵》《辰阳道中》《黔阳》《湘阴夜泊》等诗，及《百字令·登益阳城楼》词。

次年六月份，黄仲则结束了湖湘之行，舟发长沙，由大江归里，兴尽而返。是行的大致路线为，乘舟由湘江北上，过长沙府湘阴县，游黄陵庙；经洞庭湖，泊岳州府（府治巴陵县），登岳阳楼；由大江至湖北汉阳府（府治汉阳县），江南岸即武昌府府治江夏县；登黄鹤楼，游鹦鹉洲；舟发汉江，由大江至黄州府府治黄冈县，江南岸即武昌府武昌县；泊江西九江府府治德化县，寻琵琶亭故址；泊江西九江府彭泽县，登小孤山；泊安徽太平府芜湖县，游灵泽夫人祠；泊天门山；过金陵，泊京口，抵家。沿途登临游览之处，均有诗词纪之。主要有《江上夜望》《黄陵庙》二首、《三江口阻风》《湖上阻风杂诗》五首、《岳阳楼用杜韵》《江口晚步值雨过水发不得舟渡跣行数里归舟得诗》《黄鹤楼用崔韵》《鹦鹉洲》《汉江晓发》《武昌杂诗》四首、《黄州》《晚泊九江寻琵琶亭故址》《月中泛小孤山下》《夜登小孤山和壁间韵》《舟中望九华》《灵泽夫人祠》《天门山》《舟中望金陵》《僧斋夜咏》《康王庙夜宿》等诗。此外，还有《水调歌头·岳阳楼》《霜叶飞·湘江夜泊》《洞庭春色·登黄鹤楼》《南浦·江口夜泊》《风流子·江上遇旧》《雨中花慢·泊浔阳》《采桑子·九日题江州海天寺》《青玉案·泊石钟山下》《喜迁莺·舟过马当山下》《忆真妃·彭泽》《望远行·采石》等词。①

湖湘之行，黄仲则不仅饱览了三湘大地的自然风光，尤为重要的是，诗人还凭吊了屈原、杜甫墓，这二人的身世、才华、人品、气质，某些方面与仲则均有相似和相同之处，他取得了与古圣先贤的一种精神默契与心灵交汇。某种程度上，甚至可以说，他长久以来漂泊无依的诗魂，总算暂时地回归到了精神家园。他的湖湘之行，是一次文化认同和精神寻根之旅。所以，由湖

---

① 参阅许隽超《黄仲则年谱考略》，上海古籍出版社，2008 年版，第 79 页。

南返乡后,他的诗风发生了重大转变,洪亮吉《黄君行状》说:"(黄仲则)自湖南归,诗益奇肆,见者以为谪仙人复出也。"

乾隆三十六年辛卯(1771),黄仲则二十三岁。这年他客居安徽,冬入学政朱筠幕。期间,他跟随幕主,踵及皖中各地,遍游名山大川。仲则几次游历当涂采石矶、太白楼、太白墓等,所写的诗构成太白遗迹组诗,主要有《太白墓》《七夕怀容甫游采石》《秋浦怀李白》《太白楼和稚存》《寻三元洞因登妙远阁》《虞宗肃祠》《观澜亭》诗,及《贺新郎·太白墓和稚存韵》词。十月份,他独游繁昌、芜湖、南陵,十一月返当涂,有诗,即《别顾文子之繁昌》《湖阴》《将至芜湖忆文予、容甫》《楚歌行》《陌头行》二首、《客夜忆城东旧游寄怀左二》《闻思复来岁复馆姑孰》《青山道中闻稚存已至姑孰》二首、《山行》《春縠道中》《山寺偶题》等。[①]

毕沅像

乾隆三十七年庚辰(1772),黄仲则二十四岁。三月初十日,是传统的上巳节,朱筠偕诸幕友高会于采石太白楼,仲则赋《笥河先生偕宴太白楼醉中作歌》诗,名噪大江南北。毕沅《吴会英才集小序》云:"黄少尹风仪俊爽,秀冠江东。初依竹君学使,公宴太白楼,援笔成诗,时有神仙之望。"太白楼赋诗,语惊四座,人人仰慕,成为黄仲则一生最为得意,也最为辉煌的深刻。

也是这年的春天,诗人与诸幕友偕行,从当涂出发,陪同学使朱筠案临徽州,途中试绩溪。他们从当涂启程,经过太平府芜湖县、宁国府南陵县、泾县、旌德县,至徽州府绩溪县,试毕抵徽州府府治歙县[②]。一路行来,诗篇不绝。如《发芜湖》二首、《南陵道中》《水西和对岩韵》《桃花潭》《山行杂诗》四首、

① 参阅许隽超《黄仲则年谱考略》,上海古籍出版社,2008年版,第107页。

② 同上,第123页。

等诗。

黄在朱筠幕中约略两年左右，期间黄山、九华山及齐云山是他游历的重点对象，因而也多有诗篇，构成名山组诗，如《两当轩集》卷五有《山铿》《浴汤泉》《夜从慈光寺步至茅蓬庵再浴汤泉》《慈光寺前明郑贵妃赐袈裟歌》《由慈光寺至老人峰》《文殊院》《白猿》《题文殊院》《山中见月》《天都峰》《黄山松歌》《小心坡》《遇雨止云谷寺》二首、《铺海》《黄山寻益然和尚塔不得偕邵二云作》《别松上人》《重游齐云山》《叶岭》《小溪》《望华亭》《发一宿庵》《游九华山放歌》《山楼夜起》《夜宿中峰和洪稚存》《题黄荆榻寺壁》《客斋偶成》《夜起》等诗。

此外，诗人也游历了皖地多处，如池州、宣城、安庆、六安、颍州、凤阳等地，因而有多篇吟咏安徽风景风情之诗，如写于池州的诗《池阳写望》《池阳杜牧祠》二首、《秋浦怀李白》《寄怀顾文子》《写怀》《昭明太子祠》《池口写望》《池阳杂诗》《苦雨》《齐山》；写于宣城的《宣城杂诗》四首、《卧病宣城秋将至矣偶忆旧游感而有作》《宛溪行送稚存归里》；写于安庆的《重淄舟青山下》《渡青弋江》《山中》《重过青阳》《江馆》《渡江之皖城》《安庆客舍》《余忠宣祠》《登大观亭》《涂山禹庙》《夜起》《清明后七日雨中宿浮槎寺阶下紫牡丹一本开盛有二百馀头笥河夫子作歌命和其韵》《浮槎山寺》《山阁晓起》《泥涂叹》《合肥城楼》，写于泗州的《定远》《红心驿》《夜过黑山宿涧溪》《望泗州旧城》《登泗上楼》；写于泗州至太平途中的《晓过滁州》《颉羹侯冢》《客冬从滁州肩舆至瓜步舆夫老壮各一今过此壮者复舁余行问其同伴则去年冬从瓜步归病死于道矣为之怆然赋诗》《过全椒哭凯龙川先生》《饮全椒城南江氏园》《雨中过夹山》《浴汤池》《横江晓渡怀张如良秀才》等数十首诗。

这年九月，黄仲则随学使朱筠案临六安州。一行从安庆启程，晓发怀宁，乘舟经大江、练潭河，夕宿练潭馆秋月楼。翌日，过安庆府桐城县，乘车过白沙岭、龙眠山，夕宿驿舍。沿途仲则均有诗，俱载《两当轩集》卷七，如《江上晓发》《宿练潭用王文成韵》《白沙岭》《桐城怀方仲履昆季》《车中杂成》《早发》《即目》《车中口占》《即事》《空馆》《望霍山》《夜梦故人》《春风怨》《英布墓》《春闺怨》等诗。

十月初，舟发六安州，仲则随学政朱筠案临颍州府，沿途之诗，均载于《两当轩集》卷七，有《渡淮》《颍口》《舟次颍上》《舟行即目》诗。此行皆水路，自淠水北行入淮，经颍口溯颍河，过颍上县，至颍州府府治阜阳县下榻①。随

① 参阅许隽超《黄仲则年谱考略》，上海古籍出版社，2008 年版，第 137—138 页。

即乘便游颍州诸名胜，续有杰作。《两当轩集》卷七载有《颍州西湖》《颍州南楼》《顺昌刘武穆祠》《平舆行》《汝南范孟博祠》《登清颍楼》《寒鸦》《晓起楼上》《杂咏》二首、《岁暮寄怀友人》《木兰祠》《题酒家壁》《冬日忆城东诸子》诗，及《丑奴儿令·颍州西湖半没为田矣》。

十一月初一日，舟发颍州，仲则继续陪侍学政朱筠案临凤阳府，有诗载《两当轩集》卷七，如《发颍州》《舟中》《淮上晓发》《蕲口》《蕲口晓发》《夹石》等。是行由颍河东下入淮河，经寿州、怀远县后，陆行至凤阳县。

皖中两年，仲则随侍朱笥河先生左右，深受朱先生赏识。同时，好友洪亮吉此时亦在朱筠幕中。二人常昼阅试卷，晚上作诗，深以为乐。师生相得，挚友在旁，游山玩水，诗酒流连，这一阶段仲则的生活总体上还算惬意，他后来曾回忆这段神仙般的生活说：

> 山川风景了无异，绝忆此流初泛时。东山宾从南州客，顾荣羽扇桓伊笛。前舫欢呼句落成，后舟笑语风吹逼。我舟李白同醉眠，醉后乱拍洪崖肩。啸歌怀古乐相乐，望者谁不称神仙。① ……

良好的生活环境和创作环境，加上诗人愉快的心境，使得客居皖中这一阶段成为黄仲则山水诗、咏史怀古诗创作的一个井喷时期，不仅数量可观近百首，质量上也颇多上佳之作，如《笥河先生偕宴太白楼醉中作歌》《黄山松歌》《游九华山放歌》，等等。山水之助使得仲则诗歌出现了新的气象和面貌，汪佑南《山泾草堂诗话》称："仲则生不逢时，每多清迴之思，凄苦之语，激楚之音，自出游后，得山水之助，诗境为之大变，扶舆清淑之气，锺于一人，盖天才也。"②所言极是。

乾隆三十八年癸巳(1773)，黄仲则二十五岁。六月份辞别朱筠幕后，仲则赴徽州郑虎文处，逗留近一月之久。嗣后，即离徽赴杭，由新安江乘舟东下，经桐江、富春、钱塘江，沿途又有大量诗作，如《过钓台》《富阳》《钱塘江舟中看月》《水碓》《退潭舟夜雷雨》等。至杭州后，只身一人遍游武林诸胜，兼旬所作诗词甚夥③。主要有《金鼓洞》《大佛石》《云栖寺》《虎跑泉》《戏题酒家》二首、《吴山夜眺》《暮归北山下丛木颓垣未知何人祠也苍凉独步悄然成诗》《游漪园暮归湖上》《葛岭暮归》《水乐洞》《龙井》五首、《浙江亭》《洪忠宣祠》《登石甑山》

---

① 黄仲则《淮上夜发因忆壬辰之冬偕稚存随朱笥河先生按部经此倏三载矣怅然有作寄稚存》。
② 引自黄葆树、陈弼、章谷编《黄仲则研究资料》，上海古籍出版社，1986年版，第209页。
③ 参阅许隽超《黄仲则年谱考略》，上海古籍出版社，2008年版，第156—160页。

《由烟霞岭至紫云洞精舍》《黄龙洞》《过贾秋壑集芳园故址》《僧斋夜坐》《山馆夜坐》三首、《(七月)十八夜》《问水亭》二首、《湖楼夜起》《湖上杂感》二首、《雨中游桃庄看飞泉》《风山南宋故内》等。卷十九有《高阳台·自涌金门至柳浪闻莺遇雨》《买陂塘·过聚景园旧址》《青玉案·泛舟丁家山下》《江南好》二首、《菩萨蛮·暮游湖山神庙》《水慢声·宿听水亭》词,达四十多首。

黄仲则频繁往来于苏、浙、皖三地,具体的原因不甚了然,但从其所作诗篇的数量来看,似乎诗人来来往往,不停地奔波,只是为了寻找作诗的题材,激发创作的灵感。还是同一年的秋天,诗人再次从浙江出发,折返安徽至徽州。他由富春江、桐江、新安江上行,沿途有诗。《两当轩集》卷九有《七里泷》《贺齐庙》《新安滩》《稚存从新安归而余方自武陵来新安相失于道作此寄之》诗。约十一月份,诗人又由新安江东下,经杭州归里,沿途诗作载于《两当轩集》卷九,即《练江舟中》《响山潭》《冬日过西湖》二首。

黄在江南的游历与写作,在其后将近两年的时间里,进入了一个短暂的调整期。我们从他的年谱中,看不到他在这两年当中有大规模、长时间、远距离的出游,伴随着游兴的消歇和游踪的模糊,诗人的创作热情似乎也受到了影响。但是,天才诗人的天性,以及他充沛昂扬的创作冲动和创作激情,总是如火山爆发一样,不可遏止,短暂的消歇,其实是在酝酿更大的爆发。不久以后,黄仲则就决意北上,作“冰天跃马行”,开始了他在北方的奔波、游历和写作。

乾隆四十年乙未(1775),黄仲则二十七岁。是冬十一月,他孤身北上京师。他从安徽凤阳县出发,然后入抵淮河,经怀远溯涡水,历蒙城至亳州,渡黄河,经金乡、济宁、东平、东阿、高唐、德州、景州、献县、河间、赵北口,跨安徽、山东、直隶三省,于岁暮而至都。除由怀远至亳州为舟行外,余皆陆行。[①]所历自然皆有诗或词纪之,如《催雪·怀远舟夜忆内》词,《涡水舟夜》《雪夜至亳州》《渡河》《题济宁寓舍》《马上逢雁》《东平》《东阿项羽墓》《晓行》《高唐》《德州》《景州道中戏呈剑潭》《河间旅次次壁间韵》《赵北口》诗。

乾隆四十五年庚子(1780),黄仲则三十二岁。这一年的九月份,因为生计所迫,诗人不得已将母亲及妻儿由京都送回江南原籍。十月份,客山东学政程士淳幕,随幕主赴山东学政任,这是黄仲则到京后第一次大规模的出行。[②] 出

---

① 参阅许隽超《黄仲则年谱考略》,上海古籍出版社,2008 年版,第 208 页。

② 同上,第 298 页。

京东去，东出朝阳门，舟发潞河，至通州入北运河，南下经天津、沧州、吴桥至德州，而后陆行经平原、禹城、齐河至济南府，一路仍然有诗词纪之。《两当轩集》卷十九有《定风波·和余少云》《貂裘换酒·潞河舟次》词，卷十五有《直沽舟次寄怀都下诸友人》二首、《舟过杨柳青感旧》《沧州晚泊》《吴桥》《德州怀汪剑潭》《董子读书台》《平原》二首、《禹城》《耿渡》《历城道中》《望匡山》等诗。

乾隆四十六年辛丑(1781)，黄仲则三十三岁。这年夏天，黄仲则从京师出发，扶病赴西安依毕沅，秋返都。出行的原因主要是谋取候选县丞的选资，出行路线大致为：出都过卢沟桥，经涿州、安肃县、保定府治、望都县、定州、正定府治、获鹿县、井陉县至山西平定州。再经寿阳县、榆次县、太原县、徐沟县至平阳府府治临汾县。[①] 所历有诗纪之，俱载《两当轩集》卷十六，有《出都过芦(今作卢)沟桥》《张桓侯故里》《安肃道中》《荆轲故里》《晓发保定》《尧母庙》《定州道中》《真定道中》《获鹿》《龙窝寺》《核桃园夜起》《井陉行》《固关》《旧关道中》《女娲庙》《青玉峡》《柏井驿》《平定州》《晓发芹泉驿》《寿阳》《暮投要罗寨登西岭》《榆次道中》《晋祠》《夜宿朝阳阁感怀龚梓树》《徐沟蔡明府予嘉斋头闻燕歌有感》《将之关中留别吴二春田》二首等诗。

乾隆四十八年癸卯(1783)，黄仲则三十五岁。三月，力疾出都，往西安谋选资于毕沅。洪亮吉《卷施阁诗》卷十八《偪侧行同金秀才学莲作题亡友黄二〈悔存诗集〉后》诗中有云："形疲骨瘦志已灰，偶尔一官头上来。驱车入解梁，暂将涉咸阳。避债未筑台，块然身遽亡。"四月二十五日，以肺病卒于山西运城河东盐运使沈业富署中，结束了辛酸悲苦的一生。

仲则遍游山水，除了性情所致，也是为生活所迫。他母老家贫，谋生乏术，不得已只能弹铗依人，客游四方，觅升斗为养。他远游湖湘，以及在其他许多权耀显宦的幕府奔走，如朱筠、郑虎文、沈业富、毕沅等，很重要的一个原因也是为生计考虑，"家益贫，出为负米游"[②]。

第五节　黄仲则性格悲剧刍议[③]

1783年，亦即清乾隆四十八年，本是一个容易被人忽略的年份，因为这

① 参阅许隽超《黄仲则年谱考略》，上海古籍出版社，2008年版，第315—316页。

② 黄仲则《自叙》。

③ 本节内容曾刊载于《书屋》2015年第3期，题名为《水至清则无鱼——黄仲则性格悲剧刍议》。收录本著时只用副题，并略有修改。

一年并未发生惊天动地、足以影响后世历史进程的大事件。但在乾隆诗坛上，这一年暮春的四月二十五日，却是一个令人唏嘘慨叹的日子。这一天，乾隆年间天才旷逸、极负盛名的诗人黄仲则，贫病交加，穷途末路，历尽了一生坎坷，最终在奔波途中客死他乡，年仅三十五岁，这颗清代诗坛上最璀璨的星辰，就此彻底陨落。他的好友洪亮吉，在奔丧途中给时任陕西巡抚毕沅的信《出关与毕侍郎笺》中，描述了仲则临终之前的惨况，曰："日在西隅，始展黄君仲则殡于运城西寺，见其遗棺七尺，枕书满箧，抚其吟案，则阿婆之遗笺尚存；披其繐帷，则城东之小史既去。盖相如病肺，经月而难痊；昌谷呕心，临终而始悔者也。犹复丹铅狼藉，几案纷披，手不能书，画之以指。此则杜鹃欲化，犹振哀音；鸷鸟将亡，冀留劲羽；遗弃一世之务，留连身后之名者焉。"其凄凉悲苦，读之令人为之泣下。

黄仲则悲苦的一生，诚如其好友吴阶《哭黄仲则》诗二首其一所云："一代风流绝世词，寒灰历劫仅如斯。万千著作行行血，三十遭逢处处疵。永夜龙眠珠吐后，当春蚕死茧缫时。有才毕竟青衫老，终古诗人得似谁。"[①]纵观古今，像黄仲则那样才高八斗的诗人，当是凤毛麟角，他九岁就能吟出"江头一夜雨，楼上五更寒"的佳句，十六岁在府试三千人中名列第一，二十四岁时采石吟诗语惊四座，洛阳一时纸贵。也很少有人像他那样终生不遇，八次应乡试均报罢，"白首研摩事可怜，从来一第比登天"（洪亮吉诗）；也没有谁像他那样孤露凄凉，至亲骨肉相继辞世：四岁丧父，七岁时随祖父到常州居住，家徒四壁；十二岁时，祖父去世；十三岁时，祖母去世；十六岁时，唯一的手足——他的异母兄长又离他而去。他的穷困寒素更是无以复加，且看他诗中对此的反复吟诵：

一身尚乞食，所遇犹邅迍。（《春城》）
无衣无褐欲卒岁，顿袖相对空长叹。（《寒鸦》）
全家都在风声里，九月衣裳未剪裁。（《都门秋思》其三）
多君怜我坐诗穷，幞被萧条囊橐空。（《仇丽亭》其四）
我亦稻粱愁岁暮，年年星鬓为伊加。（《客中闻雁》）
我曹生世良幸耳，太平之日为饿民。（《朝来》）
尔辈何求惟一饱，主人无奈亦长饥。（《新仆》）
青山笑客不归去，为报饥寒驱又来。（《仇丽亭》其一）

① ［清］吴阶《礼石山房诗钞》卷一。

侧闻天上朝星辰，谁知人间茹冰炭。(《送春三首》其三)

面长愧乞米，心枯乏藏酿。(《岁暮篇》)

畏寒偏欲冲寒来，我辈谋生不如雁。(《东阿道中逢王剑潭》)

那么，到底是什么原因使他怀抱高才却蹭蹬偃蹇，终身沦落，旅食他乡，寄人篱下，终至客死异乡，落得个令人浩叹的了局？社会之黑暗、世风之浇薄、士风之卑弱、科举制之腐朽，都是个中原因，但压死骆驼的最后一根稻草，恐怕还是他狂狷孤傲的个性。

黄仲则的这种个性是与生俱来、由来已久的。洪亮吉《黄君行状》云："君美风仪，立俦人中，望之若鹤，慕与交者争趋就君，君或上视不顾，于是见者以为伟器，或以为狂生，弗测也。"这是他十六岁时参加童子试时的情形，也是他在社会大舞台上的第一次正式亮相。他因为诗作得好，人也长得潇洒漂亮，所以成为大家倾慕的对象，都希望能与之结交。这实在是人之常情，如同今日风行全球的演艺明星、文体大腕，哪一个不是粉丝如云、从者如蚁？时代虽然有别，但人同此心，心同此理，追星之风，古今一理。但黄仲则的表现着实令人沮丧，"上视不顾"，冷若冰霜，傲气十足，一副拒人于千里之外的神情。其态度之倨傲，几乎达到了目空一切的地步。

据黄仲则族弟黄怀孝撰《存斋古文·节孝屠孺人传》载："先兄以才名闻海内，人皆为孺人贺，而孺人独忧之，戒先兄曰：'水能载舟，亦能覆舟。才而狂，是益之疾也。'先兄谨受命，而抑塞磊落之气终不能掩。"仲则之母屠氏，是一个贤惠勤谨的女性，仲则四岁丧父，屠氏含辛茹苦，不仅抚养其身，更重教导其心。作为母亲，她更全面了解仲则的性格秉性。众所周知，黄仲则少有异禀，九岁即有佳句流传于世，稍长后更是以才名闻海内，因此人人都向她表示祝贺。但她不以为喜，反以为忧，因为她深知仲则之秉性，"才而狂，是益之疾也"。仲则之才毋庸置疑，但他的"狂"也是与生俱来。其母深知"水能载舟，亦能覆舟"之理，才高是好事，但设若与"狂"相连，则未必，搞不好恐怕要出事的。江山易改，本性难移，黄仲则虽然口中诺诺，但事实上仍然我行我素，一意孤行，"而抑塞磊落之气终不能掩"，一条道上跑到黑。黄仲则一生的际遇行藏，证明她的忧虑不是没有道理的。其母之言，可谓一语成谶。

邵齐焘先生是仲则的恩师，对他也了解甚深，多次规劝他要平心静气，养心养气，豁达开朗，因此二人彼此相得，情同父子。邵先生去世后，仲则十分悲痛，因为像邵先生这样真正理解他、真心关心他的人，是可遇而不可求的。为排遣因为邵先生去世而郁积的苦闷，他绝意游历，来到了邵先生的生前好友、时任湖南按察使的王太岳处。左辅《黄县丞状》云："时湖南布政使定兴王公太岳，郑(虎文)同年友也，遂游焉。……王故名士，负其才，及见心折，每有所作，必持质黄秀才定可否。然狂傲少谐，独与诗人曹以南交，馀不通一语。"因为邵先生的余荫，再加上黄仲则确实有才，王太岳给予了他应有的礼遇和尊重。但是，我们仍然不无遗憾地看到，黄仲则的表现，的确颇成问题，"狂傲少谐"，除了与诗人曹以南结交之外，其他人连一句话都懒得说，骨子里是不大瞧得起别人的。

他的好友之一吴蔚光在《素修堂集》之《黄仲则诗序》中也记载了关于黄仲则的几则轶事，有云："汪子剑潭曰：'仲则为人长身疏眉而秀目，性清异绝俗，然其举止往往类童稚。曩从朱笥河先生安徽使院，与仲则语，一日中记其自相矛盾者什九。至酒酣谈辨间发，士人满座，而仲则忽僵立如槁木。乃或偃仰身世，欲相对泣下，而仲则持一竿，跳掷下阶，效横刀舞鞘，呕咦颠倒自乐，人多笑之。'余观仲则良然。"这段话有几点值得注意。他的长相外貌、风神气质毋庸多言，但举止"往往类童稚"，则是一种幼稚的、很不成熟的表现。其次是他的言语，一天当中，自相矛盾的地方十之八九，就实在让人诧异。看来，诗人只能是诗国的君王，而绝非现实的宠儿。可以说，在现实中，诗人几近于白痴。特别是在诗酒高会、议论勃发的筵宴上，本来是把酒言欢，开怀畅饮，尽情吐露心扉的绝佳时机，但诗人却神经质般地突然"僵立如槁木"，实在是大煞风景。尤其让人不可思议的是他的近乎儿戏的举止，旁若无人，自我陶醉，意识不到自己行为的荒诞和不得体。如此种种，偶一为之尚可，时间久了，怎么能使人接受和容纳呢？朱克敬的《儒林琐记》也说黄仲则"狷狭寡谐，与人交，虽暂合，终致乖忤。独与洪亮吉善"[①]。当然，我们以常理推想，尽管仲则种种的不可理喻之举确实荒唐，但与之结交的士林衣冠之士，未必会直接对其表露不快，心不敢言其是，口不敢言其非，面子上还是要过得去，不至要当面发难，让他下不了台。更多的时候是诗人自己的自我感觉使然，时有负气任性之举。据洪亮吉《黄君行状》所云："居半岁，与同事者议不合，径出使院，质衣买轻舟，访秀水郑先生虎文于徽州，越日追之，已不及矣，其标格如此。"这则轶事是在黄仲则与洪亮吉同在安徽学政朱筠

---

① [清]朱克敬《儒林琐记》，长沙：岳麓书社，1983年版，第46页。

幕中发生的。本来朱先生对他和洪亮吉都是十分青睐的，以猿鹤目之，但莫名其妙的是，黄仲则因为“与同事者议不合”，不久就质衣买舟，不辞而别，直接炒了幕主的鱿鱼，可谓牛气冲天！

洪亮吉《玉尘集》卷上还记载了另一则关于黄仲则的轶事：“仲则尝与余游市中，一人从肩舆出，牵衣道故。黄努目曰：‘汝辈亦知人间有黄景仁乎？’即拂衣去。其标致如此。”诗人素有诗名，或许经常受到倾慕者的崇敬与膜拜也未可知，时间久了也就形成了习惯，所到之处如果无人喝彩就觉得不能接受。按照当时信息传播的水平，不要说一介布衣如黄仲则者，即使是贵为九五之尊的皇上，也不可能做到家喻户晓、妇孺皆知。穷乡僻壤，山疆海隅，“不知有汉，无论魏晋”，可谓屡见不鲜。所以，微服私访之所以成为上层了解下情的一种手段，就是这种信息传播条件下的产物。否则，黎民黔首、群氓愚妇，一见面即认出是某某，即刻跪倒尘埃，山呼万岁，则微服也好，私访也罢，一切也就真的都成了传说。面对无人赏识的情形，黄仲则就觉得受了冷落，受到了羞辱。所以，依他敏感自尊的个性，就势必还以辞色，以致拂衣而去。

有的时候，这种狂狷的个性还导致他沉浸在虚幻、浪漫、理想的诗国中，而无视现实世界中某种通行的习俗或规则，因而鹤立鸡群，与众不同，使人觉得此人不可理喻，无法按照常人常理来与之交往。王昶在《黄仲则墓志铭》中云：“乾隆戊戌，黄子仲则来受业门下，读其诗，固已奇之。及久与之处，落落然，招之不来，麾之不去，因以益奇其人。”不论黄仲则如何天才特出，声名卓著，以世俗而论，他就是一介白衣秀士，既无身份，又无地位。而黄仲则竟能在京中出入周旋于这些缙绅之门，并且常为座上客，把酒论诗，相谈甚欢。“招之不来”，是摆谱拿架子，颇有明星耍大腕的风范；而“麾之不去”，则显得不识相，不知趣，不知进退，最后可能就是不受欢迎。这个众人眼里的狂生，在诗歌中也毫不掩饰自己的狂态：“臣本高阳旧酒徒，未曾酣醉起乌乌。祢生谩骂奚生傲，此辈于今未可无。”①无异于昭告天下的自我宣言，斩钉截铁，毫不含糊。这种狂狷情感的抒发以及由此而引起的感慨，在《两当轩集》中处处可见，如：“白日长吁静夜歌，飞扬慷慨欲如何？”②“宝块仅存心愈壮，明珠虽去海尤宽。”③“颠狂落拓休相笑，各任天机遣世情。”④“十

① 黄仲则《和钱百泉杂感》其三。
② 黄仲则《夜坐写怀》。
③ 黄仲则《赠明分司春岩次韵蒋清容先生韵》。
④ 黄仲则《与稚存话旧》其二。

有九人堪白眼，百无一用是书生。莫因诗卷愁成谶，春鸟秋虫自作声。”[①]“吴下酒徒犹骂座，秦川公子尚登楼。”[②]“一身未遇庸非福，半世能狂亦可哀。”[③]“一身堕地来，恨事常八九。”[④]躁动不安、狂傲慷慨、愤世不平的情绪，弥漫在他的诗句中。

但另一方面，黄仲则似乎也很敏感于同势要贵人的交接，虽然这有可能是改变他窘迫地位的一种捷径。王昶《黄仲则墓志铭》载，仲则入都后，“都中士大夫如翁学士方纲、纪学士昀……仲则亦愿与定交，比贵人招之，拒不往也，余因以益奇仲则云。”恐怕在黄仲则看来，所谓的贵人，不懂风雅，不能与之谈诗论文，与自己并无共同语言。他之所以拒绝与之往来，或许是因为觉得自己一向穷困潦倒，受不了那些富贵人物对自己的逼视，和那种居高临下的怜悯。从某种意义上说，恐怕这也是一种自卑吧。

黄仲则的这种狂狷孤傲、与世少谐的个性气质，与他家乡常州的文化环境和文化传统密切相关。据四库全书《大清一统志》卷六十载：“（常州府）风俗：秀而多文，愿而循理，君子尚义，庸庶厚庞（《隋志》）。承泰伯之高踪，由季子之遗烈，居英贤之旧地，杂吴夏之语音。人性佶直，黎庶淳让，敏于习文（《太平寰宇记》）。”顾炎武评介“毗陵六逸”之一杨宗发曰“行身甚狷，文笔甚狂”[⑤]，这其实也是许多毗陵士人的共同特点，他们不拘小节，耿介、直爽、狂狷、负气。邵长衡在《毗陵县志小序·人物志序》中也曾十分自得地说：“毗陵为泰伯端委之墟，而季札型之以礼让，风气渐开矣。又历千有馀年，至宋而人才之生号称极盛，而明足埒之。后先炳烺史册者，上之扶名教而植纲常，次亦狷介自守，不苟附和。立朝则犯颜敢谏，励矫亢之节，不幸遭离变故则伏节捐躯，摩顶不悔。下至闾巷匹夫，皆知义之足荣，而生之可轻也。明高攀龙有言，天下有事，则毗陵人必有……虽然，前事不忘，后事之师，乡哲之流风遗烈，更千百世犹有感慕而兴起者。”[⑥]

乾隆年间，和珅权倾朝野时，许多常州士人被称为“戆翰林”。刘成禺撰《世载堂杂忆》曾记载了有关常州士人的几则轶事、趣事，兹抄录其一于此：

---

① 黄仲则《杂感》。
② 黄仲则《夜坐怀维衍桐巢》。
③ 黄仲则《别稚存》。
④ 黄仲则《冬夜左二招饮》。
⑤ ［清］庄杜芬、徐梅辑《六逸诗话》，《毗陵六逸诗钞》，康熙五十六年寿南堂刻本。
⑥ ［清］邵长衡《青门簏稿》，盛宣怀辑《常州先哲遗书》，光绪间武进盛氏刊本。

> 当时和珅甚重稚存，犹刘瑾之于康对山也。求一见不得，祈一字不得。稚存时在上书房行走，和珅求成亲王手交稚存，为之写对，稚存不能拒也。翌日，对书就，呈成亲王，题款从左轴左方，小字直书赐进士出身翰林院上书房行走等等官衔洪亮吉，敬奉成亲王（抬头）命，书赐大学士等等官衔和珅。成亲王见之，谓此何可交付？稚存曰："奉命刻画，臣能为者此耳。"和珅知之，向成亲王求稚存所书对，成亲王每以游词延缓之，此人所不尽知也。
>
> 当时走和珅相之门，壮年出任封疆者，以毕秋帆沅、阮伯元元为最得意……孙、洪、阮、毕并重一时，但气节独归孙、洪，官爵皆归阮、毕；尚气节者固甘为戆物也。①

在这样的文化基因、文化风习的遗传和熏染下，黄仲则的狂狷气质也就可以理解。作为个人品质而言，直率、倔强并非缺点。只要有足够的资本和适当的限度，狂狷孤傲、与世少谐，也未必一定会让人觉得难以接受。其间的分寸如何拿捏，颇费思量，搞不好就会适得其反。可以肯定地说，黄仲则绝对不善此道，否则他就不是黄仲则了。

涉世的最初阶段，黄仲则对自己的人生并没有明确的规划和目标，只是在随波逐流而已。按照一般读书人的套路，无非是读书、应考、中举、做官、致仕、终老，一路走来，虽平凡平淡，但不失为安妥稳健。黄仲则一直在"诗"与"仕"之间徘徊，"诗"是他最精于此道的手艺，也是他赢得大名的资本，割舍不得。虽然千百年来，诗被士大夫们抬高到了无以复加的地位，"《诗》可以兴，可以观，可以群，可以怨"，"经夫妇，成孝敬，厚人伦，美教化，移风俗"，诗承担了远远超过自身重量的负荷，"若使诗文能救国，兴亡何须动吴钩？"平心而论，"诗"只是茶余饭后、酒酣耳热之际的消遣和清玩，饥不可食，寒不可衣，没有哪一个人单纯依靠作诗谋生度日；"仕"则是主流价值取向，是安身立命、名垂青史的前提和归宿。终其一生，他都在这二者之间犹疑彷徨，举棋不定。包世臣《齐民四术・黄征君传》云："仲则先生性豪宕，不拘小节，既博通载籍，慨然有用世之志，而见时流龌龊猥琐，辄使酒恣声色，讥笑讪侮，一发于诗。"从这则轶事来看，黄仲则是有所醒悟的，他以布衣之身看到了时流的阴暗面，大有醍醐灌顶、茅塞顿开之感。事实上，在明清两朝论官序爵的世俗社会里，在科举制大行其道的用人机制下，知识分子的出路在举

① 刘成禺《世载堂杂忆》，沈阳：辽宁教育出版社，1997年版，第20—21页。

业，在八股制艺，除此之外，别无他途。没有科举功名，便失去了平步青云、致身通显的最好机会和最佳途径。由此导致的连锁反应，就是没有官职身份，没有社会地位，自然会遭人白眼，受人轻视。这才是主流社会的传统和常态，而黄仲则理想中的诗人世界、诗人社会才是悖时扞格、不容于世的异数。诗歌换不来乌纱帽，诗歌也换不来黄金屋和颜如玉，所以，在诗歌的世界里游刃有余的黄仲则，便只能徘徊在主流社会之外了。要想在主流社会中如鱼得水、风生水起，就必须放下身段，投身其中，忘掉自己，也忘掉别人，忘掉一切清规戒律。以洁癖而自慰自傲，洁身自好，远离浊流，那结局也只能是穷饿至死。纵观古今中外，没有哪个社会是属于特别优待诗人的，即使是柏拉图的《理想国》里，也是要消灭诗歌，把诗人驱逐出去之后，其国度才成为"理想国"的。

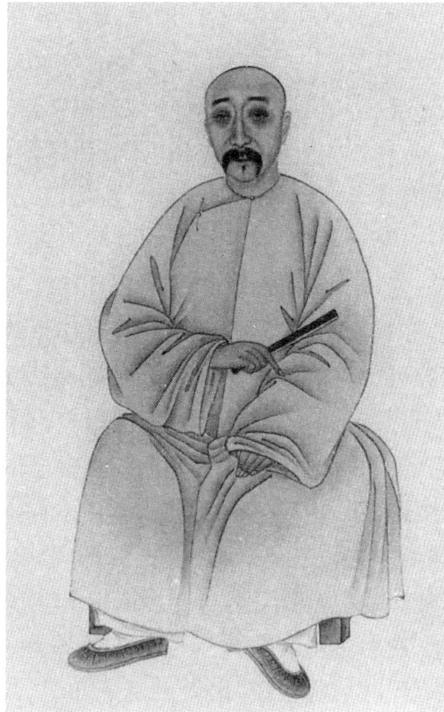

包世臣像

黄到京城后，一度与京中知识精英阶层来往极其密切，加入"都门诗社"可视为其顶峰。尽管如此，其生活总体上越发寥落，而他自己也离功名富贵越发遥远了。清杨懋建《京尘杂录》卷四《梦华琐簿》载："昔乾隆间，黄仲则居京师，落落寡合，每有虞仲翔青蝇之感，权贵人莫能招致之。日惟从伶人乞食，时或竟于红氍毹上现种种身说法。粉墨淋漓，登场歌哭，谑浪笑傲，旁若无人。如杨升庵在滇南时，醉后以胡粉傅面，簪花满头，偕门生诸妓舆以过市。唐六如与张梦晋大雪中游虎阜，效乞儿唱《莲花落》。才人失意，遂至逾闲荡检，此亦幸际圣朝，一容其傲兀耳。"这个应该是他顿悟之后的应对之策吧。以他的个性，是不可能、也不甘心同流合污的，但又苦无解脱之道，只能破罐子破摔，以一种另类的举措来表达自己的不满、抗争和绝望，而这一切也越发无力、无用、无聊，徒增笑柄而已。

黄仲则的种种不合常理、不入常情的怪异荒诞之举，表面看来，给人的感觉是"狂"，其实背后是深深的自卑。应当说，他的"狂"，部分是性格使然，但究其实，则是因自卑而起，是以狂狷之举掩饰其自卑之心。其恩师邵齐焘先生在《劝学一首赠黄生汉镛》诗序中，就曾指出他"家贫孤露，时复抱病，性本高迈，自伤卑贱"；有鉴于此，邵诗劝勉说："大炉铸群材，往往有错迕。旷览古今事，万变皆备具。而我生其间，细比蛾蚁数。得失亦区区，何事成忿怒。家贫士之常，学贫古所虑。愿子养疴暇，时复御缃素。博闻既可尚，平心亦有助。"邵先生指出仲则"自伤卑贱"的根源，并据此规劝他要把自己置身于浩瀚悠远的时空中，不要自视甚高，不要把自己看得太重太大，而是要安贫乐道，平心静气。鼓励他博览群书，开阔心胸。真是苦口婆心，用心良苦。但黄仲则自恃才华绝世，对自己的期望也甚高，期冀能平步青云，而且刻不容缓。其实，一个人不论何等的英才盖世，置身于"前不见古人，后不见来者"的茫茫宇宙，都不过是一粒尘埃，实在是微不足道。黄仲则对成功的渴望确实如饥似渴，但他经不起成功，一旦小有成就，便手舞足蹈，得意忘形；更容不得失败，一旦失败便气急败坏，呼天抢地。造化弄人，平庸者腰金衣紫、呼风唤雨，特出者倒麻衣布鞋、沉沦下僚。本是同林鸟，分飞竟失群。当成功者纡尊降贵，以同情的目光俯视失败者，并施之以抚慰的时候，失败者往往自惭形秽、心理失衡，这种自卑情结的逆向爆发，就形成了所谓的"狂"。

不会随俗俯仰，不会趋炎附势，不会同流合污，崇尚气节，甘为戆物。这种狂狷的个性气质，固然磊落高旷，令人景仰，但却需要付出高昂的代价，其结果便是一生的清贫苦寒和永远的沦落不偶。黄仲则朋友武亿听到黄的死讯后，曾评论曰："仲则奇逸绝世，然不知啬神以养其和，非于世屯啬无所遇，甚且天以死酷之。桂酿蠹，璧蕴瑕，珠贼胎，凡物之至者，尚以其美自戕而以自累，仲则安能逃此。"[①]所谓"啬神养和"，就是要收敛自己的愤激之情，培养平和之心。车不得其圆，物不得其全，任何事物都绝非完美无瑕。如果一味追求完美与理想，只能适以自累。黄仲则不通达此理，剩下的就只有失败了。

明代嘉万年间的吕坤曾说："士气不可无，傲气不可有。士气者，明于人己之分，守正而不诡随。傲气者，昧于上下之等，好高而不素位。自处者每以傲人为士气，观人者每以士气为傲人。悲夫！故惟有士气者能谦己下人。

① ［清］武亿《吊黄仲则文》，引自《两当轩集》附录二，上海古籍出版社，1983年版，第611页。

彼傲人者昏夜乞哀，或不可知矣。”[①]告诫人们要养“士气”而去“傲气”，推崇谦己下人，这种强调个人修养的功夫是有道理的。而古老的中华文化传统中，也是以厚重为崇尚的。如《易经》中所说的“君子以厚德载物”，“天行健，君子以自强不息”，“居上位而不骄，在下位而不忧”；是如孔子所说的“刚毅”，“不怨天，不尤人”；是曾子说的“弘毅”，“士不可以不弘毅，任重而道远”。推重的是一种沉稳坚忍、不卑不亢的成熟人格。这样一种人格健全、心智健康的人，一定会冷静而宽容地对待个人的穷通进退、荣辱得失。

从另一个层面来看，古往今来许许多多蹭蹬偃蹇、高才短寿的俊彦，他们悲苦的人生，冥冥之中似乎总有一种神秘的力量、有一只看不见的手，在左右着他们的人生走向。清人吴仰贤指出：“昔人谓画入神品、逸品者，以烟云养其性情，其人多寿，如黄子久、沈石田、文徵仲、王石谷诸人是也。余谓诗主性灵，凡神动天随，专写寄托者，其人亦多享大年，如白乐天年七十五，杨诚斋年八十三，陆放翁、范石湖，年皆八十六，我朝袁子才年八十二。若夫抉摘刻画，露其情状，昔人比之暴殄天物，故李长吉二十七而夭，我朝黄仲则年止三十有五。盖怡神者益人，劳神者贼人也。虽然，诗者易为，而难工者也。有终身为之而不工者，有为之即工，急于行世，而自悔少作者。若年不及中寿，其诗卓然成家，而传于后世，以予数之，如谢宣远年三十六，王子安年二十八，高季迪、何大复年皆三十九，高子业年三十七，宗子相年三十。历代不过数人，即谓之享大年可也。”[②]认为画家多寿者，是因为“以烟云养其性情”；性灵诗人享大年者，是由于“神动天随，专写寄托”；而才高命短如王勃、李贺、黄仲则者，原因在于“抉摘刻画，露其情状”“盖怡神者，益人劳神者，贼人也”。其实就是这些诗人们性格乖僻，性情刻露，作诗追求过分超邈的境界，以致用情过度，劳形伤身。久而久之，必然促其年寿。大抵浮生若梦，智慧与德行，性情与性格，还是健全了好，中和了好。人，有时不必太好强，太能干，太执着。朴茂温厚，圆融达观，纵不为长寿，也为心地坦荡，一生平安。

“水至清则无鱼，人至察则无徒”，黄仲则性格乖僻、狂狷孤傲，好为青白眼，爱憎形于色，不掩饰内心情感，不敷衍世俗社会，不屑于媚俗从俗，不善于与世俯仰，不洞明世事，不练达人情，这种与世少谐的个性注定了黄仲则充满苦难的人生悲剧。有路可走，终归无路可走。惜哉！悲哉！

---

① ［明］吕坤《呻吟语》卷四外篇《御集・品藻》，明万历二十一年刻本。

② ［清］吴仰贤《小匏庵诗话》卷二，清光绪刻本。

第三章

黄仲则诗歌的主题选择

黄仲则在其仓促而短暂的一生当中，为后人留下了两千多首诗，这些诗给人总体的印象是悲苦凄凉、愁肠百结，所谓“幽苦语”。但由于诗人自身贫病穷愁、屡试不第的独特遭际，以及他清迈高远、超越群伦的卓越诗才，他的诗歌在主题的选择上又呈现出相当的丰富性和全面性，体现出这位才情非凡的薄命诗人对于社会人生广泛而深刻的关注与思考。在他的《两当轩集》中，诗人以生花妙笔，抒写他纠结缠绵的爱恨情愁和对悲苦人生的咏叹、以及优游山水的心灵放逐与知己难逢的追忆。不仅如此，诗人还穿越时空，写了大量吊古伤今的咏史怀古之作。当然，诗人也并非不食人间烟火，生活在真空中，他体察苍生的感遇诗，卑躬违己的干谒诗，甚至逞才炫学的才学诗，也同样是他至情至性的情感宣泄，是他细腻敏感的心灵折光。

第一节　自然欲望张力下的爱恨情愁

爱情，是人性中最让人心驰神往、最使人流连忘返的情感之一。我们每个人的正常生命旅程中，无不充满着对爱情的渴望和追求。爱情带给人们如饮佳酿般的幸福感受，得以让人们的生命有着更加绚丽多彩、隽永深长的体验和回味。在文化发展的历史长河中，人类创造出了无数动人的故事、醇美的诗篇、妙曼的歌舞和美丽的画卷，来歌颂和礼赞爱情。在艺术文化现象中，爱情始终占据着非常显著的地位。正因为如此，爱情就成了文学艺术创作取之不尽的源泉，成为其中最令人魂牵梦绕、最让人千肠百转、也最让人津津乐道的永恒主题。古今中外，以爱情为主题的文学作品连篇累牍、汗牛充栋，构成绵亘悠久、绚丽多彩的文学史的半壁江山。

黄仲则作为乾隆时期最具才华的诗人之一，他悲苦坎坷的人生际遇、多愁善感的性情气质，以及他汪洋恣肆、下笔千言的绝世才情，使得爱情这个常写常新的诗歌主题，成为他诗作中最为重要的内容之一，翻检其《两当轩集》，我们不难发现，其中爱情诗甚多，不乏《感旧》四首、《感旧杂诗》四首、《秋夕》《绮怀》十六首、《秋夜曲》等这样的名篇。饮食男女，乃人之大欲。可以说，性是人的本能，是人伦之大欲，也是人性的重要内容之一。章培恒先生认为，文学的发展与人性的发展同步，文学的价值与意义不在于它是否反映了社会生活，以及反映得是否深刻，而在于它对人类共同情感表现的宽度、深度和力度。文学作品的魅力之一就是表现这种人性深处若隐若现、或强或弱的情感愿望。一般而言，作品越是能体现出人类本性，也就越能与读者的感情相通，越能引起读者的共鸣，文学作品越能成为传世佳作。黄仲则的爱情诗是他写得最为成功、艺术水准最高，也是最为后人称道、最感人至深的内容之一，其因盖出于此。

20 世纪西方文论中有一个重要流派语义学，将语义分析作为文学批评的最基本的方法和手段，其中文本细读是语义学对文本进行解读的重要方法和显著特征。该派强调以文本为中心，他们认为，文本本身就是一个自足独立的存在。布鲁克斯(Cheanth Brooks)主张，文学批评就是对作品本身的描述和评价，至于作者的真实意图，我们只能以作品本身，亦即作为作品载体的文本为依据。只有在作品中实现的意图才是作者的真正意图，至于作者事前对作品的设想和事后对作品的回忆，都不足为据。文本细读注重文本语言和思想的关系，认为文本语言的功能和意义可以体现为意思、感情、语气和意向等四个方面，如果能够准确把握语言的这些因素，我们就能够解读作品的意义。除此之外，文本细读还重视语境对语义分析的影响，认为语境对于理解文本词汇的深层意义是十分重要的。瑞恰兹(Ivor Armstrong Richards)反复强调，文本中，是某个词、句或段与上下文之间的联系，才确定了特定词、句或段的具体意义，甚至一本书也存在着语境问题。文本细读还将文本解读重点聚焦到文本内部的组织结构上。韦勒克(René Wellek)认为，对文学背景、环境和外因的研究，绝不可能解决对作品这一对象的描述、分析和评价等问题。他强调，作品就是一个隐含着并需要意义和价值的符号结构，主张解读就应该以具有这样的符号结构的作品为主要对象。此外，文本细读还重视语境对语义分析的影响，强调语境对于理解文本词汇深层意义的重要性[①]。按照这种文本细读的方法，本著尝试从文本本身出发，对黄仲则爱情诗的代表作，择要略作分析。

一、关于《绮怀》

黄仲则客居寿州，孤独无聊之际，回忆自己少年时期与难忘的初恋，写下了组诗《绮怀》，共十六首。绮，《说文》："文缯也，从糸奇声，祛彼切。"《释名》："绮，攲也。其文攲邪，不顺经纬之纵横也。"《汉书·高帝纪下》："贾人毋得衣锦、绣、绮、縠、纻罽。"颜师古注曰："绮，文缯，即今之细绫也。""绮"本义为"有花纹的丝织品"，后来引申为"美丽"，如《后汉书·宦者传》中有"绮室"，注曰"室之丽者"。再如绮文、绮户、绮札、绮衣、绮年等。则"绮怀"当然是一种美丽的情怀。他的恋人当时十五岁，对黄仲则来说，这种旖旎美丽来自一种对逝去爱情无处追怀的留恋与绝望，因而更加哀感顽艳、凄美动人。

其一

楚楚腰肢掌上轻，得人怜处最分明。千围步障难藏艳，百合葳蕤不锁情。朱鸟窗前眉欲语，紫姑乩畔目将成。玉钩初放钗初堕，第一销魂是此声。

这首诗应当是诗人与心仪的爱侣初次相逢的情景。恋人纤细苗条的身形和"千障难掩"的美貌，让这位风流多情的少年诗人颇有惊艳之感，因而心头不由自主地荡起了爱的涟漪。诗人借用了汉成帝之嫔妃赵飞燕典故，来渲染恋人的可爱身姿。据《太平御览》卷五七四引《汉书》曰："赵飞燕体轻，能掌上舞。"后常用以形容女子身材窈窕。唐杜牧《遣怀》诗中记自己在扬州的生活时，几分调侃、几分得意地写道，"落魄江湖载酒行，楚腰纤细掌中轻"，对于曾经的诗酒风流追思不已。一般而言，最初触动青年男女之间爱的情愫的，无非是双方容貌、体态、气质等外在因素，使得彼此觉得相互吸引，难以割舍，所谓一见钟情。黄仲则此时正处在生机盎然、少年春衫薄的青春期，而且风神秀异、气度不凡，正所谓才子佳人，相得益彰。再加上这位女子不但是姿容秀美，更重要的是"百合葳蕤不锁

① 姜焕文《细读——新批评管见》，《甘肃教育学院学报》(社科版)，2003年10月。

情”。“百合”是一种多年生草本植物。“葳蕤”亦属草名，即玉竹，通常用来描写草木茂盛的样子。唐韩翃《江南曲》说，“春楼不闭葳蕤锁，绿水回通宛转桥”。由此我们可知，“百合葳蕤锁”当是常用于女子闺房的一种锁。那么，就是说，拥有赵飞燕般曼妙身姿和“千围步障”都难以遮掩的美貌的这位佳人，使得诗人一见倾心。而这位佳人也心有灵犀，在随后的日子里通过各种场合与诗人试探和接触。功夫不负苦心人，终于在扶乩占卜的乩盘旁得以眉目传情。接下来的情节，似乎让我们有些瞠目结舌：“玉钩初放钗初堕”，“玉钩”，指女子之足；“钗初堕”，所谓“水晶枕上钗堕横”也。我们不难想象，一对热恋中的青年男女似乎迅即有了身体接触、肌肤之亲。这在当时礼教甚严、“男女之大防”依然甚嚣尘上的乾隆时代，青年男女之间自由接触的时间和空间都不太宽裕的条件下，确乎是一种空前大胆的举动，在炽烈的爱情面前，礼教的种种清规戒律统统都失去了效用，令人叹服爱情威力之宏深巨大。

其二

妙语谐谑擅心灵，不用千呼出画屏。敛袖搊成弦杂拉，隔窗掺碎鼓丁宁。湔裙斗草春多事，六博弹棋夜未停。记得酒阑人散后，共搴珠箔数春星。

突破了最初交往的障碍之后，这对恋人开始进入甜蜜的热恋期。在诗人的笔下，恋人的一切都是美好的，这也印证了许多我们耳熟能详的爱情格言，“情人眼里出西施”，“人并不因美丽才可爱，而是因可爱才美丽”。这位女子不是一个呆头呆脑、徒有美丽的外表而不解风情的土梗木偶，恰恰相反，她不仅活泼热情，熟悉各种诙谐戏谑之道，有一颗聪颖灵慧的心，而且还潇洒大方，并不忸怩作态，无须别人千呼万唤，就会主动从画屏之后走出来。她不仅调皮，而且具有相当的音乐素养，挽起衣袖就能用手指在琵琶上弹奏出美妙的音乐，隔着窗户击鼓，叮叮咚咚的鼓声同样奏出悦耳的清音，的确是一位多才多艺、开朗豁达的女孩子。像“湔裙”“斗草”“六博”“弹棋”这样的游戏，她更是得心应手、乐此不疲，在美丽的春光里，在寂寞难挨的漫漫长夜里，一对情好日密的少年恋人，共同度过了多少难忘的美好时光。酒阑人散之后，两人撩起珍珠帘箔，肩并着肩，头挨着头，依偎在一起，共同细数春夜的点点繁星。多么令人神往的纯真爱情！至此，两人已经到了如胶似漆、难舍难分的地步了，两人也陶醉在爱河里，尽享爱情的甜蜜和温馨。

其三

旋旋长廊绣石苔，颤提鱼钥记潜来。阑前罽藉乌龙卧，井畔丝牵玉虎回。端正容成犹敛照，消沉意可渐凝灰。来从花底春寒峭，可借梨云半枕偎？

这首主要写诗人和情人之间交往的情状。如前所述，在黄仲则生活的乾嘉时期，青年男女之间交往的时间和空间实际上受到许多限制，并不能随心所欲。正常的、公开的交往，通常必须"发乎情，止乎礼义"。《孟子·滕文公章句下》载："不待父母之命、媒妁之言，钻穴隙相窥，逾墙相从，则父母国人皆贱之。"公开场合过分亲昵，不要说青年男女之间，即使是成年男女之间也不被礼教所允许。因此，仅仅是这种公开的正常交往，根本不能满足恋人间情感的需要。为了满足情感的欲求，只能在正常的和公开的交往之外，另外寻找接触的机会和场合，所以偷期密约、钻穴逾墙就成了大多数热恋中人的必然选择。《诗经》中关于男女约会的诗数不胜数，如《邶风·静女》："静女其姝，俟我于城隅。爱而不见，搔首踟蹰。静女其娈，贻我彤管。彤管有炜，说怿女美。自牧归荑，洵美且异。匪女之为美，美人之贻。"《郑风·褰裳》《召南·草虫》等，均为同一风致。此外，如"月上柳梢头，人约黄昏后"（欧阳修《生查子》），"待月西厢下，迎风户半开。拂墙花影动，疑是玉人来"（元稹《莺莺传》），等等，所写意境，也多为人所称道。黄仲则这首诗是说，他与恋人生活的环境还算得上洁净优雅，长廊回环，石头上点缀着碧绿的苔藓。那个胆战心惊，拿着鱼形的钥匙偷偷进来的人，不用说就是那位"楚腰纤细""千障难掩"的美貌佳人了。"罽"，是指毛织的毡子或地毯。而"乌龙"，则是指代黑狗。据假托陶潜的《搜神后记》载，张然之妇与奴通，欲害主，而乌龙伤奴救主。[①] 李商隐有诗曰："遥知小阁还斜照，羡杀乌龙卧锦茵。"（《题二首后重有戏赠任秀才》）"玉虎"是指井上的辘轳，李商隐《无题》诗"玉虎牵丝汲井回"，都是以乌龙指暗中幽会。诗人连用二典，曲折

---

① 《搜神后记》卷九载：会稽句章民张然，滞役在都，经年不得归。家有少妇，无子，惟与一奴守舍，妇遂与奴私通。然在都养一狗，甚快，名曰"乌龙"，常以自随。后假归，妇与奴谋，欲得杀然。然及妇作饭食，共坐下食。妇语然："与君当大别离，君可强笑。"然未得噉，奴已张弓拔矢，当户须然食毕。然涕泣不食，乃以盘中肉及饭掷狗，祝曰："养汝数年，吾当将死，汝能救我否？"狗得食不啖，唯注睛舐唇视奴，然亦觉之。奴催食转急，然决计拍膝大呼曰："乌龙与手！"狗应声伤奴，奴失刀杖，遂获妇与奴。

委婉，回环反复，犹如盘马弯弓，引而不发，其实无非是说他和恋人的幽会浪漫而艰辛，充满了蜜甜般的温柔，尽管回忆中又颇含苦涩。诗人端正容颜，望眼欲穿，等待恋人的飘然而至，以为恋人不会来了，心灰意冷，已经有点消沉了。最后说，恋人如果不来，那是因为春花的背后，有寒风料峭。我只好借着这眼前片片的梨花，想象着和她相拥在枕上的样子。颇有前举《召南·草虫》中“未见君子”那个女子的情状，只不过这次角色的性别对调成了男子而已。

其四

中表檀奴识面初，第三桥畔记新居。流黄看织回肠锦，飞白教临弱腕书。漫托私心缄豆蔻，惯传隐语笑芙蕖。锦江直在青天上，盼断流头尺鲤鱼。

“中表”，舅父子女为内表，姑母子女为外表，互称中表。“第三桥畔记新居”，是回忆初见面的地点。“流黄”，是指褐黄色的织品，特指绢。《乐府诗集·相和歌辞九·相逢行》：“大妇织绮罗，中妇织流黄。”“回肠锦”，本指前秦苏蕙寄给丈夫的织锦回文诗。《晋书·列女传·窦滔妻苏氏》载：“窦滔妻苏氏，始平人也，名蕙，字若兰。善属文。滔，苻坚时为秦州刺史，被徙流沙，苏氏思之，织锦为回文旋图诗以赠滔。”“飞白”，亦作飞白书，是书法艺术，一种特殊的写法。唐李绰《尚书故实》中说：“飞白书始于蔡邕，在鸿门见匠人施垩帚，遂创意焉。”据传这种书法笔画中带丝丝露白，像枯臼所写。清赵翼《王述庵道经毗陵停舟话旧》诗：“焚黄诏特荣先垄，飞白书应起赐楼。”“流黄”“回肠锦”，都是指情人心灵手巧善于织锦。而“飞白”，则是指诗人教给情人的书法。诗人和恋人之间的关系真的到了一种亲密无间的地步，在爱河中徜徉而无比陶醉，同时也各自展示着彼此的才艺，互相取悦对方。女子的女工，如“织回肠锦”之类，作为心灵手巧的聪慧女子，自是她所擅长之事，本不足为奇。但除此之外，我们还看到，诗人对恋人的灵巧自然极其欣赏，但还不满足，他也乐于在恋人面前展示自己之所长，那就是他的看家本事，他的书艺，而且还好为人师，乐于教恋人研习书法艺术。恋人把她的青春情怀，有意无意地透露给诗人；她习惯于故意云山雾罩，隐约其辞，如同猜谜语一样，让诗人听得莫名其妙，她也因此而获得恶作剧般的快感，笑得像盛开的荷花一样。“锦江”，岷江分支，流经成都东南，又称濯锦江。“鲤鱼”，是乐府诗《饮马长城窟行》所谓“客从远方来，遗我双鲤鱼”。闻一多《乐府诗笺》

释为藏书木函，以为此物当以两木板为之，一底一盖，刻为鱼形。此四联是说，锦江虽然遥远，我那时却时刻盼望着从水的源头处，漂来传情的鱼书。此处已经为后来的分别留下了伏笔。

其五

虫娘门户旧相望，生小相怜各自伤。书为开频愁脱粉，衣禁多浣更生香。绿珠往日酬无价，碧玉于今抱有郎。绝忆水晶帘下立，手抛蝉翼助新妆。

“虫娘”，唐公主名，即唐玄宗之女寿安公主，其事见《新唐书·寿安公主传》，诗词中多借指歌伎舞女。如宋柳永《玉楼春》词：“虫娘举措皆淹润，每到婆娑偏逞俊。香檀敲缓玉纤迟，画鼓声喧莲步紧。”清陈维崧《西施·玉峰公宴席上赠施校书》词：“闻说虫娘新自茸城到，唤取奏清歌。”但此处用寿安公主借指诗人的情人，想必是情人眼里出西施，诗人欲以较为高贵的出身抬高情人的身份和地位吧。“门户旧相望”，说明两家的空间距离应该不太遥远。虽然如此，尽管两人从小相知，彼此相爱，但长大后仍然不能结合，而各自忧伤。“绿珠”，则是指东晋石崇的爱妾①。“碧玉”亦人名，指唐人乔知之之妾，一名窈娘②。这一连串的用典，虫娘、绿珠、碧玉，皆暗指诗人和情人已经劳燕分飞，女人已嫁作他人之妇，而且已经“抱有郎”，为人之母，开花结子了。“书为开频愁脱粉，衣禁多浣更生香”，古时闺阁女子读书，有时会在书页上洒点香粉，颇有些当今的小清新格调。诗人玄想恋人愁绪难解，频频无聊翻书，以至香粉都脱落了。当然，此处的“书”，我们亦可当作书信来理解，因为恋人之间的书信往还，最能记录和见证彼此的相爱过程，彼此的手泽更是爱情的信物，因此时时翻阅从前的书信，就成了爱情曲终人散后的最大慰藉。彼此相拥过的衣服，因为留有各自的体味而舍不得浣洗，时间久了，反而越发生香。当一场风花雪月的爱情成为往事的时候，留给诗人的只能是徒劳的相思和漫长的回忆了。在一片绝望的相思当中，诗人只能依靠回忆来追怀逝去的美好情景和浪漫时光，最不能忘记的是诗人曾经站在华美的水晶帘下，为情人整理发髻，梳妆打扮的甜蜜场景。

---

① 据《晋书·石崇传》：“崇有妓曰绿珠，美而艳，善吹笛，孙秀使人求之……崇勃然曰：‘绿珠吾所爱，不可得也。’”

② 典出唐张鹭《朝野佥载》卷二：“周补阙乔知之有婢碧玉，姝艳能歌舞，有文华。知之时幸，为之不婚。伪魏王武承嗣暂借教姬人梳妆，纳之，更不放还知之。知之乃作《绿珠怨》以寄之……碧玉读诗，饮泪不食三日，投井而死。”

其六

小极居然百媚生，懒抛金叶罢调筝。心疑棘刺针穿就，泪似桃花醋酿成。会面生疏稀笑靥，别筵珍重赠歌声。沈郎莫叹腰围减，忍见青娥绝塞行。

“小极”，小病。《世说新语・言语》：“顾司空未知名，诣王丞相，丞相小极，对之疲睡。”“金叶”，类似于纸牌的一种游戏。恋爱中的男女，彼此的一颦一笑，一言一行，都会铭记在心，也许当初并不在意，但当爱情成为往事的时候，这一切也就成了甜蜜的回忆。李义山《无题》诗说“此情可待成追忆，只是当时已惘然”，即此之谓也。诗人与初恋的情人已经多时未遇，但回忆起与恋人相处的一幕幕情景，仍然如在昨日。恋人偶染微恙，不仅未减损姿色风情，反而平添了若干娇媚，慵懒的情态将平素喜爱的游戏诸如打牌、弹筝都放弃了。女孩是否真的生病，我们不得而知，似乎更像恋人之间常见的那种发嗲和娇嗔。“棘刺针”“桃花醋”，分明是在说恋人好像有点小肚鸡肠，而且醋海扬波。彼此间产生龃龉的原因，似乎并不难推测，无非是女孩疑心诗人移情别恋，或者旁人插足其间，对女孩未来的爱情构成威胁吧。王昶《湖海诗传・蒲褐山房诗话》云：“仲则风神玉立，世比叔宝。年未弱冠，所撰新诗小赋，已有烟月扬州之誉。”像诗人这般风神俊秀的青年才俊，在婚姻市场上，实在是奇货可居的稀缺资源啊。女孩的这种担心绝非空穴来风，曾经的恋人最终还是劳燕分飞了。再次聚首时，两人已经没有单独相会、亲密接触的机会了。尤为让人感到伤心的是，彼此的陌生感却如潮水般涌来，彻底阻断了两人进一步鸳梦重温的可能，恋人的笑靥也不再满面春风了，而犹如黄梅天的阳光，稍纵即逝。分别的筵席上（当然，我们可以想见，这个

王昶像

筵席绝不是专门为二人举行的，他们是将别人的筵席当作了两人的“别筵”），双方以歌相赠，互道珍重。“沈郎”，指南朝梁沈约，《梁书》载，沈约以书陈情于徐勉，言己老病，“百日数旬，革带常应移孔；以手握臂，率计月小半分。”“青娥绝塞行”，用王昭君事，指与恋人的离别。“沈郎”无疑是诗人自况，是说自己因相思而瘦；“青娥”不用说是指诗人的情人了，她就像王昭君一样，远赴绝塞荒漠，一去无还。诗人与情人由此一别，天各一方，音问难通，从此萧郎是路人。但诗人对恋人的思念并不因此而减少，反而变本加厉，越发难以排遣，而形诸笔墨，见于歌咏，就是最佳的渠道和方式。

其七

自送云軿别玉容，泥愁如梦未惺忪。仙人北烛空凝盼，太岁东方已绝踪。检点相思灰一寸，抛离密约锦千重。何须更说蓬山远，一角屏山便不逢。

这首是写送别恋人后的情景。诗人回忆起与恋人相处的每一个细节，将其用充满感情的笔触反复咀嚼，反复吟诵。“軿”，是一种有帏幄的车。“泥愁”，即深愁。“惺忪”，眼睛模糊状。斯人已去，音问难通，而诗人由此陷入深切无尽的相思和忧愁当中难以自拔，每天如同生活在梦中，睡眼蒙眬，意态模糊。“仙人北烛”，乃诗人自谓。《汉武帝内传》载：“（王子登）是西王母紫兰宫玉女……阿母昔出配北烛仙人，近又召还，使领命禄，真灵官也。”“太岁东方”，《搜神记》卷一载，杜兰香言于张硕曰：“本为君作妻，情无旷远，以年命未合，其小乖，太岁东方卯，当还求君。”暗指俩人永难相见。“相思灰一寸”，语出李义山《无题》其二，“春心莫共花争发，一寸相思一寸灰”。义山意谓：我这颗心不再与春花一同萌发；免得使我寸寸相思，都化成了烟灰。对爱情的痴痴向往，不要和春天的花一样旺盛的开放，相思的滋味不好受，就像是都会变成了灰烬。诗人对爱情热切的追求和失意的痛苦，最后还是水月镜花，于是就有了如李义山般“一寸相思一寸灰”的苦痛，迸发出内心的郁积与悲愤，既有幻灭的悲哀，也有强烈的激愤不平，而且诗人在此诗中可能也融入了自己的身世之感。“蓬山远”，仍然化用义山《无题》“蓬山此去无多路，青鸟殷勤为探看”之句，“蓬山”，蓬莱山，传说中的海上仙山，仙人所居之处，比喻被怀念者居住的地方。青鸟是神话传说中为西王母取食、传递音讯的神鸟信使。诗人与恋人之间空间距离似乎并不如蓬山般遥不可及，但即便如此，哪怕近在咫尺如“一角屏山”，限于种种礼教束缚，要想朝夕相见仍然是咫尺天涯。只能徒唤奈何，倍增惆怅。

其八

轻摇络索撼垂罳，珠阁银栊望不疑。栀子帘前轻掷处，丁香盒底暗携时。偷移鹦母情先觉，稳睡猧儿事未知。赠到中衣双绢后，可能重读定情诗。

这首诗仍然是诗人追忆从前与恋人的欢会，种种情景，历历在目。“络索”，绳索缠成一团，这里或指夏季昆虫所吐的丝。“垂罳”，垂屏。“银栊”，银色窗格，珠阁银栊，指恋人的阁楼。这些描写，显然是把恋人的居所美化了，也算是爱屋及乌吧。颇有北宋贺铸《青玉案》的情致：“凌波不过横塘路，但目送、芳尘去。锦瑟华年谁与度？月楼花院，绮窗朱户，只有春知处。”“横塘”，在苏州城外。南宋龚明之《中吴纪闻》卷三载：“铸有小筑在姑苏盘门外十馀里，地名横塘。方回往来其间，作此词。”是作者隐居之所。“凌波”，出自曹植《洛神赋》：“凌波微步，罗袜生尘。”这里是说美人的脚步在横塘前匆匆走过，作者只有遥遥地目送她的倩影渐行渐远。基于这种可望而不可即的遗憾，作者展开丰富的想象，推测那位美妙的佳人是怎样生活的。“锦瑟年华谁与度”，用李商隐“锦瑟无端五十弦，一弦一柱思华年”（《锦瑟》）诗意。下句自问自答，用无限惋惜的笔调写出陪伴美人度过如锦韶华的，除了没有知觉的华丽住所，就是一年一度的春天了。这种跨越时空的想象，既属虚构，又合实情。黄仲则此处也是悬想恋人生活起居的华屋，如果缺少了爱情的装点和滋润，仍然华丽而空旷，寂寞而冷清。“栀子”，李商隐“栀子交加香蓼繁，停辛伫苦留待君”（《河内诗二首·楼上》）。“丁香”，即丁香结，以喻暗中相通，是说诗人向帘内轻掷一颗栀子，里面用粉盒偷偷送出了丁香结。当初热恋中的这对情侣，还是心有灵犀的。“猧儿”，宠物狗。三联是说，怕鹦鹉学舌，就偷偷把鸟笼移走，稳睡的小狗又怎么知道这事呢？“中衣”，穿在里面的衣服，即内衣。“双绢”，东汉末期，三国曹魏的繁钦有《定情诗》诗句：“何以结愁悲。白绢双中衣。”①

① ［三国魏］繁钦《定情诗》：“我出东门游，邂逅承清尘。思君即幽房，侍寝执衣巾。时无桑中契，迫此路侧人。我既媚君姿，君亦悦我颜。何以致拳拳？绾臂双金环。何以道殷勤？约指一双银。何以致区区？耳中双明珠。何以致叩叩？香囊系肘后。何以致契阔？绕腕双跳脱。何以结恩情？珮玉缀罗缨。何以结中心？素缕连双针。何以结相于？金薄画搔头。何以慰别离？耳后玳瑁钗。何以答欢悦？纨素三条裾。何以结愁悲？白绢双中衣。与我期何所？乃期东山隅。日旰兮不来，谷风吹我襦。远望无所见，涕泣起踟蹰。与我期何所？乃期山南阳。日中兮不来，飘风吹我裳。逍遥莫谁睹，望君愁我肠。与我期何所？乃期西山侧。日夕兮不来，踯躅长叹息。远望凉风至，俯仰正衣服。与我期何所？乃期山北岑。日暮兮不来，凄风吹我衿。望君不能坐，悲苦愁我心。爱身以何为，惜我华色时。中情既款款，然后克密期。褰衣蹑茂草，谓君不我欺。厕此丑陋质，徙倚无所之。自伤失所欲，泪下如连丝。”

写一个年轻女子，对爱恋的男子，赠予各种定情之物，绾臂金环、耳后明珠、腕上跳脱、白绢中衣，但却最终为爱人所弃的叙事诗。全诗朴实无华，以纯粹白描的手法，少女对爱人热烈的恋慕与痴情，被抛弃后的伤感、怀念，跃然纸上。黄仲则正是借用了《定情诗》中少女赠予爱人白绢中衣的典故。仲则与少时的恋人相恋极深，然而终不能谐，各自嫁娶。当年恋慕极深，恋人赠予他白绢双中衣，正是爱到深处的表示。今时今日，两厢路人，怀念起当初的故事，"可能重读定情诗"。令人想去，繁钦的定情诗中，少女赠予恋人的白绢中衣，不正含着浓浓情意么？而繁钦诗中，女子的情事终于不谐，仲则与之何其相似？这两句诗短短十四个字，却分外缠绵，荡气回肠，不禁令人倾倒惊艳。古时男女之间的恋慕，风雅含蓄，却铭心刻骨，足可慰藉平生。不像现代人，那么直白热烈，却转瞬即逝。

其九

中人兰气似微醺，芗泽还疑枕上闻。唾点着衣刚半指，齿痕切颈定三分。辛勤青鸟空传语，佻巧鸣鸠浪策勋。为问旧时裙衩上，鸳鸯应是未离群。

这首诗对爱情的追忆，较之以前数首，程度更甚。如果前面的诗篇着重回忆恋人之间幽会欢聚时情感的温馨与难舍难分的话，那么这首则带有明显的情色意味。诗人与恋人之间，已经不单单是一起嬉戏游玩，而且有了肌肤之亲，乃至床第之欢。"中人"，袭人之意。"芗泽"，是指香泽，香气。床上的恋人，气息如兰，如同酒后微醺，令人陶醉，枕上似乎还残留着恋人的香泽。我们前边说过，热恋中的男女双方，互相欣赏，在彼此的眼中，对方是世界上最完美的，再次验证了那句颠扑不破的老话——"情人眼里出西施"。她的气息，她的体泽，乃至她的服饰，都是如此。"唾点"，是指女子内衣上的花纹。"刚半指"，才穿进半个指头。"齿痕切颈"，指恋人在亲热时咬他一口。我们可以想见，一副何等亲密、何等旖旎的情景呈现在我们面前：床帏里面的恋人刚刚睡醒，她的香气还遗留在枕上。睡眼蒙眬之中，男子来了，女子有着细碎花纹的内衣刚穿到一半，两个人就迫不及待亲热亲吻起来，以至于双方脖子上遗留的齿痕清晰宛在。关于"齿痕切颈"，当是热恋中男女的之间的无赖、亲昵之举，但并无身体或情感上的伤害，反而更能拉近彼此的距离，增加彼此的亲密程度。有时候中国古代的恋人们，恰恰却需要黄仲则诗中回忆里的这种对肌体的互相侵犯，它不是"伤害"，而是"镂刻"，是声明一个人对另一个人的独占权。虽然黄仲则生活的现实一直十分悲凉，但这段情景在他的回忆中，却依旧显得那么温馨动情，而那脖子上的齿痕，也肯定不止存留了数日，而是如草莓般永久种植在了回忆者的心中——它能时时勾起回忆者去再度阅读自身的冲动，并破译对这种时间废墟久久沉浸的奥秘。“鸣鸠”，是诗人自谓；“浪策勋”，是惭愧自己没有作出成功的事情来，《木兰辞》：“策勋十二转，赏赐百千强。”诗的后四句告诉我们，那个情景已然是过去已久的少年情事了，如今回忆起来，诗人发现自己老大无成，空有旧日情爱，两人已是劳燕分飞，难成佳偶。

其十

容易生儿似阿侯，莫愁真个不知愁。夤缘汤饼筵前见，仿佛龙华会里游。解意尚呈银约指，含羞频整玉搔头。何曾十载湖州别，绿叶成阴万事休。

若干年后，诗人回忆起与初恋情人的悲欢离合，能够如此真切地记起当初的许多细节，可见其人用情之真，用情之深。“人生不相见，动如参与商”（杜甫《赠卫八处士》），本以为与恋人分别后，永无再见之期，不料一个偶然的机缘，两人又相逢了。“阿侯”，莫愁的女儿；“莫愁”，南朝美女①。这里代指诗人的恋人嫁人后很快就生了女儿，但还是和出嫁前一样的天真，并不觉得有什么忧愁。“夤缘”，是攀附、附会之意。“汤饼筵”，旧俗，寿辰、生孩子第三天、满月、周岁时，举行汤饼会。“龙华会”，据《荆楚岁时记》记载：“四月八日，诸寺各设会，香汤浴佛，共作龙华会，以为弥勒下生之征也。”诗人借恋人为庆贺生孩子而举办热闹的汤饼筵时，见到了魂牵梦绕的恋人。“约指”，即戒指。“玉搔头”，是指头饰。一对恋人，久别重逢，该有如许知心话要说，有多少相思之苦要倾诉。可是，“含情欲说心中事，鹦鹉前头不敢言”（明杨珽《龙膏记·邂逅》），这样的场合毕竟不是重叙相思之所，彼此只能将满腹话语深埋心底。恋人也并未忘怀旧情，对诗人的心意十分了解，所以给他看了戒指，并一如既往地流露出很害羞的样子，“最是那一低头的温柔，像一朵水莲花不胜凉风的娇羞”（徐志摩《沙扬娜拉》），二八少女亭亭玉立，情窦初开如出水芙蓉，洁白中绯红淡扫，见了心上人羞答答的样子，涉世尚浅的翩

---

① 石城（今湖北钟祥）有女子名莫愁，善歌谣，且《石城乐》中有“忘愁”声，故歌云：“莫愁在何处，莫愁石城西。艇子打两桨，催送莫愁来。”梁武帝《河中之歌》：“河中之水向东流，洛阳女子名莫愁。……十五嫁为卢家妇，十六生儿字阿侯。”（参见[宋] 洪迈《容斋随笔》）后人将二莫愁，以及石城与石头城混合，于是莫愁便搬到南京莫愁湖边住了。莫愁亦成为诗词中常用之典。

翩少年，想不动心都不行。此情此景，古今中外，哪一个人能不刻骨铭心？湖州汤饼筵一别，已经匆匆十载，从此两人再未谋面，“绿叶成阴”，恋人的孩子大概也已经长大了吧。这回真的是木已成舟，万事皆休了。

其十一

慵梳常是发鬅鬙，背立双鬟唤不应。习得我拌珠十斛，赚来谁费豆三升。怕歌团扇难终曲，但脱青衣便上升。曾作容华宫内侍，人间狙狯恐难胜。

诗人回环往复，一唱三叹，一而再，再而三，不厌其烦地反复追怀，反复咏叹。对于黄仲则这样用情过专、过深的人来说，这一场爱恋，无疑是情感的巨大透支。如同赌场上的赌徒，他把一生的情和爱，都押在了这一场有始无终的恋情上，最终的结果是他输得精光。从此以后，他再也没有了真情，有的只是逢场作戏，至多是不得不承担的责任和义务。他的《别内》诗说：“几回契阔喜生还，人老凄风苦雨间。今日别君无一语，却看堂上有衰颜。”虽然也跟自己的糟糠之妻感喟人生的艰辛不易和生死契阔，体味凄风苦雨中时光的流淌和春光老去，但即将出发远行，却无言以对，看不到难舍难分的依依惜别，也没有朝思暮想的彼此牵挂，有的只是照看高堂衰亲的担忧和托付。但是，时光穿越，回到初恋的情人那里，情景就完全两样，诗人也完全判若两人。“慵梳”，懒得梳理。柳永词“坠髻慵梳，愁蛾懒画”（《雨中花慢》）。“鬅鬙”，言头发散乱。诗人与恋人，同时少年韶髫，豆蔻年华，正处在一生中最风花雪月的佳期，彼此的恋情就在这样的美好时光中潜滋暗长。但有时也难免产生一些小小的不快，以致恋人懒于梳妆，甚至生气，背对着诗人，任凭诗人千呼万唤也不予理睬。“拌”，翻弄。“珠十斛”，石崇以珍珠十斛买得绿珠于交趾。“费豆三升”，典出《晋书·郭璞传》①。这是说，尽管恋人偶尔发点小脾气，但她依然是自己的宠儿，是千金不换的，可现在是谁偏偏用“三升豆”这样的骗术就把心上人骗走了？由此我们看得出，恋人是嫁给了一个地位与权势比黄仲则家要高得多的人家，可能只是个小妾而已，地位等同婢女。“团扇”，乐府歌曲名，指《团扇郎歌》。宋贺铸《诉衷情》词：

① 《晋书·郭璞传》载：“行至庐江，太守胡孟康被丞相召为军谘祭酒。时江淮清宴，孟康安之，无心南渡。璞为占曰‘败’。康不之信。璞将促装去之，爱主人婢，无由而得，乃取小豆三斗，绕主人宅散之。主人晨见赤衣人数千围其家，就视则灭，甚恶之，请璞为卦。璞曰：‘君家不宜畜此婢，可于东南二十里卖之，慎勿争价，则此妖可除也。’主人从之。璞阴令人贱买此婢。复为符投于井中，数千赤衣人皆反缚，一一自投于井，主人大悦。璞携婢去。”

"临风歌《团扇》，深意属何人？""青衣"，婢女所着衣。此句意谓愿你脱掉青衣，上升到正室的位置。诗人对恋人的爱是无与伦比的，他是决计不会让恋人受任何委屈的，如果要娶她，势必让她做正室夫人，而不会沦为侧室，屈居小妾。"容华宫"，汉宫名。可与此组诗其五"虫娘门户"相佐证，借以抬高心上人的身份和地位。"狙狯"，奸猾。在诗人的心目中，恋人是多么高贵的人啊，你这人间奸猾之人，怎么能够配得上呢。

其十二

小阁炉烟断水沉，竟床冰簟薄凉侵。灵妃唤月将归海，少女吹风半入林。灺尽兰釭愁的的，滴残虬水思愔愔。文园渴甚兼贫甚，只典征裘不典琴。

"水沉"，即沉香。杜牧诗："桂席尘瑶佩，琼炉烬水沉。"（《为人题赠二首》其一）初秋夜深，恋人居住的华阁，沉香已经燃尽，床上的凉席也已经冰凉四侵了，环境很有些凄清。"灵妃"，仙女名。温庭筠《晓仙曲》："玉妃唤月归海宫，月色淡白涵春空。"句谓天色将明。"入林"，王维《酬贺四赠葛中之作》诗："坐觉嚣尘远，思君共入林。"在这一夜晚，诗人并不能入眠，而是浮想联翩，想象恋人的才情、气质。"灺"，指灯烛。"兰釭"，指用兰膏点的灯。"滴"，夜漏。"虬水"，滴漏的小龙嘴。"愔愔"，寂寞状。就情感的强度和烈度而言，诗人至此已经平静了许多，不再气冲斗牛，不再心意难平，而是转为更为深沉的思念。那即将燃尽的灯烛，光焰柔弱昏黄，似乎也笼罩在愁云惨雾之中，夜漏中的水也马上要滴尽，很快就要寂静无声，也要进入深沉的思索中了。"文园"，指司马相如，因其曾任文园令，这里是诗人自谓。"渴甚"，司马相如有消渴症，即今天的糖尿病。"只典"句，相如以琴挑与文君私奔，琴实为二人信物，故有此说。诗人仿佛是在自誓：我如今虽然是又病又贫，身无长物，但借酒浇愁时，也只把身上的皮衣卖了；不过，即使身无长物，琴是不能卖的，因为是要用它来抒情达意、寄托相思的。

其十三

生年虚负骨玲珑，万恨俱归晓镜中。君子由来能化鹤，美人何日便成虹？王孙香草年年绿，阿母桃花度度红。闻道碧城阑十二，夜深清倚有谁同。

"骨玲珑"，即玉骨玲珑。杜甫《徐卿二子歌》云："秋水为神玉为骨。""晓镜"，李商隐《无题》诗："晓镜但愁云鬓改，夜吟应觉月光寒。"回首往事，诗人觉得平生辜负了自己，也辜负了恋人，因为他们同为青春少年，玉骨玲珑，丰神俊朗，郎才女貌，是天造地设的天生绝配。但时过境迁，流光易逝，而今彼此都不再年少，揽镜自照，顿觉昨是而今非，徒唤奈何。“化鹤”，谓成仙。《搜神后记》卷一：“丁令威，本辽东人，学道于灵虚山。后化鹤回辽，集城门华表柱。”《太平御览》卷九一六引《抱朴子》：“周穆王南征，一军尽化，君子为猿为鹤，小人为虫为沙。”黄仲则《楼上对月》诗云：“夜深谁念朗吟人，愿化辽东鹤飞去。”“成虹”，用巫山神女事，亦谓成仙。宋曾慥《类说》卷四十引《稽神异苑·虹化为女子》：“《江表录》：‘首阳山有晚虹下饮溪水，化为女子。明帝召入宫，曰：‘我仙女也，暂降人间。’帝欲逼幸，而难其色，忽有声如雷，复化为虹而去。”梁简文帝《京洛篇》曰：“春雨暮成虹。”(《艺文类聚》卷四十二《乐部》二)现实中诗人与恋人重叙鸳盟的梦想无法实现，于是就梦想如传说中的化鹤成虹一样，得道成仙，长生不老，到天上和恋人欢会。“王孙香草”，比喻牵人离愁的景色。汉淮南王(一说淮南小山)《楚辞·招隐士》：“王孙游兮不归，香草生兮萋萋。”“阿母”，即西王母。唐薛宜僚《别青州妓段东美》诗：“阿母桃花方似锦，王孙草色正如烟。”相传王母住在昆仑山的瑶池，园里种有蟠桃，食之可长生不老。“碧城”，指天宫。《太平御览》卷六七四引《上清经》：“元始(天尊)居紫云之阙，碧霞为城。”后因以称仙人居所。“阑十二”，语出《乐府诗集·西洲曲》：“阑干十二曲，垂手明如玉。”李商隐《碧城》诗之一：“碧城十二曲阑干，犀辟尘埃玉辟寒。”神话传说毕竟是神话传说，虽然“香草年年绿，桃花度度红”，但是太阳终究不会从西边升起，时光不会倒流，逝去的好时光真的一去不复返了。纵然天上有美丽的仙乐，但有谁和我有同样的恋人和同样的心境呢。[①]

其十四

经秋谁念瘦维摩，酒渴风寒不奈何。水调曲从邻院度，雷声车是梦中过。司勋绮语焚难尽，仆射馀情忏较多。从此飘蓬十年后，可能重对旧梨涡。

这首诗写诗人与恋人长时间的分离后，内心的独自感伤。“瘦维摩”，是诗人的自况。维摩，系维摩诘的省称，是与佛同时代的一位大乘居士，常以病体现身。《维摩诘经》载，佛说法时，维摩诘称疾不去。厉鹗《悼亡姬十二首》：“搦

① 参阅张涛、余淼淼《黄景仁〈绮怀〉十六首选注》，《大众文艺》，2008年第10期。

管自称诗弟子，散花相伴病维摩。”“酒渴”，金赵秉文《滏水集·三五七格》曰：“秋风清，秋月明，白露夜深重。白云秋晓轻梦回，酒渴呼童起，枕上辘轳三五声。”唐畅当（一作杜甫）《军中醉饮寄沈八刘叟》：“酒渴爱江清，馀甘漱晚汀。”黄仲则常被他的好友洪亮吉戏称作“黄面瞿昙”，故在此诗中他便也就以释教中的维摩诘自比。因为用情过深，诗人的相思之苦就比别人更深，更强烈。再加上他本身就多病多愁，一贫如洗，留恋诗酒，奔波生计，风刀霜剑，雪寒雨烈，重重重负之下，诗人如何不容颜消损，神情沮丧？“雷声车”，语出司马相如《长门赋》：“雷隐隐而响起兮，声象君之车音。”言车声如远雷之音，连属不断。仲则《都门秋思》：“五剧车声隐若雷。”独处孤馆本已感凄凉抑郁，从邻院传来的笙歌更加深了他的孤寂。“司勋”，即杜牧，曾任司勋员外郎。杜牧多风流事，其《遣怀》诗云：“十年一觉扬州梦，赢得青楼薄幸名。”“仆射”，指元稹，卒赠尚书右仆射，故称。其晚年对少年情事多所忏悔，《遣悲怀》三首有句曰：“唯将终夜长开眼，报答平生未展眉。”此处诗人以小杜的和元稹诗酒风流自况而生悔意。“旧梨涡”，旧颜。梨涡，酒涡的美称。此句本黎倩事①。躺在床上，又是劳魂役梦，感伤依旧。结尾用“从此”“可能”二虚词，语极吞吐低回，表现诗人依然旧情难忘，痴心不改，充满了对重逢的期许和憧憬。

其十五

几回花下坐吹箫，银汉红墙入望遥。似此星辰非昨夜，为谁风露立中宵？缠绵思尽抽残茧，宛转心伤剥后蕉。三五年时三五月，可怜杯酒不曾消。

没有一场深刻的恋爱，人生就等于虚度。但爱情有时是可遇而不可求的，当时过境迁，爱情随风而去的时候，追怀往事就成了唯一的选择。黄仲则这种至情至性之人，是把爱情当作生命看待的，入乎其内，却不能出乎其外。很多时候，黄仲则都为情而困，难以走出这种阴影。尽管在以后的生活中，他时时流连风月场所，出入烟花之地，都不过是逢场作戏，充其量也就是为了满足一时的生物冲动，解决生理需求而已。他的内心深处，永远都保留着一方净土，风雨过后的若干年，他仍然念兹在兹，反复吟唱，就是最好的明证。“几回”，多回，多次。“红墙”，红色的墙。唐李商隐《代应》诗云：“本来

---

① ［宋］罗大经《鹤林玉露》乙篇卷六载：“胡澹庵（名诠，字邦衡）十年贬海外，北归之日饮于湘潭胡氏园，题诗云：‘君恩许归此一醉，傍有梨颊生微涡。’谓侍妓黎倩也。厥后朱文公见之，题绝句云：‘十年浮海一身轻，归对梨涡却有情。世上无如人欲险，几人到此误平生。’”

银汉是红墙，隔得卢家白玉堂。”“红墙”当指诗人与情人之间的实际相隔的距离，“银汉”则暗指情人出嫁之后二人之间重重世俗的阻隔。诗人一次次坐在花下吹箫来追忆自己的恋人，虽然恋人当初居住的地方自己能够远远望见，但其实是可望而不可即，因为斯人已去，物是人非，“黄鹤一去不复返，此地空余黄鹤楼”（崔颢《题黄鹤楼》），“人面不知何处去，桃花依旧笑春风”[①]。那曾经的“红墙”如银汉般遥不可及，自己与恋人之间，大概今生相见无期了吧，“此生无分了相思”啊。李商隐《无题》诗曰：“昨夜星辰昨夜风，画楼西畔桂堂东。”星辰依旧，是指往日与情人共赏的星辰，但时过境迁，早已物是人非。黄仲则《秋夕》诗亦有近似的诗句：“桂堂寂寂漏声迟，一种秋怀两地知。羡尔女牛逢隔岁，为谁风露立多时。”此句既是回忆诗人曾经多次冒着夜寒等待情人来赴约会，也是诗人在情人婚后难续前缘、相思成灾的感慨。“抽残茧”，语出唐李商隐《无题》诗：“春蚕到死丝方尽，蜡炬成灰泪始干。”《乐府诗集・西曲歌・作蚕丝》：“春蚕不应老，昼夜常怀丝。何惜微躯尽，缠绵自有时。”在此表达了至死不渝之意。“抽残茧”和“剥后蕉”这两个比喻把自己感伤绝望的心态立体化了，缠绵的情丝如同抽残的蚕茧，已经竭尽；婉转的心灵好像剥开的香蕉，已经遭到了创伤。和他的《秋夕》诗中“心如莲子常含苦，愁似春蚕未断丝”，亦有异曲同工之处。“三五年”，是说十五六岁左右；“三五月”，是指阴历十五。语出《古诗十九首》其十七：“三五明月满，四五蟾兔缺。”此句表明诗人与情人相恋的时间。看到十五的明月，就不由自主地想起了十五岁那年那一场缠绵悱恻、刻骨铭心的恋爱，人是何等的年轻，月是何等的圆满，何等的明亮，今夜已非昨夜，昨夜的星辰记录着花下吹箫的浪漫故事，而今夜的星辰，却只有陪伴自己这个伤心之人，美丽与伤感都达到了极致。这种等待，得到的是一片虚无，但正是这苦苦的等待给读者以真正的凄美感。颈联用比兴手法细致地刻画自己的内心世界，尾联诗人用与自己密切相关的“月”与“酒”两个意象来收束，当年美丽的圆月依旧明亮，可是寄托在月亮上的相思与愁苦岂是那一杯酒就能消除得了的？“可怜杯酒不曾消”，表面说的是消不尽的酒意，其实说的是一种无法摆脱的伤感。“可怜”一词很好地表现出作者复杂的心态。

其十六

露槛星房各悄然，江湖秋枕当游仙。有情皓月怜孤影，无赖闲花照

---

① 参阅[宋]计有功《唐诗纪事・崔护》卷第四十。

独眠。结束铅华归少作，屏除丝竹入中年。茫茫来日愁如海，寄语羲和快着鞭。

这是《绮怀》组诗的最后一首，是全组诗的总束，也是感伤意味最浓重的一首。“槛”，指栏杆。“秋枕当游仙”，五代王仁裕《开元天宝遗事·游仙枕》载：“龟兹国进奉枕一枚，其色如玛瑙，温温如玉，其制作甚朴素。若枕之，则十洲三岛、四海五湖，尽在梦中所见。帝因立名为游仙枕。”首联是说，当日那露水打湿的栏杆，明星照耀的幽房，曾经留下我们多少难忘的记忆，而今都已物是人非，漂泊在江湖之上，秋夜依枕独眠，权作游仙之旅吧。过去的热闹与今朝的寂静，“露槛星房”的相聚快乐与“江湖秋枕”的孤寂飘零两相对比，何等的凄清，凸显了诗人内心的惆怅和寂寥。颔联的“孤影”和“皓月”、“闲花”与“独眠”，形象地表达出诗人因爱情失落而感受到的孤独无依与百无聊赖之感。那有情的明月，似乎善解人意，怜惜诗人茕茕孑立形影相吊的寂寞，宁静的野草闲花在月色中陪伴着独眠的诗人。颈联写诗人对逝去爱情的苦闷的排遣。“铅华”，本指女子的化妆用品，此处指代指诗人少年时代写的那些文辞华丽的诗作；“丝竹”本指弦乐或管乐等音乐，这里代指欢乐。失去这段恋情后，诗人的生命中不再有少年般的冲动和火样的激情，诗人已经心如古井，开始也步入了淡定从容、波澜不惊的中年阶段。诗人决意不再追求艳遇，不再抒写艳诗，因而诗人的诗作也失去了美丽的色彩。《世说新语·言语》载：“谢太傅语王右军曰：‘中年伤于哀乐，与亲友别，辄作数日恶。’王曰：‘年在桑榆，自然至此，正赖丝竹陶写。’”诗人正反用《世说》之义。黄仲则《秋夜燕张荪圃座》诗说：“东山丝竹感平生，不到中年已暗惊。”其义亦如此。尾联以撼人心魄的语句收束了全诗。“羲和”是驾日车之神，太阳的车夫。回首往事，诗人总难使心情平静，总难忘记那段刻骨铭心的爱情。唐李益诗曰：“事去千年犹恨速，愁来一日即知长。”（《同崔邠登鹳雀楼》）未来的日子渺茫难料，而诗人的忧愁却如大海般遥无涯涘，诗人想寄语为时间之主宰太阳神驾车的羲和，快马加鞭，让太阳跑得更快一点、让时间流逝得更快一点吧。一般人总是热爱生命，珍惜韶光，希望时间过得慢一点，可深受贫困与感情双重煎熬的诗人，觉得今生已经无味，与其苟延残喘，宁愿速死，尽早了却残生！①

---

① 参阅刘逸生主编、止水选注《黄仲则诗选》，香港三联书店，1981年版；蒋剑人选注《黄仲则诗》，中华书局，1941版；张涛、余淼淼《黄景仁〈绮怀〉十六首选注》，《大众文艺》，2008年第10期。

二、关于《感旧》四首

这组《感旧》如同前面的《绮怀》十六首一样，同属爱情诗。缠绵凄怆、悲感丛生，此中情致深为触目。如前文所述，这也是黄仲则故地重游，怀念自己年少时恋人的组诗。关于这位恋人，与《绮怀》中的主角是否是同一人，以及其身份如何，一直众说纷纭，一说是青梅竹马的邻家女孩，也有人说是诗人的表妹，还有的说是歌伎。关于这场恋爱的本事及其恋爱对象的具体真实身份，确实已经很难考证其详。不过这些并不重要，因为他们并没有终成眷属，“别后相思空一水，重来回首已三生”，也不影响对黄仲则诗歌的总体评价。与上述的《绮怀》诗十六首一样，这组《感旧》似乎也是写给同一个人的，也是缅怀同一场无果而终的爱情的。

其一

大道青楼望不遮，年时系马醉流霞。风前带是同心结，杯底人如解语花。下杜城边南北路，上阑门外去来车。匆匆觉得扬州梦，检点闲愁在鬓华。

首联：“青楼”，曹植《美女篇》云：“美女妖且闲，采桑岐路间……青楼临大路，高门结重关……”南朝江淹《西洲曲》曰：“忆郎郎不至，仰首望飞鸿。鸿飞满西洲，望郎上青楼。楼高望不见，尽日栏干头。”原来是指青漆涂饰的豪华精致的楼房。后在漫长的时光流逝中，逐渐演变成为娼妓的居所。“流霞”，是神话传说当中仙酒、美酒的名称。汉王充《论衡·道虚》：“曼都曰：‘……有仙人数人，将我上天，离月数里而止……’仙人辄饮我以流霞一杯，每饮一杯，数月不饥。”回忆的起始，基调是明快的，如同所有少时的回忆一样，充满了青春意气。烟花繁盛之地的扬州城，大道朝天，车水马龙，道旁矗立着华丽的高楼。登楼远眺，一望无际，一切都尽收眼底。那一年的春天，在诗人的记忆中，充满了幸福之感。诗人意气扬扬，春风得意，心中荡漾着对美丽爱情的渴望和憧憬。来到恋人居住的楼前，解鞍下马，系马上楼，同饮美酒，不觉要沉醉了。其实，酒本身并不醇美异常，但诗人心中因为有爱情支撑，纵然是淡如清水，此刻也成了绝世佳酿，堪与仙酒媲美了。王维的《少年行四首》其一曾写道：“新丰美酒斗十千，咸阳游侠多少年。相逢意气为君饮，系马高楼垂柳边。”此刻的诗人，颇有几分咸阳城中游侠少年的气度。虽然如郁达夫所言，四岁丧父的黄仲则“从小就神经质”，但是他也仍然有意气风发的少年时期：十六岁应童子试，三千人中名列第一，十七岁补博士弟子员。

这段恋情也正发生在这一时期。腹有诗书、性格孤傲的青年才俊黄仲则，在一次欢会的宴席上，邂逅了一位佳人。在他们眼中，未来的岁月正如一望无际的大道，坦荡光明。

颔联：两句道出此诗本事，也点明了女主角的身份。“同心结”，是以丝带或锦带打成的连环回文样式的结子，用作男女相爱的象征和信物。梁武帝萧衍《有所思》云：“谁言生离久，适意与君别。衣上芳犹在，握里书未减。腰间双绮带，梦为同心结。常恐所思露，瑶华未忍折。”唐李珣《河传》其二曰：“临流更把同心结，情哽咽，后会何时节？不堪回首，相望已隔汀洲，橹声幽。”“解语花”，王仁裕《开元天宝遗事·解语花》载：“明皇秋八月，太液池有千叶白莲数枝盛开，帝与贵戚宴赏焉。左右皆叹羡久之。帝指贵妃示于左右曰：‘争如我解语花。’”这两句总让人想起宋晏几道《鹧鸪天》里的名句：“舞低杨柳楼心月，歌尽桃花扇底风。”同样是风花雪月，沉醉中带着轻狂的情愫，晏小山更多的是对女子外在美的赏玩，而诗人黄仲则则更注重心灵的契合，是一种发自肺腑的理解与尊重。恋人在胸前飘舞的裙带上，打上了同心结，在高高举起的酒杯之下，恋人的容颜如解语的鲜花那般美丽娇羞。“同心结”和“解语花”，暗示了彼此的心心相印，二人就此定亲相爱。

颈联：“下杜城”，即今陕西省西安市南杜城。西汉宣帝迁治东原，更名杜陵县，是以故址为下杜城。“上阑”，即上兰观，在上林苑，位于长安城西。《汉书·元后传》“校猎上兰”颜师古注曰：“上兰，观名也，在上林中。”王维《敕赐百官樱桃》诗：“芙蓉阙下会千官，紫禁朱樱出上阑。”“下杜城”与“上阑”，在这首诗中都是唐都城长安的代称。下半首借杜牧事自述，且其为长安人，故连用两个指向长安的地名，同时也继续保持开篇明快爽朗的基调。下杜城边，大路贯通南北；上阑门外，车子来来去去，“路南北”“去来车”，点出一派往来匆匆、热闹繁华的景象，也暗示了诗人远道来此，当属故地重游，是带着深深的眷恋，缅怀早成过眼烟云的爱恋。其中的“城边”“门外”，已为后文的沉郁悲慨埋下伏笔。由诗中“下杜城”与“上阑门”所暗示的地点来看，这场情爱的发生地当在类似于长安这样繁华的通都大邑，则女主角与《绮怀》中的女子恐非同一人，其身份恐怕也绝非良家女子。

尾联：回忆终究抵挡不住眼中的景象，物是人非，时过境迁。杜牧曾在扬州住过很久，但一直沉郁下僚，生活放浪不检，其《遣怀》诗曰“十年一觉扬州梦，赢得青楼薄幸名”。“闲愁”，无端无谓的忧愁。五代冯延巳《更漏子》：“帘幕里，青苔地，谁信闲愁如醉。星移后，月圆时，风摇夜合枝。”宋方夔《秋晚杂兴》:“白藕花残暑气收,凭高更欲上层楼。蒹葭淅沥水天晚,禾黍高低风雨秋。鸡瓮豕零更佐使,狗屠狐叫或王侯。世间万事只如许,莫把闲愁枉白头。”“鬓华”,鬓边星星点点的白发。是岁月流逝带给诗人的痕迹,都因相思而发,而事实上诗人此时也不过二十出头,但由于身体早衰并受相思之苦的煎熬,已然乌发生斑了。追怀往事,岁月匆匆,时光如流,恍如一觉扬州之梦,检点昔日的闲愁,都成了爱情的千古绝唱。

这首诗可称之为“缘起”,或“本事”,作为组诗的开篇之作,诗人从大处着笔,尚未触及恋人之间情致的深入描写,也没有着力于诗人自身情感的反复铺陈,在基调上似乎比其他三首明快许多。然而这只是一个伏笔,是诗人为自己珍藏的一个已然破灭、而仍然不断追忆的美丽梦境。越是春风无限,无虑无忧,越是令人在读完这个系列之后,来回顾盼,倍觉神伤。

其二

唤起窗前尚宿酲,啼鹃催去又声声。丹青旧誓相如札,禅榻经时杜牧情。别后相思空一水,重来回首已三生。云阶月地依然在,细逐空香百遍行。

诗人故地重游,追忆当初别离的景象和别后的思念,不禁浮想联翩。“唤起”,韩愈《赠同游》:“唤起窗全曙,催归日未西。”“唤起”和“催归”,均为鸟名。前者声如络丝,圆转清亮;后者即杜鹃。诗人化用韩愈这两句诗,说当时自己被叫起来时还带着宿醉,然而转眼清醒过来,才听见杜鹃一遍一遍地在说,“不如归去”,“不如归去”。“酲”,酒醉后神志不清的样子。杜鹃的叫声,旧诗里写得多,只不过杜鹃常常惹人生出乡愁,牵动离思,欲归而不能,这里却是催人别离,欲不归而不能。

“丹青旧誓相如札,禅榻经时杜牧情。”离别伊始,常有书信相通,如相如之于卓文君。“丹青”,原本指丹砂和青雘两种可做颜料的矿物,因其色不易泯灭,故常以喻坚贞不渝。语出唐高蟾《金陵晚眺》:“世间无限丹青手,一片伤心画不成。”不知道这里的“旧誓”有怎样的具体内容,想来无非是“我很快就可以回来”,或“我们一定会在一起”这样的信誓旦旦吧。这里的“禅榻”,出自杜牧诗《题禅院》:“觥船一棹百分空,十载青春不负公。今日鬓丝禅榻畔,茶烟轻扬落花风。”然而离别既是“啼鹃催去”,相逢又岂能由自己作主?终究像杜牧一样,负了前约,做了“薄幸”之人。山盟虽在,而心事成空。诗人用这个并不常用的典故,表达对于消逝的年华的惋惜之情,对于如今寂寞的辛酸之意，不仅施展抱负无从说起，就连酣饮漫游也不复可能，只有靠参禅品茗来消磨剩余的岁月，见出诗人对于少日青春终归空寂的无限伤感。“相思空一水”出自《古诗十九首》其十：“盈盈一水间，脉脉不得语。”“三生”，即三世，佛教用语，指前生、今生、来生。唐牟融《送僧诗》：“三生尘梦醒，一锡衲衣轻。”此仍用杜牧典。宋姜白石《琵琶仙》词：“十里扬州，三生杜牧，前事休说。”别后的岁月，如同牛郎织女般隔着盈盈一水，云泥天堑，枉自千万遍相思。而今诗人徘徊在曾经与恋人欢聚的居所，枉然寻找她留下的痕迹。回首往事，旧梦重温，已如隔世，仿佛已过三生了。

“云阶月地依然在，细逐空香百遍行”，这里“云阶月地”也用了牛郎织女的典故。杜牧《七夕》诗：“云阶月地一相过，未抵经年别恨多。最恨明朝洗车雨，不教回脚渡天河。”李清照在《行香子·七夕》中已有化用：“草际鸣蛩，惊落梧桐，正人间、天上愁浓。云阶月地，关锁千重。纵浮槎来，浮槎去，不相逢。”“空香”最早出自北周庾信的《步虚词》：“灵驾千寻上，空香万里闻。”原指空中异香。此指所爱女子遗留的芳香。后世有几个诗人用来形容兰花或者梅花。在晴云丽月照耀下的台阶下，曾经是诗人和恋人相会的地方，时过境迁，依然如故，诗人追寻着那早已消失在空中的余香，一遍遍反复巡行，低徊不已。在这样明知不可为而为之的行动里，表达的不仅仅是无奈，还包含了无力而绝望的追寻。

其三

遮莫临行念我频，竹枝留涴泪痕新。多缘刺史无坚约，岂视萧郎作路人。望里彩云疑冉冉，愁边春水故粼粼。珊瑚百尺珠千斛，难换罗敷未嫁身。

“遮莫”，亦作“遮末”，从唐代开始习用，一直用到清代，作为诗的专用词，意思是尽管、任凭，或者作请勿、切莫解，可作副词也可以作连词。李白《少年行三首》其三曰：“遮莫枝根长百丈，不如当代多还往。遮莫姻亲连帝城，不如当身自簪缨。”“留涴”，沾染、染上、弄脏、玷污之意。“竹枝”句，用潇湘二妃哭舜、泣竹成斑的典故。汉刘向《古列女传·有虞二妃》云：“有虞二妃者，帝尧之二女也，长娥皇，次女英。”晋张华《博物志·史补》云：“舜崩，二妃啼，以涕挥竹，竹尽斑。”今江南有“斑竹”“湘妃竹”之说，盖出于此也。写诗人与恋人在扬州初相别离的情景，诗人临行的时候，恋人也许频频念叨着诗人的名字，竹枝上沾满了新洒的斑斑泪痕。“刺史”，亦指杜牧。杜牧《怅诗》:“自是寻春去校迟,不须惆怅怨芳时。狂风落进深红色,绿叶成阴子满枝。”其诗自序云:“牧佐宣城幕,游湖州,……阅奇丽,得垂髫者十馀岁。后十四年,牧刺湖州,其人已嫁生子矣。”“萧郎”,即萧史,秦穆公爱女弄玉的意中人,后泛指女子所爱恋的男子。唐崔郊《赠婢》诗曰:“公子王孙逐后尘,绿珠垂泪滴罗巾。侯门一入深如海,从此萧郎是路人。”诗人推想,恋人多半是因为自己没有像杜牧那样订下坚约吧,所以,被别人捷足先登,否则怎么能把多情的萧郎当作路人呢?

“望里彩云疑冉冉,愁边春水故粼粼”,入望的彩云冉冉飘来,疑是恋人轻盈的脚步,浩荡春水漾起了粼粼细浪,更加触动诗人的愁怀。“彩云”,南朝梁刘勰《文心雕龙·序志》:“予生七龄,乃梦彩云若锦,则攀而采之。”晏几道《临江仙》词:“当时明月在,曾照彩云归。”后常用以指代美女。“珊瑚百尺珠千斛”,用石崇[①]、绿珠二典(参见本书前注)。“罗敷”,古时传说中的美女,汉乐府《陌上桑》“秦氏有好女,自名为罗敷”。诗人重来时,自己所爱的女子已经嫁作他人之妇了,纵有名贵的百尺珊瑚千斛明珠,也难换取恋人的未嫁之身。

这首诗中,诗人反复使用大量典故,繁多而且略显杂乱,感觉上有些平淡,但是第五、六句浑然深婉,别有韵味。诗人依稀看见一个女子模糊的背影,仿佛像是看见了旧时的恋人。在《风流子·江上遇旧》里(可惜这阕词有几句残脱不全,已无从考校),诗人记载了数年后一次真实的惊鸿一瞥:“真耶其梦也,移舟语、凄恻不堪听。道那时一见,庾郎年少;此间重逢,长史飘零。……我未成名,卿今已嫁;卿须怜我,我更怜卿。”[②]“卿须怜我,我更怜卿”,作为一个注脚和经年以后的总结,这八个字比这整首诗似乎更加感人至深。

其四

从此音尘各悄然,春山如黛草如烟。泪添吴苑三更雨,恨惹邮亭一夜眠。讵有青鸟缄别句,聊将锦瑟记流年。他时脱便微之过,百转千回只自怜。

---

① [唐] 房玄龄等撰《晋书·石崇传》:“(崇)财产丰积,室宇宏丽。后房百数,皆曳纨绣,珥金翠。丝竹尽当时之选,庖膳穷水陆之珍。与贵戚王恺、羊琇之徒,以奢靡相尚。……武帝每助恺,尝以珊瑚树赐之,高二尺许,枝柯扶疏,世所罕比。恺以示崇,崇便以铁如意击之,应手而碎。恺既惋惜,又以为嫉己之宝,声色方厉。崇曰:‘不足多恨,今还卿。’乃命左右悉取珊瑚树,有高三四尺者六七株,条干绝俗,光彩耀日,如恺比者甚众。恺怳然自失矣。”清文渊阁四库全书本。

② 参阅黄仲则《两当轩集》卷第十八,上海古籍出版社,1983 年版,第 421 页。

旧地重游，追怀往事，诗人无限伤感。从此以后，两地音信杳然。“离恨恰如春草，更行更远还生”（李煜《清平乐》词），如烟的愁思弥漫归途，越来越绵长，也越来越沉郁，在看似平淡的起句之后，第二句仍然在含蓄地书写。罗敷已嫁，芳踪难觅，只看到远处的脉脉春山，如同恋人青春的眉黛，春草般漠漠如烟。料想经历了这一切之后，诗人回到驿馆，踏上归程，开始真正意识到“从此音尘各悄然”，几近痴狂的一次旧梦重温，终于等到这个无言的结局。“云阶月地依然在，细逐空香百遍行”，写的是一时的情绪；“珊瑚百尺珠千斛，难换罗敷未嫁身”则写的是一个事件，或者说一个结论，它们都还没有意识到“从此”会怎样。一次未果的寻访，也许只留下一时的惆怅，终其一生的隔绝，才真正动人心魄。这种撕心裂肺、痛不欲生的苦恋和绝望，如此这般辗转沉思，落笔归于一句平淡语：“从此音尘各悄然”，也给全诗定下沉郁的基调。

而终于禁不住，“泪添吴苑三更雨，恨惹邮亭一夜眠”。“吴苑”指苏州，在这里用范蠡西施典故，似乎有几分“卿须怜我，我更怜卿”的意味，但总觉有点隔膜。“邮亭”，古时设在沿途以供递送文书的人和旅客歇宿的临时馆驿。宋陶穀《风光好》词曰：“好姻缘，恶因缘，只得驿亭一夜眠。”诗人怀念丽人的滂沱热泪，徒添了吴苑中的三更夜雨，无穷的恼恨，却惹得邮亭内一夜无眠。

“讵有青鸟缄别句，聊将锦瑟记流年”，皆化用李商隐诗句：“蓬山此去无多路，青鸟殷勤为探看”（《无题》），“锦瑟无端五十弦，一弦一柱思华年”（《锦瑟》），即本篇“记流年”之意，此处以《锦瑟》喻自己的诗作。作为起句“从此音尘各悄然”的呼应，而更加细致：再也没有青鸟送来别后的书辞，诗人只能在思念中空度茫茫来日，姑且用李义山《锦瑟》诗篇来记录那逝去的年华吧。

“他时脱便微之过，百转千回只自怜”，诗人也许会像元稹（字微之）那样重过此地，他的恋人只有百转千回，空自悲怜而已。在整组诗中，诗人始终都对恋人有“薄幸”的负疚，以杜牧自况，此处又以元稹自况，而他实在只是无可奈何而已。

唐元稹（779—831）作传奇《会真记》（又名《莺莺传》），叙述了张生与崔莺莺的爱情悲剧故事，文笔优美，刻画细致，为唐人传奇中之名篇。据载：崔莺莺嫁人后，张生过其居，与莺莺重见，莺莺后潜寄一诗曰：“自从消瘦减容光，万转千回懒下床。不为傍人羞不起，为郎憔悴却羞郎。”莺莺又写了一篇断绝关系的诗：“弃置今何道，当时且自亲。还将旧来意，怜取眼前人。”[①]

---

① 参阅《元稹集·外集补遗》卷第六《莺莺传》，冀勤点校，北京：中华书局，2010年版。

从此以后彻底断绝了音信。

面对恋人时，他的负疚伤情或有可抒发，而面对自己，事物还原出本来的面目，伤情的本质是自伤，为命运所逼迫的诗人，万般感慨皆郁郁于心，空留“自怜”二字。

三、关于黄仲则的初恋对象及其本事

从以上《绮怀》十六首和《感旧》四首等黄仲则有关爱情诗的名篇中，我们不难感受出，诗人在情窦初开的少年时期曾经有过一场刻骨铭心的爱，这是诗人最纯真的初恋，它在诗人心灵和情感上造成的冲击、所镌刻下的印痕是空前的深刻，也是悠远绵长、旷日持久的。因为确曾经历过这样一种生死不渝的情感历程，黄仲则在诗中撷取了与初恋情人所共同经历过的点点滴滴，所以诗人在他的作品中反复吟唱，再三致意，吟唱他的幸福和痛苦，追忆他的甜蜜与忧伤。不精不诚，不能动人，情到深处句便真，诗作因而也就具有了感人至深、催人泪下的艺术魅力。然则这场恋爱的本事及其对象究竟如何，历来论家均语焉不详，使人不免产生镜花水月之感。笔者不揣浅陋，试图对这桩公案作些推测，以期就教于方家。

1. 关于黄仲则的初恋对象及其他情事主角

黄仲则是一个多愁善感的诗人，也是一位风流倜傥的才子，终其一生，他对女性的爱慕与追逐始终不遗余力，而对对种种情事的追思与回忆，就成了诗中吟诵不绝的主题之一。但在不同的时期，诗人情事中的女主角是不同的，也是各具面目的。为了便于准确理解诗意，有必要加以探讨。

关于黄仲则感情经历本事的记录不多，只散见于下述的几则诗话之中，如晋玉《香艳诗话》称：“黄仲则《绮怀》十六首，殆为其中表而作，以诗中有‘中表檀奴识面初’句也。”①

李斗《扬州画舫录·小秦淮录》(三十七)：“珍珠娘，姓朱氏。年十二，工歌，继为乐工吴泗英女。染肺疾。每一梳杩，落发如风前秋柳，揽镜意慵，辄低亚自怜。阳湖黄仲则见余，每述此境，声泪齐下。美人色衰，名士穷途，煮字绣文，同声一哭。后以疾殒，年三十有八。数年后，仲则客死绛州，年亦三十有八。”

林昌彝《射鹰楼诗话》卷五：“武进黄仲则《绮怀》诗十六首，人多传为中

① 引自钱仲联主编《清诗纪事·黄景仁》“绮怀”条，南京：凤凰出版社，2004年版，第1861页。

表之私。但观诗中如‘妙谙谐谵(谑)擅心灵，不用千呼出画屏’等语，似非闺秀身份，想不过婢子略有慧心者。又云‘怕歌团扇难终曲，但脱青衣便上升。曾作龙华宫内侍(按：龙华系容华之误容华宫，汉宫名)，人间驵侩恐难胜。’则为青衣小婢无疑矣。又‘夤缘汤饼筵前见’，若果中表之亲，纵已适人，亦不必夤缘始得见也。宜黄陈少香先生曩客毗陵，闻彼处士夫言之甚悉，皆指为仲则姑母某姓之婢，似可无疑。”①

李伯元《南亭四话·庄谐诗话》云：“黄仲则集中《绮怀》诗十六首，情文交至，传颂未衰。闻旧时相传之说，谓仲则意中人，所适者为四川屏山县知县之子。故诗句云：‘何须更说蓬山远，一角屏山便不逢。’又云：‘锦江疑在青天上，望断流头尺鲤鱼。’又云：‘忍见青娥绝塞行。’是其明证也。其人仅中人姿，故诗中绝不言及态度云。”②

徐珂《清稗类钞》第七册《情感类·黄仲则〈绮怀〉诗》条大致因袭李伯元：“盖谓其意中人而作也。意中人所适者，为四川屏山县知县之子。故诗句云：‘何须更说蓬山远，一角屏山便不逢。’又云：‘锦江直在青天上，盼断流头尺鲤鱼。’又云：‘忍见青娥绝塞行。’是其证也。其人仅中人姿，故诗中绝不言其美。”③

其余或简约或详述，要旨未能尽脱上述诸著作之藩篱。

就黄仲则的爱情诗本身而言，除上举《绮怀》十六首、《感旧》四首、《感旧杂诗》四首等之外，还有《别意》《秋夕》《中秋夜游秦淮归城南作》，及词《临江仙·中秋夜游秦淮水榭》《如梦令·晓遇》等等，但其中所涉情事的女主角并非同一人，这就使我们对诗本身的理解很容易产生歧义，兹就时间先后及其主角的差异而言，大致分别论列如下：

其一，《别意》。《两当轩集》卷一所载诗作年限当为癸未至己丑年，即二十岁前。诗云：“别无相赠言，沉吟背灯立。半晌不抬头，罗衣泪沾湿。”黄逸之《黄仲则年谱》载，黄仲则于乾隆三十一年丙戌(1766)入龙城书院从学于邵齐焘，六月赴江宁岁试，并与洪亮吉订交。是年冬游京口、扬州，归而娶赵氏。《别意》在《秋夜曲》前，《清明步城东有怀邵二仲游》后，黄仲则交邵齐焘在乾隆三十一年，清明则当为乾隆三十二年(1767)之清明，秋则为是年秋。故诗应作于乾隆三十二年夏秋之间。再结合诗的语气与情感分析，当是与

---

① [清]林昌彝《射鹰楼诗话》卷五，清咸丰元年刻本。

② [清]李伯元《南亭四话》，薛正兴校点，南京：江苏古籍出版社，2000年版，第29页。

③ [清]徐珂编《清稗类钞》，北京：中华书局，1984年版，第3496页。

新婚妻子暂别的白描。诗中没有繁复古奥的用典，没有隐晦曲折的寓意，也看不出诗人情感的波澜，一切都是平铺直叙，信笔写来，纯是客观写照，并无强烈的情感流注其间，故《别意》之主角为赵氏恐无大误。

其二，《秋夕》。载《两当轩集》卷一，诗云："桂堂寂寂漏声迟，一种秋怀两地知。羡尔女牛逢隔岁，为谁风露立多时？心如莲子常含苦，愁似春蚕未断丝。判逐幽兰共颓化，此生无分了相思。"诗作于乾隆三十二年七月初七。七夕，原名为乞巧节。这个节日起源于汉代，东晋葛洪辑抄的《西京杂记》卷一有"汉彩女常以七月七日穿七孔针于开襟楼，以俱习之"的记载。后世民间与"牛郎织女"故事相连，迭经代变，遂有所谓情人节定情之故事。多愁善感的黄仲则，每当此节日时，诗人之记忆必会重新被激发，触景生情，诗兴大发。据诗中"此生无分了相思"，应是一段无果而终的未了之情，其中用典与遣词手法与《绮怀》同出一辙。参照他的一些词如《如梦令·晓遇》《沁园春·梦断》《风马儿·幽忆》流露的情感，可确定主角为氿里女子。

其三，《感旧》四首。载于《两当轩集》卷一，作于乾隆三十二年，位于《秋夕》之后。其《两当轩集·思旧篇序言》："戊子己丑间，屡客武林。偕同人宴游。吴山酒楼，踪迹居多，酣嬉之乐，彼一时也。"这年四月，黄仲则至杭州，一道宴游的同人有仇养正、劳宗茂、蒋思謇等。是年八月，应江宁乡试不售，复重返杭州，十月间由杭州赴徽州。此诗之后有《观潮行》两首，因此，此诗当在重返杭州期间所作无疑。《年谱》之中，以为《感旧》篇为忆氿里故事，不为无见，当从之。

其四，《感旧杂诗》四首。载于《两当轩集》卷二，作于乾隆三十五年庚寅(1770)，时隔三年之后的长沙。另有《中秋夜游秦淮归城南作》，在《感旧杂诗》后，与之关系极为密切。又《临江仙·中秋夜游秦淮水榭》词："三载红桥旧路，轻尘暗换年华。依然灯火照香车，玉箫吹子夜，明月在谁家？　几度青衫泪湿，重来破帽檐斜。殢人风景又天涯。垂杨空系马，流水有归鸦。"与诗全然一致，虽与《感旧》有关，但其中的女主角，当为李斗《扬州画舫录·小秦淮录》中所记之朱氏女子。

依据上述分析，大致可以确定，《别意》的女主角是诗人明媒正娶的元配夫人赵氏；《绮怀》十六首、《感旧》四首、《秋夕》和《如梦令·晓遇》《沁园春·梦断》《风马儿·幽忆》词等，描述的女主角是初恋情人氿里女子，而《感旧杂诗》四首和《中秋夜游秦淮归城南作》《临江仙·中秋夜游秦淮水榭》，则可能是淮扬朱氏女子。

2.《绮怀》情事中女主角的身份："中表"还是婢女？

黄逸之《黄仲则年谱》载，乾隆三十年乙酉(1765)，仲则十七岁，补博士弟子员，读书宜兴。年谱所谓读书宜兴，系根据《两当轩集》卷十《重过氿里寄怀龚梓树》题注："旧与龚梓树读书处。"其诗曰"不款君扉岁九更，偶因访戴一经行"。据此推定，诗作于乾隆三十九年(1774)。据万应馨《赠黄仲则》[①]："忆昔君游罨画溪，曾向西邻一月住。"可知黄仲则在氿里居留的时间极短，不过一月左右。在此之前，即乾隆二十九年甲申(1764)，他应童子试，在三千人中得第一，受到知府潘恂及知县王祖肃的激赏。黄仲则的同学左辅在《杏庄府君自叙年谱》中所记："时黄景仁仲则，年甫十七，以县试第一补博士弟子员。"是他人生中难得的辉煌之年。这点，当为研究黄仲则早年情事所不容忽视。

就学宜兴氿里期间，诗人寄居姑母家中，与表妹相恋，此即为《绮怀》情事中的主角。

关于诗人恋爱对象的身份究竟是表妹还是婢女这一点，当以诗为据。《绮怀》组诗十六首作于乾隆三十九年八月间，其四曰："中表檀奴识面初，第三桥畔记新居。"所谓"中表"，中指舅父子女，为内兄弟；表指姑母子女，为外兄弟。清梁章钜《称谓录·母之兄弟之子》亦谓："中表犹言内外也。姑之子为外兄弟，舅之子为内兄弟，故有中表之称。"故中表，即指姑舅表亲。《世说新语·赏誉》载："谢胡儿作著作郎，尝作《王堪传》。不谙堪是何似人，咨谢公。谢公答曰：'世胄(王堪)亦被遇。堪，烈之子，阮千里姨兄弟，潘安仁中外(表)。安仁诗所谓'子亲伊姑，我父唯舅'，是许允婿。'""檀奴"通常是女子对丈夫或者情人的昵称。《世说新语·容止》说："潘岳妙有姿容，好神情。少时挟弹出洛阳道，妇人遇者，莫不连手共萦之。"潘岳，小字檀奴，后因以檀郎为妇女对丈夫、情人的爱称。清陈维崧《海棠春·题美女图为闺人称寿》词谓："檀奴笑觅南朝手，图倩女为娘称寿。"

《绮怀》诗其五中有"虫娘门户旧相望，生小相怜各自伤"。其中"虫娘"所指，大有深意。据唐段成式《酉阳杂俎·忠志》载："玄宗，禁中尝称阿瞒，亦称鸦。寿安公主，曹野那姬所生也。以其九月而诞，遂不出降。常令衣道服，主香火。小字虫娘，上呼为师娘。为太上皇时，代宗起居，上曰：'汝在东宫，甚有令名。'因指寿安，'虫娘为鸦女，汝后与一名号。'及代宗在灵武，遂

① ［清］王豫辑《江苏诗征》卷一百四十二，焦山海西庵诗征阁清道光元年刻本。

令苏澄尚之，封寿安焉。”据张相《诗词曲语辞例释》，举虫虫、虫儿、虫娘，为歌姬昵称，柳永始用，其《玉楼春》曰：“虫娘举措皆淹润，每到婆娑偏恃俊，香檀敲缓玉纤迟，画鼓声喧莲步紧。”柳永以后，后世诗人以虫娘指代舞女渐多。“虫娘门户旧相望，生小相怜各自伤”。下句紧接“生小相怜各自伤”，正与少年情人故事关联。所以，此处“虫娘”，与柳永之典无涉，而是以唐公主之名指代少女，以便高其身价而已。联系下文句中，绿珠、碧玉均是才貌双全的女子，乃豪门之宠妾，而非专门歌姬。

这首诗的颔联“绿珠往日酬无价，碧玉于今抱有郎。”出句化用唐乔知之《绿珠篇》：“石家金谷重新声，明珠十斛买娉婷。”绿珠事初见于《晋书》卷三十三，宋乐史作传奇《绿珠传》：“晋石崇为交趾采访使，以珍珠三斛致之。”乔知之则言“十斛”，都是形容绿珠之珍贵，但乔氏实是以绿珠故事喻其婢碧玉。唐张鷟《朝野佥载》卷二载：“周补阙乔知之有婢碧玉，姝艳能歌舞，有文华。知之时幸，为之不婚。伪魏王武承嗣暂借教姬人梳妆，纳之，更不放还知之。知之乃作《绿珠怨》以寄之……碧玉读诗，饮泪不食三日，投井而死。”乔氏寄诗碧玉，观《绿珠怨》“辞君去君终不忍，徒劳掩袂伤铅粉。百年离别在高楼，一旦红颜为君尽”诗句，竟有隐劝碧玉坚守节操之意。

《绮怀》其十一曰：“习得我拌珠十斛，赚来谁费豆三升。怕歌团扇难终曲，但脱青衣便上升。曾作容华宫内侍，人间狙狯恐难胜。”

“豆三升”，典出《晋书·郭璞传》[①]，郭璞以计谋贱价得婢女，与“狙狯”正相呼应。故颈联一贵一贱对举，且有隐隐责怪情人不守盟誓之味。“三升豆”之故事，另有所谓信义之含义，《艺文类聚·百谷部、布帛部》：“(《东观汉记》曰：)刘平尝为饿贼所劫，叩头曰：‘老母饥，少气力，待平为命，愿得还饭食母，驰来就死。’涕泣发于肝胆，贼即遣去。母已食，平曰：‘向与贼期，义不可欺。’乃摭三升豆，以谢贼恩。”郭璞故事为“三斗”，与“三升”小异。

颈联亦用团扇、青衣二典。团扇，载于宋郭茂倩《乐府诗集》卷第四十五所引《古今乐录》：“《团扇郎歌》者，晋中书令王珉，捉白团扇与嫂婢谢芳姿有爱，情好甚笃。嫂捶挞婢过苦，王东亭闻而止之。芳姿素善歌，嫂令歌一曲当赦之。应声歌曰：‘白团扇，辛苦五流连。是郎眼所见。’珉闻，更问之：‘汝歌何遗翳？’芳姿即改云：‘白团扇，憔悴非昔容，羞与郎相见。’后人因而歌之。”青衣，见于唐刘禹锡《和乐天诮失婢榜者》：“新知正相乐，从此脱青衣。”

---

① 参见本著第116页脚注。

用此词较早的引申义，即地位较低之义，《绮怀》其十一正化用此。不过，全诗所用典，均涉婢女。

《绮怀》诗中和《如梦令·晓遇》词中所描述的爱情可以互为表里：

> 细雪乍晴时候，细水曲池冰皱。忽地笑相逢，折得玉梅盈手。肯否，肯否？赠与一枝消酒。
>
> 闻说玉郎消瘦，底事清晨独走？报道未曾眠，独立闲阶等久。寒否，寒否？刚是昨宵三九。
>
> 一阵雀声噪过，满院沉沉人卧。此去是书斋，只在春波楼左。且坐，且坐，我共卿卿两个。
>
> 一抹蓬松香鬌，绣带绾春深浅。忽地转星眸，因甚红潮晕脸？不见，不见，日上珠帘一线。

四首小令浑然天成，凑泊玲珑，既是一个情节完整曲折的爱情故事，又是一组旋律流动的生活画面，惟妙惟肖地勾勒出恋人之间两小无猜、心有灵犀的甜蜜情境。诗庄词媚，小令中的情节较之《绮怀》诸诗，更为生动和细腻，在情节和意境上，二者是前后贯通、一脉相承的。

有人据此认为，诗中明确地表明其中女子的身份是诗人的表妹或表姐。既然诗中已言之凿凿，故不可轻易否定表妹说。盖因在礼教束缚之下，一般青年男女之间极少有接触交流的机会和平台，两情相悦更是难上加难。而如果彼此间有血缘关系，则受到的约束相对较少，一般来往与情感交流，得以方便。因之，当时有许多表亲结为连理之情形。

再者，就当时的情形而论，诗人也不过是十几岁情窦初开的少年，而且诗人当时生活的周边环境也不过是下层文人的交际圈，来往的最多也就是自己至亲的眷属，诸如中表、姨表之类。即使从黄仲则自己出身、家世而言，大概不会有纳兰性德那样的皇亲贵戚，也不会像贾宝玉那样的珠围翠绕。因此，推断黄仲则这位恋人的身份是其表妹，应当说不为无见。

但也有后人如上举林昌彝《射鹰楼诗话》卷五所载，以为《绮怀》所述情事之主角实为婢女而已。

其实，黄仲则《绮怀》等诗中所涉情事女主角之身份，究竟是表妹还是婢女，根源在于我们自己的认识和理解的差异。笔者以为，诗中女主角是诗人的表妹，并无不妥，其原因及其若干证据已如上述所言，毋庸词费。关键是这个表妹自己的出身，是否豪门大户？从黄仲则《年谱》、交游者的诗文，及黄氏自己的作品中，我们看不到他的父系或母系姻亲中有门第显赫者的材料。而且，我们也知道，黄仲则本人的家族虽然在当地小有声名，但至多也就是孤门细族，远远算不上是豪门巨富。因之，黄仲则在宜兴求学期间寄居的这个氿里姑母，至多也就是与他自己家庭在经济、社会地位和声望上不相上下的一般中产之家而已，甚至极有可能等而下之。则黄仲则之表妹的地位也就难以与豪门望族的大家闺秀相提并论，充其量也就是一个小家碧玉，或者类同于婢女，甚至干脆就是一个准婢女。当然，情人眼里出西施，在妙笔生花、多情善感的诗人眼里和笔下，丑小鸭也不妨被描绘成白天鹅。尽管表妹的身份低下，类同婢女，但婢女当中不也有碧玉、绿珠那样出类拔萃的人物吗？所以，婢女又何卑之有？丝毫也不影响诗人对表妹的挚爱和相思。如此，则女主角的身份与地位也就有了一个大致合乎情理的解释。

至此，有关黄景仁《绮怀》诗本事问题大体可以得出结论：应是追叙少年时期一段短暂的爱情故事，黄仲则的恋人本是黄的表妹，后来因为别的原因远嫁他乡，其新婚的丈夫大约是四川平山县知县的儿子，仲则的《绮怀》十六首正是为此而作。因为其容貌并不是过于出众，所以黄仲则在大量怀念的诗词作品中不大详细提及她的容颜相貌。随着时间推移，此故事被作者进一步演绎完善为悲情哀怨、唯美凄婉，且时日愈久，作者情感内省愈发强烈，以至于与真实之情形相去甚远。

其实，这位女子是谁并不十分重要，重要的是诗人真切的情感流露，使我们借此得以了解其内心深处所散发出来的浓郁的人性的光辉，了解其情感世界是怎样的丰富多彩。同时，我们也借此了解诗人在爱恨情仇的张力下，身陷人性泥淖中苦苦挣扎而不能自拔，寻求解脱之道而未能如愿以偿，最终只能饮恨终身。正如王国维曾经指出的那样："今使人日日居忧患，言忧患，而无希求解脱之勇气，则天国与地狱彼两失之，其所领之境界，除阴云蔽天、沮洳弥望外，固无所获焉。黄仲则《绮怀》诗曰：'如此星辰非昨夜，为谁风露立中宵？'又其卒章曰：'结束铅华归少作，屏除丝竹入中年。茫茫来日愁如海，寄语羲和快着鞭。'其一例也。"①

小　　结

《绮怀》组诗十六首卒章句与《感旧》四首，可看作是作者情感经历和诗

① ［清］王国维《静庵诗文集》，清光绪三十一年本。

歌创作的一个阶段性结束。

就情感经历而言，黄仲则以此为题材，按照恋情发展的先后时序，将这段刻骨铭心的爱情，从相逢相识，到相恋相离，再到相思相忆，一一道来。因此，这些爱情诗具有明显的叙事性。以《绮怀》为例，大致说来，第一至三首是诗人多年后追忆二人初会定情时的甜蜜情景，第四首实写情人的远嫁，第五首忆昔时快乐，第六首则叙写恋人婚后彼此的初次相逢，第七首写屏山再别。第八、九两首，回忆当初热恋时的缠绵，第十首又写劳燕分飞后汤饼筵上的再度重逢。从第十一首到结束，则是长达十年、绵绵无期的长恨长忆。同样的叙事性特征在《感旧》四首中也如出一辙。

较之传统的爱情诗，黄仲则的这类作品虽然也大量借鉴了前贤的成功经验，譬如对李商隐，“融合李商隐诸篇《无题》诗意，不仅有其诗情之真，诗语之美，而且意绪连贯，情思明晰，另具风貌。黄仲则的艳诗代表了明清艳诗里高格调的一类，是李商隐艳诗诗魂的延续”[①]。在借鉴的同时，又呈现出他迥异前人的某种超越，体现出与传统情诗的背离之处。譬如，同样是对女性美的描述，前人的着眼点一般集中在对女性容貌、服饰、风度等外在美的关注上，而黄仲则笔下的爱情诗中，更多的是对女性，或曰恋人情感方面的歌咏。他诗中的恋人，其可爱之处不在于沉鱼落雁、闭月羞花的美貌，而是柔情似水的性情、天真活泼个性和刻骨铭心的彼此相思，“湔裙斗草春多事，六博弹棋夜未停”[②]“中人兰气似微醺，芗泽还疑枕上闻”[③]“灺尽兰釭愁的的，滴残虬水思愔愔”[④]。

一般艳情诗词的抒情方式，诗人或曰抒情主体常常游离于诗歌之外，似乎是以一个旁观者的身份置身事外，如《花间集》及北宋的情词，是“绮筵公子”为“绣幌佳人”所写的“文抽丽锦”的歌词，因此其中所写之女性，自然应该是那些当筵侑酒的歌儿酒女之形象。黄仲则的情诗，则将诗人自己融入诗中，与诗合二为一，做到主观与客观同一，物我无垠，妙和天成。这与他崇情、重情，自然率真、超越流俗的个性风神是一脉相承的。

表现人的七情六欲，是文学艺术创作取之不竭的源泉和丰富多彩的话题，而爱情则成为其中最令人魂牵梦绕、最让人津津乐道的永恒主题。黄仲

---

① 文航生《晚唐艳诗概述》，《四川师范学院学报》(哲社版)，1996 年第 1 期。
② 黄仲则《绮怀》其二。
③ 黄仲则《绮怀》其九。
④ 黄仲则《绮怀》其十二。

则的爱情诗，既是对这一悠久传统的继承和发扬，也是他自身在新的历史时空下人性光辉的纵情宣泄。黄仲则缠绵悱恻、哀感顽艳的爱情歌吟，不仅使我们惊羡其情感的深沉热烈，其诗意表达的完美绝伦，也使我们暂时抛却世俗的纷扰和烦恼，沐浴在人性和爱情的柔波中，得到静美如花般的享受，为自己营造一个在浮躁世界里诗意栖息的精神家园。

第二节　个体与环境的冲突：悲苦人生的咏叹

章培恒先生在1996年版的《中国文学史》导论中指出，"文学发展过程实在是与人性发展的过程同步的""对一部作品的艺术成就进行历史考察时，不能只看它在一时一地的感动读者的程度，而要把眼光放得更为远大""越是能在漫长的世代、广袤的地域，给予众多读者以巨大感动的，其成就也越高""作品越是能体现出人类本性，也就越能与读者的感情相通""因为越是这样的作品，其体现人类本性的成分也就越多、越浓烈，从而也才能够与后代的人们、与生活在不同制度下的读者产生强烈的共鸣"。[①] 在其后修订出版的《中国文学史新著》中，章先生又进一步指出，我国古代文学发展演化到近代，文学关注的重心从重视群体转而向重视个体的人的要求和权力发展，中国近世文学的基本点也就是在这种背景下逐步与以个体为中心的这种人文主义相联系的，其特点之一就是表现人与环境的矛盾与冲突。[②]

黄仲则的诗歌中作为个体与生存环境之间的诸种矛盾与冲突，无处不在，诸如贫病交加、生活无着；科场、情场均告失意；怀才不遇、壮志难酬；忧患、彷徨，无处安放的灵魂等等。同时，这些血泪凝成的诗歌也充满了卑微的个体在生存竞争中的无谓挣扎和痛苦呻吟，充满了诗人对他所处社会环境的血泪控诉和残酷拷问。

一、衣食无着，贫寒交加

按照马斯洛的"需要层次论"，人的生存需要满足不同阶段、不同层次的需求。包括生理需要（physiological needs）、安全需要（security needs）、归

① 章培恒、骆玉明《中国文学史》，上海：复旦大学出版社，1996年版，第15—45页。
② 章培恒、骆玉明《中国文学史新著》，上海：复旦大学出版社/上海文艺出版社，2007年版，第723页。

属与爱的需要（love and belonging needs）、自尊需要（respect&esteem needs）和自我实现需要（self-actualization needs）。其中自我实现的需要是超越性的，追求真善美，将最终导向完美人格的塑造，高峰体验代表了人的这种最佳状态。[①] 虽然今天看来这种理论有其局限性，但不得不承认，它对人的不同需求所作的分析还是十分精准的。

在黄仲则的笔下，在他的诗歌里，我们看到，这位天才绝伦、风神俊逸的青年诗人，屡屡为衣食所困，为最基本的生计而奔波。贫病交加、生活无着，这种基本生存需要的不能满足，直接构成了他和生存环境的第一个重大的矛盾和冲突。

黄仲则出身衰族，四岁丧父，十二岁祖父亡故，十三岁祖母死去，十六岁兄去世，十八岁娶妻赵氏，二十岁育一女，不久又生一子。他辞别郑虎文时说："景仁无兄弟，母老家贫，居无所赖，将游四方，觅升斗为养耳。"（左辅《黄县丞状》）况兼时复抱病，于是，如何让一家老小填饱肚子，就成了他必须面对的当务之急，浪游谋食也就成了他的日常功课。温饱问题是每个人都要首先考虑的问题，稻粱之谋、衣食所需，自古便是众生常事。那些出身于钟鸣鼎食、锦衣玉馔富贵之家的人，他们过的是寄生生活，衣食无忧，自然无须为生活发愁。而那些生活在绳牖瓦灶之下、白屋寒门之中的一般平民小百姓，日出而作，日落而息，从早忙到晚，都得为一日三餐而奔波。黄仲则诗中与"食"有关的诗句所在多有：

> 一身尚乞食，所遇犹邅迍。（《春城》）
> 我曹生世良幸耳，太平之日为饿民。（《朝来》）
> 畏寒偏欲冲寒来，我辈谋生不如雁。（《东阿道中逢王剑潭》）
> 青山笑客不归去，为报饥寒驱又来。（《和仇丽亭》其二）
> 尔辈何求惟一饱，主人无奈亦长饥。（《新仆》）

在《春城》中，诗人不无心酸地对妻子写道："自为我家妇，甑釜常生尘。门户持女手，何以能支振。"常言道"巧妇难为无米之炊"，面对一贫如洗的家境，诗人徒唤奈何，羞愧难当，觉得对不起相依为命的妻子。纵然妻子有烹制龙肝凤髓的高超厨艺，又如何面对"无米之炊"的无奈？"甑釜生尘"成了常态，诗人和一家老小也就经常处于忍饥挨饿的状态中，其悲苦困顿也就无

---

① ［美］马斯洛（Maslow. A. H）《马斯洛说完美人格》，高适编译，武汉：华中科技大学出版社，2012年版，第30—82页。

以复加。“我曹生世良幸耳，太平之日为饿民”，如果食不果腹的原因仅仅在于诗人自身谋生乏术的话，那么诗人的焦灼和愤懑或许就不会太过深广，但诗人在残酷的生存竞争中，并不缺乏清醒的洞见，生长在所谓太平盛世的乾隆时代居然成为“饿民”，个中情由，耐人寻味。

食可充饥，衣能避寒，衣食动关人的饥寒温饱。温饱问题解决了，生存的基本问题也就尘埃落定，但看似简单的问题，往往并不简单。古往今来，有多少人在为此而奔忙，沐风栉雨，备尝艰辛，孜孜以求却不可得。“饥者歌其食，劳者歌其事”（汉何休《春秋公羊传注疏·卷十六·宣公十五年》），也就变成了文学中历久不衰、不绝如缕的动人歌吟。黄仲则的诗中，以“衣”为主题的亦俯拾即是：

> 畏寒偏欲冲寒来，我辈谋生不如雁。（《东阿道中逢王剑潭》）
> 多君怜我坐诗穷，幞被萧条囊橐空。（《和仇丽亭》其四）
> 全家都在风声里，九月衣裳未剪裁。（《都门秋思》其三）
> 侧闻天上朝星辰，谁知人间茹冰炭。（《送春三首》其三）
> 无衣无褐欲卒岁，顿袖相对空长叹。（《寒鸦》）

《都门秋思》四首组诗作于乾隆四十四年秋，此时黄仲则三十一岁。都门，即京都城门，这里即指京都。黄仲则是在乾隆四十年（1775）到京都的，乾隆四十二年秋，他从家乡接来母亲和妻子。他在京都已近四年，仕途坎坷，生计艰难。这四首诗，便是他当时生活和思想的真实写照。尤为精警、为人所传诵和称道的是第三首：

> 五剧车声隐若雷，北邙惟见冢千堆。夕阳劝客登楼去，山色将秋绕郭来。寒甚更无修竹倚，愁多只买白杨栽。全家都在风声里，九月衣裳未剪裁。

“剧”，是指交错的道路；“五”，是不定数词，犹言其多。“五剧”，是说道路纵横、四通八达的地方，指帝都京城车水马龙的繁华街市。唐卢照邻《长安古意》：“南陌北堂连北里，五剧三条控三市。”“北邙”，山名，在河南洛阳东北，古代诗文常以之泛指墓地。曹植《送应氏二首》：“步登北邙阪，遥望洛阳山。洛阳何寂寞，宫室尽烧焚。”“冢”，坟墓。“千”，言其数量很多。繁花热闹的帝都，四通八达的道路上，达官贵人绝尘而去的车轮滚动之声，隐隐犹如隆隆的雷声。其裘马洋洋，春风得意，趾高气扬之态跃然纸上。但北邙山上却荒坟满布，一片萧索凄凉。不管多么声势煊赫，多么耀武扬威，多么不可一世，时间是无情的，这些人最终都不过是冢中枯骨，只留下一个个冷落寂寞的荒坟。繁华与凄凉的对照，不仅写出了都市的纷扰喧嚣，权贵的熏天声势，而且也反衬了诗人的穷愁与潦倒，寂寞与卑琐。在两个场景的对比中，诗人深味世事如烟，盛衰无常，宛若浮云。繁华如梦，得意一时，而今安在？于如实的平平叙写中，隐含着对权势人物的鄙视和嘲讽。

在一片愁云惨雾之中，诗人登楼远眺，借以排遣心中郁闷之气。极目所见，依然使诗人愁怀难解：给都城涂上一抹殷红的夕阳，好像规劝客居异乡的游子珍惜时光，及时去登楼远眺，欣赏黄昏时的短暂美景。虽然已是黄昏日暮时分，毕竟夕阳的美景还是别具风味的。登上城楼，放眼望去，只见沉沉山光，仿佛挟着萧瑟的秋意，秋气迷漫天空，笼罩大地，从四面八方围绕城郭而来。其实，凡诗人登高览胜之作，大都是抒发愁肠百结、忧思难解之情的，譬如王粲的《登楼赋》，谢朓《晚登三山还望京邑》，陈子昂《登幽州台歌》，李商隐《乐游原》，杜甫《登高》，崔颢《黄鹤楼》，王安石《登飞来峰》，高启《登金陵雨花台望大江》等，这似乎也成了一个传统。“悲歌可以当泣，远望可以当归”（宋郭茂倩《乐府诗集·杂曲歌辞·悲歌》），除了可以遥望故乡、聊慰乡愁之外，远望的另一个功能就是开阔视野、舒展心胸。较之平素，登高之后的视野即刻可以扩大数倍，乃至十数倍，数十倍，使人顿觉海阔天空，心旷神怡，忧郁之情烟消云散。但此时此刻，诗人黄仲则见景生情，感慨万千。面对夕阳西下，诗人有“夕阳无限好，只是近黄昏”（李商隐《乐游园》）的迟暮之感。“登楼”，吻合王粲《登楼赋》“登兹楼以四望兮，聊暇日以销忧”的情怀，但“抽刀断水水更流，举杯销愁愁更愁”（李白《宣州谢朓楼饯别校书叔云》），登楼也不能销忧。夕阳将坠，残秋来临，天寒日暮，游子何之？良辰易逝，美景短暂，愁心不展，悲情难抑。三复斯言，情怀如结，大有人生如梦、时不我待的惆怅与惶惧。

“寒甚更无修竹倚，愁多只买白杨栽”。北地无霜期短，冬日酷寒，不适宜竹子生长。杜甫《佳人》“天寒翠袖薄，日暮倚修竹”，此处黄仲则化用老杜诗句，说自己的孤独愁苦超过老杜诗中的佳人，佳人于天寒日暮时分尚有翠袖可以御寒，有修竹可以依靠，而诗人穷愁潦倒，尽管在北地的寒风中寒彻肌骨，也没有任何御寒之物来抵挡风刀霜剑，也谈不上什么“修竹”可倚靠了。诗人愁苦的事太多了，很想买些白杨栽种，让它在秋风中的萧萧声来代替诗人不断诉说、不断啼饥号寒。《古诗十九首》中曾云：“驱车上东门，遥望北郭墓。白杨何萧萧，松柏夹广路”（其十三）；“白杨多悲风，萧萧愁杀人”

(其十四)。因此,“白杨”也是一个传统的古老意象,意味着一种肃杀悲凉景物,其呜咽作响的萧萧悲声,足以引起游子的愁苦情怀和思乡之念。诗人欲于居处广植白杨,其意就在强化其忧思愁情。

“全家都在风声里,九月衣裳未剪裁”。《诗经·豳风》:“七月流火,九月授衣。”中国北方地处北半球所形成的温带季风气候区,使得漫漫寒冬和仓促温夏成为中国北方节候的明显特征,也由此催生出独具中国特色的风俗人情:古人以九月为裁剪授受寒衣的季节,传统的男耕女织的生产方式,又总是把裁制寒衣的工作交给妇女们去完成。而养家糊口,也就成了每一个有责任的男人的重要职责。诗人黄仲则贫寒穷愁,谋生乏术,连自身的温饱尚不能解决,遑论养家糊口。在诉说个人愁苦后,诗人推己及人,进而想到自己的妻儿老小,于是直写自己的贫寒景况:深秋的九月,天气一天比一天冷了。因家境贫困,御寒的衣服还无法准备,全家人都在萧瑟的秋风中战栗。诗人及其全家所处的困境,由此跃然纸上。所谓“真者,精诚之至也。不精不诚,不能动人。故强哭者虽悲不哀,强怒者虽严不威,强亲者虽笑不和。真悲无声而哀,真怒未发而威,真亲未笑而和”(《庄子·杂篇·渔父》)。衣食无着的困顿,无力养家的辛酸,是生活的真实再现,也是诗人至情至性的真情流露,无限凄楚,感人至深。

这组《都门秋思》诗甫成,即刻便播于众口,传遍京师,以至时任陕西巡抚毕沅闻听此诗之后,惊奇其才,并留下了“见《都门秋思》诗,谓价值千金,姑先寄五百金,速其西游”的文林佳话。

就人的生存而言,衣食住行是基本的需求,都是必不可少的,缺一不可。黄仲则于衣食方面都到了难以为继的地步,他的居住条件同样令人不能乐观。我们从他书斋两当轩的命名中,大概可以略知一二。今人臧琪在《诗人黄景仁及其故居》[①]一文中载:江苏省常州市神仙观弄 33 号是黄仲则的故居,原址包括建于明代的一座大厅和几间厢屋。厢屋别名“两当轩”,是黄仲则早年居住和读书的地方。两当轩房屋低矮,弧形天花板灰黄不堪,屋前小天井植有木瓜、桂树等。两当轩的局促简陋,诗人在诗中也多有吟诵,如“三间老屋瘦木架,狂风刮瓦天漏罅”[②]“天留隙地位方床,竹作比邻草护墙。四壁更无贫可逐,一身久与病相忘”[③]等,其居室的狭小逼仄,可见一斑。这样

---

① 《江苏地方志》,2005 年第 3 期,第 59 页。
② 黄仲则《夜雨》。
③ 黄仲则《偶题斋壁》。

狭小的空间，自然要具备多种功能了，既可以当书斋，又可以当寝室，与两当轩命名的本意是比较切合的。

二、科场、情场均告失意

黄仲则在衣、食、住、行、性等方面的基本生存需求和物质基础都很欠缺和薄弱，按照马斯洛的需要层次论，只有这些最基本的需要满足到维持生存所必需的程度后，其他的需要才能成为新的激励因素，而到了此时，这些已相对满足的需要也就不再成为激励因素了。黄仲则的这些最基本的生存需求都没有得到满足，因此，他在生存竞争中，很大一部分时间和精力就不得花费在获取衣食、解决温饱问题上，而更高层次的需求暂时退居其次。尽管如此，他对自身才情的期许、对自我实现的强烈渴望，仍然如春潮般汹涌澎湃。关于黄仲则在情场上的失意及其以此为主题的诗歌，我们已在上文略加论述，此处不再辞费。客观地讲，黄仲则并非一个从骨子里热衷功名的势利之徒，他只是一个感性色彩十分浓厚的青年诗人，他之参加科考，只是把科举当作改善自身生存状态的一种手段和策略。对于寒门子弟来说，要想出人头地，除了科举之外，别无他途。

从黄逸之《黄仲则年谱》、许隽超《黄仲则年谱考略》记载中，我们可以清楚地看到，从十六岁到三十二岁，黄仲则于十六年间参加了八九次考试，平均不到两年就是一次。但是，可悲的是，自从十六岁在郡县试中夺冠、十七岁补博士弟子员之后，历次乡试，均以报罢告终。一直到乾隆四十一年(1776)春天，他才在乾隆东巡召试中被钦取二等，得到的只不过是锦缎两匹，还有一个校录四库书馆的差事。这位著名诗人的一生，就是在不停的考试中度过的。科场的屡战屡败，对于心高气傲的诗人来说，不能不说是一个极大的打击。

黄仲则一次次参加科考，一次次名落孙山，一次次饱尝落第后的灰心失意，他诗中也有多处抒发此种郁闷心情。“忍使桑榆乖色养，误将书剑换浮名”，在《重至当涂怀稚存》其二中，黄仲则写下了这样的诗句。当涂是安徽学政驻地，也是仲则和洪亮吉被朱筠看好的“发祥地”——而这一次，仲则一个人买舟而去，大概是途中见到昔日熟悉的景致，一时心中百感交集。想起孤苦无依的老母无人赡养，想起嗷嗷待哺的妻儿，再看看自己仍然漂泊在江湖之上，一事无成。虽然在士林中颇负诗名，但诗作得再好，换不来功名利禄，换不来锦衣玉食，不过是徒有虚名罢了。三年了，他也该离去了，书剑飘零，浪得浮名，填不平他心底的沟壑，因为那是怀才不遇，那是有志难伸。在《济南病中杂诗》中，他说“识字真多累，为儒例合轻”，在奔波的旅途中，他贫病交加，孤独无依，上不着村，下不着店。困顿中他甚至怀疑，乃至后悔，当初为什么要识字读书，为什么要“为儒”，这样的价值取向是否合理？如果弃儒从商，或者弃文从武，是否会有更好的人生际遇呢？诗人也有过对武功的向往，在《健儿诗》中表露出梦想横刀立马、纵横捭阖，驰骋沙场、为国效力，以一己之力为国开疆守土的豪情壮志。《写怀示友人》中“宝马不恋粟，男儿重横行”，传达出男儿当志在四方、纵横沙场的豪迈气概。《虞忠肃祠》以南宋抗金将领虞允文为题材。采石一役，虞允文指挥若定，大败金军，使得南宋江山转危为安，得以安稳。诗人通过对先贤的礼赞追慕，倾吐自己建功立业的激情，寄托了自身渴望待机立功的宏图壮志。然则仲则体弱，手常不能缚鸡，况执刀柄持枪械、于沙场建百代之功勋乎？黄仲则对造成自身困顿窘迫状况的原因也进行了某种程度上的反思。在《答和维衍二首》中，他认为，是迂腐颟顸、不学无术的“冬烘先生”的不当进言，使得自己的寒窗苦读的一片苦心付诸东流，形成“元气亏遗”“吾辈穷薄”和“吹箫乞子行处有，幸者得饱否尚饥”的结果。蒲松龄《聊斋志异》中《司文郎》一篇盲僧所叹“仆虽盲于目，而不盲于鼻；帘中人并鼻盲矣”，与此有异曲同工之妙。对与他有相同经历和相同境遇的朋辈，他在诗中往往给予深刻的同情和理解，这一方面是伤人，另一方面，更多的是悲己，感叹自身之不遇。

三、怀才不遇、壮志难酬

黄仲则少负才名，诗名早著。他和历代才高志远的士子一样，亦有用世之心和功名之念，期望有朝一日能“致君尧舜上，再使风俗淳”（杜甫《奉赠韦左丞二十二韵》），实现自己人生的终极目标。黄仲则曾咏叹“炎凉世态有如此，我辈岂肯长蓬蒿”[①]，与李白“仰天大笑出门去，我辈岂是蓬蒿人”（《南陵别儿童入京》）差近。比较而言，当然不仅仅是遣词造句上的表面的相似，更重要的是精神气质上的一脉相承，一样充满了对自身才具的自信，洋溢着对未来的憧憬，饱含着永不言弃的进取精神。“木生各有节，士生各有怀”[②]，诗中之“怀”即是人生理想、功名之念，即是“岂合斯人老丘壑，将来麟阁要丹青”[③]。

① 黄仲则《九月白门遇伍三》。
② 黄仲则《门有车马客》。
③ 黄仲则《题李牧堂青岩图》。

不仅生前建功立业，身后也要列名丹青图、身登麒麟阁。但是，世事的发展常常出人意料，期望越高，失望也越大。“高才无贵仕”，所谓的乾隆盛世，并非总是皇恩浩荡，阳光普照，并不能保证每个人都得到自由全面的发展，不可能给予每一个诗人相同的实现自我、实现人生理想和人生价值的机会。对于黄仲则这种性格独特的人，尤其如此，“高才不遇，孤客酸辛”。他的性格孤僻，少负盛名的他择交甚严。诗人早慧却科举蹭蹬，久困场屋。“十年携瑟侯门下，竟日驱车官道旁”①，多年的出入侯门，寄人篱下，并未给生活面貌带来大的改观，诗人仍然不得不整日奔走挣扎在旅途之中，风尘仆仆，备极酸辛。

“长铗依人游未已，短衣射虎气难平”②。“长铗”用战国冯谖（或作冯驩）典③，“短衣射虎”用李广典④。黄仲则境遇与此二人极相似，都是穷愁不遇、困顿已久，借以抒发沦落不平之感。

“十有九人堪白眼，百无一用是书生”。“白眼”，典出《晋书・列传第十九・阮籍》。阮籍是魏晋时的一位著名诗人，能作“青白眼”，即两眼正视，露出虹膜，则为“青眼”，用以看他尊敬的人；两眼斜视，露出眼白，则为“白眼”，以看他不喜欢的人。据说，阮籍母亲死时，其好友嵇康来慰问，阮籍给的就是“青眼”；而阮籍看不顺眼的嵇康的哥哥嵇喜来吊唁时，阮籍给的就是“白眼”。黄仲则的好友洪亮吉在《黄君行状》中写道：“君美风仪，立俦人中，望之若鹤，慕与交者，争趋就君，君或上视不顾。于是见者以为伟器，或以为狂生，弗测也。”可见诗人孤芳自赏、与世相违的性格。这两句已经跳出了个人的际遇来发感慨了：在社会上，大多数人都很瞧不起我们这些读书人，唉，我们这些读书人被他们看得上的太少了、用得上的太少了！透漏出黄仲则对现实的强烈不满和无尽的失落。

《圈虎行》是一首寓意深刻之作，写于乾隆四十五年（1780）。表面上看，此诗写的只是都门驯虎杂技和作者的观感，但他这里借虎之媚人写奴之媚主，借虎性之驯化写人性之被扭曲，写他与生存环境的不可调和的矛盾和冲突，表达了诗人对君臣、主奴、尊卑、贵贱关系的态度。他就是被牢笼禁锢的

---

① 黄仲则《献县汪丞座中观技》。

② 黄仲则《杂感》其二。

③《战国策・齐策四》载：齐人冯谖贫苦不能自存，寄居孟尝君门下。因食无鱼、出无车、无以为家，三弹其剑铗，歌曰：“长铗归来乎！”后人因用为处境窘困而有所干求之典。

④《史记・李将军列传》：“广所居郡，闻有虎，尝自射之。及居右北平射虎，虎腾伤广，广亦竟射杀之。”

“圈中虎”，为了满足一点基本的口腹之欲，不惜卑躬屈膝，任人驱驰：

> 我观此状气消沮，磋尔斑奴亦何苦！不能决蹯尔不智，不能破槛尔不武！此曹一生衣食汝，彼岂有力如中黄，复似梁鸯能喜怒？汝得残餐究奚补，伥鬼羞颜亦更主，旧山同伴倘相逢，笑尔行藏不如鼠。

这首诗既是对安于束缚、压抑之奴的嘲讽，也是对把人异化为奴的“主”的抗议。在这象征层次的后面，正隐含着作者“决蹯”与“破槛”，“颠狂落拓”与“名任天机”的野性不驯，是一种明显的矛盾，一种剧烈的冲突，也是一种决绝的不合作态度。在另一首《捕虎行》中，他叹道“虎皮售人肉可食，当年亦是山中王”，借曾是山中王虎的被捕，叹自己的不凡抱负与不偶身世。

相似内容的作品在《两当轩集》中尚复不少，诸如：

> 但积征途恨，那补漏天裂。（《泥涂叹》）
> 一身坠地来，恨事常八九。（《冬夜左二招饮》）
> 白日长吁静夜歌，飞扬慷慨欲如何。（《夜坐写怀》）
> 忧本难忘忿岂蠲，宝刀先拍未成眠。（《夜起》）
> 奋飞常恨身无翼。（《即事》）
> 五夜壮心悲伏枥，百年左计负躬耕。（《将之京师杂别》其一）

四、彷徨、孤独，无处安放的灵魂

黄仲则在滚滚红尘、茫茫人海中往来奔忙的身影，孤独而羸弱，凄清而悲凉。情不知何所寄，心不知何所依，他寂寞寒凉的心境中，是彷徨、孤独，是无处安放的灵魂。其实，作为才具高出群侪的杰出人物，总有一种“高处不胜寒”的孤独感。作为一种人生体验，深深的孤独感对中国的文人来说是共同而普通的。

黄仲则在《癸巳除夕偶成》中写道“千家笑语漏迟迟，忧患潜从物外知。悄立市桥人不识，一星如月看多时”。“漏”，是古代的计时器。除夕之夜，在千家万户欢声笑语中，时间慢慢逝去。诗人孤独寂寞地一人站在市桥之上，仰望星空陷入沉思。他感到在可见的现实之外，似乎酝酿着某种危机正在暗暗袭来，而沉浸在节日欢乐中的人们尚未觉察。这首诗作于乾隆三十八年(1773)，当时正是所谓“乾隆盛世”，过了这个“盛世”，清王朝就急剧走下坡路了。他的“忧患”，其实无关乎时代风云。我们觉得，黄仲则并非一个用世之心特别强烈之人，他之热衷举业，奔走游幕，绝非本怀，而是现实的生计使然。他要养家，母老家贫，妻弱子幼，是不得已而为之。我们可以想见，如果他衣食无忧，家境小康，那么在诗人和仕途之间抉择的话，诗人的桂冠决计是他的首选。但他的种种愿望如果都得到满足的话，那么他的诗中也就不会有如许的篇什来歌吟他的苦难了，他的诗歌也就失去了感人至深的情感魅力，而诗人自身也就不成其为诗人了。如果“愤怒出诗人”的话，那么“穷愁出诗人”也未尝不可。

黄仲则的孤独、焦虑，无所皈依的心绪也绝非昙花一现，稍纵即逝，而是如影相随，挥之不去，“关河容易入斜曛，独立苍茫数雁群”[①]“早知无能谐流悲，只有伤心似故人”[②]“江山惨淡埋骚客，身世凄凉变楚音”[③]。

清人赵庆熹说：“不处愁境，不能言愁。”[④]质言之，诗歌中表现出来的孤独无依之感往往是作者身处穷愁之境的结果。黄仲则一生衣食无着，贫病交加，科场、情场均告失意，兼之仕途蹭蹬，愁绪满怀，其穷愁抑塞，实非一般可比，因而其诗中的这种孤独彷徨，灵魂无处安放之感亦远比他人来得浓重、深广，其诗歌也就更具有一种入人骨髓、感人至深的艺术魅力，散发着历久弥新的人性之光。

小　　结

人是万物之灵，宇宙大化中的骄子。人受制于环境，既是环境的产物，又是环境的创造者。也就是说，人都是特定时空下的产物，不可能离群索居，而必须有所依傍，有一种归属感和认同感。而这种归属感和认同感是在人类长期的生存时间中逐渐产生和培养起来的。由此，个体的人如何与环境相切合，并求得自由全面的发展，是一个古老而深刻的命题。

黄仲则作为封建时代一个有才华的青年诗人，他个人与当时的社会环境产生了种种的矛盾与冲突，不仅贫病交加、生活无着，而且科场、情场均告失意。他饱经忧患、历尽沧桑，心意彷徨，整个的灵魂处于无处安放的焦虑与恍惚当中，是一个怀才不遇、壮志难酬的落魄者和“零余人”。不平则鸣，他这些泣血滴泪、锥心刺骨的感愤之作，也就成了他作为个体与整个生存环境剧烈冲突的绝佳写照，因而也就有了感人至深的人性力量和传之久远的

① 黄仲则《晚眺》。
② 黄仲则《述怀示友人》。
③ 黄仲则《寄洪对岩》其二。
④ ［清］赵庆熹《花帘词序》，载《词话丛编》第四册，北京：中华书局，1986 年版，第 3289 页。

艺术魅力。

虽然黄仲则诗中这种个体与环境的冲突与悲苦人生的咏叹，更多的是以个人的面目出现，似乎诗人歌吟的仅仅是一己之悲欢，但诗人的种种苦难，作为个体与周遭的各类冲突与不协，却是当时社会中整个士阶层共同的遭遇。号称盛世的乾隆之际，表面上看来歌舞升平、风光无限，但实际上远非如此。黄仲则继承了源远流长的寒士文学的传统，并结合自身遭际，为所谓繁华盛世唱了一曲悲歌。

作为一个诗中充满奇情异彩、哀感顽艳的浪漫主义诗人，他诗中流露出浓郁的感伤情绪和深沉的生命意识。“无衣无褐欲卒岁，顿袖相对空长叹”①“五剧车声隐若雷，北邙惟见冢千堆”“有事难言天似海，魂应尽化月如烟”②“江山惨淡埋骚客，身世凄凉变楚音”“茫茫来日愁如海，寄语羲和快着鞭”，如此等等，不一而足。这种感伤情绪和生命意识在中国传统文人中也颇具普遍意义，司马迁有“事未易一二为俗人言”(《报任少卿书》)的幽怨，曹植有“时俗薄朱颜，谁为发皓齿”(《杂诗六首》其三)的自伤之词，阮籍有“一身不自保，何况恋妻子”(《咏怀十七首》其三)的惊惧疑虑，陶渊明的内心深处激荡着“日月掷人去，有志不获骋”(《杂诗十二首》其二)的孤独感。张若虚的“人生代代无穷已，江月年年望相似”(《春江花月夜》)，更是面对巨大而永恒的时空，自感今生短促，志抱难伸，顿感沉重的孤独。李白的“人生在世不称意，明朝散发弄扁舟”(《宣州谢朓楼饯别校书叔云》)、杜甫的“名岂文章著，官应老病休”(《旅夜书怀》)都是志士失路、怀才不遇的孤独的呐喊。到了宋代，苏东坡有“拣尽寒枝不肯栖，寂寞沙洲冷”(《卜算子·感旧》)的孤独，辛弃疾则有“落日楼头，断鸿声里，江南游子，把吴钩看了，栏干拍遍，无人会，登临意”(《水龙吟·登建康赏心亭》)的浩叹，马致远有“夕阳西下，断肠人在天涯”(《天净沙·秋思》)的感喟。由此，我们看到了这些歌哭背后的压抑和无奈，也深味其中的苍凉与辛酸。

朱光潜先生在《悲剧心理学》中曾指出，忧郁感伤对于他是一种类似于宗教般的精神安慰。一切受到阻碍的活动都导致痛苦，忧郁本身就是欲望受到阻碍的结果，所以一般都伴以痛苦的情调。沉溺于忧郁感伤，某种程度上可以使得郁积的能量得找到宣泄的渠道，从而反过来又产生一种快感。

① 黄仲则《寒鸦》。
② 黄仲则《途中遘病颇剧怆然作诗》。

寻常人以体力活动使身体筋骨得到放松，诗人则是使痛苦的思绪在文字、声音、色彩等艺术表现中得到发泄。[①] 现实生活中，当一个人对自己赖以生存的自然环境和社会环境都无法把握时，或者对自身的超越能力不能确信时，就很难在现实世界中找到精神避难的家园，放逐肉体以麻痹精神就成了必然的选择。而黄仲则诗歌中的感伤情绪和生命意识，则是这种精神宣泄方式的最佳注脚。

时代决定诗歌风尚，同时诗人也具有反动性。换言之，诗人虽不能左右时代的盛衰，却可以把握自己的性情。陈子龙说："诗繇人心生也，发于哀乐而止于礼义，故王者以观风俗，知得失，自考正也。世之盛也，君子忠爱以事上，敦厚以取友，是以温柔之音作，而长育之气油然于中，文章足以动耳，音节足以疏神，王者乘之以致其治；其衰也，非辟之心生，而亢厉微末之声著，粗者可逆，细者可没，而兵戎之象见矣。王者识之，以挽其乱。故盛衰之际，作者不可不慎也。"[②]黄仲则虽然也挣扎，也努力，但绝不是一个叱咤喑呜、金刚怒目式的斗士，他只是一个消极反抗的弱者。他没有足够的时间与精力，去从形而上思考人类的宿命，也没有学会与时、与世俯仰，所以他才会与都中士林菁英集团始终保持若即若离的寡合疏离。这不仅成就了他独立不迁的人格风范，而且也使他的诗歌保持了自出机杼的创作个性，使得他敏感多情的心灵在孤独的思考与精致的吟咏中得到了某种意义上的解脱。

黄仲则诗歌中的这种感伤情绪和生命意识，其实也是人文精神的体现之一，是对人类命运的关怀，是对人性、人道的存在状态及其走向的关注，也是对人性、人道的应有理想状态的追求，对普遍意义上的真善美的捍卫。[③]所以他的抱怨和批评，尽管显得呼天抢地，悲愤难抑，终究还是秉持了悲天悯人的善良天性，而并没有迁怒于整个社会。仲则的价值和意义，就在于他在流派纷呈而实无建树的乾隆诗坛歌吟感伤情绪和生命意识，抒发封建末世中穷途失路的正直的知识分子个体与环境的冲突——悲苦人生的真切体验。因而，他的诗具有突破时代、引领未来人性化诗歌创作的意义。[④]

---

① 朱光潜《悲剧心理学》，合肥：安徽教育出版社，1989 年版，第 203—224 页。

② ［明］陈子龙《皇明诗选序》，《陈子龙文集》上册，上海文献丛书编委会编，上海：华东师范大学出版社，1988 年版，第 357 页。

③ 沈金浩《清代诗歌中的人文精神》，《深圳大学学报》，2001 年第 6 期。

④ 参阅蒋郁葱《抑情无计总飞扬——黄仲则诗歌研究》，硕士学位论文，湖南师范大学，2004 年 8 月。

第三节　知己难逢的交游诗

友情是人类最珍贵的情感之一，对于从事精神劳动的文人士子，尤其如此。理想的朋友不只是交流思想、切磋技艺的对象，甚至是心之所托、魂之所依。

黄仲则门祚衰微，身世凄凉，幼年失怙，一生孤贫，但他生性耿介，不擅钻营，又性格高标，不与庸碌之人结交。终其一生，空有满腹才学，却屡不得志于有司。故其游学入幕期间，极重友朋之情，所得知己着实不少，友情在他生命中的分量更胜爱情。

黄仲则个性狷介，择交甚严，王昶《黄仲则墓志铭》评价黄仲则时说："风仪玉立，俦人争与之交，仲则或上视不顾，于是见者指以为狂。"洪亮吉《黄君行状》载："君性不广与人交，落落难合，以是始之慕与交者，后皆稍稍避君，君亦不置意。"考黄仲则生平，其实他交游甚广，时间跨度终其一生，空间上其足迹遍及大江南北。据其后人黄志述作《先友爵里名字考》著录，及许隽超《黄仲则年谱考略》所载，在其短暂的一生中，与其有交谊者仍不下153人。泛览黄仲则《两当轩集》其中交游诗类就有三百多首，大致估算，其中以"哭、怀、悼、挽、为……作"等为诗题的有65首，以"和、调、次韵"等为诗题的有32首，以"逢、经、过、遇、访"为诗题的有29首，以"偕"为诗题的有22首，以"赠、赠别"为诗题的有21首，以"寄、寄怀"为诗题的有19首，以"别、辞、留别"为诗题的有17首，以"送"为诗题的有16首，以"饮、宴、酌"等为诗题的有16首，以"呈、上、献"为诗题的有11首，以"赋得、集"为诗题的4首，另有"题诗"49首，其交游之广泛可见一斑。①

邵齐焘曾主讲常州龙城书院，黄仲则、洪亮吉皆从其受学。仲则在自己的诗集中说："岁丙戌(1766)，常熟邵先生齐焘主讲龙城书院，矜其苦吟五诗，且未学，循循诱之，景仁亦感知遇，遂守弗去。三年，公卒。益无有知之者，乃为浪游。"因此在仲则来说，能够向这样一位前辈耆宿讨教，在他来说确实是人生中的一大快事。邵齐焘也常勉励黄仲则，在《劝学一首赠黄生汉镛》诗前，还有一段小序："黄生汉镛，行年十九，籍甚黉宫，顾步轩昂，姿神秀

① 参阅蓝士英《黄仲则的交游及其诗歌创作》，《南京林业大学学报》(人文社会科学版)，第8卷第4期，2008年12月。

迥，实廊庙之瑚琏，庭阶之芝兰者焉。家贫孤露，时复抱病，性本高迈，自伤卑贱，所作诗词，悲感凄怨。辄贻此诗，用广其意，兼勖进业，致其郑重云尔。”邵齐焘对仲则的才情和潜质给予了相当高的评价，“廊庙瑚琏”是说仲则有治国安邦的才能；“庭阶芝兰”则是对仲则的风姿进行进一步的补充。在其《和汉镛对镜行》中还劝诫他：“轻狂慎戒少年习，沉静更于养病宜。”邵先生不仅专注于弟子的学业，而且同时深切地关心着黄仲则的心理和身体健康。自小失去父爱的黄仲则，在邵先生那里感受到了慈父般的关怀。然而，邵齐焘在结识他的第二年便溘然辞世，仲则自此失去了人生第一个值得信赖和倚靠的良师益友。

在约略两年的短暂时光里，师生之间甚为相得。在黄仲则心里，与邵先生在一起，如坐春风，如对慈父，以至“感所知遇，遂守弗去”。在邵先生去世后大约第二年春作的《哭叔宀先生兼怀仲游》诗第一首中他这样说：

> 我生受恩处，虞山首屈指。我愧视犹父，视我实犹子。搴帷识诸郎，入坐皆兰茝。君也交更深，经年共膏晷。北海时一樽，环顾公心喜。跌宕饶天情，琢磨究名理。与世殊酸咸，于物少臧否。自谓春风中，偕坐从此始。

对于恩师所给予的慈父般的教诲和高风亮节做了深情地回顾与追怀，感念之情，溢于言表。

邵先生去世时，黄仲则身在异乡，大概由于没有及时得知音讯，未能像留在常州的洪亮吉那样立即赶往常熟奔丧。老师去世六年以后的乾隆三十九年(1774)，黄仲则才有机会来到先生墓前拜谒，这在《展叔宀先生墓》二首中有十分生动的描述，诗云：

> 龙蛇往岁讶崩奔，宿草伤心满墓门。弟子下车惟有恸，先生高卧竟何言！只鸡久负平生约，一剑空怀国士恩。令子成名公不见，此时悲喜总难论。嗣君培德，今年举于乡。
>
> 传经旧地黯凝尘，七载飘零寄此身。入世日还深一日，爱才人总逊前人。山丘涕泪关存殁，衣钵文章共苦辛。后死亦知终未免，愿分抔土作比邻。

此外，他还有《木兰花慢·月下登虞山哭邵叔宀先生》二首。对于老师给予的知遇之恩，一则以感激，一则以惭愧，“只鸡久负平生约，一剑空怀国士恩”，同时也对先生未能看到嗣子金榜题名而感到深深的遗憾。伯牙、子期般的知音相赏，再也无法重现人间了。巍巍青山，滔滔流水，皆相对无语，空留浩叹。

《检邵叔宀先生遗札》《寒夜检邵叔宀师遗笔因忆别时距今真三载为千秋矣不觉悲戚俱集》二诗更是悲歌当哭，声泪俱下。在老恩师去世若干年后，在经历体验了更多的世态炎凉之后，摩挲先师留下的遗札，感触先生的手泽，回忆当年的谆谆教诲，必定感慨万千，别有一番滋味在心头。

朱筠是又一位对黄仲则有提携奖掖之恩的师辈。朱筠性格豪放，为人随和，长期担任主考官、学政，以唐朝韩愈、宋代欧阳修自任，“振起古学，奖拔寒畯”[①]，追随他的文人学士前后达数百人。王昶在《翰林院编修朱君墓表》中说：“天下承学之士，趋风附影……如大理卿陆君锡熊，吏部主事程君晋芳，礼部郎中任君大椿，皆君所取士。而黄君景仁、洪君亮吉辈皆北面称弟子。”[②]江藩《汉学师承记·朱笥河先生传》说朱筠“博闻宏览，于学无所不通，说经宗汉儒，不取宋、元诸家之说。《十七史》、涑水《通鉴》诸书，皆考其是非，证其同异，泛滥诸子百家而不为异说所惑”[③]。朱筠注重提携后进，培养人才，朱门弟子多达数百人，且多为名家。如章学诚、洪亮吉、任大椿、程晋芳、武亿、孙星衍、江藩、汪中、汪辉祖、黄仲则等人，皆卓有成就，传诸后世。此外，朱筠的幕府中也人才济济，如百科全书式学者戴震、史学家邵晋涵、训诂学家王念孙，均因他的提携而成名。除了挖掘人才，培养后进，朱筠另外一项留诸青史的业绩就是典籍整理。也就是在安徽学政任上，朱筠奉乾隆皇帝命访求遗书，后来

孙星衍像

① ［清］朱珪《翰林院编修诰授中议大夫前日讲起居注官翰林院侍读学士加二级先叔兄朱公墓志铭》，《知足斋集》知足斋文集卷第三，清嘉庆刻增修本。

② ［清］王昶《春融堂集》卷六十《墓表》，清嘉庆十二年塾南书舍刻本。

③ ［清］江藩《国朝汉学师承记》卷四，锺哲整理，北京：中华书局，1983 年版，第 67—68 页。

终于开馆纳天下人才，协同纂辑《四库全书》。

《上朱笥河先生》是一首共434字的七古，是黄仲则初次拜谒朱筠时所作。当时，朱筠任安徽学政，是主管一省教育的最高长官，对于尚未取得功名的士子，其重要性不言而喻。而黄仲则当时不过是一个小有名气的青年诗人，尚属白衣秀士，仍未获取功名。二人的地位不啻天壤之隔，但爱才若渴的学政大人，并不因黄仲则地位卑微而有所轻慢，而是一如既往地随和亲切，礼贤下士，"忘情略分兼娱嬉，公也环顾掀髯髭，不惜百妍间一媸"。黄仲则也颇有几分恃才傲物的年少轻狂，当仁不让，"此则不敢多让谁，公闻此言顾我嘻"。据朱锡庚《未之思轩杂著》之《黄余二生传》载："当乾隆辛卯之岁，先大夫奉使安徽。时高邮沈公业富知太平府事，黄生居其幕下。先大夫闻其才，往拜之，黄生入谒，因执弟子礼。黄生甫二十余，登堂赋诗，意气闲逸，旁若无人。"[①]当时黄仲则在太平知府沈业富幕中，朱笥河先生久闻其诗名，遂枉驾专程前往沈业富府中拜访，黄仲则有机会结识了这位对他日后诗歌创作和人生走向有重大影响的名公，从此拜在朱先生门下，执弟子礼，成为朱先生的得意门生。黄仲则要想在德高望重、众望所归的学政大人面前表白自己的感情，殊非易事。既要抒写对学政知遇之恩的感激之心，又不可太过亲昵或卑屈之意，但黄仲则写来十分得体。在这首诗里，诗人一方面竭力恭维朱先生的气度威仪，表示对幕主的赞美，"先生卓然坐虎皮，旁罗宾从皆瑰奇"。一方面诗中既也写出自己的崇敬之心，感激朱先生的知遇之恩，"意气倾倒山可移，诱我力学言如饴。感激真乃零涕洟"。但是，自信、自尊同样在诗中流露："佐公巨笔挥淋漓，此则不敢多让谁"，"十年吟苦霜鬓丝，一编吐气今其时"。多年的寒窗苦读、苦吟狂歌，并无人赏识，今天总算遇到知己，可以扬眉吐气、一吐为快了。同时，性情使然，黄仲则也并不顾及初次见面的陌生和尴尬，向德隆望尊的学政大人如实倾诉自己的生存困境，"我时唯唯神魂驰，聚米不遂徒嗟咨。朅来乞食江之湄，头如蓬葆衣尘缁，日日面壁愁孤羁"，已经达到了"典书易米供衰慈"的地步了，这也从一个侧面体现了这位性情诗人真情发露，一览无遗。并不像一般规规焉小儒，面对权豪势要，敛声屏息、低眉下首，"足将进而趑趄，口将言而嗫嚅"（韩愈《送李愿归盘古序》），愠愠作态，令人作呕。

---

① ［清］朱锡庚《未之思轩杂著》，载许隽超、康锐《黄仲则资料汇编》，哈尔滨：黑龙江大学出版社，2012年版，第138页。

《笥河先生偕宴太白楼醉中作歌》诗亦为黄仲则在朱筠幕府时所作，其时诗人随学政朱筠赴宴太白楼。太白楼在采石矶，位于今安徽马鞍山市区西南采石公园里的翠螺山庄。乾隆三十七年(1772)春三月，安徽的宁国、徽州、池州、安庆、庐州、凤阳、颍州、太平"八府"学子，会集当涂县城应试。学政朱筠借此机会，在采石矶太白楼设宴招待全省应试士子。那一日，采石矶畔，风和日丽，云淡风轻。群贤毕至，少长咸集。觥筹交错，杯盘狼藉。任过湖南巡抚的左辅在《黄县丞状》中记载的太白楼雅集的情景说："仲则年最少，着白袷，颀而长，风貌玉立，朗吟夕阳中，俯仰如鹤，神致超旷……俄诗成，学使击节叹赏，众皆搁笔。一时士大夫争购白袷少年太白楼诗，由是名益噪。"当时受简赋诗者数十人，诗人立于日影之下，顷刻数百言，写下了这首著名的诗作。诗人思接千载，视通万里，心目中身影飘飘、白衣卿相，"天子呼来不上船"的"谪仙"李太白，似乎穿越时空，飘然而至。斗转星移，时空变幻，诗人的眼前，不再是盛唐才子们的纵情狂欢。采石矶畔，太白楼中，如今宴客的是朱筠，那个暂且给了自己一席之地、颇有知遇之恩的师尊。从"风流仿佛楼中人"句开始，到"此楼作主山作宾"结束，诗人豪迈的气概、恢宏的笔触，充满了历史的苍凉。诗人激发出对人生、宇宙的深沉思考，"长星动摇若无色，未必常作人间魂。身后苍凉尽如此，俯仰悲歌亦徒尔。杯底空馀今古愁，眼前忽尽东南美"，诗仙岂是在人间？但诗仙身后苍凉如斯，俯仰悲歌又当如何弥补？而这一切，表面上写的是李白，但诗人更多是在表现自己的现实遭遇，借他人之酒杯，浇自己之块垒。"高会题诗最上头，姓名未死重山丘。请将诗卷掷江水，定不与江东向流"，诗人依仗自己的才气和傲气，洋溢着太白式的狂放，题诗最上头，显见要胜过八府才俊一筹的，而相信自己必将声名不死，传承千秋，饱含舍我其谁的高度自信：我黄仲则，一个青年诗人的诗卷，就算放在滚滚的时间潮流之中，也定然不会随着时间的流逝而流逝。全诗行云流水，酣畅俊逸，既有激情豪壮之气，也有苍凉哀婉之声。铸词新奇瑰丽，立意新颖独特。故而甫一写出就为当时的八府士子竞相传抄，洛阳为之纸贵。

同辈友朋中，洪亮吉是黄仲则一生交谊时间最长，也是交情最笃的挚友。等到黄仲则为债家所逼抱病出京，在逾太行、出雁门、奔走陕西途中，病逝于沈业富的运城官署时，还是洪亮吉扶柩千里，把这位学遍古今、才情傲世的好友送回了毗陵故里。作为朋友能做到这一点也是古今罕有，同时也能看出黄仲则在交游中的人格魅力。两人交游往来频繁，彼此的诗词酬唱之作亦多。诗如：

1.《明州客夜怀味辛稚存却寄》(卷一)2.《十八夜偕稚存看月次韵》(卷二)3.《舟泊偕稚存饮江市次韵》(卷二)4.《二十三夜偕稚存广心杏庄饮大醉作歌》(卷三)5.《饮洪稚存斋次韵》(卷三)6.《金陵待稚存不至适容甫招饮》(卷四)7.《偕稚存登鸡鸣山》(卷四)8.《稚存归索家书》(卷四)9.《青山道中闻稚存已至姑苏》(卷四)10.《太白楼和稚存》(卷四)11.《新安与洪稚存》(卷五)12.《夜宿中峰和洪稚存》(卷五)13.《重至当涂怀稚存》(卷六)14.《宛溪行送稚存归里》(卷六)15.《泗州喜洪大从姑苏来》(卷八)16.《偕稚存望洪泽湖有感》(卷八)17.《调顾文子兼示稚存》(卷八)18.《稚存从新安归而余方自武陵来新安相失于道作此寄之》(卷九)19.《别稚存》(卷九)20.《淮上夜发因忆壬辰之冬偕稚存随朱笥河先生按部经此倏三载矣怅然有作寄稚存》(卷十)21.《闻稚存丁母忧》(卷十三)22.《与稚存话旧》(卷十四)23.《题洪稚存机声灯影图》(卷十五)24.《冯渔山张粲夫洪稚存安桂甫余少云同集寓斋为饯花之饮得饯字》(卷十五)25.《寄洪对岩》(卷二十二)

在黄仲则现存的216首词中,则有13首是写给洪亮吉的,如:

1.《大有·秋夜有怀次洪稚存韵》(卷十七)2.《凤凰台上忆吹箫·洪稚存悼殇女和韵广之。》(卷十七)3.《兰陵王·十六夜偕稚存泛月溪上次韵》(卷十七)4.《采桑子·虞山旅舍送稚存归里》(卷十七)5.《念奴娇·虞山旅舍夜起是日稚存归里》(卷十七)6.《满江红·京口感怀寄洪大稚存左二仲甫》(卷十七)7.《浪淘沙·洪对岩》(卷十七)8.《念奴娇·忆城东旧游寄稚存维衍》(卷十八)9.《贺新郎·太白墓和稚存韵》(卷十八)10.《鹊踏枝·落梅和稚存》(卷十八)11.《应天长·题稚存小照》(卷十八)12.《念奴娇·清明偕容甫稚存访城东古院》(卷十八)13.《金缕曲·久不获稚存薇隐书时二子同客姑孰》(卷十九)

汪中是黄仲则另一位志趣相投、过从甚密的挚友。汪中,字容甫、思复,江苏江都人。汪中长黄仲则五岁,结识于沈业富署中。两人身世相同,性格相近,惺惺相惜,交情深厚。

据《黄仲则先生年谱》所载,黄、汪二人的频繁交往,集中在黄景仁二十二岁至二十五岁时,即乾隆三十五年(1770)至乾隆三十八年(1773)之间。乾隆三十五年(1770),汪中与黄仲则相识于安徽太平沈业富署中,黄仲则二十二岁,与汪中始订文字之交。当时汪中有《赠黄仲则诗六首》,而黄仲则也有《和容甫》诗，表达与汪中相契的情感。《两当轩集》中黄仲则提到汪中或为汪中而写的诗有 13 首，分别是：

1.《春日和容甫》(卷三)2.《偕容甫登绛雪亭》(卷三)3.《春暮呈容甫》(卷三)4.《和容甫》(卷三)5.《七夕怀容甫游采石》(卷三)6.《金陵待稚存不至适容甫招饮》(卷四)7.《将至芜湖忆文子容甫》(卷四)8.《以所携剑赠容甫》(卷四)9.《送容甫归里》(卷四)10.《月下登太白楼和思复壁间见怀韵》(卷四)11.《闻思复来岁复馆姑孰》(卷四)12.《赠程厚孙时为厚孙作书与汪容甫定交》(卷九)13.《读容甫近诗过以哀怨为体诗以广之》(卷二十二)

词则有两首：《念奴娇·清明偕容甫稚存访城东古院》(卷十八)、《念奴娇·送容甫归真州》(卷十八)。

这些师友朋辈，不仅是黄仲则诗歌创作上可以互相请益、切磋琢磨的良师，也是他人生旅途中指点迷津、相互砥砺的导师，同时也是他孤苦无依的灵魂，在茫茫人海中的重要情感归宿和寄托，诚可谓是苦海的慈航，悬崖的援手，暗夜中的星辰。诸如同袁枚、王昶、毕沅等人的交往即是如此。

杨芳灿像

袁枚在读了仲则的《观潮行》和《后观潮行》之后，拍案叫绝，并立即写了一首《仿元遗山论诗》："常州星象聚文昌，洪顾孙杨各擅场。中有黄滔今李白，看潮七古冠钱塘。""洪顾孙杨"，指常州府武进县洪亮吉、顾立方、孙星衍和无锡县杨芳灿。"黄滔今李白"，黄滔(840—911)是晚唐五代著名的文学家，被誉为"闽中文章初祖"。黄滔的辞赋也很有名，雄新隽永，为一时之绝调。《全唐诗》收黄滔诗三卷近 200 首，是唐末五代与韦庄、罗隐、杜荀鹤并列的著名诗人。而袁枚此处用黄滔指代黄仲则。

袁枚生于康熙五十五年(1716)，他

比仲则大了33岁。不过仲则和他之间的忘年交，从来没有因为年龄出现问题。在《呈袁简斋太史》一诗中，黄仲则说："一代才豪仰大贤，天公位置却天然。文章草草皆千古，仕宦匆匆只十年。暂借玉堂留姓氏，便依勾漏作神仙。由来名士如名将，谁似汾阳福命全?"对赏识自己的文坛名流袁枚，则以性灵之笔，不尚故实，表达对袁枚的仰慕之情，但又不卑不亢，很有分寸。黄仲则殁后，袁枚还不无感伤地写《哭黄仲则》诗叹道："叹息清才一代空，信来江夏丧黄童。多情真个损年少，好色有谁如《国风》? 半树佛花香易散，九年仙曲韵难终。伤心珠玉三千首，留与人间唱《恼公》。"对黄仲则的英年早逝表示了极大的惋惜和悲痛。袁黄二人的交往，见出诗坛前辈与后进之间惺惺相惜的高情厚谊。

小　　结

《诗经·小雅·伐木》云："嘤其鸣矣，求其友声。相彼鸟矣，犹求友声。"亲情、友情，是人类维系社会与家庭的重要情感纽带，一个人如果缺少了亲情和友情的滋润，则其生也无趣，其情也凄凉。得不到友谊的人将是终身可怜的孤独者，没有友情的社会则只是一片繁华的沙漠。《列子·力命》载："'生我者父母，知我者鲍叔也。'此世称管鲍善交者。"管仲和鲍叔牙之间深厚的友情，已成为古老中国代代流传的佳话，人们常常用"管鲍之交"，来形容自己与好朋友之间亲密无间、彼此信任的关系，所谓"高山流水，知音难觅"。黄仲则少年失怙，孤门单寒，如同晋李密《陈情表》所述："既无伯叔，终鲜兄弟；门衰祚薄，晚有儿息。外无期功强近之亲，内无应门五尺之童。茕茕孑立，形影相吊。"所以，友朋友情在他的生活中占据十分重要的地位，成为他交流思想，切磋诗艺，砥砺情操，乃至寄托情感的重要载体。所以，他的诗歌中对此反复咏叹，也就不足为奇。

黄仲则的这些以交游为主题的诗篇，就其内容而言，无外乎是抒发与友朋相聚唱酬时的快意，或者是在漫长的旅途中，作为聊以打发寂寞、慰藉情感的寄托。有时也借此表达对友朋的牵挂与思念，同时将朋友当作倾听的对象，倾诉自己漂泊风尘中的种种辛酸和苦闷。所以，这种题材的诗歌，在他的手中，运用得炉火纯青，出神入化，确实发挥了抒情达意、寄予情怀的载体作用。

黄仲则广交友朋，名满四海，固然有身世孤寒、终鲜兄弟，以及性喜交游，乃至于切磋学问等因素。但事实上，这也是现实使然，也是出于稻粱之谋的无奈之举。“同作浪游因母养，今知难得是亲年”[①]，他为了养家慰亲，不得不背井离乡，四处奔波。而朋友也确实给了他极大地现实帮助和精神依托，洪亮吉同黄仲则算得上是总角之交，一生相契，不仅生前成为他重要的精神交流的至交，身后也竭尽全力，为他扶柩归里，安葬慰亲，抚孤赈寡，恪尽为友之道，“遗札到三更，老母寡妻惟我托；炎天走千里，素车白马送君还”（洪亮吉挽黄仲则联）[②]，可谓善始善终。所以，他视友情为爱情，与友朋相交相处，一旦订交，便出以真心，始终不渝。友情，已然成为黄仲则在荒寒时世中的温情港湾。而这些充满深情厚谊的诗篇也就成了讴歌友情、礼赞友谊的名篇佳构。这些交游诗歌，不仅呈现出诗人苦乐参互的情感世界，“交空四海惟徐我，魂到重泉更付书”（洪亮吉《自西安至安邑临黄二景仁丧奉挽四首》其四），而且也勾勒出诗人广阔丰厚的交友概貌和辉煌落寞、蹭蹬偃蹇的生活境遇。

诗人的交游，影响着其诗歌的创作内容，也进一步奠定了其整体诗风的形成。其诗伤时感物，追怀师友，时露磊落不平之意，气势通贯豪迈，语言刻意求新，却又自然精工，或模范唐诗，或踵武宋调，于一唱三叹中真实描叙出浪游的无奈、人生的痛苦，描摹出了一副落魄寒士饱受世态炎凉而郁郁不得志的人生剪影。

第四节　优游山水的心灵放逐

黄仲则性喜山水，他的恩师邵齐焘曾有诗赞道：“生来寤寐爱青山，但恨郡郭无烟鬟。今春忽过铜官下，蹂步直上饥忘餐。香飘襟袖松林远，身逐烟霞屐齿间。”（《汉镛以长句述余衡山旧游赋示》）在《送汉镛往徽州》一诗中，邵齐焘再次提及黄仲则“情笃知惠，性爱岩壑”。黄逸之所著《黄仲则年谱》也云“其性爱岩壑”。在青山绿水中浪游嬉戏，放逐心灵、感悟人生，成为黄仲则生活中的一大快事。

黄仲则少年孤贫，个人的生活境遇悲苦至极。他四岁丧父，幼年失怙。不久，多位亲人又先后辞世。现实人生给了诗人太多的苦难，这些苦难摧残了诗人的身心，桎梏了诗人飞扬落寞的心灵，销蚀了诗人奇思妙想的灵机。

① 黄仲则《问稚存丁母忧》。

② ［清］金武祥《粟香二笔》卷三，清光绪刻本。

但是，这些苦难也成全了诗人，设若没有这些浸入肌骨的种种磨砺，诗人的笔下是不会写出许多哀感顽艳、夺人心魄的佳篇杰构的。他在现实人生中难以感受到人生的美好和快意，就只得转移视线，将目光转向自然山水。自然山水不会势力到看人下菜碟，更无须花费分文，“清风朗月不用一钱买，玉山自倒非人推”（李白《襄阳歌》）。

其实世人多为名利搅扰，虽有好时光、好山水，与书酒花月，都付虚度。能知清风明月之乐者，世间能有几人？古人曾说有“八乐”，即静坐之乐、读书之乐、赏花之乐、玩月之乐、观画之乐、听鸟之乐、狂歌之乐、高卧之乐等，如果能抛却人世间的追名逐利，超然物外，又何尝不是一件赏心乐事？亲近自然山水固然有性情因素，拥抱自然、酷爱山水者更往往是后天养成的习性，山水诗文的作者往往不自觉的欲从现实中抽身而出，投身山水之中，从而“超埃尘以遐逝，与世事乎长辞”（张衡《归田赋》）。

譬如在苏东坡的《前赤壁赋》中，客人怀古伤今，不能释怀，苏子慷慨抒怀曰：“客亦知夫水与月乎？逝者如斯，而未尝往也；盈虚者如彼，而卒莫消长也。盖将自其变者而观之，则天地曾不能一瞬；自其不变者而观之，则物于我皆无尽也。而又何羡乎？且夫天地之间，物各有主。苟非吾之所有，虽一毫而莫取。惟江上之清风，与山间之明月，耳得之而为声，目遇之而成色。取之无禁，用之不竭，是造物者之无尽藏也，而吾与子之所共适。”坡老此言本自道家出世思想，从而让“客喜而笑，洗盏更酌”。坡老以为人对自然万物，非但不必因“吾生之须臾”而羡慕其“无穷”，反倒要使“无穷”的自然万物为“吾生”所享用，从中得到乐趣。太白之“清风朗月不用一钱买”，恰好切合坡公眼前的景物，“江上之清风”有声，“山间之明月”有色，江山无尽，天地无私，风月长存，声色俱美，他正可以徘徊其间而自得其乐。欧阳修《沧浪亭》诗有“清风明月本无价”句，苏东坡《点绛唇·闲倚胡床》的“与谁同坐？明月清风我”，这种境界更是天人合一，浪漫至极，充满了人生的寂寥之感。在这样的物我两忘境界中，人世间的一切苦难又何足道哉，心灵的放逐与愉悦也就水到渠成了。

疾病、困顿和穷愁落寞，与黄仲则这位傲骨嶙峋的诗人似乎总是如影相随，须臾难分。四处干谒、多方奔走，以求升斗之济的辛酸况味也是他所饱尝了的。奔波劳苦而又清高孤独的心灵，似乎只有在山水之间才会得到深深的安慰，彻底的解脱与放逐，这或许是黄仲则酷爱山水游历的一个深层心理原因吧。所以，黄仲则一生乐此不疲，百游不厌，足迹所履，几乎跨越半个中国。可惜天不假年，黄仲则尚有许多名山大川未曾践足。可以想见，倘若天公有情，黄仲则寿享花甲，而非中年早逝，那么一定会有更多名篇佳句出诸诗人笔下，惜哉！

如果说性爱山水，在与自然山水的亲近中寻求心灵的放逐，是黄仲则大量写作山水似的心理动因与精神渊源的话，那么，为稻粱之谋，则是他不得不奔走于大江南北、千山万水中的现实困境使然。黄仲则四岁而孤，兄长早卒，家道艰难，有赖其出人头地，振兴门庭，故而其出游实因“事迫饥寒，义兼负米”[①]。他游湖南、安徽，同样都是为生活所迫。正如他在《自叙》中所云：“家益贫，出为负米游，客太平知府沈既堂先生业富。时大兴朱先生筠督学安庆，招入幕，从游三年，尽观江上诸山水，得诗若干首。”诗人一方面汲汲于衣食这些基本的温饱之资，在物质世界里焦头烂额，心力交瘁，基本上已经沦为赤贫的边缘；另一方面，诗人又“精骛八级，心游万仞”(陆机《文赋》)，醉心于空灵虚幻的诗歌世界。在这个世界里，诗人如鱼得水，游刃有余，是傲视群伦、无与伦比的诗国王子。诗人这种游离于精神与世俗双重境界的二重身份，矛盾而奇特地统一于一身，期间两种身份经历了怎样的大冲突、大悲欢，是我们局外人所无法洞见的。

在诗集《自叙》中，诗人记述其出外浪游的踪迹所至道：“由武林而四明，观海；溯钱塘，登黄山；复经豫章，泛湘水，登衡岳，观日出；浮洞庭，由大江以归。”嗣后，又跟随安徽学政朱筠，从游三年，“尽观江上诸山水”。洪亮吉的《黄君行状》也称其“揽九华，陟匡庐，泛彭蠡，历洞庭”，“踪迹所至，九州岛历其八，五岳登其一，望其三”。他在自己的诗中也骄傲地宣称：“无山无我旧吟魂。”偶遇旅途生病，只惋惜“失却半月船头山”，可见其山水之癖。在游历旅程中，黄景仁写下了大量的山水诗，这些模山范水的山水诗构成了《两当轩集》的重要内容。依据其行踪前后，其主要的山水诗篇大致有以下诸端：

（一）吴越山水诗

黄仲则第一次真正意义上的出行，是他十八岁那年的京口之行。此次出行，他留下了一些描述京口、扬州的山水诗，如《润州道中》《登北固楼》等。《观潮行》“客有不乐游广陵，卧看八月秋涛兴”，就是写扬州观潮。在《舟中望金陵》《江上晓发》《雨花台》《偕稚存登鸡鸣山》等诗中，我们看到他对故乡的自然山水充满由衷的喜爱，寄托了自己无限的感慨和深情。在写江南的

---

① ［清］邵齐焘《玉芝堂诗集》，光绪五年湘南节署刻本。

山水诗中，真正写出黄仲则冲风斗浪，与强暴和苦难抗争坚强个性的是《大雷雨过太湖》。诗中写道：

> 张帆径渡不顾反，去崖稍远声汹汹。舟空帆足半掠水，或出或没疑游龙。此时狂喜呼绝倒，一霎快意天所供。天如念我有奇癖，忽然大笑电目瞛。东西闪烁云四结，如波萃萃如霞封。俄兼墨色变深紫，半天赫赫垂嗔容。遂闻雌雷转水底，飞廉屏翳驱相从。鞭驰百怪起狂斗，列缺吐焰遥传烽。此时我舟助颠簸，如山巨浪相撞冲。我张空拳奋叱咤，欲与霹雳争其锋。

此诗纵横跌宕，气势恢宏。读这首波诡云谲的山水诗，我们似乎看到，在风雨交加的恶劣天气下，诗人毫不犹豫地乘一叶小舟横渡太湖，面对狂风暴雨雷电，没有丝毫畏惧，而是狂喜大笑，张拳叱咤，欲与狂风骤雨、闪电霹雳一争高下。黄仲则给我们的印象通常是弱不禁风、手无缚鸡之力的柔弱书生。但从此诗中，我们看到的则是一个充满了挑战精神、勇猛狂野的勇士形象，由此我们也见识了诗人喑呜叱咤、阳刚果毅的另一面。

对于与他家乡毗邻的越中山水，黄仲则也曾多次游历，对浙中的江湖山岳极尽刻镂描画之能事，心意所到之处，便有多篇山水佳作问世，如《雨后泛湖》《甬江舟中看山甚佳》《钱塘舟次》《七里泷》《新安滩》等，从不同的侧面描绘了浙中山水风光的婀娜多姿。尤其对西湖更是情有独钟："寂寞楼台锁冻云，闲踪惟我最殷勤。西湖与尔坚相约，一过钱塘一访君。"(《冬日过西湖》)他对西湖的眷恋已经达到了须臾不可忘怀的地步，"一过钱塘一访君"。在写浙江风物的山水诗中，最能体现诗人豪放心境，反映诗人艺术精神的，应推《登镇海城楼观海》《游四明山放歌》《观潮行》《后观潮行》《春雨望新安江》。在《登镇海城楼观海》一诗中，诗人以细腻而独到的诗笔，勾勒出大海辽阔汹涌的气象，其间杂以神话传说，使全诗笼罩在神秘莫测、一望无边的幽邃气氛中，想象丰富、意境宏阔。

《游四明山放歌》是黄仲则山水诗的杰出代表，更是他偃蹇人生闪烁出的最耀人眼目的光华。此诗开篇以拟人化的手法，描绘四明山高峻而特殊的形象；接着描写远方的山峰，四周连绵的山峦，山峰的高险，造化的精巧，"或如神龙忽掉尾，或若铁骑宵衔枚。或如丈夫倚长剑，仰看白日心余哀。或如华堂敞高会，玉山渐渐东南颓。或如美女将进酒，凝睇却立擎瑶杯。或如纂组杂婉娩，忽或旗鼓纷旋回。……"面对盛气凌人的四明山势，诗人连用七组“或如”的排比句，以雷霆万钧之力渲染出四明山不凡的神形特征，读之令人胸胆开张，为之气结。诗歌还很自然地引出了神话传说、神仙意境，虚实交错，洋溢着惝恍迷离、光怪神奇的诡秘色彩，开合之间，真令人骇目惊心。其中寄寓了诗人汪洋恣肆、激越奔放的豪宕之情，颇似李白的风格。和《游四明山放歌》遥相呼应、鼎足而三的是《观潮行》与《后观潮行》，它们共同成为诗人山水诗的代表作。

（二）湘赣山水诗

湘赣之行在黄仲则一生只有过一次，盖因恩师邵齐焘的书荐，他往谒时任湖南按察使的王太岳。这次幕游使黄仲则“陟匡庐，泛彭蠡，历洞庭”，写下了大量描绘游览江西、湖南、湖北三省名胜的诗篇。其中著名的有《游岳麓》《登衡山看日出用韩韵》《湘江夜泊》《辰阳道中》《舟中望九华》《月中泛小孤山下》《汉江晓发》《岳阳楼用杜韵》《黄鹤楼用崔韵》《屈贾祠》《耒阳杜子美墓》等数十首。对仲则来讲，楚地山水之所以吸引他，主要是这里与屈原、贾谊、杜甫三位关系密切。屈原、贾谊、杜甫都是他内心敬佩，而又能与他产生共鸣的不遇于时的骚人诗客，他们的遭遇为历代不遇的文士频频吟咏。黄仲则此次游湖湘的重要意图便是为酹酒招魂，以吊屈贾。湖湘之游，仲则得遂夙望，从其词《水调歌头・仇二以湖湘道远，且怜余病，劝勿往，词以谢之》中，可分明感知此种情愫。此外，他还写了《浮湘赋》，以及《屈贾祠》以寄慨：

> 雀窥虚幔草盈墀，日暮谁来吊古祠。楚国椒兰犹自化，汉庭绛灌更何知？千秋放逐同时命，一样牢愁有盛衰。天遣蛮荒发文藻，人间何处不相思。

这些诗作手法灵活、风格多样，或气势奔腾卓厉，或意境倘恍迷离，或清空灵秀，或蕴含遥深。诗人抓住楚中风物独具的特色和神韵，将其表现得姿态横生而气象非凡，如《登衡山看日出用韩韵》，将衡山日出时的壮观景象表现得超凡绝俗，达到出神入化的艺术境界；再如《游岳麓》对岳麓山的精雕细琢，见出诗人模山范水的深厚功力。

（三）安徽山水诗

黄仲则在北上京师前，曾于乾隆三十六年(1771)，踏上了入幕游皖的生命旅程，开始了在太平和安庆间的奔走，先后在安徽游幕、客寓达五六年之久。期间，他遍游皖中各地，横跨大江南北、淮河两岸，从最北部的亳州，到最南部的徽州，足迹遍及当时安徽省所辖各州府，几乎无一遗漏。《两当轩集》二千余首诗作中，直接描写安徽景物的就有二百余首之多，占总数的近十分之一。[①] 而此时的黄仲则，在恩师、时任安徽学政朱筠的提携下，曾经有过一段相当风光的时日，正值生命的旺盛辉煌之期，因而其山水诗创作也达到高潮。

黄仲则的皖游诗大体分为三部分，一是以歌咏黄山、九华山为主体的名山组诗，是为皖游诗的精华之所聚；一是记录皖地游历过程中各地风光的山水独唱，以不同的形态，烘托出皖地风光的旖旎与神奇，和厚重的人文风物。一是太白遗迹组诗，见出诗人对这位文采风流、才华盖世的天才诗人摩顶放踵般的崇拜，和发自肺腑的衷心礼赞。

名山组诗包括游览黄山和九华山两部分。黄山的山光水色，历来是文人墨客笔下吟诵不绝的诗才，黄仲则同样不惜笔墨，歌咏连篇。他描摹山中月色："三更方见月，身在乱峰中。音乐鸟啼夜，旃檀香布空。尘心云缕灭，人语谷声通。不寐寻幽去，山深未可穷。"[②]行走于黄山之中，他咏天都："天风卷游袂，群峭争来朝。"[③]他为黄山松放歌："黟山三十有六峰，峰峰石骨峰峰松。有时松石不可辨，一理交化千年中。"[④]黄山云海更使他印象深刻："海因云得名，云在海亦在。云空海更空，转瞬已迁改。"[⑤]此外，蕲口、濠州、定远、泗州、安庆等地的风光也都纷纷见诸诗人笔下："五更梦醒舟已发，但见荆涂两山相向浮。两山鼓势不相下，急洑盘涡走其罅"[⑥]；"濠上浮云气寂寥，荒城风日晚飘萧。地形分控东西楚，山势犹争南北朝"[⑦]；"重冈百盘叠，势与遥山争。淮云一片落，远见南谯城"[⑧]。所得诗均收集在《两当轩集》第五卷里，前后大约有十六首之多，如《浴汤泉》《夜从慈光寺步至茅蓬庵再浴汤泉》《慈光寺前明郑贵妃赐袈裟歌》《由慈光寺至老人峰》《文殊院》《白猿》《题文殊院》《天都峰》《山中见月》《黄山松歌》《小心坡》《遇雨止云谷寺》《铺海》《黄山寻益然和尚塔不得偕邵二云作》《别松上人》等。这组诗完美体现了黄仲则写景状物的独特手法，不仅气势雄阔，想象丰富，而且首尾相贯，连类吐属。在这组游黄山的诗中，能以淋漓酣畅、细腻入微的笔致描摹黄山奇松怪

---

① 傅瑛《黄仲则与安徽》，《安徽教育学院学报》，第 24 卷第 5 期，2006 年 9 月。
② 黄仲则《山中见月》。
③ 黄仲则《天都峰》。
④ 黄仲则《黄山松歌》。
⑤ 黄仲则《铺海》。
⑥ 黄仲则《蕲口晓发》。
⑦ 黄仲则《濠州杂诗》。
⑧ 黄仲则《定远》。

石、烟岚云海、山形特征的，应是《天都峰》《黄山松歌》《铺海》诸诗。《天都峰》一诗，对黄山主峰的描绘可谓鬼斧神工，夺人心魄，一股经天纬地的气概，从诗人诗中和心中流溢而出，使黄山之瑰丽形貌与诗人之坚毅情志相互交融。而《黄山松歌》则是通过层层铺叙，以神来之笔写出了黄山的奇松怪石。诗歌采用夸张、比喻、拟人、对比等多种修辞手法，将黄山奇松描绘得摇曳多姿，卓尔不凡，令人叹为观止。《夜从慈光寺步至茅蓬庵再浴汤泉》写从慈光寺至茅蓬庵一路行来所见的夜景，给人神秘莫测、目不暇接之感；而《由慈光寺至老人峰》更是显得开阖自然、气势非凡。

九华山组诗如果从诗人进入池州境内的《池阳写望》算起，一共创作了十余首佳作，《池阳杜牧祠》《秋浦怀李白》《寄怀顾文子》《写怀》《昭明太子祠》《池口写望》《池阳杂诗》《苦雨》《邵二云自江上归余姚》《齐山》《望华亭》《发一宿庵》《游九华山放歌》等。其中以《游九华山放歌》最为卓越，它与前述《登衡山看日出用韩韵》《游四明山放歌》《观潮行》《铺海》等一起形成了黄仲则山水诗的基本风格，成为他山水诗的精魂。

葱郁苍翠的江淮大地，秀丽多姿的皖南山水，苍莽辽阔的淮北平原，皖中各地的风光纷纷见诸诗人笔下的山水诗中。诗人每每以饱蘸浓情的笔墨，书写着他对这皖中风光的挚爱与眷恋："门外晴洲香草香，浣纱生小爱春阳。柳丝几尺花千片，荡得春江尔许长"[①]；"不羡成都濯锦新，鸭头一色皱鱼鳞。逢人都道风波恶，如此横江思煞人"[②]。因为诗人情感诚挚，几乎将山水人格化，所以他将山水当作亲朋故旧："名山不我拒，一再逢诸涂。中隔千里道，相见仍如初。"[③]为此，诗人曾发誓："愿从化作横江鹤，来往天门采石间。"[④]

太白遗迹组诗由仲则几次游历当涂采石矶、太白楼、太白墓等所写的诗组成。主要有《太白墓》《七夕怀容甫游采石》《秋浦怀李白》等诗。对诗歌有着极高领悟力的仲则，可以说是在李白诗歌审美魅力与人格精神双重感召下成长起来的，"束发读君诗，今来展君墓。清风江上洒然来，我欲因之寄微慕。呜呼！有才如君不免死，我固知君死非死。长星落地三千年，此是昆明劫灰耳"[⑤]。表达了对李白的仰慕之情，传递着黄仲则从精神气质、美学风尚

① 黄仲则《横江春词》其一。
② 黄仲则《横江春词》其二。
③ 黄仲则《重泊舟青山下》。
④ 黄仲则《偕容甫登绛雪亭》。
⑤ 黄仲则《太白墓》。

与人格才情的多重服膺和皈依。

（四）北国山水诗：京畿、齐鲁、燕赵、晋陕

乾隆四十年（1775）后，是黄仲则创作风格趋于转变的时期。这一年冬天，他整装北上，于十二月抵达北京，次年应"东巡召试"，被取二等，旋充武英殿书签官。北上京师的八年，是黄仲则诗歌风格突变的转折点："自嫌诗少幽燕气，故作冰天跃马行。"[①]黄仲则的北行山水诗从《渡河》开始，一直围绕齐鲁、幽燕风光展开，既有北上京师时沿途所作山水诗，又有寓居京师时对京畿燕赵山水风物的描写；此外，还包括游历山东时，遍览沿途景物后所写的诗篇；最后还涉及由京师趋晋陕时，摹写所见所历山水景物而成的篇什。

依据行踪，北上京师，仲则须经过山东、直隶河间府至京。仲则一路走来，顺道游历，多有诗纪之。《渡河》是仲则渡黄河之际写下的，"一夜朔风吼，河声怒似雷。上流冰动岳，亭午日飞灰。浪挟群灵走，沙浮浩劫来。怀中无白璧，迳渡不须猜"。是北国山水诗中的第一首，朔风冰冻已能展示北地风光的特色。此后，诗人一边跃马扬鞭，攒图前行，一边纵览北地风光，一边吊古怀今，如《东平》《东阿项羽墓》《赵北口》《德州》《献县汪丞坐中观技》等。《河间旅次次壁间韵》曰"北风古道走黄沙，落日高城隐暮笳"，此番苍凉萧瑟之景，不亲历燕赵大地的辽阔与苍凉，是不会出现在江南诗人仲则的笔端的。离开故土，渡河北上，眼前雄阔的北国风光虽然让诗人新奇，但渐行渐远，也勾起了他悠远绵长的乡愁，"不少道旁游倦客，也言归思绕烟霞"。寓居京师期间，闲暇之日仲则也经常游览北京周边的风景名胜，如卧佛寺、夕照寺、万柳堂等。仲则还偕友游西山，有诗《将游西山道中写望》《登千佛阁》《戒坛四松歌》等。次访法源寺，有诗《偕王秋塍张鹤柴访菊法源寺》等。这些诗作，无论内容上，还是风格上，较之北上之前，均有较大的不同，可以说部分实现了他当初北上时的愿望。

乾隆四十五年（1780）秋，仲则出都入山东学政程世淳幕。沿途游历，有诗《直沽舟次寄怀都下诸友人》《舟过杨柳青感旧》《沧州晚泊》《吴桥》《董子读书台》《禹城》《耿渡》《历城道中》《望匡山》等，齐鲁风物，尽收眼底。在学使幕期间也多有游览，有诗《华不注》《鲍叔祠》等，年底由济南返京师，沿途作《别岱》《望鹊山》《河堤》《渡运河》等诗，记载所历所见之景。

乾隆四十六年（1781）夏，仲则为债主所逼，抱病从京师出发，赴西安依

---

① 黄仲则《将之京师杂别》其一。

陕西巡抚毕沅，一路所历皆有诗记之，如《出都过芦（今作卢）沟桥》《荆轲故里》《晓发保定》《尧母庙》《定州道中》《获鹿》《青玉峡》《栢井驿》《夜宿朝阳洞感怀龚梓树》《榆次道中》等，将仲则一路行来沿途的雄关峻岭、名胜古迹尽收眼底。《暮投要罗寨登发西岭》云："平时看山陋西北，绝少幽灵但雄特。今逢此景知昔非，欲赋登高愧无力。"仲则到此感受到西北山水的壮美，也改变了他以前对西北山水的看法。展读诗卷，我们仿佛追随诗人的踪迹，一起涉过婉转呜咽的卢沟桥水，越过雄特险峻的幽燕峰峦，走过悲壮萧索的荆轲故里，穿过神鬼难测的晋中古迹，诗材里充溢着北地风光的阳刚粗犷，和塞外山光水色的豪放刚健，诗风多了份慷慨悲凉与雄浑沉着。诗人当初"故作冰天跃马行"的初衷，终于得以实现，看来确实是不虚此行啊！遗憾的是晋陕纪游诗至《晋祠》戛然而止，秦中山水游历诗的散佚，对于我们研究仲则生命晚期的创作与心态，不能不说是一个巨大的遗憾。

山水诗在黄仲则《两当轩集》的分量是举足轻重的，纵览这些篇帙繁富的诗作，名篇佳构自然不在少数，诸如七律《三江口阻风》、七绝《醉醒》等（俟后详述）。

但向来脍炙人口的诗篇，当然还须推《观潮行》《后观潮行》和《笥河先生偕宴太白楼醉中作歌》。前后《观潮行》极为袁枚赞赏，被袁枚誉为"中有黄滔今李白，看潮七古冠钱塘"。其中《后观潮行》尤佳，历来为人所称引。

小　　结

《论语·雍也》曰："知者乐水，仁者乐山。"所谓"知者"，即智慧之人；"仁者"则是仁义之人。据朱熹的解释是："知者达于事理，而周流无滞，有似于水，故乐水。仁者安于义理，而厚重不迁，有似于山，故乐山。"道出了"知者乐水，仁者乐山"的思想与道义之因。知者、仁者的道德情操，与山水的自然特征和规律性，某种程度上具有类似之处，二者容易产生心灵和精神上的默契与共鸣，因而产生乐水乐山之情。

反过来说，"乐水者智，乐山者寿"。风景如画的山光水色，四时各异的花朝水月，柔媚厚重兼具的胸怀气质，对"知者"和"仁者"有一种放逐心灵、怡情养性的功能，因而，喜欢游山玩水也就成为他们寻求精神上寄托的一个最佳途径。而且，与山水亲近还可丰富知识，培养和提高审美情趣，以及模山范水的能力。这便催生出诗歌创作的一个新题材和新品种——山水诗。

山水诗的源头自然可以追溯到先秦文学如《诗经》和《楚辞》中描写山水

风景的某些篇什，如《诗经》中《秦风·蒹葭》《小雅·采薇》，《楚辞》中的《湘夫人》《山鬼》诸篇。“昔我往矣，杨柳依依；今我来斯，雨雪霏霏”（《小雅·采薇》），可以说是乡愁的源泉，也可以说是山水诗的起源，但山水处于内容的从属地位，只是作为生活的点缀和比兴的媒介，并未当作独立的审美对象来歌咏。直到汉末建安时期，才出现了中国诗歌史上较早的一首完整的山水诗，这就是曹操所写的四言诗《观沧海》，但这类诗当时不多见。晋左思的《招隐诗》和郭璞的游仙诗都写到了山水的清音和美貌。到了陶渊明进一步发扬光大，“一语天然万古新，豪华落尽见真淳”（金元好问《论诗三十首》其四）的语言，清新自然的风格，悠然见南山的情调，显示了魏晋风流的独特意蕴。这类诗虽然在当时诗坛并不占主流地位，但客观上却为后来的山水诗的创作提供了可资参照的艺术经验和模仿学习的基本范式。

写作山水诗形成一种潮流，一种时尚，却是在东晋时期，《兰亭集》就是一个突出的例证。刘勰《文心雕龙·明诗》说：“宋初文咏，体有因革，庄老告退，而山水方滋。”晋宋时代，在士族文人们的清谈中，常常出现一些发挥老庄自然哲学，来赞美江南山水的名言隽语。受其影响，当时流行的玄言诗里也开始出现一些山水诗句，作为玄学名理的印证或点缀。可见玄言诗和山水诗的生活基础、思想基础是共同的，玄言诗中本来就包孕着山水诗的成分。

经过长期的多方面的酝酿，终于产生出第一位山水诗人，这就是晋末宋初的谢灵运。谢灵运确立了山水诗的地位，山水诗由此从附庸蔚为大国，而玄言诗则降为附庸。虽然这基本上只是题材和艺术上的革新，但在诗歌发展史上究竟前进了一步。经过魏晋诗人的努力，以及谢灵运等人在此基础上的开拓，到了唐代王维和孟浩然，山水诗终于达到了一个顶峰。

优秀的山水诗通常能做到“诗中有画，画中有诗”（苏轼评王维语），诗人如同用画笔一样，把山水风物中精深微妙的蕴涵点染出来，使读者获得直接的审美感受。好的山水诗也不单是纯客观的模山范水，总是诗中有我，物我合一，包含着作者深刻的人生体验和情感意蕴，融情入景，情景交融，意境优美，感情深挚。譬如“欲穷千里目，更上一层楼”（王之涣《登鹳雀楼》），以理势入诗，兼有教化和审美的双重功能，它表现出的求实态度和奋进精神，对读者无疑是有力的鞭策和激励。“蝉噪林愈静，鸟鸣山更幽”（唐王籍《入若耶溪》），不仅生动再现了山林特有的幽静氛围，还揭示了动静之间矛盾的对立统一关系，显然有启迪智慧、拓展襟怀的作用。山水诗人共同的艺术风格，以淡远最为突出。诗人以恬淡之心，写山水清晖，意境悠远，词气闲淡。

"山水含清晖，清晖能娱人"(谢灵运《石壁精舍还湖中作》)，即深得此中三昧，这些也当是黄仲则性喜山水的文化远因吧。

黄仲则的山水纪游诗，随着他的履痕所至，遍及大江南北，既有吴越皖中的江南烟雨，也有湖湘大地的山寒水瘦，更有塞北齐鲁、晋陕的朔风瑞雪，描摹吟咏了祖国许多山川名胜，"无山无我旧吟魂"，其中的佳作也不胜枚举。清代魏裔介《堵乾三诗草序》说："文不游不能奇，诗不游亦不能奇，何者？人虽有思有怀，亦必以山水之气突兀激荡之，而后笔墨间具风雨争飞、云霞倏变之态。不然，坐守穷庐中，虽取两汉、六朝、三唐诗，咿唔摹拟，终是优孟衣冠，全无生动处。"山水不仅成就和丰富了黄仲则的诗篇，反过来，他的优秀诗篇也记载了名山大川的秀丽风光与奇情壮彩，二者可谓相得益彰，珠联璧合。

黄的山水纪游诗，是其灵魂的呈现和精神的物化，既有对仙境的追寻之念，也有幽境与隐居之情，都是诗人想象中的心灵停泊之所，冥冥之中灵魂皈依之境。

黄仲则的这些山水纪游诗，总起来看，绝大部分都融入了诗人的情感，诗人常常在用气势雄伟的笔触描绘了自然风光后，转而抒发自身的悲怀愁绪。寓身世之感、不平之气于俊朗飘逸的明山秀水之中，重在"有我"[①]，多主观的移情和想象，而非单纯的客观描摹。其"狷狭之性、多病之身、不遇之怨，使他即使面对壮美山川亦常常不能忘却社会现实与个人处境，无法超越心头的阴影"[②]。

他对大自然有着强烈的感受力，将自己整个身心都融入其中，登山则情满于山，观海则意溢于海，与自然造化浑然一体，物我为一，难分彼此。奇山异水宣泄着他的幽愤，但也加重了他的虚无空幻之感。所以，他在山水纪游诗中多是"自写牢落招羁魂"[③]，山水不能消解其对生活的诸般感愤，而其意也本不在山水[④]，而是借模山范水来抒发自己的抑塞愤懑之气，表达自己坎坷沦落的人生际遇，借他人酒杯，浇自己块垒。

他的山水纪游诗亦不乏纯粹的精审之作，"所过名山水，探奇历险，才力

---

① 王英志《常州"二俊"山水诗论略——洪亮吉的无我之境与黄景仁的有我之境》，《齐鲁学刊》，1997年第6期，第101页。

② 陶文鹏、韦凤娟《灵境诗心》，《中国古代山水诗史》(第一编)，南京：凤凰出版社，2004年版，第877页。

③ 黄仲则《衡山高和赵味辛送余之湖南即以留别》。

④ 参阅许隽超《黄仲则研究》，南京师范大学，博士论文，2004年，第48—51页。

皆足以发之。激昂排奡，不主故常，信其所至，正如泪流蛟客，悉化明珠；米掷麻姑，俱成丹粒”[①]。风格则似春兰秋菊，丰富多样。有的清新俊逸，有的典雅精工，有的则浅白如话，有的幽深奇警。面目各自不同，见出这位落魄诗人在结撰诗篇时的良苦用心。

第五节　吊古伤今的咏史怀古之作

黄仲则是一个不知疲倦的行者。从襁褓到弱冠，甫及盛年，竟溘然长逝！其孤独孱弱的身影，始终奔走在行色匆匆的旅途中。随着时光荏苒，年齿渐长，他的步履也日渐蹒跚。岁月的风尘，命途的偃蹇，世路的艰难，人生种种不幸和苦难，交相共袭，最终销蚀了这位天才诗人的生命热情。乾隆四十八年(1783)，他终于身心交瘁，倒在了前往投奔陕西巡抚毕沅的路途中，三十五岁的生命交响戛然而止，一代天才绝伦的诗人就此命丧黄泉。他性喜山水，一生足迹所至，江南塞北，吴越湖湘，齐鲁幽燕、京畿晋陕，无处没有他的履痕，“无山无我旧吟魂”。在游山玩水、吟风弄月的同时，诗人也对各地的名胜古迹多所凭吊。对许多历史人物、历史事件的功过、成败等，或发表议论，或抒发感慨，或者借古以讽今，或发思古之幽情，写了许多吊古伤今的咏史怀古之作。

黄仲则咏史怀古之作的题材内容，以及主题，是随着他的行踪及视野所及而变化的，我们同样以他的游踪所及，将其相关内容大致梳理如下：

1.《屈贾祠》(卷二)2.《过马氏宫址》(卷二)3.《耒阳杜子美墓》(卷二)4.《晚泊九江寻琵琶亭故址》(卷二)5.《灵泽夫人祠》(卷二)6.《太白墓》(卷三)7.《月下登太白楼和思复壁间见怀韵》(卷四)8.《金陵杂感》(卷四)9.《桓温墓》(卷四)10.《寻三元洞因登妙远阁》(卷四)11.《虞忠肃祠》(卷四)12.《池阳杜牧祠》(卷五)13.《秋浦怀李白》(卷五)14.《昭明太子祠》(卷五)15.《咏史》(卷六)16.《姜贞毅墓》(卷六)17.《余忠宣祠》(卷六)18.《枞阳》(卷六)19.《皖城》(卷六)20.《英布墓》(卷七)21.《顺昌刘武穆祠》(卷七)22.《昭灵宫》(卷七)23.《木兰祠》(卷七)24.《涂山禹庙》(卷七)25.《寿阳怀古》(卷七)26.《濠梁》(卷

① [清]王昶《湖海诗传小序》，引自黄葆树、陈弼、章谷编《黄仲则研究资料》，上海古籍出版社，1983年版，第113页。

七)27.《濠州杂诗》(卷七)28.《乌江吊项羽》(卷八)29.《洪忠宣祠》(卷九)30.《凤山南宋故内》(卷九)31.《廉颇冢》(卷十一)32.《孙叔敖祠》(卷十一)33.《寿阳》(卷十一)34.《八公山》(卷十一)35.《东阿项羽墓》(卷十一)36.《董子读书台》(卷十五)37.《华不注》(卷十五)38.《鲍叔祠》(卷十五)39.《望鹊山》(卷十五)40.《张桓侯故里》(卷十六)41.《荆轲故里》(卷十六)42.《尧母庙》(卷十六)43.《获鹿》(卷十六)44.《井陉行》(卷十六)45.《女娲庙》(卷十六)46.《减兰·夜泊采石》(卷十七)47.《绮罗香·金陵怀古》(卷十七)48.《霜叶飞·湘江夜泊》(卷十七)49.《洞庭春色·登黄鹤楼》(卷十七)50.《贺新郎·太白墓和稚存韵》(卷十八)51.《金缕曲·岳坟和韵》(卷十八)52.《摸鱼儿·登滕王阁》(卷十八)53.《买陂塘·登白纻山》(卷十八)54.《千秋岁·二乔宅旁有井水常作胭脂色》(卷十八)55.《喜迁莺·皖城怀古》(卷十九)56.《满江红·吴大帝庙》(卷十九)57.《买陂塘·过聚景园旧址》(卷十九)58.《江南好》(卷十九)59.《念奴娇·渡江至京口》(卷十九)60.《殷中军宅》(卷二十二)61.《长沙定王台》(卷二十二)62.《游岳麓》(卷二十二)63.《禹碑》(卷二十二)64.《读史偶书》(卷二十二)65.《乌江项王庙》(卷二十二)

就数量而言,咏史怀古诗在黄仲则诗作中所占比例是相当可观的。据上海古籍出版社 1983 年整理出版的《两当轩集》,其中所收诗 1 178 首,词 216 首,那么,咏史怀古诗约占总数的 5%,不能不说是一个相当的数量。

就内容而言,这些咏史怀古诗,总体上都属于宏大叙事。诗人身临旧地,凭吊古迹,由于历史遗迹的诱发而触景生情,引起感慨,并借此抒发情怀抱负。或者翻阅旧集,拾点旧说,借古喻今,从而抒发自己的独到见地。不论咏史,还是怀古,都是诗人按照自己的历史逻辑,对曾经过往的历史烟云作出自己的价值评判,彰显诗人独特的历史感悟,体现诗人对历史深刻的体察和洞鉴。由此亦可见诗人的史才、诗笔与议论。

一、神话传说:主要有《涂山禹庙》(卷七)、《尧母庙》(卷十六)、《女娲庙》(卷十六)、《禹碑》(卷二十二)等。上古神话传说,是遥远的历史记忆,是先民在未有文字记载前保留下来的珍贵史料。女娲是创世神话中最为著名的主角之一,《太平御览》引《风俗通》曰:“俗说:天地开辟,未有人民,女娲抟黄土作人,剧务,力不暇供,乃引绳于泥中,举以为人。”女娲除了抟黄土作

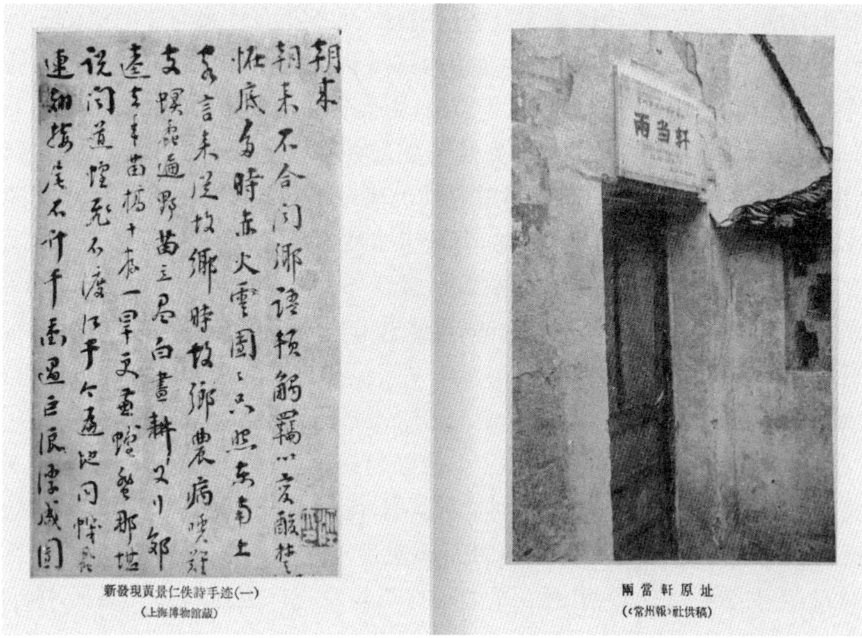

《两当轩集》上古版书影

人，繁衍人类之外，还有一个伟大的功绩就是炼石补天。关于女娲补天的传说，《淮南子·览冥训》载："往古之时，四极废，九州裂。天不兼覆，地不周载。火爁炎而不灭，水浩洋而不息。猛兽食颛民，鸷鸟攫老弱。于是女娲炼五色石以补苍天，断鳌足以立四极，杀黑龙以济冀州，积芦灰以止淫水。"黄仲则《女娲庙》一诗对女娲炼石补天之功做了赞美，"炼石言非诞，屠龙说讵盲。扪虚填气核，凿空逗天光。迹闷争开辟，功高接混茫"。女娲的功绩不仅为当时人民所铭记，即使在后代也是功垂千古，永远为后人所缅怀，"像设丹青古，春秋祭赛忙。东西两浮化，烟霭自苍苍"。

大禹是传说中的治水英雄，在我国到处都有关于大禹的遗迹和传闻。《山海经·大荒北经》载："共工臣名曰相繇，九首蛇身，自环，食于九土，其所歍(呕)所尼，即为源泽，不辛乃苦，百兽莫能处。禹湮洪水，杀相繇，其血腥臭，不可生谷，其地多水，不可居也。禹湮之，三仞三沮，乃以为池，群帝是因以为台。"《淮南子·齐俗训》载："禹之时，天下大雨(水)，禹令人民聚土积薪，择丘陵而处之。"《史记·夏本纪》对此记载甚详。这些遍布中国的大禹遗迹，记刻着大禹的丰功伟绩和人们的不尽思念。黄仲则《涂山禹庙》(卷七)所写的禹庙属禹会村遗址，禹会也称禹墟，位于安徽省蚌埠市西郊涂山南麓的淮河东岸。涂山既有大会诸侯遗址，又有娶女首领为妻的涂山氏国遗址，并留有禹王宫、启母石（亦即望夫石）、台桑（生启之地）、防风冢、禹墟等多处遗迹，山上禹王宫有数千年历史，历代名臣文士如狄仁杰、柳宗元、苏轼、苏辙、宋濂、邓石如等，均来此游览凭吊并留下大量诗文铭刻。黄仲则《涂山禹庙》一诗，描摹了禹庙附近的景色瑰奇雄险，气氛狰狞，中间还夹杂着神话传说，惝恍迷蒙，光怪陆离，营造出一种神秘犷厉的氛围，凸显了诗人对这位功高盖世的创世先祖的敬畏和崇敬。

二、帝王将相：这一部分的诗有《虞忠肃祠》《桓温墓》《姜贞毅墓》《英布墓》《顺昌刘武穆祠》《木兰祠》《洪忠宣祠》《洪忠宣祠》《廉颇冢》《孙叔敖祠》《鲍叔祠》《张桓侯故里》《荆轲故里》《满江红·吴大帝庙》等。

在这一部分里，黄仲则对历史上曾经发挥过巨大作用的人物诸如帝王将相等提出了自己的看法。特别是对项羽，诗人不厌其烦，一写再写，如《乌江吊项羽》《东阿项羽墓》《乌江项王庙》，见出对这个人物的特殊情感。众所周知，项羽是力能扛鼎、勇冠三军的一代英雄豪杰。大泽乡起义不久，项羽在会稽郡斩杀郡守后举兵反秦；巨鹿之战后，率军入关中，以五诸侯灭暴秦，威震海内；秦亡，仗势分天下，分封十八路诸侯。项羽不仅武勇出众，还留下了千古名作《垓下歌》。司马迁在《史记·项羽本纪》中评价道："政由羽出，号为霸王，位虽不终，近古以来未尝有也。"他以勇猛刚烈和慷慨赴死回报江东父兄，从容舍身以慰男儿之身，如此气节，在他英雄之躯訇然倒地之时，腾空而起，凌云直上，惊天地、泣鬼神，流传千里，感人至深。他的出现，为中国的历史掀起了一场风云，留下了一段不朽的神话。黄仲则《乌江吊项羽》诗曰：

> 愤王遗像黯承尘，已事空悲五裂身。百二山河销赤炬，八千子弟走青磷。好寻鬼母挥馀泪，自有狮儿作替人。王气东南来尚早，不须亭长在江滨。

诗中追忆了这位叱咤风云的盖世英雄兵败被杀后尸分五段的历史事实，对他的失败给予了理解之同情，同时也对胜利者表达了某种隐微的不满和讥刺，"王气东南来尚早，不须亭长在江滨"，见出这位身世偃蹇的落魄诗人，对这位失败的英雄并不仅以成败而论。《东阿项羽墓》仍然追忆项羽英勇不屈的英雄风姿，因了他的死，朋友得以"欢平生"，汉王得以"下鲁城"。他死后也不失为英雄，他的英雄之慨，不平之气，死后仍然光耀千古，"可怜即以鲁公瘗，想见重瞳炯难闭。至今磷火光青荧，犹是将军不平气"。"美人骏马应同恨，多少英雄陌路人”，则是对项羽这位末路英雄的深切理解和叹惋，其实也是诗人对自身不幸遭际的感喟，他自己又何尝不是英雄失路，托足无门，只得借诗酒聊以遣怀寓兴、苦度时日？《乌江项王庙》诗曰：

> 美人骏马甫沾襟，遽使江东阻壮心。子弟重来无一骑，头颅将去值千金。谁言刘季真君敌，毕竟诸侯负汝深。莫向寒潮作悲怒，歌风台址久消沉。

对于项羽的评价，人们向来仁智互见，存在多元性观察与评说，赞美中夹有怜悯，怜悯中别杂埋怨。项羽讲仁义、恋旧情、重友谊，大诚无奸，大勇无畏，大责无贷，大仁无垢，大败无悲。而刘邦则非君子，卑人恶性，心狠手毒，全都不管这些，讲的是名位，恋的是财利，重的是荣华，玩的是计谋，项羽当年不杀刘邦，但刘邦确曾悬赏要项羽的头颅。诗人论人，知刘邦由危而安，由悲而喜，避危在忍辱，喜胜因智谋，背信弃义，最终得天下。因恨其枭雄小人，心狠手毒，以重金购项羽头，逼人太甚，而赋诗鸣愤，“子弟重来无一骑，头颅将去值千金”，见出对刘邦的不满和对项羽的同情。

廉颇、荆轲、英布、孙权、桓温、虞允文等都曾是赫赫有名的历史人物，都曾经在某一时期对历史的进程产生过重要影响，黄仲则都一一写诗凭吊。《满江红・吴大帝庙》赞美孙权道：“伯也无年，把草草、江东付尔。不数载、西连北拒，公然帝矣。”“半壁江山成夜火，一生事业凭春水。小朝廷、血食尚千秋，谁能此？”

《虞忠肃祠》咏史，纪写金主完颜亮举兵南下，虞允文犒师采石，召集散卒，大败金兵，有云：“雍公仓卒来犒师，零星三五残兵随。勤王一呼草间集，督军不来来亦迟。万八千人同一泣，卓然大阵如山立。海陵走死贼臣诛，顺昌以来无此捷。降旗斫倒十丈长，六飞安稳回建康。”叙事纪史，事俱按实，非谙熟宋史者不能如此纵横捭阖。风格激楚苍凉，笔致深婉曲折。

《桓温墓》说：“虎视中原气未伸，一生功罪总难论。错缘温峤推英物，便认王敦作可人。泪尽金城空感逝，歌残白纻定伤神。南州旧是登临处，废垅千年草不春。”桓大司马的墓在大青山，在世间，他曾留下了“男子不能留芳百世，亦当遗臭万年！”（《资治通鉴・晋纪・咸安元年・大司马温》）的名言。

三、文人墨客：主要有《屈贾祠》《耒阳杜子美墓》《太白墓》《池阳杜牧祠》《秋浦怀李白》《昭明太子祠》《董子读书台》等。

屈原、贾谊、董仲舒、昭明太子、李白、杜甫、杜牧诸人，不仅学问淹博，学识超群，而且人品超迈群伦，成为知识精英阶层理想人格精神当之无愧的代表，向来都是后世读书人倾慕和学习的楷模与典范，黄仲则对这些人当然更是倍加欣赏，膜拜有加。黄仲则的词《水调歌头·仇二以湖湘道远……》中，可分明感知此种情愫："离击筑，驩弹铗，粲登楼。仆虽不及若辈，颇抱古今愁。此去月明千里，且把《离骚》一卷，读下洞庭舟。大笑揖君去，帆势破清秋。"友人孙星衍在《黄二景仁游黄山归索赠长句》诗中亦尝言及仲则此行曰："南浮汨罗招屈原，洪涛涬瀚颠乾坤。寸磔幽怪偿厥怨，长蛟泼血江为浑……洞庭为酒君山樽，八九云梦胸中吞。胸中垒块谁共论？扣舷大啸呼灵均。"湖湘之游，仲则得遂夙望，既有《浮湘赋》以寄意，又有《屈贾祠》以伤怀，盛世衰世都有同样的不遇之愁，湖湘之游，黄仲则在精神上和这些古圣先贤接通了脉络，达到了一种心灵上的共鸣和精神上的默契。

乾隆三十五年春，黄仲则游湖南经过耒阳时，特意拜谒杜甫墓，作有《耒阳杜子美墓》诗：

> 得饱死何憾，孤坟尚水滨。埋才当乱世，并力作诗人。遗骨风尘外，空江杜若春。由来骚怨地，只合伴灵均。

当年杜甫困于耒阳舟中，饥寒交迫，绝粮数日。后来耒阳县令送酒和牛肉至，以致醉饱而死。前人多为之曲解掩饰，黄仲则是惯于穷饿的诗人，非常理解杜甫当时的处境，则直言出之。更让黄仲则深有同感的是杜甫的"埋才当乱世，并力作诗人"，骚怨之地岂只有屈原、杜甫，黄仲则不亦是其中之一吗？

黄仲则对李白情有独钟，对李白特别表示出倾慕之情，他在《太白墓》中赞之云："高冠岌岌佩陆离，纵横击剑胸中奇"，"乾坤无事入怀抱，只有求仙与饮酒"，并称"我所师者非公谁"。饮酒、仗剑而游好山水，体现着李白的豪情，亦是黄仲则的精神与心灵的寄托。李白"五岳寻仙不辞远，一生好入名山游"（《庐山谣寄卢侍御虚舟》），写下了许多山水名篇，或表现其豪壮开阔的胸怀，或表现其与天地自然融为一体的气质。黄仲则游历山水，亦写下了不少得谪仙之气的作品。李白吟唱"人生在世不称意，明朝散发弄扁舟"，"我本不弃世，世人自弃我"（《送蔡山人》），黄仲则云"公（邵齐焘）卒，益无有知之者，乃为浪游"。二人皆因不得知遇，人生的困惑、生活的窘迫所致的内心愁苦，就在登山临水或拜祠谒墓中得以缓解和释放。因山水游历，仲则更显出与李白的精神契合，"自湖南归，诗益奇肆，见者以为谪仙人复出也"（洪亮吉《黄君行状》)，洵非虚誉。

四、历史名胜：当历史的烟云随着时间的流逝逐渐淡出人们的视线后，那些曾经的人和事似乎也烟消云散，随风而逝。但大浪淘沙，历史的陈迹总有一些吉光片羽有意无意的沉淀在某一个不为人所瞩目的角落，默默咀嚼历史的沧桑与忧伤，这些便是那些历史名胜、历史遗迹。这些名胜和遗迹因为承载了太多内涵，因而成为后人凭吊和咏叹的主题。黄仲则诗中，这样的篇什数不胜数，诸如《晚泊九江寻琵琶亭故址》(卷二)、《灵泽夫人祠》(卷二)、《寻三元洞因登妙远阁》(卷四)、《濠梁》(卷七)、《濠州杂诗》(卷七)、《凤山南宋故内》(卷九)、《过马氏宫址》(卷二)、《乌江项王庙》(卷二十二)、《洞庭春色・登黄鹤楼》(卷十七)、《贺新郎・太白墓和稚存韵》(卷十八)、《金缕曲・岳坟和韵》(卷十八)、《摸鱼儿・登滕王阁》(卷十八)、《买陂塘・过聚景园旧址》(卷十九)、《枞阳》(卷六)、《皖城》(卷六)、《殷中军宅》(卷二十二)、《长沙定王台》(卷二十二)、《买陂塘・登白纻山》(卷十八)、《千秋岁・二乔宅旁有井水常作胭脂色》(卷十八)、《获鹿》(卷十六)、《井陉行》(卷十六)、《游岳麓》(卷二十二)等等。在对历史名胜的凭吊和缅怀中，诗人追怀往事，感慨今夕，借他人酒杯，浇自己心中块垒，使得这一传统诗歌体裁成为他抒情遣怀的重要工具之一。

《晚泊九江寻琵琶亭故址》是凭吊唐代大诗人白居易当年写作《琵琶行》故址而作的。白居易当年谪居九江浔阳，在这里写下了脍炙人口的名作《琵琶行》，当年送客的浔阳江口而今也成了诗人感怀的历史名胜了。据明李贤等《明一统志》卷五二《九江府》载："琵琶亭在城西大江滨，唐司马白居易送客湓浦口，夜闻邻舟琵琶声，问之，乃长安娼女嫁于商人，为作《琵琶行》，后人因以名亭。"故址在今江西九江县西大滨浔阳江口处，今无存。历代文人多有题咏，如宋辛弃疾《玉楼春・有自九江以石中作观音像持送者因以词赋之》词："琵琶亭畔多芳草，时对香炉峰一笑。"宋吴处厚《九江琵琶亭》诗："夜泊浔阳宿酒楼，琵琶亭畔荻花秋。"元张可久《[正宫]醉太平・怀古》曲"秋千墙里垂杨瘦，琵琶亭畔野花秋，长江自流。"清赵翼《守风遣闷》诗："琵琶亭畔雨如丝，津吏拦江一缆维。"黄仲则《晚泊九江寻琵琶亭故址》诗，面对物是人非的浔阳江畔琵琶亭故址，他沉默无语，然而胸中却百感交集，涌起无限波澜，"角声振木木叶脱，秋声渐高秋思发。无言揽袖起彷徨，却倚兰挠望天末。吴头楚尾烟冥冥，独立百感来无情"。在一片衰草枯杨中寻到了破败毁弃后的琵琶亭故址，"崩堤毁岸人迹绝，狐狸跳啸鼋鼍鸣"，追想乐天在此送客，邂逅琵琶女，“同是天涯沦落人”，共同的境遇，共同的心境，遂产生了千古佳作《琵琶行》。“吁嗟乎！泪亦不必落，愁亦不必愁。君不见，茫茫九派东向流，千古万古无时休，我家乃在东海头。西风满意吹数日，一笑可上吴淞舟。莼鲈虾菜万事足，安用江湖叹敝裘”。黄仲则自己特殊的身世遭际，极易与此发生共鸣，但他似乎还比较旷达，面对永恒的时光，他并不意味忧伤悲切，而是一笑置之，甚至还有几分张季鹰“莼鲈虾菜、归隐江湖”的潇洒。

黄仲则《洞庭春色・登黄鹤楼》词曰：

> 为问司勋，谁家楼也，而汝题诗？算吾宗老辈，子安去久；玉京旧侣，叔玮来迟。今日我游因薄谴，看城郭人民半是非。还闻说，又吴宫楚馆，电卷星移。　　千年谪仙又去，空传语天上相思。望三湘七泽，无边水气；荆门郢树，一片斜晖。只有此楼常不改，与江汉茫茫无尽期。归与好，把落梅短笛，鹤背横吹。

黄鹤楼位于湖北省武汉市，江南三大名楼之一，素有“天下江山第一楼”之美誉。相传黄鹤楼始建于三国，唐时名声始盛，这主要得之于诗人崔颢“昔人已乘黄鹤去，此地空馀黄鹤楼”诗句。而李白的《与史郎中钦听黄鹤楼上吹笛》“一为迁客去长沙，西望长安不见家。黄鹤楼中吹玉笛，江城五月落梅花。”更是为武汉“江城”的美誉奠定了基础。历代名士崔颢、李白、白居易、贾岛、陆游、杨慎、张居正等，都先后到这里游乐，吟诗作赋。留下了大量的诗歌、词作、楹联、碑记、文章。仲则《洞庭春色・登黄鹤楼》词，一方面感叹时光老去，物是人非，“今日我游因薄谴，看城郭人民半是非”，一切不过是过眼烟云，“吴宫楚馆，电卷星移”。遥想当年谪仙李白诗酒风流，文采斐然，而今黄鹤楼依旧，“望三湘七泽，无边水气；荆门郢树，一片斜晖。只有此楼常不改，与江汉茫茫无尽期”。谪仙却已去千年，“空传语天上相思”，让人徒增浩叹。面对茫茫宇宙，浩瀚时空，诗人无可奈何，只得“把落梅短笛，鹤背横吹”。

滕王阁，始建于唐永徽四年(653)，为唐高祖李渊之子李元婴任洪州都督时所创建。位于江西省南昌市西北部沿江路赣江东岸，它与湖北黄鹤楼、湖南岳阳楼为并称为“江南三大名楼”，滕王阁因“初唐四杰”王勃的一篇骈文——《秋日登洪府滕王阁饯别序》而得以名贯古今，誉满天下。《滕王阁序》，脍炙人口，传诵千秋。文以阁名，阁以文传，历千载沧桑而盛誉不衰。历朝历代文人雅士们以滕王阁为歌咏主题的诗作数不胜数，其中不乏张九龄、白居易、杜牧、苏轼、王安石、朱熹、黄庭坚、辛弃疾、李清照、文天祥、汤显祖这样文化大家们留下的诗文佳构。黄仲则《摸鱼儿·登滕王阁》就是这些众多题咏之作中十分出色的一篇，词曰：

几何时、词人帝子，消沉一样如许。西山眉黛还依旧，餍过几回歌舞？君更数，在此地凭阑，几个人龙虎？前贤底苦。把一序当筵，浮名些子，占尽不教与。　　徘徊久，渐见月明南浦，帆樯乱落如雨。眼前是景堪供啸，多了津亭吏鼓。君认取，此地是、番禺百越雄门户。登高四顾。叹多少兴亡，滔滔章贡，流得此愁去。

仲则来到声闻遐迩的滕王阁前，面对诸多前贤遗留下来的名章隽句，自是无限感慨，这些人都随着历史的烟云而风流云散，"消沉一样如许"，只是青山依旧，陡增唏嘘若许。当初年少才高、豪气干云的王勃，尽管凭一篇《滕王阁序》一举成名，但都不过是浮云，稍纵即逝，嗣后不久，王勃就在赴交趾探父途中溺水而亡。王勃滕王阁上的豪举，与仲则当初在太白楼纵酒赋诗，才过群彦，洛阳纸贵的盛况何其相似乃尔！仲则徘徊良久，眼见月明南浦，帆樯乱落，一切如同什么也没发生过一样，照就按部就班，若无其事，一成不变地向前流逝，流逝，流逝。而多少兴亡盛衰，都随滚滚江水，付诸东流，难怪诗人忍不住感叹道："登高四顾，叹多少兴亡，滔滔章贡，流得此愁去。"

小　结

与山水诗一样，咏史怀古诗的产生也是源远流长。诗骚中已见一些关于咏史怀古的内容，班固的《咏史》，被认为是中国诗歌史上第一首真正意义上的咏史诗。但此诗在写法上，以叙述本事为主，整首诗写得"质木无文"，尚处于咏史诗的肇始阶段。左思《咏史》八首，才真正实现了"诗"与"史"的结合，使得史事的叙述和咏怀较好地结合在一起，使咏史诗体格一新。

到了唐代，咏史怀古诗发展到了一个新的阶段，诗人们注重以史为鉴，以古喻今，借对历史事件和历史人物的怀咏，以及对历史古迹的凭吊，针砭时弊，别寄怀抱。或借古喻今，警策当朝统治者；或托古伤今，感叹唐帝国江河日下；或借古抒怀，抒发自身在覆巢之下的忧谗畏讥之情。譬如陈子昂的《燕昭王》《登幽州台歌》、王维《西施咏》《夷门歌》、李白《古风》其十与《登金陵凤凰台》，杜甫的《蜀相》《八阵图》《赤壁》、杜牧的《过华清宫三绝句》《过乌江亭》、李商隐的《隋宫》《贾生》《马嵬》，等等。

宋代出现了王安石《明妃曲》《桂枝香·金陵怀古》、苏轼《念奴娇·赤壁怀古》、李清照《夏日绝句》等咏史名篇。南宋辛弃疾的《水龙吟·登建康赏心亭》《永遇乐·京口北固亭怀古》、陆游的《入瞿塘登白帝庙》《游诸葛武侯书台》等，都是这一时期众口流传的咏史佳作。

明代咏史诗之作高手，如明初的刘基、高启，中期的李梦阳、王世贞、何景明，晚期的陈子龙、顾炎武、屈大均等，都写了不少咏史名篇。清代是继晚唐之后咏史诗的又一高峰。清初一度屈节仕清的大诗人钱谦益、吴伟业等，由于特殊的遭际，其咏史怀古之作曲折地反映了对故国的思念和内心的苍凉。

黄仲则的咏史怀古诗，一方面继承了前代先贤们咏叹史实、借古讽今，感慨兴衰、寄托哀思的手法。另一方面，黄仲则不仅限于对历史掌故和名胜旧迹的客观描绘，而是熔铸了强烈的个人情感，以此寄寓个人怀才不遇的感伤，表达自己与古人精神气质上的心有灵犀。在黄仲则手中，咏史怀古诗既是展示他高超诗艺的工具，也是他抒怀遣兴的载体。

黄仲则的这些咏史怀古诗，在具体的主题表现和题材选择上不尽相同，有的熔铸神话传说结撰成篇，像《涂山禹庙》《尧母庙》《女娲庙》《禹碑》等便是对传说当中的创世先贤们的礼赞。有的则以前代的帝王将相为素材，表达对历史兴亡的感慨，体现对某些英雄人物的尊崇，譬如《虞忠肃祠》《桓温墓》《姜贞毅墓》《英布墓》《顺昌刘武穆祠》《木兰祠》《洪忠宣祠》《廉颇冢》《孙叔敖祠》《鲍叔祠》《张桓侯故里》《荆轲故里》等。还有的是对屈原、贾谊、董仲舒、昭明太子、李白、杜甫、杜牧等文人墨客的歌吟，主要有《屈贾祠》《耒阳杜子美墓》《太白墓》《池阳杜牧祠》《秋浦怀李白》《昭明太子祠》《董子读书台》等篇。再就是对历史名胜的咏叹，包括《晚泊九江寻琵琶亭故址》《灵泽夫人祠》《寻三元洞因登妙远阁》《濠梁》《濠州杂诗》《凤山南宋故内》《过马氏宫址》《乌江项王庙》《枞阳》《皖城》《殷中军宅》《长沙定王台》《获鹿》《井陉行》《游岳麓》等各篇。

这些咏史怀古诗，或泛咏古人古事以托古思今，或以古喻今警世刺世，或借历史题材而自抒怀抱，各呈面目，各有千秋，都体现了诗人自己对历史的认识和思考，充溢着浓郁的忧患意识和深厚的批判精神。他的诗源于历史题材，而又不囿于历史题材，其间折射了诗人对现实生活中种种弊端与丑恶现象的针泛与抨击，也闪烁着作者对英雄的敬慕与力图效法的用心。诗中屡屡称道那些在历史上作出过巨大贡献的风云人物如项羽、廉颇、荆轲、英布、孙权、桓温、虞允文等等，并表示努力创造条件去效法他们。对于屈原、贾谊、李白、杜甫等人的文采风流、精神气质，他从心底表现出了摩顶放踵般的服膺与亲近，“埋才当乱世，并力作诗人”[①]“我所师者非公谁”[②]。他虽然怀才不遇，沦落江湖，但却在自身蹭蹬困顿的经历中开始客观地观察思考社会人生，从而开始意识到繁华背后隐藏着深刻矛盾，升平气象中包孕着潜在危机的盛世本质，发为咏史怀古歌诗，借用古人古题将其难以直说的隐优与深层的思考，通过审美处理，创作出了一批含容着作者的批判锋芒和警世史论，识鉴卓越的咏史怀古诗，将其上升到了睿智的哲理角度。清刘熙载《艺概》说：“诗不可有我而无古，更不可有古而无我。典雅、精神，兼之斯善。”黄仲则的咏史怀古诗，于此庶几近之。

出于使命意识和担当意识，诗人不仅关注自身的功业之念，而且也忧虑国家的未来和命运，两者交织在一起表现于怀古咏史诗中，就是深沉的忧患意识和无所归依的落寞心态，形成了他怀古咏史诗的主旋律。在具体的表达方式上，诗人巧于比兴以营造历史环境，常以简赅峻洁之笔，渲染勾勒出渗透着诗人主观色彩的历史氛围，古今贯通，一脉相承，境界空灵通脱，意蕴含蓄丰厚，情韵隽永，意味深长，令人人浮想联翩，遐思不绝，从而产生一种深远广阔的共鸣。

第六节　体察苍生、感同身受的感遇诗

黄仲则是一位至情至性的天才诗人，他的诗作中充满了对于悲苦人生的咏叹，优游山水的心灵放逐，纠结缠绵的爱恨情愁，知己难逢的友情追忆，吊古伤今的咏史怀古，都曾是他诗歌的重要主题。但是，我们如果据此认为黄仲则只是一个以一己之悲欢为主题，对周围现实环境漠不关心的个人主义者，则大错而特错。事实上，儒家文化传统浸淫下的知识精英阶层，其共同的价值取向就是有所作为、积极用世，修齐治平是绝大多数读书人的人生终极目标。身处康乾盛世的黄仲则自然也不能例外，他的“炎凉世态有如此，我辈岂肯长蓬蒿”[③]，与李白之诗“仰天大笑出门去，我辈岂是蓬蒿人”，相比照，既见语言上的模仿，更有精神上的继承。一样充满自信，洋溢着昂扬的朝气，饱含永不言弃的精神。“岂合斯人老丘壑，将来麟阁要丹青”[④]，此乃

① 黄仲则《耒阳杜子美墓》。
② 黄仲则《太白墓》。
③ 黄仲则《九月白门遇伍三》。
④ 黄仲则《题李牧堂青岩图》。

夫子自道语。“木生各有节，士生各有怀”[1]，诗中之“怀”即是人生理想、功名之念，但他乃有操守、富节气之人。其劝友诗道，“宝马不恋粟，男儿重横行”[2]。在《少年行》诗中更说，“男儿作健向沙场，自爱登台不望乡。太白高高天尺五，宝刀明月共辉光”。此诗是其少作，其中流露出来诗人少年的志向和情感十分显豁：真正的好男儿，应该伸展抱负，奔赴铁马冰河、黄沙莽莽的战场，一心梦想有朝一日登上古时的招贤台，浪迹天涯，建功立业，而不要回望留恋故乡。青山处处埋忠骨，何必马革裹尸还？你看那太白星高高在上、这里离天不足两尺，手中的宝刀和天上的明月一同放射着清寒的光芒！诗人渴望建功立业的愿望是何等的强烈。只是特殊的个人际遇，使得他暂时把这种兼济天下的雄心壮志搁置下来，首先解决人生最重要的当务之急——生存问题。而天不假年，对于他短暂仓促的人生旅途来说，这个“暂时”也便成了永恒。他的一生，也就成了为谋食而辛苦奔波的一生。“饥者歌其食，劳者歌其事”，诗人的咏叹大抵不出这个路数。因此，我们看到，在《两当轩集》中，有许多体察苍生、感同身受的现实感遇诗，诸如《铺海》《骤寒作歌》《金缕曲·林冲夜奔》《何事不可为二章·咏史》《泥涂叹》《朝来》《入市》《新仆》《悲来行》《献县汪丞坐中观技》《苦暑行》《车中杂诗》《望泗州旧城》《邓家坟写望》《院斋纳凉杂成》《和钱百泉杂感》《话吟秋斋头次韵》《送春三首》《涡水舟发》《客冬从滁州肩舆至瓜步》等。

杜甫曾以悲天悯人的笔调写道，“安得广厦千万间，大庇天下寒士尽欢颜，风雨不动安如山！呜呼！何日眼前突兀见此屋，吾庐独破受冻死亦足！”老有所养，住有所居，乃民生之重，尤其对于中国这个安土重迁的国度来说，居住地尤为重要，居者有其屋，一直是中国人挥之不去的情结。千百年来，这几句诗成了慰藉居无定所族群的心灵鸡汤，而诗人推己及人，心忧天下的博大心胸也向来为人所称道。作为衣食无着的苦寒诗人，黄仲则的感受恐怕比一般人要来的深刻得多。他的《铺海》一诗可以说与杜甫《茅屋为秋风所破歌》、白居易的“争得大裘长万丈，与君都盖洛阳城”(《新制绫袄成感而有咏》)同一襟抱。这首诗是诗人的游览登临黄山、观赏云海之作。诗人登高远眺，目力所及，是一片变幻莫测、浩瀚无垠的云海，“甫看肤寸倏满天，幻境万万还千千”，传说中的天地诸神似乎在云海中自由翱翔，自由出入，“须

---

① 黄仲则《门有车马客》。
② 黄仲则《写怀示友人》。

臾千万合为一，呼仙即仙佛即佛。迷娄宝界三神山，缥缈虚无现旋没”。在这样亦真亦幻的自然奇观面前，浮想联翩，想入非非，自然是顺理成章的事了。从云缭烟绕、蒸腾翻滚的云海，联想到仙佛宝界神秘的非现实世界，再回到愁云惨淡、千疮百孔的现实世界，诗人的思绪真的是“思接千古，视通万里”（《文心雕龙·神思》）。面对现实，诗人推己及人，海涵地负，如同千百年前的杜工部一样，发出了由衷的企愿和出自肺腑的呐喊，“我欲云门峰，化为并州刀。持登天都最高顶，乱剪白云铺絮袍。无声无响空中抛，被遍寒士无寒号”。字里行间，既有着太白诗风的天马行空，想落天外，又有着老杜与乐天的心念苍生、心忧天下的浩荡胸襟。如果不是自身困顿偃蹇的境遇所致，诗人是无论如何让也写不出这样感人至深的诗句的，即使写，恐怕也是隔靴搔痒，无病呻吟吧。

清代康熙、雍正、乾隆时期在历史上向来有口皆碑，被称作所谓“盛世”。不可否认，当时的清王朝无论是人口、土地、经济发展、文化繁荣、军事实力都达到了极盛的时期。而且时间之长、领土之广、人口之多、富庶程度其实比之中国历史上之前的盛世“文景之治”“贞观之治”“开元盛世”有过之而无不及，确曾达到了一个前代不曾有过的辉煌鼎盛时期。但其弊端也是显而易见，诸如闭关锁国、重农轻商、禁锢思想、轻视科学、贫富不均、水旱频仍，等等。

正是在这样的背景下，身处盛世的黄仲则写出了《朝来》这首诗。诗中描写了盛世之下的天灾和人祸，干旱和蝗灾交相侵淫，赤日如火，久照东南，农夫饥病交加，连呼吸都难以维持。秧苗在烈日和干旱的轮番戕害之下也十不存一，真是水深火热，祸不单行啊。而尤其要命的是，蝗灾又接踵而至，本来据说蝗虫是不过江的，但现在已经如同虱子一样铺天盖地了，“闻道蝗飞不渡江，于今遮地同饥虱。连翅接尾不计千，冲过巨浪浮成团。中逢芦洲忽飞散，顷刻千亩无芦田”。这是百年不遇的灾祸，难怪连百岁老翁都要惊呼“怪事”呢。“我曹生世良幸耳，太平之日为饿民”，语带讥讽，又满含悲愤，生在所谓的太平盛世应当是幸运的，没想到却在盛世中沦为了饥民，即是客观事实，也是血泪控诉，这对所谓的“盛世”真是莫大的讽刺。

在《悲来行》中诗人即叹道：“悲来举目皆行尸，安得古人相抱持。天空海阔数行泪，洒向人间总不知。”诗作于乾隆三十八年（1773），诗人时年二十五岁。诗中提到了“墨子泣练丝”和“杨朱泣歧路”两个典故，事实上，史书中往往把这两件事并举，如《淮南子·说林训》载：“杨子见逵路而哭之，为其可以南可以北；墨子见练丝而泣之，为其可以黄可以黑。”据刘文典《淮南鸿列集解》载，“道九达曰逵”，而“练”即白也。“逵路”可往南可往北，杨子不知何去何从而哭；练丝能染黄能染黑，墨子不知如何是好而泣。“不会选择”的痛苦有时更甚于“不让选择”的痛苦；惯性地逃避自由往往比理性地驾驭自由来得容易。在由殷周“学在官府”到春秋战国“竹帛下私人”的社会转型过程中，士人有了自由可又没了方向，有如歧路亡羊，不免迷惘与彷徨。在《列子·说符》中，杨朱哭歧路的故事便演绎成杨朱感叹于歧路亡羊①。《列子》的作者杜撰这个寓言故事，其主旨无非也是要凸显面对选择时的困惑与无奈。杨朱的哭歧路，在后世不乏同调，《晋书·阮籍传》载：“（籍）时率意独驾，不由径路，车迹所穷，辄恸哭而返。”因此，唐代诗人杜甫将杨朱与阮籍相提并论，写下“茫然阮籍途，更洒杨朱泣”（《早发射洪县南途中作》）的凄美诗句。然而，杨朱哭歧路是因为选择太多，而阮籍哭穷途则是由于无路可走。黄仲则此处以此二典意在说明，他所处的所谓“盛世”，与墨子、杨朱之世相比，早已今非昔比，古人是由于面对多重选择，无所适从而彷徨失路，不知所措。但在当今的太平盛世，则根本无须有此担忧和焦虑，因为在诗人看来，“穷途日暮且倒行，更达漏尽钟鸣声”，他所面对的是一个是非不分，人情邪恶，行尸走肉，倒行逆施的世界，人们除了屈从流俗、随波逐流之外根本没有更多的选择！而诗人对此是无能为力的，也是无可奈何的，“天空海阔数行泪，洒向人间总不知”，除此之外，我们还能苛求诗人什么呢？

也是在二十五岁这一年，在安徽学政朱筠河幕府期间，由庐州去池州途中又作《泥涂叹》五古长篇。开头谓“经旬滞愁霖，春泥苦融泄。但积征途艰，那补漏天裂。沉浊溃欲浮，流阴荡难闭”。以比兴带起，在反复咏叹了“蜀道胡云难，陇坂未嫌折”的“泥涂”险恶后，结末出现了这样的句子：“毕景不半程，用力亦云竭。前途更淤泇，欲铲无巨铁。所望阳光开，庶闻叹声绝。”此中显然在借题发挥，以阴霾郁结、泥浊渍浮隐喻世途之艰难，寄寓着诗人对苦难现实的观感和“欲铲无巨铁”的惆怅。

《献县汪丞坐中观技》是诗人在乾隆四十年赴京北上途中，途径直隶献县小憩时的所见所闻。诗人对表演“婆猴技”艺人的高超技艺叹为观止，以

---

①《列子·说符》载：“杨子之邻人亡羊，既率其党，又请杨子之竖追之。杨子曰：‘嘻！亡一羊，何追者之众？’邻人曰：‘多歧路。’既反，问：‘获羊乎？’曰：‘亡之矣。’曰：‘奚亡之？’曰：‘歧路之中又有歧焉。吾不知所之，所以反也。’杨子戚然变容，不言者移时，不笑者竟日。门人怪之，请曰：‘羊，贱畜；又非夫子之有，而损言笑者，何哉？’杨子不答。”

灵动飞扬的笔触描摹了“蓦若惊鸢堕水来，轻疑飞燕从风举”的杂技绝活。然而，诗人如果就此搁笔，那么，诗人诗作的品味及其价值就会大打折扣，其感同身受的人文关怀也将不复存在。诗人至此，笔锋一转，无限感慨，“吁嗟世路愁险艰，尔更履索何宽然?”天高地宽，但世路依然难行，但杂技艺人却硬生生把狭窄的钢索走成了坦途，这需要何等的技艺？而世路真的会比弦索更平坦坦更畅达么？“十年挟瑟侯门下，竟日驱车官道旁”，诗人不由自主由眼前艺人的技艺联想到自己十多年来挟瑟侯门下，竟日驱车在官道旁奔波竞逐的时日。而十多年来的辛苦奔波，除了浪得一些浮名之外，并未换来境遇的实质性根本改善，时至今日，仍然需要背井离乡，作“冰天跃马行”，凄凉之感不禁油然而生。

《邓家坟写望》云：“颇闻守土责，宜备淮涡神。侵城献三版，徙宅空千村。频年若蝗旱，此患非所云。但见途路旁，野哭多流民。造物本无外，谁与排九阍。长歌不能尽，恐扰泉间魂，行行复延伫，天半松涛奔。”对于流民的苦况表示了无比同情，对于不作为的官员也表示了极大的不满，诗人在力所能及的范围内表达着他心系苍生，心忧天下的悲悯情怀。

诗人对于地位低于他的仆人也给予了关爱和同情，并不因为自己高人一等而颐指气使，盛气凌人，《新仆》诗曰：

> 新仆孤雏瘠不肥，未来先为制衣寒。桀骜野性驯犹苦，嚅嗫方音总听非。尔辈何求惟一饱，主人无奈亦长饥。怜渠骨肉犹人子，讵忍轻施夏楚威？

虽然信赖的仆人野性桀骜，方言难懂，但念其同样是父母所生，同样是为求温饱，己所不欲，勿施于人，所以就不忍心对他作威作福了。这在《客冬从滁州肩舆至瓜步》诗中，及其赠老仆诗“飘零应识主人心，仗尔锄园守故林。数载相随今舍去，江湖从此断乡音”①中流露出的依依不舍，是同一情怀。

世情的险谲与人性的浇薄通常总是如影相随。如果他在前述若干诗作中表达的还是表象层面的失望和不满的话，那么，他在《何事不可为二章·咏史》中所表达的，就是从精神层面对人性领域丑恶的挞伐。这两首诗，虽然题目中表明是“咏史”，其实是诗人的障眼法，不过是借题发挥，借古讽今而已。是对现实官场中趋炎附势、招摇撞骗、钻营追攀、吮痈舐痔，不惜出卖

---

① 黄仲则《老仆》。

灵魂卑琐人格的无情鞭挞和彻底揭露。

第一首以强烈的质问开篇,“何事不可为,必欲为人子”,接着托物寓意,连用几个自然界和日常生活中的常见现象,对不知羞耻的势利之徒竭尽鄙视与挞伐之意。

“异地附瓜葛”,“瓜葛”,瓜和葛都是蔓生的植物。原指纠缠、纠纷,通常用来比喻辗转相连的亲戚关系或社会关系,也泛指两件事情互相牵连的关系。譬如蔡邕《独断》卷下:“四姓小侯,诸侯家妇,凡与先帝先后有瓜葛者……皆会。”黄庭坚《赠张仲谋》诗:“向来情义比瓜葛,万事略不显町畦。”

“他山托乔梓”,“乔梓”,乔、梓,均为木名。乔,即乔木,是一种木本植物,它成长得高大挺拔,主干直立、分枝繁盛。梓,是一种枝干相对矮小而轻软的落叶乔木。乔木高,梓木低,比喻父位尊,子位下,因称父子为“乔梓”①。古人称人之父子曰“贤乔梓”,对人自称曰“愚父子”。

“蜾蠃多微虫”,“蜾蠃”,最早出自《诗经·小雅·小苑》的诗句“螟蛉有子,蜾蠃负之”。螟蛉之子,即义子,俗话指干儿子、干女儿,古人以为蜾蠃不产子,于是捕螟蛉回来当义子喂养。其实,古人的结论是有误的,螟蛉是一种绿色小虫,而蜾蠃是寄生蜂,它常捉螟蛉存放在窝里,产卵在它们身体里,卵孵化后就拿螟蛉作食物。根据科学家的发现,螟蛉虫就是蜾蠃,只不过蜾蠃俗叫螟蛉虫罢了。

“黎丘足奇鬼”,典出吕不韦《吕氏春秋·慎行·疑似》,“梁北有黎丘部,有奇鬼焉,喜效人之子侄昆弟之状。邑丈人有之市而醉归者,黎丘之鬼效其子之状,扶而道苦之。丈人归,酒醒而诮其子曰:‘吾为汝父也,岂谓不慈哉?我醉,汝道苦我,何故?’其子泣而触地曰:‘孽矣!无此事也。昔也往责于东邑人,可问也。’其父信之,曰:‘嘻!是必夫奇鬼也,我固尝闻之矣!’明日,端复饮于市,欲遇而刺杀之。明旦之市而醉,其真子恐其父之不能反也,遂逝迎之。丈人望见其子,拔剑而刺之。丈人智惑于似其子者,而杀其真子。夫惑于似士者,而失于真士,此黎丘丈人之智也。”

“东海一逐臭”,典出《吕氏春秋·遇合》:“人有大臭者,其亲戚兄弟妻妾知识,无能与居者,自苦而居海上。海上有人说其臭者,昼夜随之而弗能

① 《尚书·大传·梓材》载:“伯禽与康叔见周公,三见而三笞之。康叔有骇色,谓伯禽曰:‘有商子者,贤人也。与子见之。’乃见商子而问焉。商子曰:‘南山之阳有木焉,名乔。’二三子往观之,见乔实高高然而上,反以告商子。商子曰:‘乔者,父道也;南山之阴有木焉,名梓。’二三子复往观焉,见梓实晋晋然而俯,反以告商子。商子曰:‘梓者,子道也。’”

去。”曹植《与杨德祖书》曰:“人各有所好尚,兰茝荪蕙之芳,众人之所好,而海畔有逐臭之夫。”逐臭之夫,遂指追逐奇臭,嗜好怪癖,与众不同之人。

对于那种用尽心机,千方百计,企图通过以干儿义父名义攀龙附凤的无耻之徒,他们心中已经丧失了起码的道德底线,只要能够达到目的,什么手段都无所谓,“乃知腥膻所,万物任驱指”。诗人以讥讽的语调对此深致不满,活着的人为了巴结一个有权有势的父亲,而全然不过已经逝去的前人,以致他们在阴间也不得安宁,为了争夺后人的祭祀礼品而纷争不断。而这种风气,如同逐臭之夫一样,并不以为非,反而趋之若鹜,乐此不疲,“依然见斯流,被金而佩紫。更有呼父人,相步后尘起”。造成的一个可笑而可悲的局面是,“父人复人父,谁非竟谁是?”究竟谁是谁的儿子,或者谁是谁的父亲,已经乱作一团,难以分清了。这是多么滑稽的一幅情景!官场上乌烟瘴气、污浊不堪之丑态由此可见一斑。

第二首“何事不可为,必欲呼人师”。机锋所向,则尤在士林,诗人批判的矛头直接指向了知识阶层。师生关系在士林中为人所看重,由来已久。如《尚书·尧典下》所说“朴作教刑”和《学记》所载“夏楚二物,收其威也”,说明教师可对学生施行体罚。教师被纳入“天地君亲师”的序列,学生就只能恭敬从命,不能反问质疑。春秋时期,孔丘同他的弟子的关系,是古代的楷模。他热爱学生,循循善诱,诲人不倦;学生对他尊重景仰,亲密无间。战国时期,荀况《劝学》用“青,取之于蓝,而青于蓝;冰,水为之,而寒于水”,比喻学生可以后来居上,超过老师。韩愈《师说》:“师者,所以传道、授业、解惑也。”又说:“弟子不必不如师,师不必贤于弟子”,“无贵无贱,无长无少,道之所存,师之所存也”。

诗人开门见山,开篇即直奔主题,“观其用心处,岂在道义为?”彼时所谓的师生关系,已经大大发生了变异,从追求真理,追求道义,彻底蜕变为了追名逐利的工具,且更具虚伪性和欺骗性:“后堂列女乐,前庑陈牛衣。位置虽不一,市道均无疑”,而士人的无耻也暴露无遗。桃李春华,趋暖向阳,本质性使然。但自然界的阳光雨露不可能遍倾阳枝,此时就到了桃李自身的生存能力发挥决定性作用的时刻,桃李与阳光的这个关系恰恰是师生关系的最好隐喻。

“今朝罗雀处,昨日横经时。聚散在转瞬,令我上叹咨”。而这种关系的维系也是随着时间的流逝而变化,一旦失去了利用价值,那么所谓的师生关系也就不复存在,留给昔日的老师的就只有无边的寂寞和空虚了,“萧萧子云室，寂寂康成居。茅茨且休翦，抱经聊自怡”。世态之炎凉，士风、世风之浇薄也就不言而喻了。正如严迪昌先生所言，这实在是一组诗歌版的“儒林外史”①。

相同的主题，相同的情感，在黄仲则的诗中无处不在，诗人体察苍生、关心民瘼的胸怀我们也无处不能感受，诸如：

> 但见流民满淮北，更无馀笑落阳城。(《涡水舟夜》)
> 侧闻天上朝星辰，谁知人间茹冰炭。(《送春三首》其三)
> 茅草远黏孤骑没，绿杨低罩几家贫。(《春日楼望》)
> 所处若耸夜，百年何所及。(《闲居感怀》)

小　结

关注现实，“不平则鸣”，一直都是中国文学的传统，也是中国文学的使命和宿命。平心而论，黄仲则不是一个纯粹以反映现实、干预现实为己任的现实主义诗人，他的诗更多的是充满浪漫色彩和奇情幻采的篇什。但是，这并不意味着他能置身事外，对周围现实环境漠不关心。恰恰相反，作为一个长期沉沦下僚、郁郁寡欢的下层知识分子，他的生存环境决定了他不能对自己周遭的现实视而不见，听而不闻。所以，感念苍生、心忧天下的浩荡胸襟，时时流露于他的笔端，也就理所当然。

现实社会生活当中，总有一些无法解决的矛盾需要去面对。譬如，物质资源的有限性与个体欲望的无穷性之间的矛盾，再加上每一个个体之间禀赋的差异性，这就导致了在资源，尤其是在稀缺资源的分配上，永远不可能做到皆大欢喜，人人满意，总有一些人注定要沦为陪衬，沦为失败者。于是也就产生了不公平，也就产生了抱怨和批评。黄仲则就是这样的一个失败者，因而也是一个积极的社会批评家，他的上述诸多篇什便是这种不满和抱怨的产物。当然，这里我们所要讨论的诗歌内容，与本章第二节的内容还是有所区别。前述更多的是集中在对个人悲苦人生的咏叹，而此处则较多的关注的是社会群体，是感同身受的对苍生大众生存状态的体察，是对社会上诸种弊端的指斥与抨击。

这里，有对衣食无着、颠沛流离的喟叹，如《朝来》《铺海》《邓家坟写望》；

---

① 严迪昌《清诗史》(下)，杭州：浙江古籍出版社，2002 年版，第 960 页。

有对浇薄世情的讥刺，如《泥涂叹》《悲来行》和《何事不可为二章·咏史》；也有对弱势群体的同情怜悯，如《新仆》《献县汪丞坐中观技》等等。

但不管是哪一种，诗中都无不闪烁着诗人忧郁悲苦的面影，无不充溢着浓重的感伤情绪，无不倾注着诗人真挚深沉的情感。这种融个人主观情怀于客观描写的艺术表现手法，一直都是黄仲则诗歌的主要特色之一，这种特色在此处表现得更加鲜明而具体。

黄仲则生活在一个偏狭自负和固步自封的政治文化氛围笼罩下的所谓"盛世"，这样的社会环境和他落落寡合的个性气质，决定了他不能昂首阔步地前行，不能自由地俯仰宇宙万物，并对现实和命运作出更符合传统审美理想的抉择和阐释。在这个"烈火烹油，鲜花着锦"的"盛世"中，他只能做到孤独地坚守在自己的精神家园，发出"春鸟秋虫"的衰飒之音，以此来警醒社会和世人，最大限度地尽到一个有良知的知识分子的责任。

不论有幸生逢盛世，还是不幸遭遇衰世，任何人都不能无视他人的苦难，倘如此，往往也就失去了真正认识自己苦难的可能性，其人其诗也就注定会成为过眼烟云而湮没无闻。文学的重要任务之一，就是应当负载起人生的巨大忧患，唤起人们对苦难众生的同情和深刻的社会批判意识。文学作品的魅力，也就在于书写人的真情实感。如此，才能打动人心，传之久远。在这一点上，黄仲则无疑是成功的。①

第七节　卑躬违己的干谒诗

黄仲则天才俊逸，冠绝群伦，但他天生数奇，一生坎坷。虽然在世时间只有匆匆三十五个春秋，在其短暂的人生旅途中，却得到了许多德高望重的前辈先贤和志同道合的师友朋辈的援引与爱戴。混迹于社会当中，迫于生存的压力，他也不得不低下诗人高贵的头颅，周旋于达官显贵之间，所以，在他的诗中，也有许多是干谒之作。尽管在诗中我们看到的是诗人不卑不亢的气度，行云流水般的才华，以及汲汲进取的态度，但事实上，奔走于权豪势要之门实属无奈之举，是对诗人高傲灵魂的亵渎，也是对其人格精神的侮辱。因此，"十年挟瑟侯门下，竟日驱车官道旁"，诗人的这种痛苦与压抑不能不在诗中有所流露。隐藏在这些干谒诗背后的，是诗人呻吟哀鸣的灵魂，

① 参阅麦齐好《黄仲则诗歌"盛世衰音"的道德提高作用》，《辽宁行政学院学报》，2007 年第 9 期。

也是诗人卑躬屈膝的歌哭叹惋。

黄仲则在不同时期曾写过许多相关的干谒诗，即以今天《两当轩集》中所见，就有写给朱笥河、袁枚、毕源等人的这类诗。当然，我们以为，写给乾隆皇帝本人的那几首，当属其中篇幅最大、用力最勤、期待最殷者，然而，也是情感最淡，诗味最淡者。

《上朱笥河先生》是一首共434字的七古，是黄仲则初次拜谒朱筠时所作。当时朱笥河先生任安徽学政，是主管一省教育的最高长官，而黄仲则则是初出茅庐的白衣秀士，不名一文，为了求得立足之地，所以他写了这首诗。关于这首诗，已在本章第三节中作过分析与介绍，此处不再赘述。

乾隆四十年(1775)冬，黄仲则北上进京后，曾经有过一段短暂的眩晕期。因其不但颇负诗名，而且兼擅书法、绘画、篆刻，深受当时京中名流器重，每日诗酒酬醉，风头甚健。乾隆四十一年(1976)四月，皇上因为平定了大小金川，在天津举行盛典，召各省士子进献赋诗，黄仲则亦赴津门应试，获二等。所以，诗人天真地以为，京师并非人们想象的那样难以立足，便在第二年，诗人致书时在里中丁母忧的洪亮吉："人言长安居不易者，误也。若急为我营画老母及家累来，俾就近奉养，不致累若矣。"(毛庆善、季锡畴《黄仲则年谱》)洪亮吉为他变卖了武进的田产与宅屋，护送其家眷北上。但实际情况却是"全家如一叶，飘堕朔风前"①"排遣中年易，支持八口难"②，全家的日常生活很快陷入困顿之中。多赖京中师友如朱笥河、陈秋士等人周济，才勉强度日。加之他在京师诸事不顺，佣书四库所入不足奉亲养家，仕途营谋亦未见起色，这使他更加潦倒失意，常常借酒消愁。乾隆四十五年(1780)，在北京的两次乡试未售后，黄景仁再也经不起家室的负累，不得已请洪亮吉再为其营画归资，将家室迁回武进。随后即应山东学政程世淳之邀游幕济南，半年后返京。他至京师后又应举三次，均未售，生活也愈加困顿支离，有时"日惟从伶人乞食，时或竟于红氍毹上现种种身说法。粉墨淋漓，登场歌哭，谑浪笑傲，旁若无人"(清杨懋建《京尘杂录》)。乾隆四十六年(1781)秋，三十三岁的黄仲则到西安依陕西巡抚毕沅，冬季复返都。《都门秋思》就是在这样的困顿危局之中的真实写照，其中具有浓重的自怨自艾，自伤自恋的意味，诗人一方面自嗟贫困，感叹世路艰难，一方面展示自己的苦难与不幸。

① 黄仲则《移家来京师》其二。
② 黄仲则《移家来京师》其四。

诗人以圆熟精到的手法，把自身生存状况的艰难一览无余地展现在世人面前，再加上诗人特有的忧郁气质，《都门秋思》组诗曾现在世人面前的就是一曲盛世寒士沦落失路的悲歌，其哀感顽艳、惊世绝俗的悲苦绝唱，不能不产生一种夺人心魄、感人至深的艺术魅力。

毕沅，字秋帆，一字纕蘅，号灵岩山人。乾隆二十五年进士，累官至湖广总督。王昶《春融堂集》卷五十二《兵部尚书都察院右都御史湖广总督赠太子太保毕公神道碑》记载毕沅生平事迹甚详。

据吕培《洪北江先生年谱》"乾隆四十六年"条载："三月，应礼部试。本房山阴王编修增阅卷呈荐，闱中已定作江南第二本矣。固始吴副宪玉纶为副总裁，旋以军机中书汪君学金卷易之。先是，孙君星衍已入关，并札言陕西巡抚毕公沅钦慕之意，先生遂决意游秦。四月十六日，偕崔同年景仪西行。"洪亮吉《卷施阁诗》卷二《将出都门留别黄二》诗，其一曰："抛得白云溪畔宅，苦来燕市历风尘。才人命薄如君少，贫过中年病却春。"其二曰："枵腹谁怜诗思清，掩关真欲废逢迎。期君未死重相见，与向空山证世情。"黄仲则《都门秋思》流布开来后，时为陕西巡抚的毕沅，十分钦佩，据陆继辂《春芹录》载云："秋帆宫保初不识君，见《都门秋思》诗，谓值千金，姑先寄五百金，速其西游。好事惜才，亦佳话也。"[①]洪亮吉《更生斋文甲集》卷四《书毕宫保遗事》亦云："公爱士尤笃，闻有一艺长，必驰币聘请，惟恐其不来，来则厚资给之。"

可以说，《都门秋思》虽非直接写给毕沅，但作为权倾一方的封疆大吏，毕沅确实是通过此诗才领略到黄仲则杰出的诗艺，感受到起独特的人格魅力，才激发起他的爱才、惜才之心，并进而出资相助，延其入幕的。此诗在本章第二节中亦曾有过较为详细的分析，此不辞费。

在有清一代的乾隆诗坛上，袁枚是一个如雷贯耳的名字，不仅是因为他与追步盛唐、力倡"格调说"的主流派诗人沈德潜，同"学人之诗"领军人物、推崇"肌理说"的盟主翁方纲相颉颃，倡言"不拘格调，独主性灵"，创"性灵说"而形成乾隆诗坛的鼎足之势。更为重要的还是他通圆不执的应世策略，独出流俗的生活方式，潇洒通达的人生态度。袁枚点过翰林，最后却仅仅当了几任知县的小官，很早就辞官归隐，在南京的小仓山房建起了别墅，这便是后来大名鼎鼎的随园。从此，丝竹绕梁，歌舞声色，优游林泉，流连诗酒，尽享山林之福。当时的黄仲则，就年辈上来说，是名副其实的后生晚辈，但

---

① 载《两当轩集》附录四《诗话》，上海古籍出版社，1983 年版，第 629 页。

鉴于袁枚在诗坛上的盛名,黄仲则对袁氏是倾慕有加,而袁氏对后起之秀的青年才俊黄仲则同样有所耳闻,二人可谓神交已久。

《呈袁简斋太史》组诗共四首,作于乾隆三十九年(1774),诗人时年二十六岁。尽管黄仲则一向才高气傲,年轻气盛,颇有几分恃才傲物的才子气,但作为后学晚辈,他对这位诗坛的前辈还是保持了由衷的敬意,开篇便对袁枚恭维道:"一代才豪仰大贤,天公位置却天然",目之为"才豪""大贤",所以他目前的地位与声望是自然而然形成的,并非浪得虚名。"文章草草皆千古,仕宦匆匆只十年",这两句诗有两重意思:对仕途不得志的袁枚表示安慰;称赞袁枚在文学上的造就。其实,两句诗应该还有隐含的第三层意思,即诗人借此作"夫子自道",无异于对外界放言:诗文已经足以使我名垂千古,在官场上是否得意,哪里是我关心的呢?

黄仲则素以早慧著称,后来连试"江宁乡试",却一再落榜,连个举人也未考中,"十年挟瑟侯门下,竟日驱车官道旁",只得以给大官做幕僚来谋生,病逝的时候,还是靠友人的资助才能办完后事。可以说,他是在困苦潦倒、贫病交迫中走完他三十五岁的生命历程的。然而另一方面,黄仲则在生前身后都堪称声名极盛,"乾隆六十年间论诗者推为第一",推崇者中,也有很多达官贵人和文坛耆宿。这两种境遇交织于黄仲则一生,养成了他愤世嫉俗、恃才傲物的性格,尤其是对在官场中如鱼得水的人,更难免以白眼视之了。

黄仲则鄙薄做官的人,说"仕宦匆匆只十年",实在是个人凄凉境遇下的愤极之言。就因为是愤极之言,所以,其偏颇也是显而易见的,文章草草未必千古。仕宦虽然匆匆,但未必就不能流芳百世。春秋时期郑国执政子产逝世,连孔子都禁不住落泪,称其为"古之遗爱",这是来自圣贤的嘉许。而在民间,底层民众更有特殊的表达方式。

在这组诗中,诗人除了对袁枚的文章仕宦做了赞美之外,也不忘怀对他优游闲适的生活环境表达了欣羡之意,其三:"燠室风亭翠霭间,药栏花径互周环。半篙后主迎凉水,一桁前朝戏马山。似海繁华归彩笔,极天花月养苍颜。谁知泉石皆经济,此意先生讵等闲。"其四:"偶逢佳日径开三,丝竹声搀笑语酣。帐后金钗分左右,宴前竹箭尽东南。张灯高会星千树,荡浆清歌镜一潭。不与西园冠盖末,可知才具本难堪。"风亭翠霭,药栏花径;似海繁华,极天花月,其环境之繁盛雍容,何尝不令人心生艳羡?帐后金钗,宴前竹箭,如千百星树般的张灯高会,在平如明镜的清潭中荡浆清歌,其生活之又有惬意,又何尝不让人心驰神往?据诗中自注:"去秋先生招宴,以病未往。"乾隆三十八年(1773),袁枚曾经邀请黄仲则到随园赴宴,但黄因病未能前去践约,如今诗中却道"不与西园冠盖末,可知才具本难堪",不说自己是因病缺席前辈的招宴之邀,而是说自己的才具还不具备与前贤共进筵宴的资格。一方面为自己巧妙开脱,一方面也是在转弯抹角地恭维袁氏的地位之高,才具之出众。良苦用心,真是无所不用其极。由此看来,诗人并非不通人情世故的书呆子,而因人而异,是一种选择性的以类分人,所谓物以类聚,人以群分,趣味相投,一见如故吧。

黄仲则自述北上赴京的缘由时说,"自嫌诗少幽燕气,故作冰天跃马行"。其实,这是表面之词,或者是诗人障人眼目之举。他的主要目的还是功名之义,稻粱之谋,这些同样可以在洪亮吉的诗中找到证据,"应怜楚越依都遍,更向燕台试转蓬"(洪亮吉《送黄大景仁至都门》)。从前的十年,他先后游幕于邵齐焘、王太岳、沈业富、朱筠河等人,所谓"十年心迹几朱门"。除了赢得了一些虚名之外,它的实际生活状况并无多大改善,诗人依然过着"著书充栋腹常饥""读书击剑两无成"的生活。所以,他也觉得"楚越依都遍",能依靠的都靠过了,在没有可以依托投靠的人了,所以从江南跨越到塞北,寻找新的转机了。"试转蓬"的"试",说明其对不确定的未来,实没有把握,无非试试而已,成败均在未可预料之间;"转蓬",是比喻,以游走无根的转蓬,隐喻自身漂泊不定的未来和命运。

乾隆四十一年(1976)四月,乾隆皇帝因为平定了大小金川的叛乱,在天津举行盛典,召各省士子进献赋诗。黄仲则认为这也是一次出人头地、咸鱼翻身的机会,所以,他一方面抱着试试看的心态,另一方面,其实也满怀期待,赴津门应试献赋,结果获二等,赏缎二匹。乾隆帝谕准此次召试二等者可充为四库誊录生,黄仲则由此始佣书四库①。此次黄仲则除献赋外,还有诗,即七古《平定两金川大功告成恭纪谨序》、杂言《平金川铙歌十章谨序》、七绝《平金川铙歌十章之七》,以上诸诗均见于《两当轩集》卷十二。

奉诏献赋、作诗,其功能与价值指向自不待言,那就是如同科举考试一样,应试者须将平生所学,在须臾之间,尽其全力展现在最高统治者面前,以求引起注意,收到一鸣惊人,一飞冲天之效,进而实现飞黄腾达、出人头地的

① 《纂修四库全书档案》载:乾隆四十一年五月二十六日,内阁奉上谕:"此次巡幸山东、天津两处,召试所取二等之举人、贡、监、生员等,着照上届巡幸天津召试二等之例,有愿在四库全书处效力者,俱准其誊录上行走。钦此。"洪亮吉《更生斋文乙集》卷二《平生游历图序》云:"君(仲则)以天津召试二等,在三馆缮写。"

目的。黄仲则这一组诗即与彰显乾隆盛世重要文治武功的盛事相联系，又欲以此为己邀取功名，自然要竭尽全力，尽展平生才学。因此，这组诗的篇幅都很庞大，《平定两金川大功告成恭纪谨序》，连序文在内，总共达1 400余字；《平金川铙歌十章谨序》亦达近1 300字；《平金川铙歌十章之七》，原本有十章，所存的七章近200字。

相同的主题，相同的题材，作者分别用了七古、杂言和七绝三种不同的诗歌形式加以表达，其中的含义诗人虽未明言，但不难看出，这其实是与诗人作诗的功利性目的密切相连的。这三种不同的诗歌表现形式，对于诗人个人的写作才能要求是各不相同的：七绝需要精警凝练，七古要求流丽婉转，杂言则尊崇古朴典奥；七绝重情，七古尚博，杂言尚才。诗人正是企求通过不同的表现形式，展现自己多方面的艺术才华，使才而矜才，用博又逞博，揣摩圣意，迎合圣意，一旦圣心作喜，龙颜大悦，则平步青云，飞黄腾达也就指时可待了。

《平定两金川大功告成恭纪》序中开篇，用刘勰《文心雕龙》中《宗经》《征圣》手法，论证乾隆皇帝平定大小金川的合理合法性，所谓“尧天至大，聿兴丹水之阵；舜治无为，亦事有苗之格”。圣人用兵，施以武力，是迫不得已，“非乐之也”。称颂乾隆皇帝的丰功伟烈古今少有，语极恭敬。接着诗人指斥两金川部落首领的愚蠢荒唐，鄙陋猥琐，“急则相倚，如狼狈之一胆；缓则相啮，状蛩蠦之两头”。言语中鄙薄之意甚明。虽然皇恩浩荡，无奈这些“蠢尔馀孽”执迷不悟，将皇帝的仁爱慈悲之心弃之不顾，阳奉阴违，一意孤行，“养其蜂虿之毒，侈厥枭獍之志”。乾隆皇帝大兵一到，这些群顽屑小顷刻间土崩瓦解，经过三年奋战，终于“孥其老弱，剷其巢穴，颉利之首函焉，先零之颈系矣”。于是愈加衬托出皇帝武力征伐功业的英明伟大，“史官载烈以笔，诗人著美于颂”，纷纷记载和称颂这件辉煌的盛事。

正文内容与序文一样，基本敷衍序的内容而成，不过一为散文，一为韵文而已。除了像序中那样，为皇帝用兵寻找理论根据外，“圣不得已亦用兵”，还增加了另外一个缘由，“往救赤子离阱坑”，使得这次武力征伐更加名正言顺。对于天兵天将的赫赫威势，诗人也反复铺陈，不遗余力地加以称颂和赞美。而对于对方军士则用尽了鄙薄之词，“群丑”“螳臂”“獐麇”，不一而足。对于至尊万里之外的神机妙算，诗人也同样给予了歌赞，“甘泉日夜来捷音，至尊洞烛军中情。沈谋密断丑莫侦，万里决策无抢攘”。对于普通士兵的忘身用命，诗人也不惜笔墨，反复渲染，从“六军用命忘有身”到“延死一息藏井蟞”，对于地形之险峻,战斗之酷烈,敌兵之不堪一击均作了鲜活生动、活灵活现的描摹,使人有身临其境之感。事实上诗人作为手无缚鸡之力的一介书生,从未践足过沙场,更遑论亲自冲锋陷阵,夺关陷隘了。但我们从诗中可以看出,诗人的想象力确实无与伦比,但这种现象并非没有事实依据的胡思乱想,那么诗人肯定是对相关的材料了如指掌的了,抑或平时就有这方面的积累也未可知。

从“天威霆奋疾复勍”到结末“亿万斯载归皇清”是颂圣。天威的雷霆之怒,自然无坚不摧,所到之处,“虎穴”“蟭螟”,无不分崩离析,一败涂地,“铙奏月捷喧锽锽,降王衔璧躯裸裎。穷鳞戢甲俛就烹,顷刻溪阻皆荡平”。大捷之后,天人共喜,皇帝为了庆贺这场空前的胜利,要大举祭祀,谒陵告庙,巡行泰山。皇帝的仪仗威武煊赫,岱宗的青峰郁葱峥嵘。各种由此而生的祥瑞之兆纷纷呈现,“青气上属宫阙窔,吉日刻瑞检紫璚。勒成纪烈迓百祯,呼万岁三响震呟。江淮九节抽茅蔓,嘉禾六穗联一茎”,真是一派祥光瑞气,歌舞升平啊。“凡百嘉瑞惟帝庆”,于是,剩下来的就是儒生们的事情了,史官们如何记载这样的千秋功业,诗人们怎样礼赞这样的不世之举,他们手中的生花妙笔就该派上用场了。“史官载笔书藏宬,洗兵甘雨倾蓬瀛。边徼永绝纤尘惊,雕题凿齿皆王人。在上曰幪旁曰帡,亿万斯载归皇清”。尤其是最后一句,“亿万斯载归皇清”,悚然心惊,卒章显志!前边的种种铺陈,种种咏叹歌赞,其实都是铺垫,到了此处,才算是真正点到了正题——颂圣。诗人的高明之处在此,成功之处在此,但失败之处也在此。他的诗艺,他的才华,实际上已经堕落成了歌功颂德的工具,他的人格也从那个愤世嫉俗、慨叹“埋才当乱世,并力做诗人”的苦寒诗人,沦落成了摇尾乞怜的御用歌手。不能不说这是一次赤裸裸的诗神向皇权的臣服,艺术被权力的强奸。行文至此,笔者不禁悲从中中来,禁不住掷笔长叹。知我者谓我心忧,不知我者谓我何求。呜呼,悠悠苍天,此何人哉!

《平金川铙歌十章谨序》是以杂言形式写的,主题与上述《平定两金川大功告成恭纪谨序》完全相同。诗人认为,乾隆皇帝平定大小金川的功业,“威詟声行,仁渐义劘,有任贤将之明,除恶务尽之断。所以耆莫大之功,有不匮之孝,思格于上下百神,所以畀为广溥之恩,诞受无疆之福”。因此应当“宜被歌咏,用赓休烈,拟为古乐府铙歌曲,凡十章,章举其目,虽不足仰希作者风节,庶几鼙鼓轩舞之义”。十章的内容分别如下:圣武扬(美大功也)、戡贼巢(叙始事也)、巽命申(予阿桂定西将军印,丰昇额、明亮为副也)、劲旅发(饬满洲火器营赴军也)、五日捷(复取美诺也)、将军奋(阿桂克木思工噶克丫口，丰昇额平逊克尔宗也）、大集师（克勒乌围，师悉会也）、渠魁歼（平噶喇依，获贼酋也）、俟社宜（行献俘礼也）、德广运（垂无穷也）。基本上是按照此次军事行动的时间顺序铺陈，只不过细节上更细致而已，譬如《劲旅发》：

> 劲旅发，云骎骎。甲霜野，弋邓林。天剑倚，月羽森。蕊犀陆截，轻鸿波沉。火牛燧象，孰敢撄揸。度月在箕毕轸翼，迅猋施焖，惟此千队万骑，天子所命，元戎是寄。谁谓小蠢，无役重兵。我皇帝武，惟断乃成。枝骈九校，鳞比七萃。岳移云动，鸡犬不鸣吠。绕井络，回参旗，从九天下压，雪山以摧，彼顽毂麛方蚩蚩。

把进军途中军队庄严整肃的气氛，排山倒海、无坚不摧的气势渲染的十分细腻。《将军奋》则把战斗过程的激烈和残酷呈现在我们面前：

> 摩天群峭碉百重，一碉告倾百屯毁。电卷列栅，呼声殷空，群凶仓皇，歼躯梦中。余者突锋冒烬飞走穷，一日克收三年功。因建瓴势，撤彼外险，乘雾直上惟将军。敢奏月捷排九阍，帝曰：嘉哉繄汝勤，光若先烈用集勋。

而杂言形式的采用，使得诗句在参差错落的变化中展现出一种古色古香的风味与格调，而用语的古朴典奥也增加了这种独具特色诗歌形式的典雅风神。

《平金川铙歌》以七绝形式出现，较之《平定两金川大功告成恭纪》的七古和《平金川铙歌十章》的杂言，到更具诗味。

这是因为七绝这种诗歌形制，只有短短四句二十八言，要想在如此简洁的形制中做到语约义丰、含蕴深刻，绝非易事，与前边动辄千言之巨的鸿篇巨制相较，似乎更需要功力。方寸之间，自有天地；尺幅千里，方显绝学。

小　　结

干谒，是中国古老政治生态中一种独特而有趣的现象，通常是指为了实现个人仕途、功名利禄的目的，而求见比自己地位高的达官贵人或权豪势要，以此为自己延誉或积聚人脉资源，或者直接干预任用与升迁，总之都是为自己求得进身之阶、获得实际的利益而进行的重要人际活动。远在春秋时期，孔夫子的周游列国，历卫、宋、齐、郑、晋、陈、蔡、楚等地，干七十二君而最终不为所用，是一次空前失败的干谒之举。其后，干谒之风愈演愈烈，可谓代不乏人。唐高适《行路难二首》其一曰："有才不肯学干谒，何用年年空读书。”足见干谒之事已成为文人改变前途命运和实现个人价值的必由之路。应运而生的干谒文学，也就成了历代文人自我表现、自我推销的一种重要手段，具有很强的功利性、实用性和自觉性，也不可避免地带有强烈的功利色彩和世俗气息。

以唐代为例，著名的干谒之作就有朱庆馀的《近试上张水部》、孟浩然的《临洞庭湖赠张丞相》、杜甫的《三大礼赋》《敬赠郑谏议十韵》《奉赠韦左丞二十二韵》《奉赠鲜于京兆二十韵》《赠田九判官》《寄高三十五书记》、李白的《赠何七判官昌浩》《赠韦秘书子左春二首》《玉真公主别馆苦雨赠卫尉张卿二首》《走笔赠独孤驸马》《赠从兄襄阳少府皓》《赠任城卢主簿》《赠徐安宜》《赠瑕丘王少府》《赠薛校书》《上李邕》等。此外，李白最负盛名的干谒之作是他写给韩荆州的信，即《与韩荆州书》："白陇西布衣，流落楚、汉，十五好剑术，遍干诸侯；三十成文章，历抵卿相。虽长不满七尺，而心雄万夫。王公大人，许与气义。此畴曩心迹，安敢不尽于君侯哉！为君侯制作侔神明，德行动天地，笔参造化，学究天人。”恭维韩说，“生不愿封万户侯，但愿一识韩荆州”，并希望韩朝宗引荐："幸愿开张心颜，不以长揖见拒。必若接之以高宴，纵之以清谈，请日试万言，倚马可待。”整篇文章豪气干云，理直气壮，直是盛唐气象，非太白不办。

黄仲则虽然才情高迈，个性高傲，但并非不食人间烟火，“畏寒偏欲冲寒来，我辈谋生不如雁”①“青山笑客不归去，为报饥寒驱又来”②“全家都在风声里，九月衣裳未剪裁”③“我亦稻粱愁岁暮，年年星鬓为伊加”④“面长愧乞米，心枯乏藏酿”⑤，面对谋生乏术、衣食无着的现实，使得他不得不低下诗人高贵的头颅，屈节辱志，卑躬违己，写下了许多干谒诗。所以，他的干谒确实是迫于残酷现实、为了生存的无奈之举。因而，他的干谒诗也是诗人对这种非人境遇的呐喊与控诉。由此也不难看出，现实对诗人所造成的心灵戕害与性格扭曲达到了多么令人发指的地步。“十年挟瑟侯门下，竟日驱车官道旁”，这种屈辱卑微的奔走干谒，从另一个角度折射出诗人的人性所受到的压抑和摧残，实在已经到了忍无可忍的地步。

---

① 黄仲则《东阿道中逢王剑潭》。

② 黄仲则《和仇丽亭》其二。

③ 黄仲则《都门秋思》其三。

④ 黄仲则《客中闻雁》。

⑤ 黄仲则《岁暮篇》。

与前代文人比较，黄仲则的干谒诗中，少了许多润色鸿业的宫廷御用色彩，而更多地表现为对个人价值的肯定和独立人格的追求。在积极性、自觉性和主动性上，显然弱于前代文人，而更多地呈现出一种无奈与被迫。在情感表达的趋向上，也较多务实，情感基调有所收敛和压抑，而更加注重干谒的实际效果和可行程度。除了必要的展示个人的才华外，不过分露才扬己，张扬自己的个性。

干谒文学的价值指向十分显豁，文人如果希求通过这一渠道实现自己的目的，就必须在其中充分体现和展示自己的突出才华，才有可能得到干谒对象的认可和接受。这就要求干谒者要有充分的前期准备阶段，博览经籍、习修诗文，增加干谒成功的可能性。黄仲则的干谒诗，在学问的渊博和技巧的纯粹圆熟方面，可以说毫不逊色，颇能代表自身文学造诣的水准。

在表现的形式上，黄仲则的干谒诗，体现出多种诗体的写作能力。既有长篇七古，如《上朱笥河先生》；也有七言近体组诗，如《都门秋思》《呈袁简斋太史》，都是四首一组，结构甚为可观；还有相同题材和主题的诗作，如平定大小金川献给乾隆帝的一组，则有七古《平定两金川大功告成恭纪》、杂言《平金川铙歌十章》、七绝《平金川铙歌》，以三种形式出之，诗备众体，无一不是展示才学的载体，这种形式上的多样性可以充分展示诗人人全方位的创作才能，其目的不言自明。

黄仲则的这些干谒诗，接受的对象是权贵名流，所以他一方面要注重作品本身的质量，但另一方面，也不得不考虑被干谒者的兴趣爱好和欣赏口味。譬如《平定两金川大功告成恭纪谨序》和《平金川铙歌十章谨序》，都是呈现给皇帝看的，所以首先在气势上就必须先声夺人，篇幅庞大即其一也。两首诗中，前者长达千言，后者也联翩十章，以杂言形式反复铺陈，迎合圣意之心十分明显。诗人如此苦心经营、不遗余力地颂圣，其实是对诗人人格的扭曲和戕害。

黄仲则干谒诗的写作目的，决定了表达干谒意图是他创作的出发点和归宿，而艺术性的关注与提升无形中就退居其次了。干谒诗的这种功利思想和审美形式的非功利性质，很难完美结合，所以，他的这部分诗总体上诗味失之寡淡。

第八节　逞才炫学的学人诗

一般人均认为黄仲则之诗为“诗人之诗”，清万黍维《味馀楼賸稿序》云：

“余尝谓今之为诗者，济之以考据之学，艳之以藻绘之华，才人、学人之诗，屈指难悉，而诗人之诗，则千百中不得什一焉。仲则深韪余言，亦知余此论盖为仲则、数峰发也。”①此后这种说法便为大多数人所接受，进而相沿成习，几成不刊之论。其实未必尽然，所谓“诗人之诗”，是相对于“学人之诗”“才人之诗”而言，都是根据诗人自身才情、学识、禀赋，而体现出来的不同诗歌创作手法与风格。其间的分野，并非严守畛域，势同水火，更多的时候是呈现一种你中有我，我中有你，彼此借鉴，相互交融的态势。以“诗人之诗”见长的诗人，未必就没有“学人之诗，”反之亦然。所以，我们看《两当轩集》，其中有很多篇什，或鉴古品画，或考据学问，或发表议论，或阐释见解，有十分浓重的学问色彩和学术意味，诸如《题马氏斋头秋鹰图》(卷一)、《灵璧磬石歌》(卷一)、《题汪松溪遗集并所著诗学汝为》(卷九)、《孙薇隐自句曲归以诗示辄题于端即和其春日枉赠之作》(卷十)、《贾礼耕用昌黎石鼓歌韵赠诗和赠一首》(卷十)、《题可堂印谱》(卷十一)、《颜鲁公名印歌》(卷十二)、《王兰泉先生斋头消寒夜集观邝湛若天风吹夜泉砚作歌》(卷十二)、《丙申冬于王述庵通政斋……》(卷十三)、《丛竹图为金光禄素中题》(卷十三)、《汉吉羊洗歌在程鱼门编修斋头作》(卷十三)、《王述庵先生招集蒲褐山房观刘贯道兰亭修禊图作歌》(卷十三)、《集吴香亭太常斋见所藏孙雪居董香光书画合册作歌》(卷十三)、《蒋心馀斋头观范巨卿碑额拓本》(卷十四)、《冬夜饮程鱼门编修斋观耶律文正公像》(卷十四)、《题翁覃溪所藏宋椠施注苏诗原本》(卷十四)、《桂未谷明经以旧藏山谷诗孙铜印见赠》(卷十四)、《未谷以汉瓦并天下文拓本嘱题》(卷十四)、《禹碑》(卷二十二)等篇。这些诗大多质木无文，枯燥乏味，无“寒苦语”，而有“注虫鱼”之味，与其以前一无依傍、抒写性灵之作，大异其趣。黄仲则北上进京后，广泛结识交游翁方纲、蒋士铨、程晋芳、吴锡麒、纪晓岚、孙星衍等京城学界诸位名家耆宿，也与都门诗社朋辈往还唱和，以学为诗，又精于鉴古、书法、绘画、金石，受到翁方纲等人赞赏。黄仲则不仅以“逸气”“深情”为时人推重，也以博学多识见赏于博雅君子。可以说，以学为诗成为黄仲则北游以后诗歌创作上的又一大的特征。

在他上述逞才炫学的才学诗中，所涉及的学问领域包括鉴古、书法、绘画、金石、音乐等，为讨论方便起见，我们对其略作如下分类。

---

① 参见《两当轩集》附录四《诗话》，上海古籍出版社，1983 年版，第 627 页。

其中尤以讨论金石、书法诗居多，如《题可堂印谱》（卷十一）、《颜鲁公名印歌》（卷十二）、《王兰泉先生斋头消寒夜集观砚作歌》（卷十二）、《丙申冬于王述庵通政斋》（卷十三）、《未谷以汉瓦并天下文拓本嘱题》（卷十四）、《蒋心馀斋头观范巨卿碑额拓本》（卷十四）等。金文是指铸刻在殷周青铜器上的铭文，也叫钟鼎文。商周是青铜器的时代，青铜器的礼器以鼎为代表，乐器以钟为代表，“钟鼎”是青铜器的代名词。所谓青铜，就是铜和锡的合金。中国在夏代就已进入青铜时代，铜的冶炼和铜器的制造技术十分发达。因为周以前把铜也叫金，所以铜器上的铭文就叫作“金文”或“吉金文字”；又因为这类铜器以钟鼎上的字数最多，所以过去又叫作“钟鼎文”。“石”则是碑帖。前人为了记述朝政要事和隆重庆典等，把文学形式和书法家的手迹经过名匠刻手，刻凿在悬崖和石碑上，因此碑石就有多重性的艺术内容。有的还经过再加工，裱装成轴或册页，这样就成了碑帖。碑帖是碑和帖的合称，实际“碑”指的是石刻的拓本，“帖”指的是将古人著名的墨迹，刻在木板上，或石上汇集而成。在印刷术发展的前期，碑的拓本和帖的拓本都是传播文化的重要手段。后人为了学习书法，或作历史资料，都要学习这些极其重要、极其珍贵的文字资料。较之“经国之大业，不朽之盛事”的语谟典诰、高文典册而言，金石书法不过是小道，但以此名家者亦古来多有，以致成为专门之学，研治者以毕生精力投入其间者亦不在少数。而且，金石书法，作为一种文人雅兴，虽不至喧宾夺主，凌驾于文人人格、学问、气节、品质之上，但亦可由此见出文人之情趣与性情。人如其书，字如其人，虽非绝对，但以此观人，大致不差。大奸如秦桧、蔡京者流，大贪如严嵩、和珅之徒，失节如赵孟頫、钱谦益、吴梅村之辈，其书法墨迹不论如何行云流水、婉转流丽，细细品味，总能见出其乖戾、谄媚，乃至于卑怯之气。黄仲则受当时考据学风之习的熏陶和濡染，再加与当时许多考据大师过从，这类诗中流露出浓郁的“注虫鱼”味道，自然也就在所难免了。

我们看到，在《题可堂印谱》中，黄仲则遵从韩愈的教导，强调为文识字的重要性，因为“俗书动伪谬，焉论古书契”，因此读古书的人，必须要认真深思，一丝不苟。对于俗儒的粗疏，他深致不满，大加挞伐，“奈何俗儒舛，此道亦捐弃。私心自增损，屈体斗纤媚”。对于致力于辛勤劳作、探究疑义的友人则表示了由衷的赞美，“波磔必老苍，惨淡出平易。每与半黍间，欲作千丈势。观其用心处，实欲功斯世”。并对友人的怀才不遇给予了同情，期望他“藏锋待时至”，有朝一日大有作为。《颜鲁公名印歌》诗对传世的唐代大书法家颜真卿的名印做了描绘：

> 颜家世宝鲁公印，我初见之光夺眐。倚天柱地赤文两，铜八分广径亦如。何论仓籀孰秦汉，招摇输金造化炉。公之灵爽照千古，洞天琳腴结蕊珠。英英握拳透爪力，侃侃正士端人书。相当印印锥罢画，小署纸尾腥红硃。……

由此印想见颜鲁公的为人，“不然老臣忠义胆，一腔色正离方朱”。对前贤的书法成就和人格魅力表示了敬仰和企慕，“要扶心脏作正气，魂梦不敢流荒诬”。在《王兰泉先生斋头消寒夜集观砚作歌》中，诗人反复咏叹端溪砚，对其形状、来历，以及此砚曲折坎坷的经历都作了生动的描绘，感叹其“一生终殉家国难，片石空留姓氏香”。与此同时，诗人对此砚现在的主人也做了相近的赞美，对他的文治武功都深表钦佩，“何如我公佐熙代，嵩华森稜见风概。天子命佐征南军，读书长啸貔貅队。驰檄才清骠国烽，回军又撤旄牛寨。诗就常分豹略馀，书成总出山经外”，“公之英名动明主，四海倾心属公辅。会看一片墨池阴，不日化作苍生雨”。结末诗人联想到自身多年来的沦落不偶，不仅悲从中来，“书生报国徒诳语，我不如砚何其多!”在《丙申冬于王述庵通政斋》诗中，诗人追述了从前于丙申冬，在琅琊王述庵通政处，曾见过邝湛若八分铭，天风吹夜泉砚作歌。现在翁方纲覃溪先生复出邝书“洗砚池”三字拓本与砚铭合装，并让黄仲则题诗。洗砚池在广州光孝寺，是邝湛若曾经读书的地方，邝湛若先生视学广东曾访之。诗中详细描述了这方奇砚的形貌，“字较研铭数浮二，分尺殊量体同制。磊磊撑天拄地形，娟娟桂棹荷衣泪”。追忆了邝湛若当年读书之地所经历的风雨冲刷，对于此砚与“洗砚池”三字神奇的合璧，诗人感到不可思议，“呜呼！畸人身后仍有神，遗迹解付千秋人”，他将之归结为神秘的不可知力量使然，无形中增加了诗的神秘色彩。

关于谈诗的有《题汪松溪遗集并所著诗学汝为》（卷九）、《孙薇隐自句曲归以诗示辄题于端即和其春日杜赠之作》（卷十）、《贾礼耕用昌黎石鼓歌韵赠诗和赠一首》（卷十）、《汉吉羊洗歌在程鱼门编修斋头作》（卷十三）、《桂未谷明经以旧藏山谷诗孙铜印见赠》（卷十四）等。谈诗论文自是黄仲则的本行，可谓驾轻就熟，信手拈来。

在《题汪松溪遗集并所著诗学汝为》中云：

> ……坐公读书秋树根，不疏之园邻郑村。村人往往罕识面，键关晤

> 对惟皇坟。屏除一切可已事，放作百劫难刊文。铸山煮海富研述，四始六际逾纷纶。上追申克溯元本，下揖亨苌相讨论。十年书成付庭鲤，《六经》未有如《诗》尊。……

汪灼，字实夫，家有不疏园，富藏书。其父梧凤，字在湘，号松溪。好经术，著有《楚辞音义》三卷，编《毛诗义编》未成。尝延江永、戴震读书其家，斥千金置书，招徕好学之士。江永卒，朱筠尽取其书上于朝。戴震游京师，誉流海内，后领四库书局。汪中《述学别录·大清故贡生汪君墓志铭》云："是时天下之士，益彬彬然向于学矣，盖自二人始也。抑左右而成之者，君信有力焉。"此诗盛赞汪梧凤不疏园环境的优雅，表彰园主不辞辛劳、寒窗苦读，及其斐然成就。诗人自己亦有企慕之意，"瓣香欲祝来已晚，私淑尚有伊川孙"。对于汪梧凤身后对后学的沾溉也深表钦佩，"方今幸值右文代，石渠众彦趋如云。此书一出有目见，先遣雅奏从天闻。一编家置意中事，但恨不及当公身"。

他的《桂未谷明经以旧藏山谷诗孙铜印见赠》诗中，集中表现了对分门别户的不屑：

> ……我祖诗可祖天下，凡能诗者宜当下。若资华胄便窃据，不患造物嗔吾私。虽然一语敢相质，斯道不绝危累棋。文章千古一元气，支分派别徒费词。几人眼光识针芥，学者蚁附缘条枝。雄深一变为饤饾，精华已竭存糟醨。康庄不由入鼠穴，细寻牛毛披茧丝。强将谱系溷初祖，九原可作夫谁欺？摩围派衍源屡竭，皖公云封人莫窥。我生衰门更才劣，岂有笔力能振支。……

可见他对宗唐宗宋以及派别之争很不以为然，公然说"支分派别徒费词"，对考据为诗、学问为诗、饾饤之诗也持不满和嘲讽态度，说出"几人眼光识针芥，学者蚁附缘条枝。雄深一变为饤饾，精华已竭存糟醴"这样毫不留情面的话，黄仲则之真诚直率跃然纸上。

关于绘画的则有《题马氏斋头秋鹰图》(卷一)、《丛竹图为金光禄素中题》(卷十三)、《王述庵先生招集蒲褐山房观刘贯道兰亭修禊图作歌》(卷十三)、《集吴香亭太常斋见所藏孙雪居董香光书画合册作歌》(卷十三)等。

其中，《集吴香亭太常斋见所藏孙雪居董香光书画合册作歌》应当时其中较有代表性的一首，诗中探讨了诗书画三者之间的辨证关系，认为三者各臻其妙，各尽其义，"人言诗妙画难尽，我言是诗皆画境。人言书妙从画参，我言画亦书理兼”。对孙雪居、董香光各自书法、绘画的精妙之处也都做了精到细致的描述，“是书是画两不分，呵成一片青霞气。汉阳烟树连晴川，两公宦游争后先”。

《题马氏斋头秋鹰图》此诗亦是题画诗，此类诗不仅要求题诗者有极高超的诗歌表现能力，而且要求题诗者有极高的艺术鉴赏能力，能够对所评骘的画作作出切中肯綮、鞭辟入里的评价。所以，这样的题画诗，事实上是一种诗歌版的艺术鉴赏论，或者文学批评论。这样的题画诗、论诗诗前代也多有建树，著名的当属杜甫《戏为六绝句》。金代元好问论诗诗亦颇为人欣羡和接受，“慷慨歌谣绝不传，穹庐一曲本天然。中州万古英雄气，也到阴山敕勒川”（《论诗三十首》其七）。清代赵翼“李杜诗篇万口传，至今已觉不新鲜。江山代有才人出，各领风骚数百年”（《论诗五首》其二），流布人口，成为人所习知的论诗熟语。

对所见到的秋鹰图，黄仲则先从所画秋鹰形态之生动入手，从侧面对画家的高超画技艺予以评价，画中所画之秋鹰，气韵生动，栩栩如生，乍见之下，如闻其声，似觉其飞，屏息细看，方知是画家之画作，“凝神看定知是画，是谁扫笔如霜硎”，画家技艺之高超由此可见一斑。秋鹰与主人之间的亲密合作，围场打猎，飞破青天，呼朋引类，豪气毕现，确实令人神往。这些虽是诗人的想象之词，但也是画家画意所传达出来的神韵所致。诗人此时是一位优秀的鉴赏家和高明的批评家，他能够见微知著，一针见血地领略到画家的用心，体会到画作的精妙成功之处，然后再用精炼准确的诗歌语言将其化作流畅练达的优美诗句。如果不是自身具备这样的艺术眼光和精准的艺术识鉴，不具备高超的诗歌表达能力，是无法作出这样的评价的，也是无法写出这样的诗作的，诗人的多方面的艺术才能和学识水准由此可见一斑。

关于鉴古的有《灵璧磬石歌》（卷一）、《题翁覃溪所藏宋椠施注苏诗原本》（卷十四）、《禹碑》（卷二十二）、《冬夜饮程鱼门编修斋观耶律文正公像》（卷十四）等。

《灵璧磬石歌》曰：

> 青神赤埴输球琳，泗滨作贡传至今。古乐虽亡古质在，历久剥削沉坑深。产饶欲尽不尽气，得径尺价昂兼金。当年帝命后夔戛，圣作圣奏圣所歆。于风斯干乐斯振，知民立辨宣郁沉。后人好尚乃大异，用作拱

玩搜岩岑。金钟玉琯失依附，洞房曲几添清阴。峰峦洞穴卒嗟见，镂刻微渺穷芒针。螭盘蛇卧文理别，方坛华盖开张森。澄心堂砚秘制出，宣和天翰尤淋淋。丈人忽作束腰具，坐以神物供荒淫。文人癖嗜更多有，宝贵奚啻同天琛。斋空松雪图史散，庵废海岳莓苔侵。昔贤手泽半零落，望谁更辨泠泠音。一拳把玩不忍释，悄思登岱临风吟。国工国器交有待，完璧且作无弦琴。后人得此重爱惜，中有入海千秋心。

灵璧历史悠久，源远流长。灵璧有三宝，即虞姬、奇石、钟馗画，素有“灵璧三绝甲天下”之美誉。灵璧磬石，产于灵璧县及相同地质年代的周边地区，是一种黑色大理石天然形成的奇石，颇具观赏价值。《吕氏春秋》《后周书》《宋史》《挥麈录》《云林石谱》《长物志》《洞天清录集》《灵璧石赋》等文献上皆有关于灵璧石的记载。“击拊磬音合，衡从玉兆分。巨鳌三岛力，威凤九苞文”①，这是元代诗人虞集赞美灵璧奇石的佳句。

灵璧石之外观，形态各异，变化万端，或剔透玲珑，惮奇尽怪；或肖形状景，惟妙惟肖。其“声如青铜，余音悠长”，音质堪称独步，素有“玉振金声”之美称，早在三千年前人们就用磬石制成“编磬”。灵璧石之诱人魅力在于它集声、形、质、纹诸美于一体，有着丰富的审美价值和极高的观赏收藏价值。因此，灵璧磬石一向成为文人雅士的案头清供。这些充满了昔贤手泽的奇石，既是具有艺术价值的稀世珍品，又是珍贵历史的文物，因而也就成了众人趋之若鹜的收藏品。如何鉴赏这些藏品也就成了一种专门的技艺，其所需的识鉴，也就是必不可少的素质了。从诗中我们不难看出，诗人黄仲则似乎是十分精于此道的。以今天的眼光视之，说黄仲则是实绩不俗的鉴宝专家，应该不会大谬不然吧。

乾隆四十五(1780)年正月在翁方纲京邸，桂馥②以旧藏宋铸“山谷诗孙”铜印相赠，翁方纲、吴锡麒皆有诗纪赠印事，黄仲则狂喜之际赋诗纪之，即《桂未谷明经以旧藏山谷诗孙铜印见赠》，诗云(前文已引部分不赘)：

---

① [元]虞集《奎章阁有灵璧石奇绝名世御书其上曰奎章玄玉有敕命臣集赋诗臣再拜稽首而献诗曰》，载清顾嗣立《元诗选》初集卷二十五，清文渊阁四库全书本。

② 桂馥(1736—1805)，字未谷，一字东卉，号雩门，别号萧然山外史，山东曲阜人。乾隆五十五年(1790)进士，官云南永平县知县。清代学者、书法家、篆刻家。擅金石考据，精于考证碑版。篆刻、书法雅负盛名。尤擅隶书，直承汉人，工稳淳朴，厚重古拙，整严润健。桂馥书法晚称老苔，一号渎井，又自刻印曰渎井复民。以分隶篆刻擅名，曾为“阅微草堂”题写匾额，《艺舟双楫》评其为“分书佳品上”。桂馥少承家学，博览典籍，特别精于金石六书之学，著有《说文义证》《缪篆分韵》《晚学集》《札朴》等。在济南五龙潭畔修建了潭西精舍，藏书万卷。桂馥撰《潭西精舍记》一文，刻石立于潭旁，今存。

我友曲阜冬卉子，六书摹印真吾师。铸金同用范沙法，颠倒斯籀同儿嬉。柳间锻灶每相过，箧中字书随所携。脱囊赠我一铜印，精绝审是泼蜡为。朱文字减土数一，仿佛西江派中人所遗。不然即是吾家子耕绍谷辈，云山谷孙系以诗。鸾翔虬结一入手，我欲拜赐心然疑。……

桂馥像

翁方纲《未谷得宋铸铜章曰山谷诗孙以赠仲则诸公同赋》有云：

六书益友冬卉子，一札囊封昨频讯。只须黄子诗先就，不患瑶华笔难润。紫微玉父支派系，善权如何分馀闰。淳祐袁州太守贤，咸淳绍谷家风振。敢问黄子奚所安，勿俾此印名空徇。豫章千年拔地起，任史三注登峰峻。松风梦断笙鹤来，石牛洞响雷霆震。

吴锡麒《桂未谷以所藏山谷诗孙印赠黄仲则属余为诗记之》有云：

……未谷得之不自有，却付公家后人手。后人诗好继前人，如向苏门见黄九。西江妙语谁讨论，心香一瓣今犹存。公于此派为鼻祖，后起毋乃皆儿孙。渊源况复同一线，岂谓工诗例贫贱。梦中彩笔倘能传，但作诗孙吾亦羡。……

三诗以吴锡麒所作最佳，黄仲则与翁方纲不分伯仲，其以学为诗可见一斑。黄仲则还对版本、造像等有所涉猎，由此亦不难看出其兴趣之广泛，学识之渊博，其以学问为诗其来有自，而非空穴来风。

小　结

乾隆之际，考据学大行其道，很多学者兼具考据家和诗人双重身份。对于考据家而言，学问是安身立命、代圣贤立言的根本，而诗文则为小道，是在做学问之余怡情遣兴的清玩。但学问与诗歌又难以截然分开，援学入诗，以学问为诗，也是当时乾隆诗坛的特征之一。黄仲则不是专门的考据家，但这不等于他不受当时考据学盛行下的学风与世风影响。事实上，他与当时许多杰出的考据大师都过从甚密，譬如朱筠，对考据学兴隆有开创之功，他主张以汉学辟宋学，黜浮尚实，自上而下崇兴经学训诂。黄仲则曾在朱先生幕府中校文，遵先生之教，以朴学为重，获益自不会少于皖中士子。特别是他北上入京后，客寓都门凡八年之久，期间交游往还的大都是学问中人，如邵晋涵、章学诚、王念孙、汪中、翁方纲、桂馥、蒋士铨、程晋芳、吴锡麒、王昶、纪昀、温汝适、潘有为、李威、冯敏昌等辈，均精通经术，长于考据。上述诸首颇具"注虫鱼"意味的所谓"学问诗"，就是在这一期间所受考据学影响的集中体现。

但与纯粹质木无文、难以卒读的"学人之诗"不同的是，黄仲则毕竟是诗人出身，他诗歌的底色无论如何总不脱诗人的气质，他能把学理、才情与性情熔于一炉，做到厚重质实与才情卓绝并有，尽量弥补诗味淡薄的缺欠。同时，在使事用典上，又力求做到点铁成金，化板滞为清新，与自加注脚，食而不化的"学人之诗"拉开了距离。[①]

第九节　关于黄仲则的几首佚诗

黄仲则虽年寿不永，但他实际创作诗歌的时间，保守估计，当不会少于二十年。根据上海古籍出版社1983年版最足本《两当轩集》中所列乙未年(是年不计)以前的诗作统计，共609首。诗人好友洪亮吉在《黄君行状》中，曾明确指出，仲则"及殁而出箧中诗，篇幅完善者至二千首，是可传矣"。现存黄诗连辑佚在内，总共才1 180首，可见黄诗散佚及被后人删除的数量相当可观。关于黄仲则诗歌的版本刊刻、流衍及整理，前贤时彦均有周详精到的研讨[②]，本著拟集中讨论黄仲则的若干佚诗。

1. 同是天涯客，相逢首重搔。江皆无路转，山为不平高。作达情俱在，论诗兴倍豪。匆匆倾盖里，心已醉醇醪。

2. 如君真健者，岂久卧蒿莱？名已江南北，家堪水溯洄。他时访君去，一舸趁潮来。且进杯中物，骊驹莫浪催。

① 参阅李圣华《黄仲则与清中叶考据学风》，《文艺研究》，2007年第8期，第62—68页。

② 参阅本著第七章第一节《黄仲则诗歌的刊刻与流布》。

3. 落落天涯少宦情，十年谁使负躬耕。山中我薄卢藏用，世上君真向子平。锦石素波心并远，绿葵紫蓼味何清。他年共入烟霞传，小别休教感慨生。

以上诸诗见于洪亮吉《玉尘集》卷下，光绪十六年刻《粟香室丛书》本。洪亮吉《玉尘集》原文如下：

黄仲则诗宗法少陵、昌黎，亦时时染指昌谷集，五言云："万里拥头颅，朝在暮不保。"七言云："上马不知老将至，萧萧霜雪亲二毛。"此例数十句，皆不愧古人。自黄山归，几于无诗不佳。郑庶子(虎文)、王按察(太岳)皆以国士目之。今略记数章云："同是天涯客，相逢首重搔。江皆无路转，山为不平高。作达情俱在，论诗兴倍豪。匆匆倾盖里，心已醉醇醪"；"如君真健者，岂久卧蒿莱？名已江南北，家岂水溯洄。他时访君去，一舸逐潮来。且进杯中物，骊驹莫浪催"；"落落天涯少宦情，十年谁使负躬耕。山中我薄卢藏用，世上君真向子平。锦石素波心并远，绿葵紫蓼味何清。他年共入烟霞传，小别休教感慨生"。

2012 年 9 月黑龙江大学出版社出版许隽超、康锐合编的《黄仲则资料汇编》曾著录此诗。今检李国章先生点校整理、1983 年上海古籍出版社出版的《两当轩集》，三首诗均不见载于是集。

洪亮吉是黄仲则相契一生的挚友，乾隆三十六年(1771)，二人被一同延揽，同客于安徽学政朱筠幕中。乾隆三十九年(1774)十月，黄仲则偕洪亮吉一道至常熟，拜谒恩师邵齐焘先生墓于虞山，当时黄仲则即以身后事托挚友。乾隆四十年(1775)的春天二月，黄仲则即将北上京师之际，洪亮吉写了《送黄大景仁至都门》组诗四首为其送行。其后，洪亮吉又为黄仲则护送家眷进京。乾隆四十五年(1780)，仲则由于无力奉养老母与妻儿，不得已移家南旋，洪亮吉再次为之筹资，并护送南归。乾隆四十八年，洪亮吉由西安假驿骑，四昼夜驰七百里抵安邑，为其措资送柩归里，并为其营葬，还做了长篇组诗《自西安至安邑临黄二景仁丧奉挽四首》表达哀思。为表彰仲则行迹、品德，又写了《黄君行状》。洪亮吉还为其侍奉老母，照料遗孤，为仲则后人读书、婚嫁事宜竭尽全力，对黄仲则遗稿的整理刊刻亦多所贡献，功不可没。所以，洪亮吉和黄仲则是终身不渝的生死至交。

金武祥是清末知名的著述家、刻书家、藏书家、诗人。原名则仁，字溎生，号粟香，又号菽香，别署一斥山人、水月主人等，江苏常州府江阴县(今江阴市)前周镇大岸村(现属璜土镇)人。他一生经历了清道光、咸丰、同治、光绪、宣统朝和民国,未曾登第,游宦经年,晚年致力于乡邦文献的搜集和整理。他校刊的《江阴丛书》《粟香室丛书》,共六十多种,编撰有《江阴艺文志》,搜集自宋至清末江阴著述933种,五百余家,是研究该地方的重要文献。他勤于著述,有《芙蓉江上草堂诗稿》十二卷、《木兰书屋词》一卷、《粟香室文稿》四卷、《陶庐杂忆》七卷,还有《赤溪杂志》《冰泉唱和集》《陶庐杂忆》《霞城唱和集》《粟香行年录》《潍生诗草》等,留存的诗歌有一千多首。

金武祥还致力于随笔写作,他有意效仿南宋洪迈《容斋随笔》体例,光绪七年(1881)在广东撰辑《粟香随笔》八卷,刻印成书,其后又陆续撰辑成二笔至五笔各八卷,分别付刊于光绪九年、十三年、十七年、二十年。《粟香随笔》内容丰富多彩,颇具史料价值。他在《粟香随笔》自序中说:

> 余风尘奔走二十馀年,学殖荒落,而遗闻逸事与夫名篇隽句,亦往往久而忘之。岁辛巳需次羊城,寓河林之前。风雨经秋,累日不出,追维所闻所见,信手编辑,无所谓体例也。不标题、不分类、诗词较多,为抱遗订坠之资,亦感旧怀人之助。境由所触,心有所好,虽习闻习见,亦羼入焉。琐屑猥杂之讷,故所不暇计矣。

侧重于"五旨":诵芬、怀旧、辨俗、考古、榷艺。整部随笔著作中,诗话的比重较大。金氏薄宦生涯,交往之才人逸士颇多,此类才人逸士的诗作和事迹,很多是以诗话形式得以保存下来。

《玉尘集》是洪亮吉早期的一部杂著,类近诗话,约作于乾隆三十六年(1771)。"其中囊括经史,兼及乡里故实、耆旧雅谑,其可喜可愕处,亦足资谈柄而博见闻",可见内容比较驳杂。批阅其《玉尘集》自序云:"闲居无聊,取平生师友间言论风采可记忆者,申纸疾书,不复窜削。至丙夜,得二百则,以笺烛俱尽而止。"可知是集为洪亮吉亲自编纂手订之作,其可靠性当无可怀疑。

> 4. 回首前程易惘然,订交初在受经年。重逢叹我华心尽,数语知君学力坚。来向鲤庭窥晋绛,去从鼇阙访神仙。自惭贫病神如寄,哪有洪崖许拍肩。

沈在廷《经馀书屋诗钞》卷二《潞村喜逢黄仲则先生》诗云:

> 郇暇相对总凄然,回首青山又十年。尘世几个怜太白,此生空自说庭坚。眼中湖海浮贫病,纸上云烟集鬼仙。一代新词宗匠手君著《竹眠

词》三卷，洪崖右拍好齐肩谓洪稚存常博。

其后附黄仲则先生次韵，即上文。2008 年 1 月上海古籍出版社出版许隽超先生《黄仲则年谱考略》一书亦曾收录此诗。

据《续纂扬州府志》《晚晴簃诗汇》载，沈在廷，字枫墀，江苏高邮州人，乃沈业富之子，曾问学于与顾九苞。乾隆四十八年(1783)举人，为章学诚至友，官内阁中书。研究训诂，诗文修洁古雅，不为繁缛之声，有《经馀书屋诗钞》八卷。检今本《两当轩集》，黄仲则与沈在廷多有唱和。沈在廷《经馀书屋诗钞》卷一有《晚坐柬贾礼耕洪稚存黄仲则先生》诗云："青山当户秀，日对两三人。交谊侔金石，诗名动鬼神。灯前心照谷，天际笔延春。后约知南北，祟台怅绿筠"。《两当轩集》卷十有《将为北行留赠沈枫墀》诗云："入春五十馀，十日九阴晦。"又云："见君学殖坚，愧我旧业废。漫为人海行，毋乃笑褦襶。去程越河岳，离心渺关塞。"此诗作于乾隆四十年(1775)，黄仲则时年二十七岁，这年黄仲则准备北上，行前作此诗留别沈在廷，这便是黄仲则一生中"自嫌诗少幽燕气，故作冰天跃马行"的北上之旅，从此踏上了他人生最后八年流寓京师、书剑飘零的漂泊之旅，最终客死他乡，抱恨终天。

由此不难看出，黄仲则与沈业富、沈在廷父子是绵延两代的患难之交、道义之交，彼此情谊的深挚淳厚自不待言。黄仲则的这首"回首前程易惘然"，据许隽超先生《黄仲则年谱考略》，作于乾隆四十六年(1781)五月，黄仲则时年三十三岁。潞城，乃山西运城之古城。当时，沈在廷亦路出运城，二人邂逅于此，别后重逢，自然喜出望外。

> 5. 积雨晴窗偶一开，手披鱼粉出秦灰。愿分太古九枝日，更曝胸中万卷来。

这首《题李南涧曝书图》，载于民国杨锺羲《雪桥诗话三集》卷七，民国求恕斋丛书本。

据清王培荀道光二十五年刻本《乡园忆旧录》卷二载：

> 益都李南涧文藻，好古，工篆隶，尤精经术。貌黑而髯，其生之前夕，父梦锺馗入室而生，厥状肖焉。与周林汲、周肃斋两先生交好。修四库全书，林汲被荐入馆，赐编修，不能无望。尝以诗寄肃斋，叹无知己之援引也。予有其诗集两部，后皆失去。在广西为令时，示百姓云：山东谚语牢须记"纳了钱粮不怕官"。穷经好古，肆力于汉唐注疏……绩学为县令，升州牧。

《乡园忆旧录》卷三云：

新城王祖肃宰江南武进，识黄仲则景仁于童子时。观察刘松岚于黄殁刻其《悔存轩集》。仲则与吾东益都李南涧、曲阜桂未谷交善。未谷得“山谷诗孙”铜章以赠仲则。仲则《题李南涧啖荔图》云：“岭南吏隐足清娱，亲与仙人解绛襦。前有东坡后南涧，他年合作两髯图。”又题其《曝书图》云：“积纸晴窗偶一开，手披鱼粉出秦灰。愿得太古九枝日，更曝胸中万卷来。”《谒鲍叔祠》云：“谁道人心不可淳，此公祠庙至今新。能知有母真良友，便解分财已古人。世事饱看翻覆手，短歌聊当送迎神。略嫌慷慨龙门笔，尚有恩仇气未驯。”

民国求恕斋丛书本杨锺羲《雪桥诗话》卷七：

钱竹汀尝谓李南涧有三反，长身、多髯、赳赳如千夫长，而胸有万卷书。生长于北海，官于南海。湛思著书，欲以文学显，而世称其政事。由进士谒选，得恩平调潮阳擢桂林同知。刻有《贷园丛书》，手自雠校。竹汀《赠南涧》诗有“养廉半付刻书钱”之句，其《惠定宇九经古义》刻成，《寄示周书仓二十韵》有云：“直回秦室火，终食孔庭膰。”尝大暑至王兰泉寓舍，借钞惠氏易汉学诸书，漫肤多汗，沾渍衣襟，不以为苦。于金石搜罗尤富，有仆刘福者，善椎拓，携纸墨以从，所过学官、寺观、岩洞、崖壁，必停骖周览，有所得则尽搨之。尝乘舟出迎总督，小憩南海庙，命仆拓碑，秉烛竟夜，比晓，总督舟已过矣。去官之日，至番禺摹光孝寺贯休画罗汉四轴以归，曰此吾宦囊也。黄仲则题其曝书图云：“积雨晴窗偶一开，手披鱼粉出秦灰。愿分太古九枝日，更曝胸中万卷来。”

借此，并参阅《两当轩集》所附之《先有爵里名字考》，可知李南涧的生平涯略：其名文藻，字素伯，益都人，乾隆辛巳进士，官至桂林府同知。其“好古，工篆隶，尤精经术”，“于金石搜罗尤富……所过学宫、寺观、岩洞、崖壁，必停骖周览”，不仅是一位政声甚佳的官员，“历任广东知县，知桂林”，也是一位勤勉诚笃，且成绩卓著的学者。黄仲则与李南涧的交谊，虽在《两当轩集》中所见不多，但是集卷十三黄仲则《挽李南涧》诗三首，追怀往事，感慨身世，情致哀婉，沉痛剀切，见出彼此情义自是非同寻常。其诗云：

去年随计上皇都，四十功名半剌初。经术共知推次仲，文章谁荐似相如。壁间墨褪初来札，箧里尘封未竟书。贫累一官抛岁月，名山回首重欷歔。

吾道频年气死灰，海阳新冢亦成堆谓戴东原。几曾白发窥晨镜，忍向青山觅夜台。瘴疠多时消病骨，蛮荒终古殉奇才。一棺百粤归何计，可有同官为醵财？

恶疾惊闻似照邻，梦桑生井亦前因年四十八。濒危尚遗千言牍，作传都归一代人临终时，神清甚，作遗嘱以传志诗诔之事分属某某，皆得人。桂岭生祠争涕泪，蓬山旧隐已荆榛。终知身后名何益，羡尔逍遥独反真。

《谒鲍叔祠》载于《两当轩集》卷十五，《题李南涧啖荔图》载于《两当轩集》卷十三和嘉庆刻本《悔存诗钞》卷八，而《题李南涧曝书图》则不见载于二集。

纵观黄仲则一生，他在诗歌体裁上有自己独特的偏好。《两当轩集》存诗近1 200首，经粗略统计，在体裁分布上，以七律为最多，共350首，其次为五古226首，七古213首，五律203首，七绝148首，五绝40首。合计五律、五绝、七律、七绝共741首，约占总数的62%。七律、七绝合计498首，是五律、五绝综合243首的两倍。由此可以看出，他在诗歌体裁上有明显的偏好：其诗歌创作以近体诗为主，他对七言的喜好胜过五言。徐世昌《晚晴簃诗汇》评述黄仲则之诗歌云："两当轩天才旷逸，五言古诗初拟汉、魏，微嫌着迹。后乃泛滥唐、宋大家，所造益进，以七言歌行为最著。"明确指出黄仲则对七言诗的青睐，清张维屏《听松庐诗话》对黄仲则七言诗的笔势、风格，及语气、句式长短的变化诸方面，都进行了详尽的论列，应当说是切中肯綮，鞭辟入里的。

因此，就诗歌的体裁而言，黄仲则的诗歌成就，总体上五言逊于七言，而七律和七绝则成并驾齐驱之势。他流布最广，最为人所称道、最脍炙人口的优秀诗作，多为七言体式，如《观潮行》《后观潮行》《都门秋思》四首、《感旧》四首、《杂感四首》《别老母》《上朱笥河先生》《笥河先生偕宴太白楼醉中作歌》《洞庭行》《铺海》《虞忠塑祠》《元夜独坐天桥酒楼醉歌》《秋夕》《旅夜》《圈虎行》《无题》四首、《绮怀》十六首等。当然，五言当中并非没有精品，只是较之七言，数量和质量上总体不占优势。

七言这种诗歌体式，在他的手中运用的得心应手，炉火纯青，成为他抒情遣怀、歌哭无端的最重要工具。

他以此来表达自己对自然山水的热爱，如《观潮行》《后观潮行》《笥河先生偕宴太白楼醉中作歌》等，笔致细腻，想象奇绝，是其诗中的杰作，声闻遐迩，洛阳纸贵。

黄仲则身世孤寒，屡试不第，衣食无着，贫病交加，诗歌也就成了表达诗人在严酷现实中的进退失据的利器，如《和仇丽亭》《春穀道中》及《杂感》等，其中最为著名的是他在举家北迁后所作的《都门秋思》四首。

黄仲则曾经有过两次恋爱，但都以失败而终，都曾给诗人带来巨大的伤痛。因此，诗中表达爱情失意，对逝去爱情的痛悔和追忆，就成为一个重要的主题，《秋夕》《绮怀》十六首、《感旧》四首、《感旧杂诗》四首等都很著名。

黄仲则三十五年短促的生命旅程中，几乎有近一半的时间漂泊异乡，辗转奔波在旅途之上，在的笔下，七言诗也成为他思乡念亲的得力工具。其诗歌中总是充溢着浓郁的乡思情结，类似题材和内容的诗，在《两当轩集》中约有一百多首。如《客中清明》《途中遘病颇剧怆然作诗》等等。

七言诗，尤其是七言近体诗这种体式，成为黄仲则偏爱的诗歌体裁之一，其原因是复杂的。其中既有诗人个性、禀赋、才气等内在的主观因素，也有诗歌在发展过程中诗体自身特点的客观因素。七言诗在他的手中，有他自己独特的表达方式。

上述几首佚诗中，尤其是七言诗，与他一贯的情感流向和诗歌审美维度是一脉相承的。

第三首和第四首，这两首诗的主旨，如前所述，主要是倾诉他的漂泊风尘，书剑飘零，怀才不遇，壮志难酬的情怀与感喟。考察黄仲则的年谱，从其经历中，可以清楚地看到，从十六岁到三十二岁，黄仲则于十六年间陆陆续续参加了大大小小几十次考试，平均几乎一年就是一次，大型考试如乡试，就达八次之多，但均以失败而终。这种名落孙山、屡试不第的痛苦经历，对其人格、诗风以至心态、情感、思想等都有着极大的影响。他的诗中，有多处抒发此种郁闷心情。“忍使桑榆乖色养，误将书剑换浮名”，在《重至当涂怀稚存》其二中，黄仲则写下了这样的诗句。“炎凉世态有如此，我辈岂肯长蓬蒿”，与李白“仰天大笑出门去，我辈岂是蓬蒿人”差近。诗人早慧却科举蹭蹬，久困场屋。“十年携瑟侯门下，竟日驱车官道旁”，多年的出入侯门，寄人篱下，并未给生活面貌带来大的改观，诗人仍然不得不整日奔走挣扎在旅途之中，风尘仆仆，备极酸辛。“长铗依人游未已，短衣射虎气难平”，黄仲则境遇与冯谖、李广二人极相似，都是穷愁不遇、困顿已久，借以抒发沦落不平之感。“十有九人堪白眼，百无一用是书生”，尤为沉痛悲凉，透露出黄仲则对现实的强烈不满和无尽的失落。这两首诗"落落天涯少宦情"和"回首前程易惘然",无论在诗歌内容上、情感流向上,还是审美风格上,都与黄仲则诗歌的整体风貌契合。

第五首《题李南涧曝书图》则是一首题画诗,属于"学人之诗"。检《两当轩集》,其中类似于此、关于绘画的诗尚有《题马氏斋头秋鹰图》《丛竹图为金光禄素中题》《王述庵先生招集蒲褐山房观刘贯道兰亭修禊图作歌》《集吴香亭太常斋见所藏孙雪居董香光书画合册作歌》等多首。乾隆之际,考据学大行其道,很多学者兼具考据家和诗人双重身份。援学入诗,以学问为诗,也是当时乾隆诗坛的特征之一。黄仲则不是专门的考据家,但这不等于他不受当时考据学盛行下的学风与世风影响。上述诸首颇具"注虫鱼"意味的所谓"学问诗",就是在这一期间所受考据学影响的集中体现。

但与纯粹质木无文、难以卒读的"学人之诗"不同的是,黄仲则毕竟是诗人出身,他诗歌的底色无论如何总不脱诗人的气质,他能把学理、才情与性情熔于一炉,做到厚重质实与才情卓绝并具,尽量弥补诗味淡薄的缺欠。同时,在使事用典上,又力求做到点铁成金,化板滞为清新,与自加注脚,食而不化的"学人之诗"拉开了距离。①

三首五言诗,第一首和第二首在主题上,大致和上述第三、第四两首七言诗类近,一样的慨叹漂泊,吟诵失意,情感的宣泄与表达上,虽不如七言诗的酣畅淋漓,一泻千里,但深蕴其间的苍凉及无奈,还是随处可见。

黄仲则是个天才的诗人,在诗歌体裁上虽然他偏好七言,但也并不废五言,而是做到了众体皆长。黄的五言诗受汉魏六朝诗歌,主要是乐府诗的影响明显。汪启淑《鹿菲子小传》曾云,其九岁应童子试前犹蒙被索句,颇有昔日大唐盛世少年王勃那种磨墨高卧、成就腹稿的风范。而他吟出的诗句也颇工稳,"江头一夜雨,楼上五更寒",一时令满座皆惊。洪亮吉《黄君行状》,亦曾记载他们二人在江阴应试期间,共同学习和揣摩汉魏乐府的情景。黄仲则的《初春》《舟中咏怀》《清明步城东有怀邵二仲游》《别意》《拟饮马长城窟》《秋夜酌闵二舟中》《题画》《遇王大邦誉》《十三夜》《登千佛岩遇雨》《游白沙庵僧舍》《秋风怨》《过钓台》《雨后湖泛》《花前曲》《道旁废园》《遇伍三》《山寺》《访草以南五明寺》《月下杂感》《登镇海城楼观海》《明州客夜怀味辛稚存却奇》《黄山寻益然和尚塔不得偕邵二云作》等,尤其是《杂咏》二十首,当为

① 参阅李圣华《黄仲则与清中叶考据学风》,《文艺研究》,2007年第8期。

他学习汉魏乐府诗的阶段性成果。

小　结

比起陆放翁的“八十年间诗万首”，黄仲则诗作的绝对数量似乎并不多，乐观估计约在 2 500 首左右，但考虑到诗人享龄三十五载的寿考，实际创作的时间约在二十年上下，则年平均创作的诗作数量相对来说还是可观的，约略也算得上是高产诗人了。在其身后的两百年当中，他的诗作有多种版本刊刻行世，对其诗作的保存流传居功至伟。乾隆五十九年(1794)，毕沅选仲则古近体诗 141 首编入其主编的《吴会英才集》卷五，内题《两当轩集》。嘉庆元年(1796)六月，刘大观在都中得翁方纲于乾隆四十八年(1783)冬所编次黄诗钞本八卷，始刊《悔存诗钞》，共有诗 501 首，未收词。嘉庆四年，长宁赵希璜于河南高堰厅署刻仲则遗诗《两当轩诗钞》，凡十四卷，诗 817 首。道光十七年(1837)、二十四年(1844)、二十七年(1847)等本《两当轩诗集》收诗

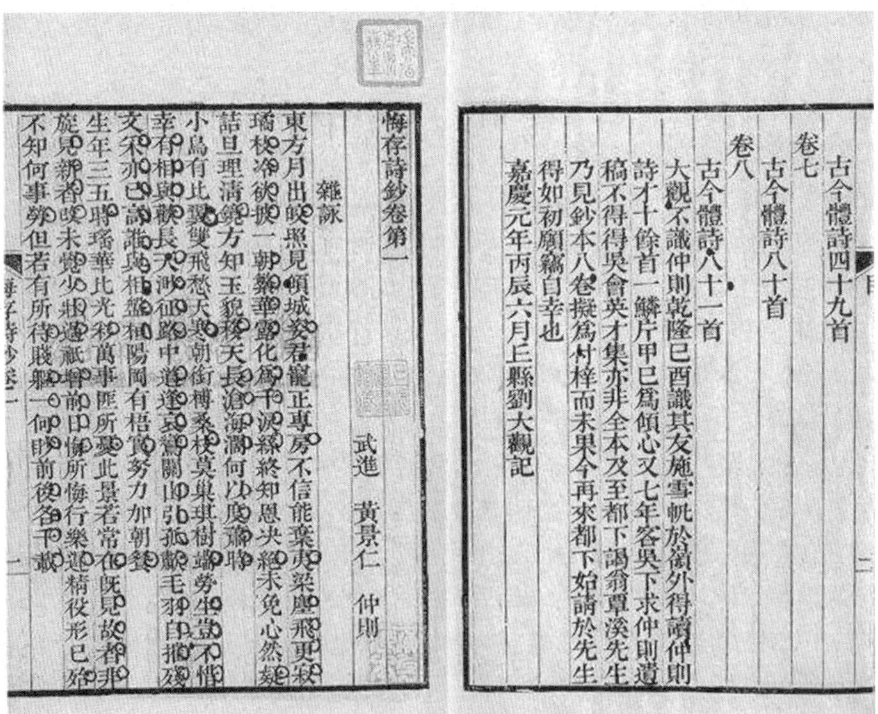

古今體詩四十九首
卷七
古今體詩八十首
卷八
古今體詩八十一首
大觀不識仲則乾隆巳酉識其友施雪帆於嶺外得讀仲則
詩才十餘首一鱗片甲已爲傾心又七年客吳下求仲則遺
稿不得得吳會英才集亦非全本及至都下謁翁覃溪先生
乃見鈔本八卷擬爲付梓而未果今再來都下始請於先生
得如初願竊自幸也
嘉慶元年丙辰六月丘縣劉大觀記

悔存詩鈔卷第一
武進　黃景仁　仲則
雜詠
東方月出皎照見傾城姿君寵正專房不信能棄夷棄塵飛更寂
璚枝泠欲披一朝繁華露化爲千泥綠終知恩決絕未免心然疑
詰旦理清鏡方知玉貌移天長滄海濶何以度流時
小鳥有比翼雙飛愁天寒朝銜榑桑枝莫巢琪樹端勞生豈不惜
幸有相與歡長天渺征路中道逢哀鸞關山弔孤獻毛羽自摧殘
交深亦已訪誰與相盤桓陽岡有梧實努力加朝餐
生年三五時瑤華比光彩萬事匪所憂此景若常在既見故者非
旋見新者改未覺少壯邊祇增前日悔所悔行樂遲精役形已殆
不知何事勞但若有所待賤貧一何卑前後各千載

《悔存诗钞》书影

1 000 多首，渐趋完备。咸丰八年(1856)，由仲则孙黄志述刊刻《两当轩全集》，是即后世之坊间通行本。同治、光绪、宣统及民国年间陆续又有多种刻本，其中光绪二年(1876)黄氏家塾重刻本《两当轩全集》较为完备，该集二十二卷，考异二卷，附录四卷，收诗 1 170 首，词 216 首，文 6 篇，成为坊间通行本。1983 年，为纪念黄仲则逝世二百周年，李国章以光绪本为底本，校以咸丰本，补收咸丰本中的诗 8 首，唱酬题赠二卷，并把新发现的黄仲则佚作 3 篇(《朝来》《读容甫近诗过以哀怨为体诗以广之》《题梁可堂兰竹谱》)作为补遗，重新整理标点了《两当轩集》，并由上海古籍出版社出版。这是迄今为止，搜罗黄仲则作品最为详备的本子。

尽管如此，在漫长的时光流逝中，黄仲则的诗歌仍有许多散佚之作存留世间，等待后人去挖掘，使之有朝一日重见天日，与《两当轩集》的其他诗作共成完璧。

第四章

黄仲则诗歌的审美维度

黄仲则诗歌的审美维度及其所取得的成就，是其诗歌主题的艺术表达，某种程度上呈现出来的不仅是诗人个人的美学企向，其实也是时代特定审美风尚的曲折反应。总体上看，黄仲则诗中所流露出来的那种感伤忧郁的情感质地是比较明显的，确曾如郁达夫曾经指出的那样，真是“语语沉痛，字字心酸”。由此而形成的总体风格，呈现出明显的感伤衰飒之气。在这种总体衰飒之气的笼罩之下，部分篇什虽也夹杂着某种雄健豪宕之气，但却是势单力薄，难成气候。基于上述种种因素，诗人在意象的选择与营造上，也追求一种纤弱与苍凉共在的组合方式，于低回哀婉中尽显苦寒诗人的生存困境，彰显着诗人理想与现实之间的巨大差距，诉说着个体与庞大社会之间无法弥合的永恒冲突。大量应用典故，是古代诗人惯用的作诗手法和技巧之一，其意义不仅在于有助于表达特定的含义，更在于娴熟的运用这种技艺，能够体现出诗人的文学素养和文化底蕴。而在使用这种技巧时若能做到如盐入水，不露痕迹，则更是体现诗人诗艺高下的标准之一。所以，广泛用典就成为许多诗人的共同追求。黄仲则作为世所公认的才子，在用典问题上自然不甘人后。他的诗中，大量用典已经成为一个十分明显的技术优势和恒定的审美取向。尤其重要的是，这些典故的使用大都能做到自然凝练，不着痕迹。至于在诗歌的其他技术层面上，黄仲则当然更是当仁不让，显示出他个人独特的风貌和秉性。尤其在体裁的偏好上，对于七言的重视明显高过五言，而对于近体的喜爱又明显高于古体。语言的运用上，黄仲则诗中通常能够做到既简洁明快，又含蓄隽永，意味深长。

第一节　感伤衰飒与豪宕雄健并存的风格流向

黄仲则诗歌总体上的风格流向呈现一派浓郁的感伤气质，衰飒悲凉之感弥漫字里行间，所谓“黄生抑塞多苦语，要是饥凤非寒虫”①，“咽露秋虫，舞风病鹤”（洪亮吉语）。但在这种铺天盖地的主流倾向笼罩之下，也潜滋暗长了另一种趋向——在整体的阴柔哀婉之中，也不乏豪气干云、铿锵英武的阳刚之响。正如其友人吴锡麒在给《两当轩集》的刊刻者刘松岚的信中说：“所刊黄仲则诗，已得寓目，玩其旨趣，原本风骚。清窈之思，激哀于林樾；雄宕之气，鼓怒于海涛。”②后来，谭献以“清雄”评黄仲则诗③，近人邱炜萲又云：“《两当轩集》，为奇、为横、为秀、为丽，销纳唐宋，陶冶性情。初阅之，颇觉千门万户，不可名状。再三详核，余敢直决以‘清刚’二字。”④即使是以“秋虫病鹤”笼盖黄仲则之诗的洪亮吉，也注意到了黄诗的豪俊之气，他举黄仲则具体诗句证明自己所言不虚，“黄二尹景仁诗，‘太白高高五尺五，宝刀明月共辉光’‘独立市桥人不语，一星如月看多时’，豪语也；‘全家都在风声里，九月衣裳未剪裁’‘足如可析似劳薪’，苦语也；‘似此星辰非昨夜，为谁风露立中宵’‘买得我拚珠十斛，赚来谁费豆三升’，隽语也。”⑤因此，黄仲则诗歌给人的总体印象，是一

吴锡麟像

① ［清］张维屏《国朝诗人征略》卷三十九，清道光十年刻本。
② 《与刘松岚书》，黄志述辑《两当轩集·附录》卷六，咸丰八年黄氏家塾刻本。
③ 《复堂日记》，石家庄：河北教育出版社，2001年版，第86页。
④ 《五百石洞天挥麈》卷七，光绪二十五年(1899)邱氏粤垣刻木。
⑤ 洪亮吉《北江诗话》卷一，清光绪授经堂刻洪北江全集本。

种低回婉转的感伤质地与豪气衰气并存的风格流向。风格即是人本身，所谓文如其人。黄仲则诗歌的艺术风格，与他本人的身世性格、现实际遇和心态思虑是相辅相成、密不可分的。凄苦忧伤如“咽露秋虫”，是黄仲则“自伤卑贱”、一生困顿的寒士处境的反映，而飘洒俊逸如“舞风病鹤”，则是他“性本高迈”、笑傲江湖的名士风度的彰显。

一、感伤衰飒与豪宕雄健质地的总体呈现

宋范开《稼轩词序》云：“器大者声必宏，志高者意必远。知夫声与义之本原，则知歌词之所自出。是盖不容有意于作为，而其发越著见于声音言意之表者，则亦随其所蓄之浅深，有不能不尔者存焉耳。”黄仲则诗中的感伤格调自然是他自身穷愁寒微、悲苦辛酸生活境遇的真实写真照。袁宏道《徐文长传》对徐渭的经历和作品评价道：“（渭）胸中又有勃然不可磨灭之气，英雄失路、托足无门之悲，故其为诗，如嗔如笑，如水鸣峡，如种出土，如寡妇之夜哭，羁人之寒起。虽其体格时有卑者，然匠心独出，有王者气，非彼巾帼而事人者所敢望也。”某种程度上，黄仲则与徐渭之间在人品、性格、气质、境遇等许多方面，有极其相似之处，所以，袁宏道多徐渭的这段评价，完全适应于黄仲则。纵观《两当轩集》，这种感伤情调，弥漫满纸，触处皆在。

> 花月即今犹似梦，江山从古不宜秋。（《金陵杂感》其四）
> 那更平生感华屋？一时长恸过西州。（同上）
> 频惊吴下酒徒散，冷笑长安弃局新。（《再叠前韵》）
> 我意先秋感摇落，泽蒲汀柳漫纷纷。（《晚眺》）
> 悲哉秋气凄，六合为萧条。（《城南晚步》）
> 顿使碧天远，天含万古愁。（《新月》）
> 啼笑互乘伏，迎送如轮巡。（《春城》）

他感叹自身穷困。清人赵庆熹《花帘词序》说：“不处愁境，不能言愁”。诗歌中表现出来的伤感情绪往往是作者身处穷愁之境的结果，黄仲则一生之穷愁抑塞，实非一般文人墨客可比，其诗中的感伤情绪亦远比他人来得浓重深广。其诗集《自叙》中有“景仁四岁而孤，鲜伯仲，家壁立”的叙述；其诗《入市》中有“顿触凄凉幼时事”的回忆；《清史列传·黄景仁》中有“家甚贫”和“母老家贫，居无所赖”的记载；黄的老师邵齐焘的诗文中也有“家贫孤露”和“对镜行，哀且苦，童稚孤贫少侍侣”（《和汉镛对镜行》）的描述。因此，在

他的诗中，慨叹自身穷困的诗句也就连篇累牍。“我亦稻粱愁岁暮，年年星鬓为伊加”，这是作于二十岁的《客中闻雁》中的诗句。再譬如作于二十一岁的《和仇丽亭》其二：“鸿爪游踪首重回，经年褦襶逐尘埃。青山笑客不归去，为报饥寒驱又来。”这种为衣食奔波劳累的情形在他的诗中即屡有反映，诸如“先生屋小如宛丘，岁晏苦听风声愁”[①]“一肩行李一吟身，旅食京华计苦辛”[②]“全家都在风声里，九月衣裳未剪裁”，这些诗句都是他贫寒生活的写照。他由自身生存境遇的苦寒，又推己及人，旁及连类，思绪翩翩，上下周流，关注的目光更为宽广深邃，心中的忧郁惆怅也更加沉重压抑，其意义也就愈加意味深长。“我曹生世良幸耳，太平之日为饿民”，“伊谁绘此生灵愁，独立苍茫一垂涕”[③]，“侧闻天上朝星辰，谁知人间茹冰炭”，这里，从饿民到灾民，从天上到人间，组成了一副真实的社会图景。“所处若长夜，百年何所及”[④]，这个世界是“万里秋云惨不开”，是“地无一片登临处，天送满城风雨来”[⑤]。从这里，敏感的诗人开始了对时代的深刻反思，“千家笑语漏迟迟，忧患潜从物外知。悄立市桥人不识，一星如月看多时”；而在“试望平原，悲哉气也，人间无处宜秋。被几番哀乐，白了人头，休道虎头燕颔，谁曾望、万里封侯？空惹下、一天憔悴，半世恩仇”[⑥]中，其间流露的是更加浓重的感伤格调和气氛。

他哀吟自身贫病。黄逸之在《黄仲则年谱》中说：“先生时复抱病，早岁已然。”二十四岁时所作《答和维衍二首》中就有“遍体疮溃流黄膏”的实写，成年后甚至“一身久与病相忘”。可见其体弱多病已经到了一个正常人难以承受的地步。恶劣的生活状况和沉重的生活负担，使诗人过早地衰弱了。客中生病之时，也就成为他最感人生凄凉、愁苦至极的时候。来看下面两篇作品：

摇曳身随百丈牵，短檠孤照病无眠。去家已过三千里，堕地今将二十年。事有难言天似海，魂应尽化月如烟。调糜量水人谁在，况值倾囊无一钱。（《途中遘病颇剧怆然作诗》其一）

恹恹闷，沉沉病，寓楼深闭谁相讯。冷多时，暖多时，可怜冷暖于今

① 黄仲则《晓雪》。
② 黄仲则《送陈理堂学博归江南》其一。
③ 黄仲则《望泗州旧城》。
④ 黄仲则《闲居感怀》。
⑤ 黄仲则《重九日雨夜张守先携酒见过》。
⑥ 黄仲则《凤凰台上忆吹箫·秋感》。

只自知。　　一身常寄愁难寄，独夜凄凉何限事。住难留，去谁收？问君如此天涯愁么愁？（《梅花引·客病》）

贫病穷愁，最易使人意沉气沮，肠冷心灰，一般人对此只能默默忍受，而黄仲则杰出的诗笔、才情，使他具有将苦难进行艺术升华，进而转化成诗篇的可能，所以，在他的笔下，这种内容的篇什，屡见不鲜也就不足为奇。

他追怀爱情的失意与悲伤。早慧的诗人不仅有出色的诗才，更有敏感早熟的心灵，他对男女爱情的感知似乎也早于同龄人，十六七岁时就经历了一场刻骨铭心的恋爱。如同大多数人的初恋一样，结局却颇难尽如人意，诗人不得不忍痛与心爱的恋人别离。《感旧》四首是《两当轩集》中最早、最美丽的恋诗，其中"风前带是同心结，杯底人如解语花"、"别后相思空一水，重来回首已三生"、"望里彩云疑冉冉，愁边春水故粼粼。珊瑚百尺珠千斛，难换罗敷未嫁身"、"讵有青鸟缄别句，聊将锦瑟记流年。他时脱便微之过，百转千回只自怜"等诗句，表述的皆是如花般绚丽而短暂，如水般温柔且深沉的无法释怀的爱。而在其后许多年的岁月里，诗人都一直品尝着相思的悲酸苦涩，追忆着爱情的美好甜蜜，这在组诗《绮怀》十六首中也都有十分详尽的回忆。

"缠绵思尽抽残茧，宛转心伤剥后蕉"，便是黄仲则失去又一处心灵港湾时的情感写照。

他倾诉感天动地的亲情。黄仲则对母亲的责任感不仅仅是为了履行孝道，尽孝子义务，更是一种发自内心的尊敬和爱戴。他尤以承亲奉母为念："此身憔悴甘已矣，万一宜酬亲苦节"①，"最是难酬亲苦节，欲笺幽恨叩苍苍"②，"临风叹，只六旬老母，苦节宜赏"③，等等。张维屏《听松庐诗话》："至仲则亲老家贫，穷愁抑塞，念念不忘将母，乃欲谋升斗之养，而不获遂其志。卒至饥驱奔走，客死他乡。"在《题洪稚存机声灯影图》这首诗中，仲则以款款深情和细腻的笔触，写了洪亮吉母亲教导儿子时的泪痕、苦心和坚韧的性格，间接表现了对自己母亲的感激、尊重与歉疚，实际是仲则母子自况。洪黄二人皆少小失怙，母亲在他们成长过程中起了极大作用，他对母亲的感激和爱戴自不待言。"灯前各掩思亲泪，地下偏多知己恩"④，相似的身世加强

---

① 黄仲则《入市》。
② 黄仲则《移家南旋是日报罢》。
③ 黄仲则《沁园春》。
④ 黄仲则《夜坐述怀呈思复》。

了黄仲则与友人共通的情感。《别老母》一诗中写自己外出游幕与母亲分别时的心境："搴帏拜母河梁去，白发愁看泪眼枯。惨惨柴门风雪夜，此时有子不如无。"他甚至以奉养老母来决定自己的行藏，在作于赴京途中的《东阿道中逢汪剑潭》中就曾有明确的表白："斯游端合决行藏，亲老何堪久贫贱。"其他诗作中亦有类似表述，如"同作浪游因母养，今知难得是亲年""自过中年厌此身，劳劳生计为衰亲"[①]"一身未了地上事，亲在讵敢逃空虚"[②]"四壁更无贫可逐""敢喜无事贫，所愧有亲养"[③]"倘来事业惭青鬓，未了名心为老亲"等。

对于妻子，他更多的是愧疚，"亦有蓬头妻，抱病卧积薪。自为我家妇，甑釜常生尘"，"几回契阔喜生还，人老凄风苦雨间。今夜别君无一语，但看堂上有衰颜"。由于家贫，使得妻子并无像样的衣服首饰，只得蓬头垢面，而且抱病卧薪，甚至连饭都吃不饱。尽管如此，诗人为了生计仍然不得不整日奔波，在凄风苦雨中走着所谓人生的路，这种苦况，只好请相濡以沫的糟糠之妻给予充分的理解了。

对任何人而言，故乡不仅仅是一个地理空间或地域概念，更是一个承载情感的重要载体。故乡既是人生航程的起锚点，也是毕生情感的寄托和最终的归宿。因为故乡不仅有日思夜想的亲人，更有难以割舍的对故土的深深眷恋。所以，抒发羁旅乡愁，便成为古往今来众多诗人反复吟唱的主题之一："昔我往矣，杨柳依依；今我来思，雨雪霏霏。"（《诗经·小雅·采薇》）唐诗中，吟诵乡愁的诗篇尤其脍炙人口："客路青山外，行舟绿水前。潮平两岸阔，风正一帆悬。海日生残夜，江春入旧年。乡书何处达，归雁洛阳边"（王湾《次北固山下》）；"戍鼓断人行，边秋一雁声。露从今夜白，月是故乡明。有弟皆分散，无家问死生。寄书长不达，况乃未休兵"（杜甫《月夜忆舍弟》）；"谁家玉笛暗飞声，散入春风满洛城。此夜曲中闻折柳，何人不起故园情"（李白《春夜洛城闻笛》）；"海畔尖山似剑铓，秋来处处割愁肠。若为化得身千亿，散上峰头望故乡"（柳宗元《与浩初上人同看山寄京华亲故》）。在黄仲则诗中魂寄故国、思亲念友之作也成了构成他诗歌伤感基调的主要组成部分：

只有乡心落雁前，更无佳兴慰华年。人间别是消魂事，客里春非望

① 黄仲则《述怀示友人》。
② 黄仲则《寻三元洞因登妙远阁》。
③ 黄仲则《岁暮篇》。

远天。(《春日客感》)

并州作客意如何,石调重闻掩泪多。回首燕山五年住,一声如听故乡歌。(《徐沟蔡明府予嘉斋头闻燕歌有感》)

破窗蕉雨夜还惊,纸帐风来自作声。墨到乡书偏黯淡,灯于客思最分明。(《二十夜》)

近郭无僧寺,钟声何处风?短长乡梦外,断续雨丝中。芳草远逾远,小楼空更空。不堪沉听寂,天半又归鸿。(《春夜闻钟》)

望故乡天长水渺,思亲友又路远山遥。饱受羁愁旅恨之苦,如断梗飘萍的黄仲则,不但魂系故里,而且无时不渴望精神家园,正是"宫阙自天上,家山只梦中"①。

正是基于强烈的家庭责任感,深厚的亲情,以及对故土的思恋,他才常常感到苦恼、惭愧、悔忏、屈辱、怨恨、忧虑、无望,他不满于"即今依然穷乞骨"②"奉母每无鱼"③的现实状况,为"伤心略似萋萋草,霜霰将来尔未知"④的生活前景而心怀疑惧,为"各曰有亲养,岂免为人用"⑤的精神妥协而惨然,这些情绪才会在诗歌中较多地表现出来,并成为其内心矛盾和诗歌感伤基调的重要构成因素。

黄珍视恩重如山的友情。二十岁时,曾经给他帮助最大的老师邵齐焘不幸去世,于是"益无有知之者"。他感慨道:"我生受恩处,虞山首屈指。我愧视犹父,视我实犹子。"并常因此触景伤情:"枫林一万树,血泪为之殷。浮云一千里,飞去何时还"⑥,"压鞍诗思何能遣?半为怀人感逝波"⑦,"伤心一树梅花发,更有谁移植墓田"⑧,"人生处天地,纤尘栖弱草,风至草动摇,微躯不自保"⑨。在天南地北的客舍中,不尽的愁苦、病患、飘零和感伤,始终萦绕在他的心头。诗人的心,在凄风冷雨之际,更加渴望友情的温暖,"打窗冻雨剪灯风,拥鼻吟残地火红。寥落故人谁得似,晓天星影暮天鸿"⑩,"冷雨疏花

① 黄仲则《春感》。
② 黄仲则《入市》。
③ 黄仲则《次韦进士书城见赠移居四首原韵奉酬》。
④ 黄仲则《立秋后二日》。
⑤ 黄仲则《赠陈秋士》。
⑥ 黄仲则《哭叔宀先生兼怀仲游》。
⑦ 黄仲则《三月一日道中偶成》。
⑧ 黄仲则《检邵叔宀先生遗札》。
⑨ 黄仲则《杂咏》。
⑩ 黄仲则《岁暮怀人》。

不共看，萧萧风思满长安。虚堂昨夜秋衾薄，隔一重城各自寒”①，“万事不如知己乐，一灯常记对床时”。然天各一方，唯有彼此牵念，各自珍重。这种出自肺肝、真情发露的怀人之什，通常都是脍炙人口的佳构。

他感慨怀才不遇和仕途的艰难。黄仲则怀才之高和不遇之惨，虽不可妄言前无古人后无来者，但也堪称世所罕见。诗人自幼聪敏过人，“八岁试为文，援笔立就”；十六岁试童子试，于三千考生中一举摘取桂冠；二十四岁在太白楼赋诗更是声震诗坛，诗作传抄，洛阳纸贵，一时成为佳话，人皆以再世王勃目之。袁枚把他比作当世李白，朱筠视他为“神仙中人”。从二十到三十二岁，他接连考了六次，竟无一次中试。“而今潘鬓已成丝”，他深深叹道：“十有九人堪白眼，百无一用是书生！”在这个世界上，“似我疏狂尚青眼”者，或只能“白云深处伴僧居”(元王敬方诗)。类似的诗句还有许多，“一笑陶然醉，无聊失路人”②“楼上休夸崔颢句，天涯谁识祢衡才”③“气尽初为客，心空渐畏人”④“每多未了嗟生拙，敢以无才说数奇”⑤。

诗人不仅抒发了自己的感伤情绪，也表达了自己的不满和愤恨：“残膏一烁焰旋收，始叹文人得天浅”⑥，“著书充栋腹常饥，他年沟壑谁相贷”。这种由怀才不遇而导致的不满和愤懑，更容易引起“逝景何匆匆”“去日何堂堂”的愁叹。这种愁叹凄怆悱恻，慷慨悲凉，如“堂堂岁月背人驶，对此清夜能无惭”⑦，“扰扰百年尽，歌钟生暮哀”⑧，“词人畏说中年近，壮士愁看落日低”⑨，等等。诗人的命运及内心的不平是天下寒士所共有的，因而这些诗句中的伤感情绪，既可见其抑塞郁闷，又具有某种积极的社会意义。

黄仲则诗中所呈现出来的除了伤感情绪之外，还具有浓郁的豪爽之气和豪爽之音。少年时代的黄仲则，有着飘逸的外表和卓绝的才华，尽管早年失怙，饱经忧患，但苦难的生活并未消歇他对没来美好人生的憧憬和向往。他在诗中高唱“宝刀不恋粟，男儿重横行”，激励自己要起舞中宵、横挎宝刀，驰骋沙场、建立显赫如昔人的功业。在《题马氏斋头秋鹰图》一诗中，诗人实

---

① 黄仲则《怀映垣内城》。
② 黄仲则《一笑》。
③ 黄仲则《武昌杂诗》其四。
④ 黄仲则《春感》。
⑤ 黄仲则《闻郑诚斋先生主讲崇文书院寄呈二首》其二。
⑥ 黄仲则《思旧篇》。
⑦ 黄仲则《对月咏怀》。
⑧ 黄仲则《杂诗》。
⑨ 黄仲则《将之京师杂别》其五。

写秋鹰，以及鹰的神俊气质，那种“一挥飞破长天青”的气势、又何尝不是少年诗人扫尽人间不平事的心态的写照？他敢于公开宣称：“臣本高阳旧酒徒，未曾酣睡起呜呜，祢生谩骂奚生傲，此辈于今未可无！”当有人“戒以吟苦非福”时，他写道“莫因诗卷愁成谶，春鸟秋虫自作声”[①]，依然是一副义无反顾的决绝。“因兹不饮又不可，为有块垒频须浇”[②]，呈现出一种激烈的意气；“仆本狂奴频掩卷，壮怀陡发”[③]，流露着一种壮怀慷慨的勇毅；“颠狂落拓休相笑，各任天机遣世情”，“狂奴故态不可耐，讵顾市上遭髡钳”[④]，则是一种蔑视世俗的狂傲；他多次声言自己的“野性”，“谙成野性文焉用”[⑤]，“野性行当逐鹿菲”[⑥]，则是一种独立不羁，不堪俯就的叛逆之性。

在对自然山水的描摹中也充溢着这种雄豪之气，他写暴雨是：“猎猎虎啸林，阴阴龙起泽”，“急雨翻盆来，疾雷起肘腋”[⑦]；写巨潮是：“才见银山动地来，已将赤岸浮天外”，“殷天怒为排山入，转眼西追日轮及。一信将无渤澥空，再来或恐鸿濛湿”[⑧]，“江流不合几回折，欲折涛头如折铁。一折平添百丈飞，浩浩长空无晴雪”[⑨]，“洞庭一泻八百里，浮云贴天天浸水”[⑩]，“回沙刚得一舟停，转眼潮来天地腥”[⑪]。赋予了这些自然山水以某种人格特征，以此来表达诗人的浩荡壮怀及其豪迈之气。“两当轩里一卷诗，热泪千升血一斗”，说他以“气”入诗是很有道理的。

类似的诗篇，在《两当轩集》中也还有不少：

> 愿借一锄干净土，取十年，词赋深深葬。否即付，秦灰荡。
>
> （《金缕曲·酒后呈友人》）
>
> 忍使桑榆乖色养，误将书剑换浮名。（《重至当涂怀稚存》其二）
>
> 任飞扬跋扈，鸢肩火色；流连落拓，妇人醇酒。（《抛球乐·元日病中作》）
>
> 颠狂骂座日侘傺，畴识名山属吾辈。（《偕容甫登绛雪亭》）

---

① 黄仲则《杂感》。
② 黄仲则《僧舍寒甚醉而作歌》。
③ 黄仲则《满江红·题岳仲子鄂渚吟诗后》。
④ 黄仲则《八月十四夜偕华峰放舟城东醉归歌此》。
⑤ 黄仲则《直沽舟次寄怀都下诸友人》其二。
⑥ 黄仲则《送稽立亭归梁溪》。
⑦ 黄仲则《登千佛岩遇雨》。
⑧ 黄仲则《观潮行》。
⑨ 黄仲则《后观潮行》。
⑩ 黄仲则《洞庭行赠别王大归包山》。
⑪ 黄仲则《江行避潮戏行》。

终古远山埋瘦日，半生华发战高秋。眼看如此淮南地，独倚凉天写四愁。(《发镇阳》)

二、双重风格的成因：现实境遇与情感走向的二重性

黄仲则诗歌风格呈现出衰飒感伤与豪宕之气并存的双重流向，其原因其实并不复杂，根源于现实境遇与情感走向的二重性，既有主观原因，也有客观原因。主观原因就是诗人自身性格及其情感气质的豪放与柔弱，客观原因就是他所处现实环境的亨通与偃蹇。

就主观原因而言，彭崇伟先生认为是诗人自身的经历、遭遇、情感活动等，及由此在诗人内心引发出的孤独感，“黄仲则抛尽心力作诗人与现实生活相矛盾产生的绝望感，在‘盛世’之下对知识分子群体命运所产生的幻灭感，由对天人之际的思索及自身的经历、遭际等所引发的孤独感，可说是其诗歌呈现出浓重感伤色彩的主观方面的原因”①。彭先生的观点自然有他的道理。不过，按彭先生的说法，黄仲则的这些孤独感和幻灭感，是由其经历、遭遇、情感活动等带来的，则追本溯源，其孤独感和幻灭感的根源仍在经历、遭遇、情感等等这些看得见的东西，而这些其实是属于客观范畴的内容。所以，本人认为，形成黄仲则诗歌风格感伤质地与豪气衰气并存双重流向的主观原因，应当主要是诗人自身性格及其情感气质的豪放与柔弱。简而言之，诗人的自身性格及其情感气质，同样具有豪放与柔弱二重性。当诗人性格中的豪放的一面时占据情感领域的主导地位时，体现在诗风上，就是超逸雄放、豪宕感慨、沉郁清壮、奇肆新替、清峭高妙、瑰奇旷逸之气。“因兹不饮又不可，为有块垒频须浇”，“仆本狂奴频掩卷，壮怀陡发”，“颠狂落拓休相笑，各任天机遣世情”，“狂奴故态不可耐，讵顾市上遭髡钳”，“谙成野性文焉用”，“野性行当逐鹿菲”，等等，都是这种雄豪性格的反映。反之，当柔弱的一面占上风时，便呈现出感伤衰飒、幽苦凄凉、孤猿独鹤、孤吹霁晓、独雁啼霜之气。譬如，“作诗辛苦谁传此，一卷空宵手自摩”②，“有事难言天似海，魂应尽化月如烟”，“早知无能谐流悲，只有伤心似故人”，“江山惨淡埋骚客，身世凄凉变楚音”之属。

① 彭崇伟《两当轩诗伤感情绪产生之主观原因》，《衡阳师院学报》(社会科学版)，第 21 卷第 5 期，2000 年 10 月。

② 黄仲则《夜坐写怀》。

就客观原因而言，彭崇伟先生曾归纳为家贫多累、体弱多病、怀才不遇和世途险恶等四个方面[①]。这四个方面，应该说是比较全面具体了，不过难免失之琐屑。其实，一言以蔽之，他在所处现实环境中的穷通浮沉，才是导致他双重诗风产生的最根本的客观原因。当诗人在情场、考场、官场等领域的竞逐中落败之际，那种深入骨髓的创痛使得诗人寝食难安、痛不欲生之时，其诗风必然呈现出感伤和苍凉之气。譬如《都门秋思》《感旧》《感旧杂诗》《将之京师杂别》《杂感四首》《绮怀》等，无不如此。当他春风得意、少年春衫薄，畅想和抒发青云之志时；徜徉于青山绿水中意兴湍飞时；高朋满座、胜友如云的诗酒欢会之所，诗人的欢欣和热烈、傲气与豪气、自信与自得，也便在诗中找到了最好的载体和书写方式，意气风发，豪情万丈，也就不能理解。譬如"男儿作健向沙场，自爱登台不望乡。太白高高天尺五，宝刀明月共辉光"及《观潮行》《后观潮行》和《笥河先生偕宴太白楼醉中作歌》等，同样百试不爽。这一切都与诗人的穷通浮沉密切相关。诗人在现实中的行藏，是诗材的来源，诗中的歌吟又是现实的折光和影射。

第二节　苍凉与纤弱共在的意象组合

上节我们讨论和分析了黄仲则诗歌的总体风格流向是以感伤为主，呈现一种豪气与衰气并峙的二元格局。因此，与之相对应，黄仲则在诗歌意象的选择与营造上也呈现一种对应态势，亦即苍凉与纤弱共在的意象组合方式。所谓意象，简言之，就是客观物象经过创作主体独特的情感活动而创造出来的一种艺术形象。

黄仲则诗歌中，尽管总体风格和情感基调上衰气与豪气并存，苍凉与纤弱共在，但在具体意象的选择与营造上还是呈现一种多元格局，诗人并不局限于某一种或几种意象，而是广植多收，博观泛取，曲尽其妙。而这种意象的选取与营造，也完全与其自身独特的生活境遇以及他诗歌中情感表达需求密切相关，一切都服务于他诗歌意境营造的需要，服务于他抒情言志、排遣心中块垒情感宣泄的需要。所以，我们分析和探讨他诗歌的意象问题，仍然离不开具体的诗作，离不开他特定的生存环境。

---

① 彭崇伟《两当轩诗伤感情绪产生之客观原因》，《中国韵文学刊》，1999 年第 2 期。

一、黄仲则诗歌意象的营构机制

（一）意象的类型①

1. 比喻意象：天文、时令

刘勰《文心雕龙·比兴》："比之为义，取类不常：或喻于声，或方于貌，或拟于心，或譬于事。"这里的比，即比喻。比喻作为一种常用的修辞手法，可分为明喻、隐喻、借喻、类喻、博喻、引喻、虚喻等。比喻意象是诗人在物与物、情与物之间创造、设置、构结出的一种新的关系。黄仲则历尽人生的诸多苦难，洞察世上的诸多不幸，深味世态人心的温凉炎热，在他的诗中，他以天文、时令等为依托，创造了千变万化的比喻意象，这些变化纷呈的喻义，被用来写人、状物、抒情或者喻理。这些意象当中，包括日月星辰，如：日，有羲和、白日、红日、朝日、旭日、斜日、西日、残阳、斜晖、薄阳、落照等；月，有初月、晓月、明月、残月、春月、秋月、醉月、纤月、蟾、婵娟等；星，有星辰、残星、长星、列宿、玉斗、牛斗、繁星、枢星等。

2. 写实意象：器物用具、动植物

清人章学诚曰："有天地自然之象，有人心营构之象。天地自然之象，《说卦》为天为圜诸条，约略足以尽之。人心营构之象，睽车之载鬼，翰音之登天，意之所至，无不可也。"《文史通义·内篇一·易教下》这里的"人心营构之象"，因其经营的主观构拟性，往往呈现出超越生活客观现实、非写实性、"意之所至，无所不可"的显著特征。而所谓"天地自然之象"则具有极大的客观性，是自然现实世界的真实写照。不管我们主观上如何认为，这些东西都不以人的意志为转移，所谓"年年岁岁花相似，岁岁年年人不同"（唐刘希夷《白头吟》），完全不同于"人心营构之象"。黄仲则诗歌中的写实意象大致包括器物用具和动植物等两大类。

器物用具包括：兵器，有刺、戟、弓、矛、剑、长剑、宝剑、宝刀、吴钩、霜钩、金戈等；舟船，有桨、舟、船、扁舟、归舟、兰舟、孤舟、渔舟、客舟、龙舟、轻舟、舳舻、素舸、画舫等；乐器，有琴、琵琶、瑟、玉箫、长笛、笛声、黄钟、繁筝、鼓声、丝簧、丝管、箜篌等；灯，有青灯、华灯、客灯、夜灯、春灯、孤灯、佛灯、短檠等。

动植物包括：马，有老马、瘦马、边马、戎马、征骖、锦骖、骢骑、骕骦等；

① 参阅耿建华《诗歌的意象艺术与批评》，济南：山东大学出版社，2010年版；姚春玉《黄景仁诗歌意象研究》，广西师范大学硕士学位论文，完成日期2010年4月，第5—11页。

柳，有垂杨、衰柳、垂柳、疏柳、堤柳、桥柳、柳丝、柳枝等；草，有芳草、枯草、春草、瑶草、秋草、朱草、幽草、短草、霜草等。

3. 象征意象：地理、气象

黑格尔认为："象征无论就它的概念来说，还是就它在历史上出现的次第来说，都是艺术的开始。"①他这里说的象征，是指象征型艺术，并认为象征型艺术是人类艺术的最早阶段和最初形式。文学的象征意象是以表达观念、哲理为目的，以象征为艺术手段的、具有荒诞性和审美求解性的艺术形象，是哲理性文学追求的艺术至境形态。在黄仲则诗中，这种象征性意象一般通过地理、气象等作为物象原型来加以营构，如江河湖海，风云雨雪霜露，既可以象征世事沧海桑田、白云苍狗的巨变，也可象征人情冷暖、世事艰难的凶险，与诗人坎坷穷愁的生活际遇一脉相承。譬如：风，有春风、晨风、长风、微风、凉风、金风、狂风、恶风、愁风、松风；云，有浮云、长云、寒云、闲云、孤云、暮云、纤云、沉云、断云、野云、南浦云、千岩云、赤火云；雨，有雷雨、梅雨、暮雨、夜雨、春雨、微雨、骤雨、疏雨、细雨、急雨、红雨、烟雨、山雨、秋雨、杏雨、阴雨、苦雨、雨丝；雪，有风雪、朔雪、残雪、大雪、冰雪、霜雪、雨雪、飞雪、海雪、寒雪等；山，有青山、江山、深山、关山、春山、空山、秋山、南山等。

4. 幻觉意象：梦幻

在现实生活中，人们在情绪起伏变化的幅度超越了常规范围之后，特别容易产生幻觉，异常情绪状态下如极度兴奋或过于悲伤，尤其如此。姑不论精神虚妄患者，即使神智健康的正常人也多有类似体验。一般认为，幻觉是人的头脑和感觉器官在没有外物刺激的情况下所产生的非现实性知觉。当我们感觉到某种东西似乎存在，对这种感觉因何而起又不甚了然，但其真切性又和实在物象刺激下的知觉完全相同，这便是生活中的幻觉。艺术幻觉与生活幻觉，既有相似之处，又有不同之处。在艺术性的审美活动中，幻觉的出现更为频繁和活跃，通常具有极其重要的审美功能。作家、诗人、艺术家和作品人物按照"合二而一"的原则，即"人我不分，推己及人"和"物我一体，推己及物"的原则，做到作者与外物或他人水乳交融，浑然一体，在审美创造和审美接受活动中，使得幻觉性意象服从艺术表达的"可信性"和"可接受性"。在客观形态和认识习惯上，幻觉意象是虚假的、不真实的，但在审美心理上却更真实，它包括创作主体情感的真实和人物"心造"的真实。这种

① 参阅[德] 黑格尔《美学》第二卷，北京：商务印书馆，1981 年版。

真实性来自艺术创作心理，来源于艺术家情感宣泄和表达的需要，它是幻觉思维在艺术创作中的物化结果。黄仲则诗中出现了许多具有梦幻色彩的幻觉意象，这与他在现实社会中所经历和所感受到的种种挫败、失意、沮丧和痛苦，密不可分。他在现实中遭受的种种压抑，无法得到正常的排遣和释放，因而只能选择这样一种虚幻的方式来宣泄了。这样的意象很多，诸如乡梦、归梦、残梦、扬州梦、尘梦、幽梦、清梦、旅梦、晓梦、噩梦、客梦、倦梦、好梦、断梦、短梦、深闺梦、秋梦等。通过这些虚幻的意象，诗人在非现实的梦境中精神得到了一次次的解放，心灵得到一次次的放逐，情感也得到一次次的升华。

5. 超现实意象：神仙鬼怪

意象，包括按生活实有之景重新组合的现实意象，和跃出生活常情的超现实意象。超现实意象通常新奇精蕴，超然物外，生动奇特，跃出生活常情。其理论根据，受到弗洛伊德的精神分析理论影响，主张放弃逻辑、有序的经验记忆为基础的现实形象，而呈现人的深层心理中的形象世界，尝试将现实观念与本能、潜意识与梦的经验相融合，致力于发现人类的潜意识心理。

李贺是唐代诗坛成功运用超现实意象的重要诗人。他的许多诗歌，如《天上谣》中诗人以超常的想象，设想天上美好的世界，感叹人间岁月的匆忙，美妙绝俗，情趣盎然。《老夫采玉歌》，是诗人忧愤情绪经过内化的艺术表现。诗人构塑了"老夫饥寒龙为愁，蓝溪水气无清白""蓝溪之水厌生人，身死千年恨溪水"的超现实意象，赋予蓝溪水以人的性格，给人留下丰富的想象余地，领略其中意趣，产生愉悦的审美快感。神奇莫测，匪夷所思。而《李凭箜篌引》，诗人想象的翅膀又飞到了古的神话传说里，精妙的乐曲，唤起神妪的兴趣，音乐的美妙感及异类，鱼跃蛟舞。《春坊正字剑子歌》中"提出西方白帝惊，嗷嗷鬼母秋郊哭"描写剑光逼人，连白帝也为之震惊，鬼母亦因之害怕等等超现实意象，大都是从神话羽化而来，是对现实描写的补充，是诗人艺术独创的突出表现。黄仲则诗歌的诗学渊源，与李贺有密切关系，可以说，黄仲则是李贺诡怪诗风的隔代传人，他的诗中，对许多超现实意象的营构，很大程度上是受了李贺的影响。如鬼、神、山鬼、山灵、神仙、精灵、精卫、飞廉、云中灵、疟鬼、轩皇、新鬼、鬼伯、神女、神怪、天女、河伯、幽灵、云君、屏翳、饿鬼、灵妃、羲和、云将、雨师、玉皇、仙、金仙、晨君、精魅、魔、湘娥、东君、魈魅、仙灵、女娲。魂魄，魂、客魂、羁魂、未归魂、断魂、人间魂、帝子魂、去魂、游魂、精魂、魂魄、惊魂。仙境，阊阖、蓬莱、祖洲、邓林，等等，既有对神仙鬼怪的描摹，也有对魂魄仙境的刻画。许多类似的意象，都是时代风云、社会变迁、个人际遇、个人心境在这些诗人所营构的既定意象上的折光和投影。由此，我们可以感知与时代相伴的诗人对社会、对人生、对生命的深刻体验和忧愤之情。这些超现实意象系列的创构，也大大丰富了黄诗的意象群落，它给黄诗提供了崭新的艺术元素，注入了新的诗意因子。由于这些超现实意象的“加盟”，黄诗得以开拓出新的艺术空间和境界，为黄诗增添了缤纷的色彩、蓬勃的生机和历史的厚重感。

（二）意象的构成方式

意象的构成或组合方式，是诗歌意象营构机制的重要组成部分，也是体现诗歌审美水平，传递诗人情感的重要艺术手段。黄仲则诗歌中的意象构成方式是多种多样，不拘一格的，诸如承续、叠加、跳跃、对比、辐射、逆挽、综合等。[①] 这种分类和分析的方法虽然不无新见，但似乎有些失之机械，仅仅停留在表层，尚未深入到作品内部，深入开掘其诗学价值和方法论意义。本著在参照、借鉴、吸收前贤相关论述的基础上，并结合黄仲则诗歌创作的实际情形，试图尝试从以下几个侧面对这一问题作一些新的探索。

1. “意”隐“象”中

运用这种意象的组合方式，诗人的“意”，即主观意向并不十分明白显豁，使人一览无余，而是采取一种比较隐蔽的方式，通过“象”来表达思想情感，实现韵“意”的效果，让人反复咀嚼回味之后才能有所领悟，给人一种恍然大悟之感。作者带着强烈的主观感情去描写客观景物，把自身所要抒发的感情、表达的思想寄寓在此景此物中，通过描写此景此物予以抒发。因此，“意”隐“象”中，亦可称之为借景或借物抒情，做到“景生情，情生景”，情景交融，浑然一体。在诗歌中只写景，不直接抒情，以景物描写代替感情抒发，也就是王国维说的“一切景语皆情语也”（《人间词话删稿（肆）》）。利用这种意象组合方式写出的诗歌，诗的“韵味”会更浓郁。

《天都峰》诗曰：“昔游厌培塿，离地苦不高。抱此十年志，乃与兹峰遭。天风卷游袂，群峭争来朝。……兹峰独峻绝，一力当青霄。……孤心入卑视，八表何寥寥。”表面看来，诗人在抱怨从前所游历的山都十分低矮，经过十年的不断求索，才最终与天都峰相遇。实际上是不满于那种人皆如此、平庸无奇的境界，而是渴慕超越平庸，希冀出类拔萃的。在他笔下，“兹峰独峻

① 参阅姚春玉《黄景仁诗歌意象研究》，广西师范大学硕士学位论文，完成日期2010年4月。

绝，一力当青霄”，横空出世的天都峰，独当青霄，万峰下伏的挺拔英姿和雄浑气势，融进了诗人自己的形象和感情，是诗人自我形象的隐喻。“孤心入卑视，八表何寥寥”，孤峰独立、八表荒凉之感，天才的寂寞显而易见。

《冬日过西湖》曰：

> 寂寞楼台锁冻云，闲踪惟我最殷勤。西湖与尔坚相约，一过钱塘一访君。湖上群山对酒尊，无山无我旧吟魂。不须剪纸招魂去，留伴梅花夜月痕。

初读此诗，我们不难得出这样的印象：诗人与西湖之间，似乎有某种特殊的类似佳人幽会般的邀约，每次诗人只要一到钱塘，势必都要到西湖探访，“西湖与尔坚相约，一过钱塘一访君”。真的是因为西湖在山寒水瘦的冬季寂寞无聊吗？其实，寂寞的是诗人自己。他屡到钱塘，并非单纯游山玩水，而多是依人做幕，在竞谋衣食之余，作为一种消遣，或者再风雅一点，是为了陶冶性情，诗人才去游湖。我们知道，他百事不顺，万事蹉跎，心中的况味只有他自己知道。“不如意事常八九，可与人言无二三”，所以他只能把山水当作倾诉衷肠的对象。西湖有了诗人的陪伴不再寂寞，同时诗人也有群山相伴而同醉，倒也乐在其中，在山水、梅花、明月的陪伴下，诗人不再是孤魂一个，而是和山水之魂融合为一，他孤寂凄凉的灵魂在湖光山色的抚慰下，也暂时得到了片刻的休闲和放逐。

他的许多以山水为题材的诗，如《舟中望金陵》《江上晓发》《雨花台》《偕稚存登鸡鸣山》《雨后泛湖》《甫江舟中看山甚佳》《钱塘舟次》《冬日过西湖》《七里泷》《新安滩》等大都采用此种“意”隐“象”中的意象营构方式。

2.“意”“象”俱显

王夫之《姜斋诗话》论述诗歌中情与景的关系道：“情境虽有在心在物之分，而景生情，情生景，哀乐之触，荣悴之迎，互藏其宅。”且说：“情景名为二，而实不可离。神于诗者，妙合无垠。巧者则情中景，景中情。”（《夕堂永日绪论》）所谓“情”是指感情、情绪、思想、想法等作者主观的内蕴实质，亦即作品主旨；而“景”则指由诗人所遇、所想、所见的人、事、物、景所构成的社会生活图景，它是一种客观存在，反映在作品中就是对生活的再现体，是承载主旨的形象。这种“意”“象”俱显的意象营造方式，就是把主观的“意”和客观的“象”，亦即“情”与“景”二者集合起来的艺术，做到意象俱显，情景交融。

如《春暮》曰：

> 江南三月雨，零此千花色。啼鹃劝人归，啼莺复留客。归既不得归，留亦安可留。闲云及江水，浩荡相与愁。春风吹百草，草深没行落。草青客南州，草枯在何处？人生尽如寄，不如沙上禽。更听隔溪管，能伤日暮心。

“暮春三月，江南草长，杂花生树，群莺乱飞”（南北朝丘迟《与陈伯之书》），应该是和谐欢快，令人神往之境。但黄仲则笔下的三月江南，却是一幅衰败凋敝的景色：这里，怒放的花朵没有因为春雨的滋润更加娇艳，转而片片凋零；乱飞的群莺不仅未能使诗人心情舒畅，反而令人去留不定，引发的是“草青客南州，草枯在何处”，以及“更听隔溪管，能伤日暮心”的伤感。这种“人生尽如寄，不如沙上禽”的悲慨，与诗人眼中枯萎凋敝的江南三月，达到了情景交融，意象俱显，恰切地体现了黄仲则凄苦的心境。

再如游湖湘之地时，楚俗信鬼而好巫，诗人“书楚语，作楚声，记楚地，名楚物”，所作《秀江夜泊》曰：

> 夜气一何悄，扁舟系古杉。潭空孤月印，峰黑一灯嵌。薄雾侵残蜡，清霜恋故衫。徘徊难久立，惧有老蛟馋。

这里，夜气、扁舟、古杉、空潭、孤月、黑峰、一灯、薄雾、残蜡、清霜、故衫、老蛟等一系列物象，枯淡冷寂，狞厉峥嵘，构成一幅阴森恐怖的画面，隐喻着诗人内心的狂躁与不安，达到了情景交融，意象俱显的效果。

其他诸如《登镇海城楼观海》《游四明山放歌》《观潮行》《后观潮行》《春雨望新安江》《游岳麓》《登衡山看日出用韩韵》《湘江夜泊》《辰阳道中》《舟中望九华》《月中泛小孤山下》《汉江晓发》等，也多用这种组合方式。

3. 见“象”生“意”

诗歌的最高境界是追求含蓄美和朦胧美，诚如欧阳修《六一诗话》所谓“状难写之景如在目前，含不尽之意见于言外”，忌直白和晦涩。刘勰《文心雕龙·隐秀》也说：“隐也者，文外之重旨者也；秀也者，篇中之独拔者也。隐以复意为工，秀以卓绝为巧。”“隐”，就是含蓄，指文辞除字面的意思外，还要有言外之意；“秀”，就是突出，指文章中的句辞要显豁。其后，司空图提出的“象外之象”“景外之景”，也是这种理论的延伸和发展。见“象”生“意”的意象组合方式，通常是由外物触发起了诗人的情感，诗人通过描摹这些具体可感的景象，来寄托和抒发自己的某种独特情怀和感受，类似于《诗经》“赋比兴”中“兴”的手法。

黄仲则《春日和容甫》诗曰：

> 昔我之出矣，春山噪寒禽。东风一飘荡，春色窈以深。今朝眺原野，烟景何沉沉。繁葩曜初旭，密树参高岑。绚烂亦云极，但觉意萧森。遵渚缅故径，攀条思旧林。讵惜岁华促，难为游子心。

“昔我”二句写初春的春寒料峭，出现的意象有春山、东风、春色等。“今朝”四句写浓春之景，有原野、烟景、繁葩、初旭、密树、高岑等意象。全诗给与读者的显性印象是写出了浓春的“绚烂”，东风浩荡，春色窈深；繁葩初旭，密树浓荫。但诗人写作此诗的目的，并不仅仅为了写景状物，而是另有所指，这便是诗的隐性含义。诗人通过春景由淡转浓的前后对比，表现作者对时光流逝的敏锐，点明对“岁华促”的忧伤。

《苦雨》曰：

> 江南本雨产，江上更多风。雾黯梅根冶，寒侵箬叶篷。沙虫缘树上，洲鸟浴溪通。日日愁凝望，乡书滞远筒。

江南地处亚热带，气候湿润，一年四季雨量丰沛，“雨”也成了江南的特色之一，“杏花春雨江南”（元虞集《风入松》）成了才子佳人吟诵不绝的诗材：“南朝四百八十寺，多少楼台烟雨中”（杜牧《江南春绝句》）；“试问闲愁都几许？一川烟草，满城飞絮，梅子黄时雨”（宋贺铸《青玉案》）；“黄梅时节家家雨，青草池塘处处蛙”（宋赵师秀《约客》）。江南雨是温柔婉约的，但在黄仲则的笔下，则是另一番情调。这首《苦雨》诗的意象有：风、雾、箬叶篷、沙虫、树、洲鸟、小溪、乡书，但中心意象是“苦雨”，其他这些意象都表现了因“雨”而致之“苦”。在一片凄风苦雨之下，诗人眼中的一切都呈现出一幅凄凉破败的景象：梅树、箬叶笼罩在浓雾清寒之中，沙虫上树，洲鸟入水，都是因为耐不住这种苦雨的煎熬吧。而这一切的苦况，最终对诗人造成的影响，就是因为滞留他乡，乡书难达，音问难通而产生的惆怅。通过这些意象的烘托映衬，“苦雨”这个中心意象更加鲜明突出。他的咏物诗多用这种意象组合方式，如《寒鸦》《春燕》《黄山松》等。

4. 以“意”取“象”

这种意象组合的方式，所构成的诗歌接近于隐象诗。隐象诗歌通常没有直接或间接地以物象为载体，呈现使思想感情形象化的可感知物，而是暗示出表达思想感情的象，实现由象韵意那样的“韵象”效果，然后再达

"意"。在隐象诗歌中，有的是把思想情直接呈现出来，有的虽然有客观事物存在，但其中的客观事物不是使思想情感形象化的物象，所以仍属于隐象诗歌。

譬如《别老母》曰：

> 搴帷拜母河梁去，白发愁看泪眼枯。惨惨柴门风雪夜，此时有子不如无。

要离家远去异地谋生的诗人，站在老母亲的角度上来写这首诗，抒写对母亲的不舍之情以及一种无奈的悲凉。诗中，诗人把对母亲的依恋、不舍、愧疚，描写得淋漓尽致，母子之间难舍难分、血肉情深的情感也感人至深，催人泪下。此诗的最大特点是用情极深，无论是缠绵悱恻，抑或是抑塞愤慨之情，都写得深入沉挚，使人回肠荡气，倍受感动。他善用白描，诗中扫尽浮泛陈旧之词，语语真切，一种清新迥拔之气，凌然纸上。诗人只是在沉静的叙述，简洁地白描，几乎看不到刻意的意象营造和主题表达。

再如《新安滩》："一滩复一滩，一滩高十丈。三百六十滩，新安在天上。"这首诗的前三句基本都是数字，有两个"十"，三个"一"，四个"滩"字，看似重复，但又有新意。新安江处于浙、皖之间，而这首诗，取自一首民歌，或一首船工号子，"一滩复一滩，一滩高一丈"，如果有三百六十滩，那么，新安江岂非是在天上？这首诗无非告诉人们，新安江滩多道险，要经过许多曲折，才能到达"天上"。除此之外，这首诗似乎还告诉我们，一年三百六十多天，天天都有"险滩"，都有不同的困难，需要我们去面对，人生之险，不亚于新安江。这首诗，全篇只有一个物象，即"滩"，记述的只是一次渡江的经历，有某种叙事性的意味，但又类似于白描的手法。虽然有客观事物即"滩"的存在，但这个"滩"并不是使思想情感形象化的物象，因而这首诗仍属于隐象诗歌。

其他如《何事不可为二章・咏史》《泥涂叹》《入市》《新仆》《悲来行》《献县汪丞坐中观技》《苦暑行》《车中杂诗》《邓家坟写望》《涡水舟发》《客冬从滁州肩舆至瓜步》等，也大多属于这种隐象诗。

二、典型意象举隅

1. 残星缺月

日月星辰是宇宙自然天体，庞大而遥远，移时而化，遵道而行，一向是超越人间的神秘力量的代表和化身，历来受到人们的敬畏与尊崇。但日有东升西落，月有盈亏圆缺，星辰亦有阴晴显晦，一如人世的悲欢离合，得失荣辱。黄仲则是情感极其敏锐而且十分细腻的诗人，他一生中四处漂泊，生活常常陷入困顿。日、星、月等意象多次出现在黄仲则诗作中，成为诗人传达情感的媒介，其中“日”常是斜阳、落日、夕阳、斜曛、斜日，如“珠帘十二斜阳下，凄凉几阅流红卸”①，“词人畏说中年近，壮士愁看落日低”，“山明落日水明沙，寂寞秋城感物华”②，“夕阳劝客登楼去，山色将秋绕郭来”，“关河容易入斜曛，独立苍茫数雁群”；“星”也多是孤星、晨星、残星、星河，如“悄立市桥人不识，一星如月看多时”，“天涯几辈同漂泊，起看晨星黯未收”③，“被酒每逐残星归，哦诗动及晨钟歇”④，“中宵风露凄已寒，达曙星河淡将没”⑤；而“月”则多是落月、秋月、残月、凉月、残月，“朝飞暮飞不得停，独向关山唳明月”⑥，“夜来忘却掩扉卧，落月二峰阴上床”⑦，“蟋蟀啼阶叶飘井，秋月还来照人影”⑧，“涂山残月落将尽，蕲城夜火寒不燃”⑨，“开帘延暝色，凉月已如钩”⑩。完全与其心境相契合。

李商隐曾咏道：“夕阳无限好，只是近黄昏。”感叹生命的流逝，隐然是大唐帝国消亡的前兆，更是诗人落寞寡合人生境遇的写照。南宋灭亡时，汪元量作《湖州歌》曰：“夕阳一片寒鸦外，目断东南四百州。”将身世之感与国难家仇融为一体，表现了作者目睹国破家亡内心的凄冷和痛苦。黄仲则是纯粹意义上的诗人，生活理想化，力求在龌龊庸俗的环境中活出一片诗意的天空来，求学、科举、游历、作诗，几乎是他生活的全部。黄仲则终其一生落拓不遇，仕途不顺，经历坎坷。江南漂泊九年，又在京师困顿九年，最能大有作为的美好年华尽付流水，最终在三十五岁——该当如日中天的壮年岁岁就已撒手人寰。他时常感受到生活的痛苦，他的心境是抑郁的，很自然地将人生体验都赋予到了诗人眼中的自然物象当中，他笔下自然物象打上了情感的烙印，也就顺理成章。在诗中，黄仲则将这些残星缺月人格化，并赋予人的情感，甚至把它们

① 黄仲则《归燕曲》。
② 黄仲则《客中闻雁》。
③ 黄仲则《夜坐怀维衍桐巢》。
④ 黄仲则《客夜忆城东旧游寄怀左二》。
⑤ 黄仲则《十六夜有月俄为云掩因怀孙吟秋再叠前韵》。
⑥ 黄仲则《独鹤行简赵味辛兼示洪对岩》。
⑦ 黄仲则《醉醒》。
⑧ 黄仲则《秋夜曲》。
⑨ 黄仲则《蕲口》。
⑩ 黄仲则《新月》。

当作自己倾诉衷肠的知音，同时又用“作芒”的星辰隐喻自己的社会忧患感。

2. 秋虫病鹤

“秋虫”与“病鹤”这两类对比鲜明的意象，形象地展示了诗人黄仲则理想与现实的极大冲突和反差。“秋虫的呜咽”描绘了在现实生活中诗人的低声悲吟，在诗歌中表现出的是诗人哀情的诉说。“呜咽”“吞声”的秋虫，代表的是一位被现实压得喘不过气来的愁惨欲绝的诗人。而“翩翩飞舞”的鹤，代表的则是一位努力摆脱束缚、追求精神和人格独立的诗人，抒发了诗人在理想梦境中奋飞的渴望，在诗歌中表现出的则是诗人豪情的勃发，这两组意象在黄仲则的诗歌中形成了和谐对立的格局。

黄仲则大量使用“秋虫”意象，诸如“遍地寒虫鸣苇草”[①]，“满路秋虫咽暮烟”[②]，“床头呜咽寒蛩鸣”[③]，“霜虫频诉夜寒壁，邻树忽飘风过墙”[④]，“病马依人同失路，冷蝉似我只吞声”[⑤]，“马因识路真疲路，蝉到吞声尚有声”[⑥]，“莫因诗卷愁成谶，春鸟秋虫自作声”等。这是他悲苦际遇和高蹈情怀在诗歌中的投影，既象征着他独特的人格和心态，又体现着他的审美意趣与诗歌的审美风格。

与“秋虫”相对，黄仲则诗歌中出现大量“鹤”的意象，如“敢望仙人跨鹤飞”[⑦]，“云中一鹤何翩彡”[⑧]，“夜深倘有横江鹤，好讯山东李白来”[⑨]，“愿从化作横江鹤，来往天门采石间”，“鹤怅猿啼新别恨，尘封蛛网再来愁”[⑩]，“鹤送三更泪，蟾悬万里光”[⑪]，“推篷失孤鹤”[⑫]，“独鹤掠舟过”[⑬]，“芜城鹤送三更唳”[⑭]，“少年里闬同追欢，抛我今作孤飞鹤”[⑮]，等等。鹤这种禽类独有的孤高清迈、凌云高翔的气度和风神，是黄仲则所向往和企慕的。因为他在人

① 黄仲则《中元》。
② 黄仲则《过贾秋壑集芳园故址》。
③ 黄仲则《读容甫近诗过以哀怨为体诗以广之》。
④ 黄仲则《重九夜坐偶成》。
⑤ 黄仲则《旅夜》。
⑥ 黄仲则《杂感四首》其二。
⑦ 黄仲则《武昌杂诗》。
⑧ 黄仲则《赠白下周幔亭》。
⑨ 黄仲则《七夕怀容甫游采石》其二。
⑩ 黄仲则《重至当涂怀稚存》其一。
⑪ 黄仲则《赠别沈子盂》其二。
⑫ 黄仲则《江上夜望》。
⑬ 黄仲则《月中泛小孤山下》。
⑭ 黄仲则《十四夜京口舟次送别张大归扬州》。
⑮ 黄仲则《元夜独登天桥酒楼醉歌》。

中世所遭受的桎梏和压抑实在太多，他少年失怙，他屡试不第，他爱情失意，他寄人篱下，凡此种种，不一而足。他之一而再，再而三地描摹鹤的意象，实在是一种逃离现实的无奈之举，是一中摆脱污浊、黑暗、虚伪人世的精神超越。

据左辅《黄县承状》记载，黄仲则"着白袷，颀而长，风貌玉立，朗吟夕阳中，俯仰如鹤，神致超旷。"仲则的老师邵齐焘早就以鹤比之，吴兰修《黄仲则小传》说其："风神秀朗，立侪人中，望之如鹤。"

吴兰修像

洪亮吉论及黄仲则诗歌时曾说："黄二尹景仁诗，如咽露秋虫，舞风病鹤。"此评语几乎成了对黄诗的定评，一再为人所称引。如果说"咽露秋虫"是形容其凄苦忧伤，那么"舞风病鹤"则是形容其不失高雅俊逸，而这二者相得益彰，并行不悖的。如前所述，这两组意象共同形成了黄诗中和谐对立的格局。

3. 病马书剑

在黄仲则诗歌中，"马"的意象经常出现，且惯与"老""病"搭配，如"病马依人同失路，冷蝉似我只吞声"，"半生哀乐一陶写，仍向空墙嘶病马"①，"老马识途添病骨，穷猿投树择深枝"②，"骕骦知我者，讵肯老尘中"③，"宝马不恋粟，男儿重横行"，"自嫌诗少幽燕气，故作冰天跃马行"。这些"马"的意象，一方面寄托着黄仲则强烈的济世情怀，他不愿做一个单纯的诗人，他要做一个"不恋粟"的宝马，驾云车腾空而起，建功立业，奋勇向前。一方面抒发他怀才不遇的郁闷，尽管他也曾经豪情万丈，企图出人头地，但残酷的现实使他最终成了一匹"老马""病马"，对此他是一直耿耿于怀的。

"书剑"这个意象，也是黄仲则喜用的。在我国古代，"书剑"是男子必修的两门学问和技艺，"书"泛指知识才学，指士人的文治才能；"剑"泛指武艺，指士人的武略立业。书剑兼修，泛指人文武双全。譬如"忍将桑榆乖色养，

① 黄仲则《卧病宣城秋将至矣偶忆旧游感而有作》。
② 黄仲则《立秋后二日》。
③ 黄仲则《车中杂成》其二。

误将书剑换浮名”,“昨夜朗吟浑未寐,草堂风雪看吴钩”[①],“四年书剑滞燕京,更值秋来百感并”[②],“读书击剑两无成,辞赋中年误马卿”,“驱车涉伊洛,仗剑干王侯”[③],“痛饮狂歌负半生,读书击剑两无成”[④],“读书击剑好身手,野性束缚难为堪”[⑤],等等。这些“剑”意象,表现了诗人对日后建功立业的自信与坚定,也体现了诗人面对现实的无奈与绝望。仲则在诗歌里大量使用“马”“书剑”等意象,象征自己的绝世才华,然而又因为怀才不遇变成了“病马”“老马”,空有“书剑”而“无成”。这是一种建功立业的豪情和怀才不遇的悲愤,是一种伴随着痛苦与泪水的强烈愤怒和不平悲鸣。

4. 寒秋暗夜

“寒秋”意象是历代诗人们最钟爱的意象之一,悲秋也是中国文学不变的主题,这个主题下,寒秋意象总是与凄凉、愁苦、悲怆相连。《诗经》中的秋已经充满了肃杀、衰败和愁苦:“秋日凄凄,百卉俱腓。乱离斯瘼,爰其适归?”(《小雅·四月》)《楚辞》中的秋也是以悲动人的:“帝子降兮北渚,目眇眇兮愁予。袅袅兮秋风,洞庭波兮木叶下。”(屈原《九歌·湘夫人》)秋风、秋水、落叶,这一组萧索的寒秋意象和人物哀怨的心理恰相融合,极具感染力。黄仲则生当盛世却潦倒失意,孤独凄苦的心境使他特别钟爱“秋”这个意象,因此,他的诗中秋意象出现的频率相当之高。如“手指孤云向君说,卷舒久已任秋风”,“花月即今犹似梦,江山从古不宜秋”,“我意先秋感摇落,泽蒲汀柳漫纷纷”,“月斜东壁影虚瓮,枕覃清秋梦正酣”[⑥],“严飚一何疾,劲草心不忧”[⑦],“云浮万里伤心色,风送千秋变徵声”[⑧],等等。诗人生活中遭逢挫折,胸中积累着层层怨愤,与萧条、凋败的秋日物候浑然无间的融合在一起,形成了黄诗独特的寒秋意象。

与“寒秋”意象并驾齐驱的是“暗夜”意象。我们看到,在黄仲则诗中,夜的意象十分普遍:他写到了“夜宴”,如《十六夜宴沈太平座即呈同座诸子》,及《秋夜燕张荪圃座》其三:“东山丝竹感平生,不到中年已暗惊。猛省此身

① 黄仲则《和吴二江帆赠诗》。
② 黄仲则《都门秋思》其二。
③ 黄仲则《和容甫》其一。
④ 黄仲则《重九后十日醉中次钱企庐韵赠别》其二。
⑤ 黄仲则《对月咏怀》。
⑥ 黄仲则《安庆客舍》。
⑦ 黄仲则《秋兴》其二。
⑧ 黄仲则《都门秋思》其二。

为异客，一宵欢燕主人情。”闻曲相思愈炽，不免涕下沾襟。事物往往是盛极必衰，有聚必有散，敏锐的诗人在繁盛的时候往往会想到衰飒，故而夜宴诗在欢乐中总笼罩着一层淡淡的哀愁。他也写到了朋友间的寒夜小酌，如《冬夜左二招饮》“清霜压东郊，寒籁号北牖”，渲染了冬夜的寒冷肃杀，在寒冷中却令有一种劲健之气；以及自己清夜独酌的情景，如《元夜独酌登天桥酒楼醉歌》“天公谓我近日作诗少，满放今宵月轮好。天公怜我近日饮不狂，为造酒楼官道旁”，豪情直逼太白的《忆旧游寄谯郡元参军》“忆昔洛阳董糟丘，为余天津桥南造酒楼”的意境。黄仲则的“夜坐”诗也很有特色，如《夜坐写怀》《夜坐述怀呈思复》《僧斋夜坐》《三叠夜坐韵》等。他还多次写到了“夜雨”，《夜雨》《中秋夜雨》。而最脍炙人口的是他对除夕夜的描写，如《丙申除夕》《辛卯除夕》《壬辰除夕》。最著名的当属《癸巳除夕偶成》：“千家笑语漏迟迟，忧患潜从物外知。悄立市桥人不识，一星如月看多时。”

自然界中，夜给人的印象通常是黑暗、迷茫，对人的情感造成的影响是孤独，压抑，甚至恐惧。但夜晚也常常赋予诗人很多灵感，正所谓“一生几许伤心事，不向空门何处销”（王维《叹白发》）。黄仲则诗中“暗夜”意象，正是他心态和处境的真实写照，与暗夜所形成的凄凉、感伤气氛是完全相一致的。

三、意象所呈现出的情感流向：感伤悲凉之气、悲剧意蕴及其他

按照意象的来源及其物象原型，黄仲则诗歌的意象，亦可分为自然意象、动植物意象和人生意象三个意象群，亦即相应的三个层面①。

一是自然意象层面，它主要着墨于对日月星辰天体意象，风云霜露自然现象和四季节令的描绘。这些物象原型本身有时确实带给人生理上的巨大冲击，譬如风霜雨雪的寒冷、酷烈，会使人感到不适和痛苦，如果在人们情绪比较低落或者郁闷之时，极易形成情感上的巨大变化。黄仲则一生总是悲凉凄苦，偃蹇坎坷，因而，这些自然意象无不凸显着诗人强烈主观情感的色彩，流露出孤苦、衰飒、忧郁、悲凉的感伤情绪。不言而喻，其中更彰显着诗人对宇宙与人生终极意义的探索与思考：天地寥廓而人类渺小，宇宙无穷而人生有限，人生苦短，世事无常。这种巨大的失落感和惆怅感，是多愁善感的诗人所不能缺少的。

二是植物、动物意象层面。客观上这个世界充满生机与活力，花草树

① 参阅颜建华、王茹辉《黄仲则诗歌意象探析》，《长沙理工大学学报》（社会科学版）第25卷，2010年第2期，第96页。

木，荣枯兴衰；飞禽走兽，繁衍生息。鹰击长空，鱼翔浅底，万类霜天竞自由，构成了丰富多彩的物质世界。但在黄仲则笔下，在他落寞寒士心境的笼罩之下，描摹的大多是衰草枯杨，残花败絮，残星缺月，秋虫病鹤，冷蝉病马，惊风浮云，寒秋暗夜，了无生趣与意趣，一派枯窘凋敝，凄楚冷清之感在在皆是，感伤悲凉之气，处处可见。是他偃蹇落寞、悲慨沧桑的寒士境遇的极好写照。

三是人生意象层面。黄仲则的一生，辗转奔波，舟车劳顿，备尝艰辛，备极凄凉。少年失怙后早早肩负起了家庭的重荷，教育子女，赡养孀亲；弹铗依人，竞奔于权豪势要之门；科场征战，失意于蟾宫折桂之途。屡仆屡起，愈挫愈奋。最终在奔赴晋陕途中，客死异乡。可以说，黄仲则一生都奔波在旅途中，但最终也未能到达他理想中的目的地，他的整个人生之旅也不得不画上了句号，一切都归于沉寂与虚无。因此，舟车意象所呈现出来的就是这种漂泊异乡，人在旅途，以致欲归无所的迷惘。而坟墓意象的反复出现，则契合诗人近乎绝望崩溃的心境。

这几组意象群凸显了诗人强烈的主体意识与生命感悟，是其生存状态和主体意识的呈现，展示了诗人的心灵世界和自我形象。因此，无论在物象的选择上，还是在情境的设造上，无不刻上诗人情感的印记，描绘的是悲剧的人生境界，散发出浓厚的悲剧色彩。黄仲则诗歌的这种幽苦感伤的悲剧情绪色彩，是理想主义者在梦想破灭后、神志清醒时的自我倾诉，是对黑暗现实的血泪控诉，是对苦难人生的反复咏叹，更多的有着对生命的无限执着。变幻莫测的日月星辰，转瞬即逝的风云霜露，衰败枯萎的植物世界，弱肉强食的动物世界，是自然物象，更是心灵镜像。而悲情的诗人，不甘于自生自灭，企图凭借自身的才华跻身于精英阶层和上流社会，但性格的狂狷孤介，轻狂兀傲，对理想化人生的过高期许，空前奇谲的命相和机运，无数次的失望与徘徊，层垒叠加的厄运与苦难，合谋筑成了高大巍峨、坚硬厚重的围城，将手无缚鸡之力的诗人团团困守其中，内无粮草，外无救兵，既无法超越，更无法逃脱，于是，一腔悲愤变化作了苍凉的歌哭和幽怨的呜咽，人生意象中的舟车和坟墓，也便做了形象的注脚，折射出诗人的凄惶与悲苦。

第三节　黄诗的用典艺术：据事类义，援古证今

古人作诗填词讲究“无一字无来历”，以典入诗，是历代诗人常用的表现

手法之一，所以引经据典尤为重要。凡诗文中引用过去有关人、地、事、物之史实，或有来历、有出处的词语、佳句，用来表达诗人的某种愿望或情感，而增加词句之形象、含蓄与典雅，或意境的内涵与深度，即称“用典”。刘勰《文心雕龙·事类》：“据事以类义，援古以证今者也。”即是用来以古比今，以古证今，借古抒怀。用典也是诗歌的一种修辞手法，用典用得巧妙、恰当，使表达更加生动形象，诗句更凝练，言近而旨远，含蓄而婉转，给读者在字里行间留下联想和思索的余地，从而提高作品的表现力和感染力，达到力透纸背，掷地有声的艺术效果。用典既要师其意，能于故中求新，更须能如己出，而不露痕迹，乃禅语所谓“水中着盐，饮水乃知盐味”，方为佳作。

一、黄仲则诗歌用典的功用价值

黄仲则诗歌中大量用典，使得他的诗歌呈现一种典雅、含蓄之美，与他整体诗风的苍凉、感伤相得益彰，珠联璧合。张维屏对此曾作过最具体也最形象的分析[①]，对黄仲则诗歌用典的功力和效果做了很好的概括。这些典故的使用，具有不同的功用价值，我们试择其要者，做某些个案分析，以期管中窥豹，略见一斑。

1. 借古论今，言之有据

诗人在发表某些议论时，有时会引用前人之言或事，以验证诗人自己的某些观点或看法，使自己的立论言之有据，不至于沦为无根之谈，虚妄之言。刘勰《文心雕龙》所谓“援古证今”即是这种手法的最初诠释运用。黄仲则的许多咏史怀古诗如《董子读书台》《虞忠肃祠》《秋浦怀李白》《昭明太子祠》《桓温墓》《姜贞毅墓》《英布墓》《顺昌刘武穆祠》《木兰祠》《洪忠宣祠》《屈贾祠》《耒阳杜子美墓》《太白墓》《张桓侯故里》《荆轲故里》《池阳杜牧祠》《廉颇冢》《孙叔敖祠》《鲍叔祠》《满江红·吴大帝庙》等，其中所用之典，多具备此种功用价值。如《黄山寻益然和尚塔不得偕邵二云作》，记叙汪沐日（益然俗名）抗清不果，遁迹为僧，风格质实，以议论见长，奇事异闻尤多，不独情文兼

---

① ［清］张维屏《听松庐文钞》：“古今诗人，有为大造清淑灵秀之气所特钟而不可学而至者，其天才乎！飘飘乎其思也，浩浩乎其气也，落落乎其襟期也。不必求奇而自奇，故非牛鬼蛇神之奇；未尝立异而自异，故非佶屈聱牙之异。众人共有之意，入之此手而独超；众人同有之情，出之此笔而独隽。亦用书卷，而不欲炫博贪多，如贾人之陈货物；亦学古人，而不欲句摹字拟，如婴儿之学语言。……如芳兰独秀于湘水之上，如飞仙独立于阆风之颠。夫是之谓天才，夫是之谓仙才，自古一代无几人。近求之百馀年以来，其惟黄仲则乎！”引自黄葆树、陈弼、章谷编《黄仲则研究资料》，上海古籍出版社，1986 年版，第 14 页。

到，亦可补正史之阙，谓之诗史可也。同时所作《慈光寺前明郑贵妃赐袈裟歌》咏明季史事。慈光寺始建于明嘉靖间，郑贵妃佞佛，万历三十八年(1610)钦赐寺额。郑妃所生皇三子常洵，深受明神宗宠爱，廷臣疑其谋立常洵为太子，激议立储，指斥宫闱，“由是门户之祸大起”[①]。黄仲则将明末数十年史事运于笔端，如朱绶《题黄县丞两当轩诗集》所云：“三千年史入胸鬲，触拨古今聊一演”[②]。可谓别有会心，力透纸背。

2. 抒情言志，曲尽其意

诗中有不便直述者，可借典故之暗示，婉转道出作者之心声，即所谓“据事以类义”也。黄仲则性格狂傲狷介、清高孤直，往往与世难合，而终日彷徨，郁郁寡欢也就成了挥之不去的终身伴侣，诗人不断在诗中反复陈述这种情愫。一般而言，这种陈述都是比较含蓄内敛，低回委婉的。如果直抒胸臆，难免失之粗豪草率，苍白直露，而黄仲则尤为擅长此道。我们看他的《夜起》一诗，诗曰：

> 忧本难忘忿讵蠲，宝刀闲拍未成眠。君平与世原交弃，叔夜于仙已绝缘。入梦敢忘舟在壑，浮名拌换酒如泉。祖郎自爱中宵舞，不为闻鸡要着鞭。

这首诗中，诗人抒发自己在无眠的暗夜，独自徘徊，烦闷难已的痛苦心情。不言而喻，这种忧闷产生的根源，在于庞大的社会周遭环境，对孤独柔弱的个体所造成的硕大无朋的威逼和重压。当这种重负远远超过了个体的忍耐极限时候，个体的痛苦也就到了如火山喷发般的爆发期。对于诗人而言，这种因重压而生的苦痛，形诸笔墨，诉诸笔端，也就成了夹杂着痛苦和伤心绝望的歌哭哀吟，成了感人肺腑的千古绝唱。在这首诗中，诗人在颔联连用两个典故，一个是汉代的严君平，一个是魏晋时期的嵇康。严遵，字君平，后汉时人，据说原名庄君平，东汉班固著《汉书》，因避汉明帝刘庄讳，改写为严君平。据《汉书》卷七十二《王贡两龚鲍列传》：“(严)君平卜筮于成都市，……裁日阅数人，得百钱足自养，则闭肆下帘而授《老子》。博览亡不通，依老子、严周之指著书十馀万言。杨雄少时从游学，以而仕京师显名。”晋人嵇康，字叔夜，谯郡铚(今安徽濉溪县西南)人。著名思想家、音乐家、文学家。正始末年与阮籍等竹林名士共倡玄学新风，主张“越名教而任自然”“审贵贱而通

① [清]张廷玉等撰《明史》卷一一四《郑贵妃传》，北京：中华书局，1974年版，第3538页。

② 《两当轩集》附录六《唱酬/题赠》，上海古籍出版社，1983年版，第681页。

物情”，为“竹林七贤”的精神领袖。曾娶曹操曾孙女，官曹魏中散大夫，世称嵇中散。恬静寡欲，而又疾恶如仇，终因得罪钟会，为其构陷，而被司马昭处死。黄仲则以严遵、嵇康自比，谓自己不合于世俗但又无法超脱出来的痛苦。于委婉含蓄中，表达个人的情志。中间还化用李白《古风》“君平既弃世，世亦弃君平”诗句，以及陶潜《归去来辞》“世与我而相违”，有高尚道德的人只好敬而远之，避世高蹈，都是在表达个体与社会之间无法协调的矛盾和冲突。颈联中，“舟在壑”化用《庄子·大宗师》语“夫藏舟于壑，藏山于泽，谓之固矣。然而夜半有力者负之而走，昧者不知也”。意谓深自隐匿，犹《易·系辞》“君子藏器于身，待时而动”之谓。“浮名”，则化用宋柳永《鹤冲天》“忍把浮名，换了浅斟低唱”句。尾联则用祖逖、刘琨典，据《晋书·祖逖传》载：“祖逖，字士稚，范阳遒人也。……逖性豁荡，不修仪检，年十四五犹未知书，诸兄每忧之。然轻财好侠，慷慨有节尚，每至田舍，辄称兄意，散谷帛以赒贫乏，乡党宗族以是重之。后乃博览书记，该涉古今，往来京师，见者谓逖有赞世才具。……与司空刘琨俱为司州主簿，情好绸缪，共被同寝，夜闻荒鸡鸣，蹴琨觉曰：‘此非恶声也。’因起舞。”“刘琨，字越石，中山魏昌人，汉中山靖王胜之后也。……琨少负志气，有纵横之才，善交胜己，而颇浮夸。与范阳祖逖为友，闻逖被用，与亲故书曰：‘吾枕戈待旦，志枭逆虏，常恐祖生先吾着鞭。’其意气相期如此。”这两句，意谓自己胸有壮志，努力奋发，并非只是为了出人头地、牟取功名的。

3. 雕词琢句，删繁就简

诗句之构成，应力求经济，尤其近体诗有其一定之字数限制，用典可减少语词之芜累。而且，雕词琢句，删繁就简，还可以使文辞妍丽，声调和谐，对仗工整，结构谨严，从而增加外形之美，也使内涵更加丰富。黄仲则的近体诗如《杂感四首》《感旧》四首、《秋夜》《绮怀》《都门秋思》《写怀》等，均有此特点。

组诗《杂感四首》，作于诗人二十四岁时。年轻的诗人，饱尝人情的冷暖，历尽世事的艰辛，书生的崚嶒傲骨，使他无法忍受寄人篱下的生活。在安徽学政朱筠河幕中，虽然处处得到恩师的眷顾，但周遭一批无聊的势利小人，总是无端的构陷，那种卑劣阴险的目光，使心高气傲的诗人难以忍受。对这种生活，他感到厌倦，想抽身退步了。他在其一中写到：

抑情无计总飞扬，忽忽行迷坐若忘。遁拟凿坯因骨傲，吟还带索为愁长。听猿讵止三声泪，绕指真成百炼钢。自傲一呕休示客，恐将冰炭置人肠。

"忽忽"，失意貌，语出司马迁《报任少卿书》"居则忽忽若有所亡"。"凿坯"，语出扬雄《解嘲》"故士或自盛以橐，或凿坏(通"坯")以遁"，李善注引《淮南子·齐俗训》："颜阖，鲁君欲相之而不肯，使人以币先焉，凿坏而遁之。""带索"，以绳子作腰带。《列子·天瑞》载："孔子游于泰山，见荣启期行乎郕之野，鹿裘带索，鼓琴而歌。"后"带索"用以形容贫士的生活。"听猿"句用《三峡歌》意，"巴东三峡巫峡长，猿啼三声泪沾裳"(出自郦道元《水经·江水注》)，暗示自己身世飘零。"绕指"，语出刘琨《重赠卢谌》"何意百炼钢，化为绕指柔"，以喻才士失志，俯仰由人。"冰炭置人肠"，语出韩愈《听颖师弹琴》"颖乎尔诚能，无以冰炭置我肠"，是说诗歌的艺术魅力非同寻常，实是诗人自负之语。这些典故的使用，确实起到了充实内容、美化词句，减少语辞之繁累的效果和功用。

再如本组诗其四：

> 似绮年华指一弹，世途惟觉醉乡宽。三生难化心成石，九死空尝胆作丸。出郭病躯愁直视，登高短发愧旁观。升沉不用君平卜，已办秋江一钓竿。

"弹指"，也是佛教中的一个时间量词，出自印度的梵语，佛家常用来比喻时光的短暂。《僧祇律》："二十念为一瞬，二十瞬名一弹指，二十弹指名一罗预，二十罗预名一须臾，一日一夜有三十须臾。""醉乡"，唐聂夷中《饮酒乐》"安得阮步兵，同入醉乡游"，秦观《醉乡春》词亦云"醉乡广大人间小"。诗人感叹锦绣般的美好年华，弹指间就成了既往，世路艰难，唯有醉乡宽阔无边。"三生"，即三世，佛教用语，指前生、今生、来生。唐代有"三生石上旧姻缘"的传说。"心成石"，典出《诗经·邶风·柏舟》"我心匪石，不可转也"。"九死"，出自屈原《离骚》"亦余心之所善兮，虽九死其犹未悔"。"胆作丸"，见于《新唐书·列传第九十八·柳仲郢》载，柳仲郢母善训子，尝和熊胆为丸，使其子夜嚼，助其勤学。诗人觉得，即使经历了过去、现在和未来三世，其热血之心始终难以化成石头，九死余生，哪怕服食熊胆调治的药丸也无济于事，谓自己历尽艰辛，苦学无益。"出郭"，源自《古诗十九首》其十四"出郭门直视，但见丘与坟"。"登高"，见于杜甫《九日蓝田崔氏庄》诗："羞将短发还吹帽，笑倩旁人为正冠。""升沉"，指宦途上的升迁与偃蹇，李白《送友人入蜀》诗"升沉应已定，不必问君平"，为本诗所自。

通过大量使用典故，使文辞妍丽，声调和谐，对仗工整，结构谨严，不仅增加外形之美，也使诗的内涵更加丰富。

4. 逞才使博，展示学养

大量使用典故，可以使诗歌的内涵更加丰富，同时也为诗人提供了一个逞才使博、展示学识的机会和平台。当然，这种做法的负面作用也显而易见，也就是使得诗歌内容晦涩，质木无文，诗味渐淡，而学究色彩渐浓，所以前人曾经讥讽这种做法为“掉书袋”。黄仲则生于考据风大盛的乾隆时期，士林中颇以此为能，而且确也产生了许多名闻遐迩、震古烁今的考据学大师，诸如戴震、钱大昕、段玉裁、王念孙、王引之等。他的师友朋辈中擅长此道的也所在多有，如朱筠、洪亮吉、邵晋涵、章学诚、翁方纲、汪中等。而翁方纲则是提倡“肌理说”，主张“为学必以考据为准，为诗必以肌理为准”，推尊“学人之诗”的头面人物。受这种时代风尚的影响，黄的诗歌中，类似通过用典，逞才使博、展示学识的诗作亦复不少，如《王述庵先生招集……作歌》《王兰泉先生斋头消寒夜……作歌》《未谷以汉瓦并天下文拓本属题》《丛竹图为金光禄素中题》《汉吉羊洗歌在程鱼门编修斋头作》《集吴香亭太常斋见所藏……作歌》《蒋心馀先生斋头观范巨卿碑额拓本》《冬夜饮程鱼门编修斋》《题翁覃溪所藏宋椠施注苏诗原本》《丙申冬于王述庵通政斋见邝湛若八分铭天风吹夜泉研为作歌》等古体长诗数十篇，大都是鉴古品画之作，考据为诗，多发议论，近于翁方纲诸子之诗，不必自写性灵，颇有“注虫鱼”意味。虽然黄仲则在此类诗中“亦用书卷，而不欲炫博贪多，如贾人之陈货物”[①]，但客观上则难免给人以逞才使博，展示学识的印象。

段玉裁像

① ［清］张维屏《国朝诗人征略》初编卷三九《黄景仁征略》，广州：中山大学出版社，2004年版，第574页。

二、黄仲则诗歌用典的外在形式

就外在形式而言，黄仲则诗歌用典同大多数诗人一样，遵从大致相同的路径，一般不外于引用历史事实和引用前人诗文二途。

1. 引用历史事实

这种用典的形式，亦称“用事”，是把相关历史事件中的人物、地点、时代、经历等内容，压缩在诗句中，依此借题发挥，或以抒怀言志，或影射时事。如前所述，黄仲则诗歌中，写了大量的咏史怀古之作，其中所引用的历史故事，数量也相当可观，兹择其一二，略作分析。

《虞忠肃祠》诗有云：

> 毡帐如云甲光黑，饮马完颜至江北。六州连弃两淮墟，半壁江东死灰色。雍公仓卒来犒师，零星三五残兵随。勤王一呼草间集，督军不来来亦迟。万八千人同一泣，卓然大阵如山立。海陵走死贼臣诛，顺昌以来无此捷。降旗斫倒十丈长，六飞安稳回建康。此时长驱有八可，以笏画地言琅琅。不可与言言不必，肯复中原岂今日？……

纪写南宋虞允文抗金之事。绍兴三十一年(1161)，金海陵王完颜亮统率金军主力越过淮河，进迫长江。两淮前线宋军溃败，金军如入无人之境。虞允文时任督视江淮军马府参谋军事，被派往采石(今属安徽省马鞍山市)犒师，正值金海陵王大军谋由采石渡江。原来负责督军的主帅李显忠还未赶到，虞允文见形势危急，亲自督师，并随即把散处沿江各处无所统辖的军队迅速统合起来，以一万八千兵力与四十万金军决战于采石矶，结果大败金军，赢得了著名的“采石大捷”。事见《宋史·虞允文传》卷三八三列传第一百四十二。

《廉颇冢》诗曰：

> 昔年流涕史迁文，抔土今来吊夕曛。复为赵人愁不免，一为楚将竟何勋？英雄论定三遗矢，市道交成再将军。终古人情只如此，试将杯酒与浇君。

此诗表达了诗人对这位廉颇老将军的仰慕之情，也流露出了对老英雄凄凉晚境的同情和炎凉世态的愤慨。廉颇(前327—前243)一生能征惯战，守必固，攻必取，几乎百战百胜，威震列国。关于廉颇的事迹如完璧归赵、渑池会盟、负荆请罪等，向为世人所熟知。但他晚景颇为凄凉，为谗言所陷，先后适魏奔楚，以八十五高龄郁郁而终。廉颇为人亦襟怀坦白，敢于知错就改。廉颇一生用与不用，实为赵国存亡所系。其事迹司马迁《史记·廉颇蔺相如列传》记之甚详。

以上二诗，均以具体史实为依据而敷衍成篇。感慨今昔，借古喻今，非为无源之水、无本之末。

2. 引用前人诗文

另一种用典形式是化用前人诗句，也叫用句。也分两种，一是直接引用前人现成诗句，一种是在原句基础上改动一字或数字，或是只借用其中的某些词语。譬如《少年行》"男儿作健向沙场，自爱登台不望乡"句，用古乐府《企喻歌》句"男儿欲作健，结伴不须多。鹞子经天飞，群雀两向波"，及王勃《蜀中九日登玄武山旅眺》诗"九月九日望乡台，他席他乡送客杯"。《秋夕》"心如莲子常含苦，愁似春蚕未断丝"句，化用李商隐《无题》"春蚕到死丝方尽，蜡炬成灰泪始干"句意。《感旧》四首其一"匆匆觉得扬州梦，检点闲愁在鬓华"句，则用杜牧《遣怀》"十年一觉扬州梦，赢得青楼薄幸名"句。其四"泪添吴苑三更雨，恨惹邮亭一夜眠。讵有青鸟缄别句，聊将锦瑟系流年"句，接连用李商隐《无题》"蓬莱此去无多路，青鸟殷勤为探看"、"岂知一夜秦楼客，偷看吴王苑内花"和《锦瑟》"锦瑟无端五十弦，一弦一柱思华年"诗句。《铺海》："我欲云门峰，化为并州刀。持登天都最高顶，乱剪白云铺絮袍。无声无响空中抛，被遍寒士无寒号。"《骤寒作》中也曾希望："谁将彤云变狐白，无声被遍茅檐客！"二诗中看出杜甫的《茅屋为秋风所破歌》"安得广厦千万间，大庇天下寒士俱欢颜，风雨不动安如山"的影子。五律《月下杂感》其一："明月几时有，人间何事无？"直接用苏轼《水调歌头》"明月几时有，把酒问青天"成句，但却推陈出新，甚觉惊心动魄，此联沉郁之至，自是妙手天成。"似此星辰非昨夜，为谁风露立中宵"当为黄仲则恋情诗中知名度最高的一句，被引用率也是最高的。"似此星辰非昨夜"，首先令人联想到的就是李商隐的《无题二首》"昨夜星辰昨夜风"一句。其实后半句"为谁风露立中宵"亦有所本，明高启题《芦雁图》诗曰："西风吹折荻花枝，好鸟飞来羽翮垂。沙阔水寒鱼不见，满身风露立多时。"诸如此类，不一而足。

三、黄仲则诗歌用典的技术分析

1. 明用

明典者，令人一望即知其用典也。当然，典故亦有熟典与僻典之分，对于不同的人，生熟大有不同。学养不足，学识浅陋者，即使是习见之典，恐亦为僻典矣。黄仲则《七夕怀容甫游采石》其一："疏梧摵摵漏迟迟，人去庭空独立时。羡尔万峰高处望，半轮凉月下峨眉。"明显是出自晋卢谌《时兴》诗"摵摵芳叶零，蕊蕊芬华落"，和李白《峨眉山月歌》"峨眉山月半轮秋，影入平羌江水流"，及《峨眉山月歌送蜀僧晏入中京》"峨眉山月照沧海，与人万里常相随"，表现出广阔的境界，颇具唐人风致。《以所携剑赠容甫》末句"知君怜我重肝胆，赠此一片荆轲心"，是用《史记·刺客列传》中荆轲事，"荆轲心"，指"士为知己者死"之心，此处以剑喻人，亦以人喻剑，赠剑犹赠心，深情厚谊，溢于言表。若与贾岛《剑客》诗："十年磨一剑，霜刃未曾试。今日把示君，谁为不平事?"对读，当更有会心。《池阳杜牧祠》其一："登徒好色马卿消，黄绢清歌响未遥。我读先生燕将录，鬓丝禅榻太无聊。"诗中用了宋玉《登徒子好色赋》，杜牧《燕将录》文、《醉后题僧院》诗"今日鬓丝禅榻畔，茶烟轻飏落花风"等典故。此外，"黄绢"即《世说新语·捷悟》所载魏武与杨修"黄娟幼妇"故事，为诗中"黄绢清歌"所本。这些都是明用典故。

2. 暗用

暗典者，于字面上似乎看不出用典之痕迹，须详加玩味，方能体会。这种用典方式，是把原有典故加以改造，只用其句意或意境，"师其意不师其辞"，不露痕迹，自然而然，如盐入水般化用在自己的诗中，即《文心雕龙·事类》所谓"虽引古事，莫取旧辞"之谓。有时也化旧为新，"旧瓶装新酒"，对典故进行延展性改编、续写等再创造，给老故事融进新的内容，寄寓更新更深刻的主题。

黄仲则《夜坐怀维衍桐巢》"剑白灯青夕馆幽，深杯细倒月孤流"，其实是暗用辛弃疾《破阵子》"醉里挑灯看剑"词意。古人常夜深饮酒看剑，以抒发其抑塞的豪气。《新凉曲》："闻道边城苦，霏霏八月霜。怜君铁衣冷，不敢爱新凉。"则分别暗用岑参《白雪歌送武判官归京》"胡天八月即飞雪"和《木兰辞》"寒光照铁衣"句意，表达了诗人对戍守边关将士的敬慕之情。《太白墓》"高冠岌岌佩陆离，纵横击剑胸中奇"，则化用李白《与韩荆州书》"白陇西布衣，流落楚汉。十五好剑术，遍干诸侯。三十成文章，历抵卿相。虽长不满七尺，而心雄万夫"意，表露了诗人对李白人格和才华的倾慕之意。清代金武祥有论黄仲则用事之妙者："《池北偶谈》谓：董玉虬侍御留别诗'逐臣西北去，河水东南流'，本于《北史》魏孝武'此水东流而朕西上'之语，叹其用事不露痕迹之妙。然不如黄仲则诗云：'春水方生君速去，此江东下我西行。'

上句暗用孙仲谋语作对，尤觉浑成。”[①]可谓曲尽其妙。

3. 正用

从正面取用典实，典事与题事相同或相近。黄仲则《徐沟蔡明府予嘉斋头闻燕歌有感》诗曰：“并州作客意如何，石调重闻掩泪多。回首燕山五年住，一声如听故乡歌”。诗人于乾隆四十年(1775)离江南北上京师，此后即客居北地近十年，一直到他客死异乡。十年的飘零，诗人早已习惯了北地的风土人情，甚至有了“竟把他乡当故乡”的错觉。他在并州作客，听到苍凉的燕地歌声，不由得掩泪频频。回顾自己在北京居住达五年之久了，已把北京当作故乡了，其实是对江南故乡的深深思念。诗中化用贾岛《渡桑干》：“客舍并州已十霜，归心日夜忆咸阳。无端更渡桑干水，却望并州是故乡。”两诗的题旨命意完全相同，可谓同一境遇，同一怀抱。再如《核桃园夜起》：“梦回小驿一灯红，四面腥吹草木风。身似乱山穷塞长，月明挥泪角声中。”此诗作于乾隆四十六年(1781)夏初，据诗人人生旅途的终点已经处于倒计时的阶段了。这年诗人准备赴陕西拜见礼贤下士、爱才惜才的巡抚毕沅，于是从卢沟桥启程，途经保定、定县、真定而至获鹿，夜宿于井陉道上的核桃园中。此诗感慨幽愤，流露出饱经忧患后的伤心绝望，也体现着生命之烛行将熄灭之际的凄楚苍凉。此诗的风格命意，其实本自范仲淹《渔家傲》词“四面边声连角起”。

4. 反用

亦称翻典，即反用以前之旧典，使之产生意外效果。如下引黄仲则的五律《月下杂感》其一：

> 明月几时有，人间何事无？倾城顾形影，壮士抚头颅。方寸谁堪比，深宵我共孤。感君行乐处，分照及蓬庐。

首联用苏轼《水调歌头》“明月几时有，把酒问青天”成句。苏东坡原意是感叹骨肉分离、不得相见，只能依靠明月寄托遥思，但明月自有成规，并不常现，故有此一问。仲则此处则反其意而用之，明月虽不常见，但人间无事不可发生。即如“倾城顾形影，壮士抚头颅”，美女与壮士，其实都是诗人的化身，他一面低回顾影，怜惜自己的绝代风华，一面抚着自己的头颅叹息英雄的失意。推陈出新，颇觉惊心动魄，而且沉郁之至，自是妙手天成。

---

① [清] 金武祥《栗香随笔》,《栗香一笔》卷七，光绪刻本。

《恼花篇时寓法源寺》诗中“我时养疴僦僧舍，避地便拟东墙东。花开十日不曾看，键关不与花气通”句，是说诗人当时为了养病，租住法源寺僧舍，避开尘世，将此处比作东墙之东了。花开了十多天也不曾去观赏，反而关起门来，将花香拒之门外，不与花的气息相通，这里便是反用相关典故。宋玉《登徒子好色赋》吹嘘说东邻女子曾登墙窥望他三年，而他却漠然不为所动。黄庭坚《次韵赏梅》诗曰“安知宋玉在邻墙，笑立春晴照粉光”，则戳穿了这一谎言。黄仲则此处即秉承其祖之意，以花喻女，以女喻花，表示自己并不像宋玉那样心口不一，明明好色却矫言伪饰，死不认账。黄仲则的拒绝赏花，与他避世的心境是相契合的。宋严有翼《艺苑雌黄》云：“文人用故事，有直用其事者，有反其意而用之者，李义山诗：‘可怜夜半虚前席，不问苍生问鬼神。’虽说贾谊，然反其意而用之矣。林和靖诗：‘茂陵他日求遗稿，犹喜曾无封禅书。’虽说相如，亦反其意而用之矣。直用其事，人皆能之；反其意而用之者，非学业高人，超越寻常拘挛之见，不规规然蹈袭前人陈迹者，何以臻此。”[①]诚哉斯言！

第四节　情有独钟的体裁偏好

《两当轩集》存诗近 1 200 首，经粗略统计，在体裁分布上，以七律为最多，共 350 首，其次为五古 226 首，七古 213 首，五律 203 首，七绝 148 首，五绝 40 首。合计五律、五绝、七律、七绝共 741 首，约占总数的 62%。七律、七绝合计 498 首，是五律、五绝综合 243 首的两倍。由此，我们不难看出，他在诗歌体裁上有明显的偏好，简言之，其诗歌创作以近体诗为主，他对七言的喜好胜过五言。张维屏《听松庐诗话》对此亦有极为详尽的论列，为窥其全貌，兹不避繁冗，撮录如下：

> 仲则诗诸体皆工，其笔力变化腾拏，不拘一格。即以七言古体论之，其中有大笔，如“一信将无渤澥空，再来或恐鸿蒙湿”(《观潮行》)；“洞庭一泻八百里，浮云贴天天浸水”(《洞庭行》)；有重笔，如“万八千人同一泣，卓然大阵如山立”(《虞忠肃祠》)；“当时河北廿四郡，大名独邀天子呼”(《颜鲁公名印歌》)；有提笔，如“东山宾从南州客，顾荣羽扇桓伊笛”(《淮上夜发》)；有陡起之笔，如“一篝火起狐鸣野，三月阿房土花

① 引自[宋]魏庆之《诗人玉屑》卷七《用事》，清文渊阁四库全书本。

緒”(《汉瓦并天下文拓本》);有陡接之笔,如“一风吹衣露其肘,有大如掌疮瘢新”(《程孝子行》);有放笔,如“此楼此月此客可一醉,谁共此乐独与清影相嬉遨”(《元夜登天桥酒楼》);有敛笔,如“故人迟我作长句,须在匡山读书处”(《得稚存书》);有细笔,如“藏古篆法意惨淡,备诸皴妙胸锤炉”(《王叔明画》);有险笔,如“虎口呀开大如斗,人转从容探以手”(《圈虎行》);有直笔,如“不能决蹯尔不智,不能破槛尔不武”(同上);有峭笔,如“映之苍壁太古色,洗以渌水空天痕”(《先文节公像》);有超笔,如“红霞一片海上来,照我楼上华筵开”(《笥河先生偕宴太白楼》);有挺笔,如“此时长驱有八可,以笏画地言琅琅”(《虞忠肃祠》);有翻空之笔,如“若使麻姑海上见,即此亦是沧桑流”(《西湖》);有刻入之笔,如“百无可冀冀一济,一发尚欲回千钧”(《程孝子行》);有跌宕之笔,如“或云名山恨僧占,纵以归我能留乎”(《三元洞》);有动荡之笔,如“驰檄才清骠国烽,回军又撤旄牛寨”(《观邝湛若砚》);有奇句,如“风吹离地倘尺五,着手便可扪匏瓜”(《九华山》),“长虹五道饮河下,肉山自来填旷野”(《刘武穆祠》);有健句,如“斗大城犹守六年,百战身经中三矢”(《余忠宣祠》);“只身斫垒沙滚滚,随手杀贼风凄凄”(《寄王东田》);有沉着之句,如“多少中原逐鹿人,若见此文同一泣!”(《汉瓦并天下文拓本》);有清空之句,如“一丝清气共来往,星辰自动高高天”(《楼上对月》);有真挚之句,如“一身未了地上事,亲在讵敢逃空虚”(《登妙远阁》);“偶然持论有龃龉,事后回首皆相思”(《待稚存》);有古艳之句,如“沐日浴月晕苍翠,苔色散点周秦铜”(《黄山松歌》);有冷艳之句,如“幽兰裛露露珠白,零落花香葬花骨”(《秋夜曲》);有雄丽之句,如“山屏五色开雀尾,海光万道浮龙鳞”(《送冯鱼山归钦州》);有沉丽之句,如“碧海难骑李白鲸,红尘欲老嵇康凤”(《赠尹六丈》);有遒炼之句,如“依人虎任人颐使,伴虎人皆虎唾馀”(《圈虎行》);有刻划之句,如“怒张牙爪敩狮象,俯受戒律侪祇陀”(《戒坛四松歌》);有一气三句,如“不知当年董糟邱,天津桥南之酒楼,亦有风景如兹不”(《天桥酒楼》);有一气五句,如”将军已死殉合门,纷纷部曲呼其羣,曰余将军死死君。我辈何忍辜将军,从而死者千馀人”(《余忠宣祠》);有一气七句,如“假如公有烟霞思,此必弟子相追随,前驱猿猱后麋麋,携囊入云采苓芝,剥刷幽怪穷险巇,佐公巨笔挥淋漓,此则不敢多让谁”(《上朱笥河先生》)。以上摘句,皆一鳞片爪耳,欲翫其通体神气,仍当于全篇观之听。

张维屏用摘句批评的方式，胪列大笔、重笔、提笔、陡起之笔、陡接之笔、放笔、敛笔、细笔、险笔、直笔、峭笔、超笔、挺笔、翻空之笔、刻入之笔、跌宕之笔、动荡之笔；奇句、健句、沉着之句、清空之句、真挚之句、古艳之句、冷艳之句、雄丽之句、沉丽之句、遒炼之句、刻划之句；一气三句、一气五句、一气七句等三十多种名头，并配以具体的诗句，分别就黄仲则七言诗的笔势、风格，及句式语气长短的变化诸方面，进行了详尽的论列。姑且不论这种方法及其评介的价值标准正确与否，但张维屏对黄仲则七言诗及其特色的重视，应当说是切中肯綮，鞭辟入里的。

因此，黄仲则的诗歌成就，总体上五言逊于七言，而七律和七绝则成并驾齐驱之势。他流布最广，最为人所称道、最脍炙人口的优秀诗作，多为七言体式，如《观潮行》《后观潮行》《绮怀》十六首、《都门秋思》《感旧》四首、《杂感四首》《无题》四首、《别老母》《上朱笥河先生》《笥河先生偕宴太白楼醉中作歌》《洞庭行》《铺海》《虞忠塑祠》《元夜独坐天桥酒楼醉歌》《秋夕》《旅夜》《圈虎行》等。当然，五言当中并非没有精品，只是较之七言数量不占优势。

七言这种诗歌体式，在黄仲则的手中运用的得心应手，炉火纯青，成为他抒情遣怀、歌哭无端的最重要工具。

黄以此来表达自己对自然山水的热爱，如《观潮行》《后观潮行》《笥河先生偕宴太白楼醉中作歌》等，笔致细腻，想象奇绝，是其诗中的杰作，传送久远，洛阳纸贵。《登衡山看日出用韩韵》“峨峨衡岳配朱鸟，帝与作镇炎荒中。五峰插天祝融最，突兀谁与争其雄”“人言此时日将出，仿佛水底离珠宫。须臾一线吐复落，砉然万丈车轮红”，想象丰富，语言精警，诗中奔放豪迈的气势，迥然有别于他的自伤身世的作品，在仲则集里尽管数量不多，却别有特色。七绝《醉醒》：

> 梦里微闻薝葡香，觉时一枕绿云凉。夜来忘却掩扉卧，落月二峰阴上床。

写夜月之景，角度新颖别致，以室内所见折射出室外之景，而且调动嗅觉、触觉、视觉诸多感觉意象反映出山中夜景之优美清静。尾句之拟人化，空灵有趣，含蓄隽永。

七律《三江口阻风》：

> 檞叶阴中水雾腥，鹧鸪啼处一舟停。无端浪挟巴丘白，不尽天垂梧野青。窗外三江流浩浩，雨馀七泽气冥冥。风波如此来何事，日暮愁心

满洞庭。

诗中的腥雾、白浪、江流、冥气、风浪与诗人处于对立的地位，引起的不是诗人的审美愉悦，而是“愁心满洞庭”，这与诗人的心境和境遇密切相关。

黄仲则身世孤寒，屡试不第，衣食无着，贫病交加，诗歌也就成了表达诗人在严酷现实中的进退失据的工具。诗人谋生乏术，虽然一直想有一个安定的住所，与家人过安定的生活，却一直难以遂愿，其诗中多次自叹“五载营巢苦未安”“栖迟人海营巢拙”。诗人尝尽了漂泊之苦，在诗中多次倾吐了他的抑寒之情。如《春穀道中》：

> 朔风吹客度长林，浩荡川原雪气阴。一涧红花寒淅冽，双峰隐玉晚萧森。人因地瘠多饥色，鸟为天空有去心。日暮那堪途更远，马嘶犹似助悲吟。

朔风雪气，峰隐花寒，地瘠人饥，天空鸟去，日暮途远，马嘶增悲，诗人用一系列寒意深重的物象，构画出天涯旅人奔波无着的生活，眼中的一切都染上了他内心的哀伤。其中最为著名的是他在举家北迁后所作的《都门秋思》四首。据说毕沅见了此诗后，大为欣赏，称其价值千金，请人速寄五百金邀诗人西游西安。

《杂感》曰：

> 仙佛茫茫两未成，只知独夜不平鸣。风蓬飘尽悲歌气，泥絮沾来薄幸名。十有九人堪白眼，百无一用是书生。莫因诗卷愁成谶，春鸟秋虫自作声。

慷慨悲凉，充满着诗人的不平之气。“十有九人堪白眼，百无一用是书生”是广为传颂的名句，既体现了诗人的傲骨，也表露出他孤芳自赏。在心灰意冷之下，《两当轩集》中留下了许多诗人自负却又自伤的诗句，如“功名自昔犹如此，莫为漂零怨此身”[①]，“可怜夙负黄童誉，漂泊翻成异地哀”[②]，“芳草满江容我采，此生端合附灵均”[③]。

黄仲则曾经有过两次恋爱，但都以失败而终，都曾给诗人带来巨大的伤痛。因此，诗中表达爱情失意，对逝去爱情的痛悔和追忆，就成为一个重要

---

① 黄仲则《辰阳道中》。
② 黄仲则《武昌杂诗》其四。
③ 黄仲则《杂感四首》其三。

的主题。《秋夕》《绮怀》十六首、《感旧》四首、《感旧杂诗》四首等都很著名。这些诗几乎每首都写得情深意切，细腻缠绵，在艺术上有很高的价值。试看他的《秋夕》：

> 桂堂寂寂漏声迟，一种秋怀两地知。羡尔女牛逢隔岁，为谁风露立多时？心如莲子常含苦，愁似春蚕未断丝。判逐幽兰共颓化，此生无分了相思。

哀感顽艳，感人至深，是难得的爱情悲歌。

表达对师友的追怀和思念。洪亮吉和黄仲则是童年时代隔溪相望的近邻兼好友，幼年失怙的相同身世，使它们成为情谊深厚、志同道合的挚友，他有多篇怀念洪亮吉的诗，如《与稚存话旧》其二：

> 身世无烦计屡更，鸥波浩荡省前盟。君更多故伤怀抱，我近中年惜友生。向底处求千日酒？让它人饱五侯鲭。颠狂落拓休相笑，各任天机遣世情。

恩师邵齐焘对黄景仁有知遇之恩，他心存感激，视师如父，在《两当轩集》中亦有多篇怀念邵齐焘的诗，如《检邵叔宀先生遗札》《展叔宀先生墓》等。

屈原、贾谊等人的遭遇，历来是后世落魄文人吟哦不绝的题材之一。乾隆三十五年春，黄仲则作湖湘之游，其中一个重要目的就是表达对屈原、贾谊、杜甫等古圣先贤的钦佩与仰慕。

黄氏在《太白墓》中赞之云："高冠岌岌佩陆离，纵横击剑胸中奇"，"乾坤无事入怀抱，只有求仙与饮酒"，并称"我所师者非公谁"。

黄仲则短促的生命旅程中，几乎有近一半的时间辗转异乡，漂泊在外，奔波在旅途之上，在的笔下，七言诗也成为他思乡念亲的得力工具。其诗歌中总是充溢着浓郁的乡思情结，类似题材和内容的诗，在《两当轩集》中约有一百多首。如《客中清明》《途中遘病颇剧怆然作诗》。此外还有"灯前各掩思亲泪，地下偏多知己恩"，"乡闾嫘薄百无恋，讵忘亲鬓霜丝丝"[①]，"亲在名心留百一，我行客路惯三千"[②]，"老亲日月倚门望，试问游子何时归"[③]，"最是难酬亲苦节，欲笺幽恨叩苍苍"等。

---

① 黄仲则《答和维衍二首》其一。
② 黄仲则《将之京师杂别》其二。
③ 黄仲则《沙洲行》。

七言诗，尤其是七言近体诗这种体式，成为黄仲则偏爱的诗歌体裁之一，其原因是复杂的。其中既有诗人个性、禀赋、才气等内在的主观因素，也有诗歌在发展过程中诗体自身特点的客观因素。七言诗在他的手中，有他自己独特的表达方式。黄仲则继承了前代先辈的丰厚遗产，并进一步将其发扬光大。

众所周知，我国诗歌体裁形式的发展，由四言、五言，再到七言，由古体到近体，从肇始到成熟，再到后来的转型、流变，以致衰退、没落，大致遵循一个由简到繁，由自由—约束—自由的过程。

先秦时期，四言诗是主要的诗歌体式，无论是在所表达的内涵上，还是所体现的诗歌音乐性的韵律上，《诗经》都当之无愧是四言诗的完美呈现。汉代时五言诗崛起，"五言居文词之要，是众作之有滋味者也"（锺嵘《诗品·序》）。五言诗有五个音节组成三拍，这不仅提高了单个诗句的韵律性，也使整首诗更加流畅婉转。语意结构上所形成的节奏上的错综变化，也确实增强了诗歌的艺术表现力和艺术魅力。七言诗一直到唐代才蔚为大观。至此，五、七言诗的基本形式臻于完成和齐备，人们大致将其分为五古、七古、五律、七律、五绝、七绝。明清受高棅《唐诗品汇》影响，五七言诗亦可分为古体和近体两大类，所谓古体诗，通常是指不受永明声律论影响的古体诗，近体诗则指律诗，分别包括后代的律诗和绝句。

由五言到七言，由古体到近体，诗歌体式的发展流变，是随着诗歌抒情言志功能的发展同步而行的。松浦友久在《中国诗歌原理》中指出："这每一诗型的表现功能，一方面受到该诗型在历史上多用于什么文学环境——如五排用于科举，七绝酒宴，四古宫廷祭祝等——等社会条件的影响，而更基本的是由内在于各韵律形式之中的形式自身的诸性质决定的。而那种韵律形式的根本正是节奏——而不是押韵和平仄。"①诗歌体式的演变不仅受到文学环境等社会条件的影响，还要自身的技术因素如节奏的制约。

在诗体的发展过程中，较之五言诗，七言诗在艺术表现的容量上，显然要比五言诗大得多。诗是语言的精华，诗的语言要求高度浓缩，高度精练，以少胜多，以一当十。犹如书画，意在笔先，气韵生动，尺幅千里，以小见大，是最理想的艺术效果。可以说，诗中的每一个字都承担了相当分量抒情达

① 参阅［日］松浦友久《中国诗歌原理》第五编《中国古典诗的节奏》，孙昌武等译，沈阳：辽宁教育出版社，1990年版，第101—145页。

意的职责。如果五言诗每句所要担负的表意功能是百分之百的话，那么每一个字则分担了百分之二十的任务。七言诗增加了两个字，就意味着五言诗每句的表意功能比原来增加了百分之四十，将近一半，这无疑大大扩展了五言诗的艺术容量。从声律的角度来说，七言诗的平仄起伏更易于吟诵，更符合语言发展由简到繁的演进规律。近体诗的出现和成熟，使中国诗歌声律美与形式美圆满地结合，从而形成了新的美学风范，是诗歌发展进入成熟期的标志。黄仲则生当清代中叶，已经没有机会再在诗歌体式上开疆拓土了，他也无须在此浪费才华，他能做的就是如何在前人开创的诗歌体式上，在内容上写出新意。好比营造宫室，主体工程已经竣工，接下来就是精装修，是如何雕梁画栋，如何描金绘彩，而这才是他的长项。在他的手里，他把七言诗这种诗歌体式发扬光大，推陈出新，操练得近乎炉火纯青，出神入化。

黄仲则独特的才情气质和身世遭际具备了驾驭七言诗的先天条件。既然七言诗，尤其是七言近体诗的表意功能大大增加，那么如何实现这一目标，就需要诗人具备多愁善感、悲天悯人的情感气质，飞扬灵动的个性和出众的才气，在追步前贤、模范先哲的基础上转益多师，不主故常，推陈出新。而黄仲则可以说具备了所有的条件，所以他的成就也就绝非虚名浪得，实在是其来有自。他沦落不偶的遭际，伴以他敏感多情的个性，常常使得他的情感如钱塘潮涌，波澜壮阔，惊心动魄。而这种种情感必须有相应的表达方式来宣泄，七言诗很好地承担起了这一使命，很好地充当了这一工具。

七言诗这种形式所提供的抒情功能和风格特质，为黄仲则表达复杂情感、展示高超诗艺提供了广阔的艺术空间。诗歌的体式是形式，而抒情言志则是内容，形式必须服务于内容，内容需通过一定的形式来反映。就抒情言志的功能而言，七言诗在内涵容量上显然要比五言诗有更大的空间。“七言浮靡，文繁而声易杂”（明胡应麟《诗薮》内编卷二），但在有限的、足以实现诗歌抒情达意这种价值指向的材料当中，适当数量字数的增加，是能够增加其实现这种功能的艺术空间的。就风格而言，五言诗似乎更拘束内敛，更古朴稚拙些，而七言诗则更婉转和流畅，因而也就更多了几分华丽和张扬。就表达所需要的技术和才气而言，近体诗显然要比古体诗有更高的要求，因为近体诗不仅要考虑声律的协和，还要讲求对仗的工稳贴切，甚至还要考虑到使事用典的需求。“大凡考虑到中国古典诗节奏的雅俗，历代诗论的共通认识是以与《诗经》直接关联的四言诗最为古雅，其次是五言诗，而七言待最为通俗。这种节奏上的不同形式（中心要素是音数律），进而与古诗、绝句、律诗、排律等古体、近体的不同形式（中心要素是音调律）相结合，构成了自'四言古诗'到'七言排律'的十一种具体的诗型，产生出各个诗型持有的表现上的倾向（表现功能）。"[①]松浦友久指出了五言诗与七言诗在风格上的雅俗之别，以及各种诗歌体式在表现功能上的差异。从《古诗十九首》，到三曹、建安七子、阮籍、嵇康、左思、二陆、三张、二潘、大小谢等，再到张衡、曹丕、鲍照、庾信，再到沈佺期、宋之问、初唐四杰、李白、杜甫、白居易、李商隐、杜牧等，我们不难发现，后出转精，越到后来，诗人在七言诗上，尤其是近体诗上的表现越抢眼，几个突出的大诗人如李、杜、白，都在这方面成就卓著，黄仲则也是其中之一。

黄仲则的许多七古诗，如《观潮行》《后观潮行》《上朱笥河先生》《笥河先生偕宴太白楼醉中作歌》等，哪一首不是感情澎湃，气势昂扬！他对爱情的追念感怀，如《绮怀》十六首、《感旧》四首、《杂感四首》，又哪一首不是字字血泪，字字心酸！他对自身际遇的感喟歌吟如《都门秋思》《无题》四首、《别老母》《洞庭行》《铺海》《元夜独坐天桥酒楼醉歌》《秋夕》《旅夜》《圈虎行》等，又有哪一首不是催人泪下，感人至深！历史上，我们不难发现，凡是七言诗做得好的诗人，大都是才气过人，但却身世蹉跎之人，鲍照、李白、杜甫、李贺、李商隐、陆游、吴梅村、王士禛等。前人曾这样评论："诗中诸体，惟七律最难……盛唐惟王维、李颀颇臻其妙。"[②]七律不仅律法精严，对仗工整，而且平仄协和，音韵流畅，对诗人诗艺和才气的需求远超寻常。"夫诗以求工为主，何以同时便不可学？如皮日休、陆龟蒙、贾岛、孟郊、卢仝、马异、刘沧、许浑诸人，皆有心相肖，天然匹偶，彼此同学之意。"[③]唐人七律之所以成就卓著，互相学习是十分重要的。黄仲则除了自身的天才禀赋之外，也并不忘向前人学习。他对李白的追慕是显而易见的，他曾说："我所师者非公（李白）谁？"张维屏云："仲则诗诸体皆工，其笔力变化腾挐，不拘一格，即以七言古体论之，其中有大笔……仲则七律余尤爱者。"[④]潘瑛于《诗萃》云："（仲则）其诗自汉、魏、六朝，下逮唐、宋，咸能采撷精英，自成杼轴。而七古神奇变化，独近青莲。"[⑤]他

---

① 参阅［日］松浦友久《中国诗歌原理》第五编《中国古典诗的节奏》，孙昌武等译，沈阳：辽宁教育出版社，1990年版，第101—145页。

② ［明］谢肇淛《小草斋诗话》，引自张进、侯雅文、董就雄编《王维资料汇编》，北京：中华书局，2014年版，第625页。

③ ［清］田雯《古欢堂集》卷十八《杂著·诗话》，清文渊阁四库全书本。

④ ［清］张维屏《国朝诗人征略·黄景仁》卷三十九，清道光十年刻本。

⑤ 引自黄葆树、陈弼、章谷编《黄仲则研究资料》，上海古籍出版社，1986年版，第109页。

并非独受李白的影响，李贺、李商隐、杜甫和杜牧，甚至韩愈、苏轼都对其影响颇深。翁方纲《悔存诗钞序》："仲则天性高旷，而其读书心眼，穿穴古人，一归于正定不佻，故其为诗，能诣前人所未造之地，凌厉奇矫，不主故常。"正由于此，黄仲则才能把七言诗这一传统的诗歌体式运用的得心应手，取得了不凡的业绩，赢得了乾隆诗坛"六十年来第一人"的美誉。

第五章

黄仲则诗歌的诗学渊源——“诗人之诗”

任何一个诗人都是特定时空下的产物，他的思想、情感，以至他的作品，都不同程度地体现着那个特定时空的特征。诗歌作为一种精神产品，其对创新性的钟爱自不待言。但这种创新绝非无源之水，无本之木，势必在继承前人优秀遗产的基础上，踵事增华，变本加厉，所谓“若无新变，不能代雄”（《南齐书·文学·贾渊》）。刘勰《文心雕龙·风骨》说：“若夫熔冶经典之范，翔集子史之术，洞晓情变，曲昭文体，然后能孳甲新意，雕画奇辞。昭体故意新而不乱，晓变故辞奇而不黩。”“新意”“奇辞”是可贵的，但要“新而不乱”“奇而不黩”，那就必须“昭体”而“晓变”。只有明辨文体的人，才能通古今之变，虽变而不失其道。黄仲则作为清代乾隆诗坛天才纵逸、横空出世的优秀诗人，自然也不能不对前代优秀诗人的作品有所学习借鉴，“上自汉魏，下逮唐宋，无弗效者”（王昶《黄子景仁墓志铭》），从而在此基础上，独辟蹊径，自出机杼。黄仲则不立门户之见，他说过：“愚见欲以岑嘉州与李昌谷、温飞卿三家汇刻，似近无理。然能读之烂熟，试令出笔，定有绝妙过人处，亦惟解人能知之也。”①他的这种态度和取径前人的方式，也为多人所论列。《清史列传·黄景仁》：“诗宗法杜、韩，复稍稍变其体，为王、李、高、岑，卒其所诣，与李白最近。”《武进县志文学传·黄景仁》：“景仁诗希踪太白，瑰奇旷逸。”左辅《黄县丞状》：“诗天才超逸似太白，而灵气幽光，窈渺无极；词精心结撰，其至处古大家殆罕其匹也。”吴兰修《黄仲则小传》“诗学太白，出入于嘉州、昌谷，如子晋之笙，湘灵之瑟，清越苍凉，既于幽怨。”各家均指出，正是黄仲则由于转益多师，博采众长，才使得其诗自具面貌，成为自成一家的“诗

① 引自《两当轩集》卷二十《遗文·诗评七则》，上海古籍出版社，1983年版，第483页。

人之诗”。

第一节　黄仲则“诗人之诗”之于“才人之诗”“学人之诗”

清代诗坛虽然流派纷呈，名家辈出，各家均欲摆脱唐宋诗的藩篱，自具面目，但各个发展阶段又具有各自不同的特色。清初占据诗坛的主流的主要是遗民诗人，黍离之悲、沧桑之感，成为这一时期清诗的主旋律，如顾炎武、黄宗羲、王夫之、屈大均、吴嘉纪、杜濬、钱澄之、归庄、申涵光等，也包括几位著名的贰臣诗人如吴伟业、钱谦益等。嗣后，随着王朝统治的渐趋稳定，抗清力量的逐渐消歇，遗民诗人也淡出了历史舞台，代之而起的是清前中叶康熙、雍正时期新的诗人群体，如王士禛、朱彝尊、施闰章、宋琬、赵执信、查慎行等，其中王士禛最负盛名。至乾隆朝，受统治者“稽古右文”政策和训诂考订朴学的影响，社会上读书风气高涨，文学创作活跃，差不多历代出现过的风格和流派，都有回响和接应。可谓才人辈出，各领风骚，各派纷纷设立坛坫，分庭抗礼：沈德潜、翁方纲，或主格调，或言肌理，固守儒雅复古的阵地；袁枚、赵翼、王昙、舒位标榜性灵，摆脱束缚，追求诗歌解放；厉鹗扩大浙派的门户；郑燮、黄景仁等抒写落寞穷愁，吟唱出盛世的哀音，亦自成一格，竞逐其间。

但由于清代学术之风甚浓，诗人多兼学者，作诗是在寻章摘句之后的消遣，乃余事而非正业。由此而形成的诗风，是近于“宋调”的“学人之诗”居多，而非黄仲则这样的极具抒情性的“唐音”。

作为一个优秀诗人，黄仲则虽仅享年三十五岁，但他才气发露，飞扬蹈厉，敏于感受，激情澎湃。他的诗，是天才之诗，少年之诗，任情之诗，其诗歌直抒胸臆，沉着痛快，“放笔直干”，主抒情而少议论，总体风格无疑更近“唐音”。

张维屏《听松庐文话》中有一段话是评价黄仲则的，一再为人所称引（参见前注与后文），认为黄仲则是近百年来少有的天才、仙才，对黄仲则推崇至极。

雍乾之际，浙人杭世骏提出“学人之诗”和“诗人之诗”之论，其《沈沃田诗序》云：“诗缘情而易工，学征实而难假。今天下称诗者什之九，俯首而孜孜于学者，什曾不得一焉。……《三百篇》之中，有诗人之诗，有学人之诗。”[①]他之所谓“诗人之诗”与“学人之诗”，是以“学问”为衡量标准的，是为“学人之诗”张本的，符合这一标准的列入“学人之诗”，否则则为“诗人之诗”。翁方纲亦言：“有诗人之诗，有才人之诗，有学人之诗。齐梁以降，才人诗也；初盛唐诸公，诗人诗也；杜则学人诗也。然诗至于杜，又未尝不包括诗人、才人矣。”[②]他把初盛唐之诗称为“诗人之诗”，显然是对这一时期，如王杨卢骆和高岑、李杜、王孟等所代表的初盛唐诸公，那种兴象玲珑，自然天成，风骨声律兼备的盛唐气象有所折服。但翁方纲有意变杭世骏之“学人之诗，诗人之诗”为“诗人之诗，才人之诗，学人之诗”，又生出一“才人之诗”，其目的仍在以学人之诗为立论重心，又欲兼才人、诗人而有之。黄仲则的友人万应馨有一段话也甚为精辟，他说：“仲则天才，轶群绝伦，意气恒不可一世，独论诗则与余合。余尝谓今之为诗者，济之以考据之学，艳之以藻绘之华，才人、学人之诗，屈指难悉；而诗人之诗，则千百中不得什一焉。”[③]今人严迪昌在评价这段话时认为：“诗人之诗的特点在于以情胜。徒以才胜而缺少深厚绵邈的情致，势必‘艳之以藻绘之华’而流于轻媚。虽有精思而情不足以托之，唯赖学问考据来相济，难免显得枯硬而乏韵致。有其情且有其才，诗方能动人。黄仲则向被视为天才，然其诗之所以超轶时辈，正在于他哀乐过人，情思绵密，触怀抽思，骋情深微。唯其如此而其才又足以承托之，故真挚深沉的情思益显澜翻笔底，撼人心弦。”[④]

由此，我们不难看出，所谓“诗人之诗”，或“风人之诗”，主张“诗缘情”，是其最重要的特点。要求以情性为本，注重情感抒发，诗人的感性情感与外在现实环境相一致，景与情融合无间。诗人的职责与功能，就是讲求意境空灵，追求圆美浑融的风格，完美地抒写自然与社会，在现实中表现人性。“诗人之诗”的作品以“汉魏、盛唐诗”为标尺，这与中国诗论的开山纲领“诗言志”说中强调“吟咏情性”一派相契合，代表了中国古代诗歌一贯的审美规范与理想。其最核心的价值指向就是一个“情”字。这个“情”字，包孕之深、之广，是非同寻常的。“情，性也”，“情者，性之质也”，“情，人之阴气有欲者也”。情，是基于生理机制而产生的各种欲望，是各种情绪的起落变化。从

---

① ［清］杭世骏《道古堂文集》卷十《序》，载《续修四库全书》第1426卷，上海古籍出版社，2002年版，第286页。

② ［清］翁方纲《复初斋文集・七言律诗钞・凡例》，续修《四库全书》第1455卷，上海古籍出版社，2002年版。

③ ［清］万应馨《味馀楼賸稿序》，载黄志述辑《两当轩全集・附录》卷六，咸丰八年黄氏家塾刻本。

④ 严迪昌《清诗史》，杭州：浙江古籍出版社，2002年版，第968页。

父母之情、手足之情、友朋之情、夫妻之情、师生之情，到山水林泉、风云月露、花鸟虫鱼、春夏秋冬，乃至喜、怒、爱、憎、哀、乐、忧、惧、惊等，无不涵蕴其中。唯其有情，人之为人，才会生活得意味深长、各具色彩。所谓“诗人之诗”，其实就是绝假存真之诗，就是呕心沥血之诗，就是用情太专之诗。黄仲则可以说是古往今来人世间最大的情种之一，正是因为用情太专，他才成为诗中圣手，他才短命而亡。一如《情僧录》中的林黛玉，在经历了因空见色，由色生情，传情入色的过程后，最终泪尽而亡。黄仲则其人其诗，就是人性饱受摧残之后的绝唱，是人性濒临崩溃之际的哀歌，也是人性光辉遗留的夕阳晚照。

黄仲则诗歌中绝大部分篇什就是诗人这种至情至性的自然表白和写照。

黄仲则是举世罕见的情种，他曾经有过两次以失败而终的恋爱，曾给诗人情感和心灵上带来过巨大的伤痛。因此，表达爱情失意、对逝去爱情的痛悔和追忆，就成为他诗中一个重要的主题。《绮怀》十六首、《感旧》四首、《感旧杂诗》四首、《秋夕》等都是著名的爱情咏叹调。

黄仲则身世孤寒，屡试不第，衣食无着，贫病交加，诗歌也就成了表达诗人在严酷现实中的进退失据的工具。这在《和仇丽亭》《重至新安杂感》《述怀示友人》《春縠道中》《都门秋思》四首、《杂感》等诸多诗篇中均有体现。

洪亮吉和黄仲则是童年时代隔溪相望的近邻兼好友，幼年失怙的相同身世，使它们成为情谊深厚、志同道合的挚友，他有多篇惦念洪亮吉的诗，如《与稚存话旧》《别稚存》《淮上夜发怅然有作寄稚存》《闻稚存丁母忧》《与稚存话旧》《题洪稚存机声灯影图》《寄洪对岩》等近四十首。《检邵叔宀先生遗札》《展叔宀先生墓》则是表达对恩师邵齐焘先生的追怀和思念。

诗歌也是诗人表达自己对自然山水热爱之情的载体，如《观潮行》《后观潮行》《笥河先生偕宴太白楼醉中作歌》等，笔致细腻，想象奇绝，是其诗中的杰作，传送久远，洛阳纸贵。在游历名山大川的同时，诗人也不忘表达对古圣先贤的钦佩与仰慕。如用《屈贾祠》诗、《浮湘赋》，还填了词《水调歌头·湖湘》来寄意屈原、贾谊。此外，还有《太白墓》《木兰祠》《涂山禹庙》《寿阳怀古》《濠梁》《濠州杂诗》《乌江吊项羽》《洪忠宣祠》《凤山南宋故内》《廉颇冢》《孙叔敖祠》《寿阳》《八公山》《东阿项羽墓》《董子读书台》《华不注》《鲍叔祠》《望鹊山》《张桓侯故里》《荆轲故里》《尧母庙》《获鹿》《井陉行》《女娲庙》等几十首诗，写各地的名胜古迹，咏史怀古，别寄怀抱。

黄仲则短促的生命旅程中，几乎有近一半的时间辗转异乡，漂泊在外，奔波在旅途之上，诗歌也成为他思乡念亲的得力工具。其诗歌中总是充溢着浓郁的乡思情结，类似题材和内容的诗，在《两当轩集》中约有一百多首。如《客中清明》《途中遘病颇剧怆然作诗》《夜坐述怀呈思复》《答和维衍二首》《将之京师杂别》《沙洲行》《移家南旋是日报罢》等等。

我们不妨再来看诗人的另外几首诗，亦足以体现“诗人之诗”的风貌与神情。且观《晓雪》：

> 先生屋小如宛丘，岁晏苦听风声愁。一宵风息得安寐，同云已阁低檐头。晓来重衾足不热，却怪纸窗明太澈。小童狂喜排闼来，报道空庭已堆雪。撒盐飞絮犹纷纷，隔却一纸无声闻。反披羊裘洞扉立，心目照曜寒无垠。此时兴发睡魔去，今年见雪此初度。倾囊只合市村醪，炙砚还应遣长句。微哦忽忽思前游，丙戌岁暮吴陵舟。压篷大雪苦无饮，至今典却相如裘。回头此景如电掣，其间聚散复一瞥。范阳公子诗中豪，白战何曾持寸铁。此雪应让燕山多，击筑故人悲且歌。寒夜谁来剡溪访，乘兴欲往将如何？将如何，雪不止，随风飘扬低复起，散入千村万村里。山僧执帚仰看天，昨夜厨空已无米。

这首七古条理清畅，气韵天成。并未刻意模仿哪家那篇，所吟唱的内容无非是自己个人的生活，思想情感也完全发自肺腑，当是诗人的本色佳构。诗人的居处不仅狭小仄逼，而且还四处透风，常在岁晏寒冬之际愁听风声。等到风声止息，诗人安睡之际，层层阴云已经压在低矮的屋檐上了。天明时分已经冻得手脚冰凉，幸喜小童开门报喜，天气已经云开雪霁、空庭堆雪了。在大雪纷飞的夜里，一窗之隔，诗人却一无所知。现在，诗人反披羊裘，伫立门边，心目中完全被茫茫雪景和寒意所笼罩。此时，面对新年的第一场雪，诗人反而兴致勃勃，诗兴大发，沽酒炙砚，诗人要作诗了。诗人回忆旅途中无酒可饮的苦况，只好像司马相如那样，典当了衣裘，时至今日尚未赎归。往事不再，聚散无常，当初和友朋赛诗，一场接一场，如同范阳公子一样，在战场上手无寸铁。诗人浮想联翩，想到了燕山如席的雪花，想到了击筑悲歌的荆轲、高渐离。诗人实是以荆、高二人喻他和好友闵季心，颇含不平和悲愤之情。在这风雪之夜，有谁会想王子猷冒雪夜访戴安道那样来访问我呢？如果诗人乘兴而去，又会如何呢？结末，诗人用山僧的厨空，暗示自己的穷困生活。虽然在饥寒交迫中，诗人似乎并不为眼前的困顿所困扰，所思所想的仍是友朋唱和、诗酒风流，是荆轲、高渐离那样的慷慨悲歌，是司马相如、王子猷那样的雅致高蹈。不做作，不雕琢，不强颜欢笑，不故作悲慨，毫不伪饰，岂非真情自然发露？

《药渣鱼》其实是一首寓言诗，诗人一向傲骨嶙峋，卓然独立，鄙视那些趋炎附势的屑小之徒，他以药渣鱼为喻，对此做了辛辣的嘲讽。诗曰：

> 琴溪春水唾凝片，小鱼针头刺波面。溪旁居人网及时，不用丝绳需尺绢。盛来入盎水不分，两目黑星微可辨。水鲜且可助茗具，别张旗鼓供舌战。王馀白小精不如，可怜千头未盈咽。相传琴高跨鲤升，药鼎倾渣入波变。先天本借金石精，馀生乃比糟粕贱。后时不得相随仙，云中鸡犬徒相羡。微名累尔及铛鼎，所喜流传艺林遍。桃花水过蒲蒋深，及早消行付波练。

药渣鱼，又名琴高鱼。据《列仙传》载，周时有赵人名琴高，能鼓琴，曾入涿水取龙子，诸弟子待于水旁，琴高果然跨鲤而出。他炼丹所余的药渣，倾入水中，化为许多小小的药渣鱼，味甚鲜美。宋赵与时《宾退录》卷五："今宁国府泾县东北二十里有琴溪……溪中别有一种小鱼，他处所无。俗谓琴高投药滓所化，号琴高鱼。"陆游《寒夜》诗："一掬琴高鱼，且复伴吾儿。"欧阳修《琴高鱼》诗曰："琴高一去不复见，神仙虽有亦何为。溪鳞佳味自可爱，何必虚名务好奇。"都是本《列仙传》之意而作，黄仲则此诗也如此。诗人看似不经意间，娓娓道来，先写了琴高鱼生存的自然环境和捕捉的方式。这种鱼的外貌并无出奇之处，其命运也无非是葬身刀俎，供人口腹而已。诗人借题发挥，本《列仙传》愿意，开始发表自己的见解。这种鱼的先天本是借助金石的精华，出身原本高贵，但其余生却比糟粕还低贱。原因就在于他们坐失良机，未能随琴高一道成仙，只好徒然地羡慕空中那些得道升天的鸡犬了。但最根本的原因在于它们为微名所累，贪图那个已在艺林中传扬已久的琴高鱼的名声地位，而最终把自己葬送在鼎镬之中。诗人最后不忘作出规劝，"桃花水过蒲蒋深，及早消行付波练"，桃花春水过后，蒲苇和茭白已经长得很茂盛了，还是趁早躲到绿波深处吧。这些议论，虽部分削弱了诗的审美意味，但因是切身之感，顺势而发，自然而然，并不流于迂腐空洞的说教，反倒使人增添几分人同此心，心同此理的认同。

再来看他的《楼上对月》一诗：

> 飘飘白袷当回风，三五月照高楼空。一城露瓦高下白，几处已灭窗

灯红。病怯临窗倦凭几，苦被钟声促人起。楼头皓魄已天中，郭外青山如梦里。蒙蒙薄雾苍苍烟，山意亦如人可怜。一丝清气共来往，星辰自动高高天。风景依稀似前度，此间恍是高寒处。夜深谁念朗吟人，愿化辽东鹤飞去。

此诗的抒情主体，显然是诗人自己。诗人喜欢穿白袷，这与其气质神情相匹配，长身鹤立，风度翩翩，在十五月明之夜登楼远眺。所见之处，是一片高高低低、沾满夜露的屋瓦，几家的灯火已经熄灭，看不到窗户透出的红光了。诗人因为多病，不敢临窗而望，只好支持困倦之身凭几而立。楼头已经升到中天的月亮，还有城郭外迷迷蒙蒙的青山，都好像在梦中一样。此时诗人笔下的风景物象，都有一种淡淡的忧郁色彩，与诗人的感伤气质十分契合。但这种种景色，蒙蒙薄雾和苍苍云烟，山意与人情，都很惹人爱怜。高天上的星辰，山意与人情之间，似有一丝清气相互交通，暗喻诗人与青山之间有一种共同的品格，那就是清静爽洁，纤尘不染。前人也曾以青山喻人品高洁，辛弃疾《贺新郎》词：“我见青山多妩媚，料青山、见我应如是。情与貌，略相似。”眼前风景依稀似旧时所见，恍如月中高寒之处。面对凄清的景色，诗人禁不住浮想联翩，百感丛生。此时此刻，有谁顾念月下朗吟的孤独诗人呢？孤独无依，落寞不偶之感油然而生。还是化身辽东仙鹤奋身归去吧。此处，诗人化用了两个典故，一是“朗吟人”，一是“辽东鹤”。前者指袁宏，典出《世说新语・文学》载曰：“袁虎少贫，尝为人佣载运租。谢镇西经船行，其夜清风朗月，闻江渚间估客船上有咏诗声，甚有情致，所诵五言，又其所未尝闻，叹美不能已。即遣委曲讯问，乃是袁自咏其所作咏史诗。因此相要，大相赏得。”诗人借此以自指，谓连袁宏这样的人尚可被人赏识，唯独自己无人理睬。颇有苏轼“拣尽寒枝不肯栖，寂寞沙洲冷”（《卜算子・黄州定慧院寓居作》）和陆游“零落尘泥碾作尘，只有香如故”（《卜算子・咏梅》）自怨自艾、孤芳自赏的况味，字里行间，诗人的失意跃然纸上。“辽东鹤”，典出晋陶潜《搜神后记》卷一：“丁令威，本辽东人，学道于灵虚山。后化鹤归辽，集城门华表柱。时有少年，举弓欲射之。鹤乃飞，徘徊空中而言曰：‘有鸟有鸟丁令威，去家千年今始归。城郭如故人民非，何不学仙冢垒垒。’遂高上冲天。”黄仲则此处，用以表达对故乡的思念，其实，仍然暗寓了诗人那种人生易老，物是人非，“不如归去”的落寞情怀。既然不被人见用，还不如回到故土，何必流落他乡。此诗可谓“清窃”与“雄宕”兼而有之。其思飘然，其气浩然，与太白相较，气格虽不免稍嫌柔弱，但大致上近乎其上下千年，挥斥八极之作，亦足体现仲则“诗人之诗”之特色和风貌。

“诗人之诗”的提出，是与“学人之诗”和“才人之诗”相对而言的。所谓“学人之诗”，就是像杭世骏在《沈沃田诗序》中所言：“《三百篇》之中，有诗人之诗，有学人之诗。何谓学人？其在于商，则正考父；其在于周，则周公、召康公、尹吉甫；其在于鲁，则史克、公子奚斯。之二圣、四贤者，岂尝以诗自见哉？学裕于己，运逢其会，雍容揄扬，而雅、颂以作；经纬万端，和会邦国，如此其严且重也。”[①]在杭世骏眼中，如周公、召公等圣贤之“师”、学人中之大成者所创作的诗歌就是“学人之诗”。“学人之诗”的本意是指学人所创作的诗歌，其创作主体必须是学人。其次，是“诗中有学”，以学为诗，是“学人之诗”的本质特征。乾嘉时期鼓吹“学人之诗”最力、且身体力行的，当属翁方纲。此外，还有王昶、毕沅、朱筠、戴震、桂馥、钱大昕、王鸣胜、程瑶田、卢文绍、全祖望等。

翁方纲创立“肌理说”，主张以“学”为诗，以“学”济虚。他的肌理说，实际上是对王士禛“神韵说”和沈德潜“格调说”的调和与修正。翁方纲倡言“肌理”，包括两个方面：一是以儒学经籍为基础的“义理”和学问，二是词章的“文理”。其《志言集序》说：“士生今日，经籍之光，盈溢于世宙，为学必以考证为准，为诗必以肌理为准。……义理之理，即文理之理，即肌理之理也。”他认为，宋、金、元诗接唐人之脉而稍变其音，而明代诗人只是沿袭格调，并无一人具有真才实学，只有清朝经学发达，可以用经术为诗。这种主张，是当时统治者极力提倡经学、提倡考据学在文学上的反映。

翁方纲片面强调诗歌的考证作用和史学价值，把诗与“经术”、史料混为一谈。他所谓“史家文苑接儒林，上下分明鉴古今。一代词章配经术，不然何处觅元音？”(《书空同集后十六首》)这是一种模糊乃至抹杀诗歌文学特征的主张。

翁方纲作诗近三千首，主要可分两大类。一类是把经史、金石的考据勘研写进诗中的“学问诗”。这类诗多七言古诗，诗前有序或题注，这种序、注本身也是经史或金石的考据勘研文字。其诗几乎可以作为学术文章来读，

---

① [清]杭世骏《道古堂文集》卷十，载《续修四库全书》第1426卷，上海古籍出版社，2002年版，第286页。

往往写得佶屈聱牙，毫无诗味，《成化七年二铜爵歌》即其一例。时人洪亮吉批评他说：“最喜客谈金石例，略嫌公少性情诗”(《北江诗话》卷一)。袁枚在《仿元遗山论诗绝句》中更是大加讥讽：“天涯有客号冷痴，误把钞书当作诗。钞到锺嵘《诗品》日，该他知道性灵时。”另一类是记述作者的生活行踪、世态见闻或写山水景物的诗。这类作品也大半缺乏生活气息和真情实感，偶有佳构，也为数甚少。

“才人之诗”，就创作主体而言，通常是指那些既非以学问名家的学者，也不同于那些纯主观的、以情感充沛见长的天才型诗人，而是人们所谓的“才子”，是扬雄所谓“诗人之赋丽以则，辞人之赋丽以淫”之“辞人”。就其审美特征和艺术风格而言，是万应馨所谓“艳之以藻绘之华”之诗。黄仲则曾劝洪亮吉不要以“才人之诗”自缚：“著作何如？出门时，曾见君研脂握铅，为香草之什。君兴已至，不敢置喙。但仆殊不愿足下以才人终身耳。”(《与洪稚存书》)此类诗尤其追求作诗的技术含量，强调具体而微的技术细节，十分讲求藻饰、注重修辞，兼及使事用典，声律音节。一言以蔽之曰，斧凿雕琢之痕过重，诗真的是“作”出来的。作诗之本意在于表情达意，抒发情志，但“才人之诗”似乎有些本末倒置，他们对诗歌技术和技巧的追求远远超越了作诗的目的，几达喧宾夺主、甚或买椟还珠的地步。

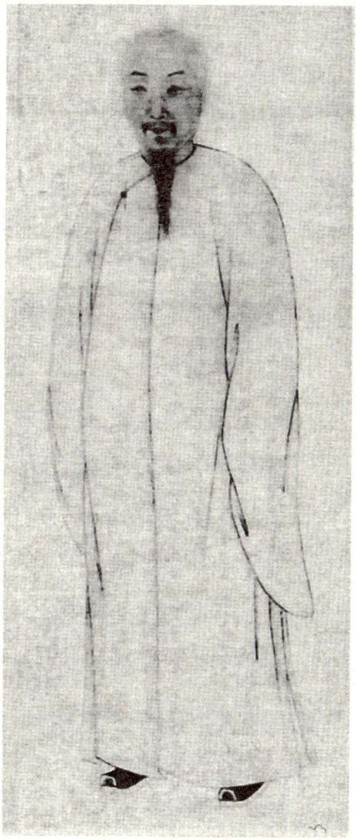

蒋士铨像

乾嘉时期，被目为“才人之诗”代表的，应推袁枚。袁枚与赵翼、蒋士铨并称为“乾隆三大家”。袁枚生活通脱放浪，个性独立不羁，颇具离经叛道、反叛传统的色彩。袁枚论诗主“性灵说”，所谓“性灵”，其含义包括性情、个性和诗才。然而仅有个性、性情是不够的，还应具备表现这一切的诗才，“诗人无才，不能役典籍，运心灵”(袁枚《蒋心馀藏园诗序》)，强调诗的灵动和灵气，艺术构思中的灵机与才气、天分与学识结合并重。他的诗题材广泛多样，反映现实、咏物怀古、描绘山川自然和表现个人志趣，均有涉及。但不以厚重壮大、激情奔放为特色，而以新颖灵巧见长，信手拈来，矜新斗捷，大都不受传统思想束缚和正宗格调限制，不尽遵轨范。具有清灵隽妙，感情奔放，议论新颖、笔调活泼、语言晓畅、句法灵巧等特点，从内容到形式都有一定的创新。如《春日杂诗》《马嵬》其二等。另外如"半天凉月色，一笛酒人心"（《夜过借园见主人坐月下吹笛》）、"十里烟笼村店小，一枝风压酒旗偏"（《春柳》）、"人家门户多临水，儿女生涯总是桑"（《雨过湖州》）等，都是名句。抒述骨肉之情的《陇上作》《哭三妹五十韵》《哭阿良》等感情真挚，清婉凄恻。关心民瘼的作品有《苦灾行》《南漕叹》《捕蝗歌》等，揭露社会弊病的作品则有《鸡》《偶然作》《养马图》等。但他的诗也有很大一部分失之凡庸琐屑，甚至尘下庸俗。如《佳句》："佳句听人口上歌，有如绝色眼前过。明知与我全无分，不觉情深唤奈何。"《遣兴》其五："爱好由来落笔难，一诗千改始心安。阿婆还是初笄女，头未梳成不许看。"《日日》："日日桃花洞里行，莺啼燕语已忘情。听来丝竹愁仍起，作到神仙味亦平。精力尽消文字障，史书先让贵人名。闲身颇觉垂垂老，不斗心兵斗墨兵。"此外，他还有《镊须》《染须》《拔齿》《补齿》《齿痛闷坐戏作长歌》等，描述自己身体的屑小变化。以上种种，流露出袁枚对声色的留恋和贪婪，以及日常生活的奢靡与无聊。

黄仲则作为"诗人之诗"的代表，是诗界的共识，但这并不是说黄仲则的诗作就完全是纯粹的"诗人之诗"，绝对不具有"学人之诗"和"才人之诗"的某些特征。其实，"诗人之诗"也要像"学人之诗"那样，具备相当的文化修养和知识储备，也要像"才人之诗"那样关注作诗的技术细节。只不过，对于黄仲则而言，在"诗人之诗""学人之诗"和"才人之诗"之中，是以"诗人之诗"为主，其他居其次而已。我们看他的作品，像"学人之诗"一样，讲求学问的诗作也有不少诸如《题马氏斋头秋鹰图》（卷一）、《灵璧磬石歌》（卷一）、《题汪松溪遗集并所著诗学汝为》（卷九）、《孙薇隐自句曲归以诗示即和其作》（卷十）、《贾礼耕用昌黎石鼓歌韵赠诗和赠一首》（卷十）、《题可堂印谱》（卷十一）、《颜鲁公名印歌》（卷十二）、《王兰泉先生斋头观砚作歌》（卷十二）、《丙申冬于王述庵通政斋……作歌》（卷十三）、《丛竹图为金光禄素中题》（卷十三）、《汉吉羊洗歌在程鱼门编修斋头作》（卷十三）、《王述庵先生招集蒲褐山房观刘贯道兰亭修禊图作歌》（卷十三）、《集吴香亭太常斋见所藏孙雪居董香光书画合册作歌》（卷十三）、《蒋心馀斋头观范巨卿碑额拓本》（卷十四）、《冬夜饮程鱼门编修斋观耶律文正公像》（卷十四）、《题翁覃溪所藏宋椠施注苏诗原本》（卷十四）、《桂未谷明经以旧藏山谷诗孙铜印见赠》（卷十四）、《未谷以汉瓦并天下文拓本嘱题》（卷十四）、《禹碑》（卷二十二）等篇。这些诗大多质木无文，枯燥乏味，与其以前一无依傍、抒写性灵之作，大异其趣。同时，他也要像"才人之诗"一样，在诗中也要讲求使事用典，强调修辞用字。

所以，黄仲则是兼有"诗人之诗""学人之诗"和"才人之诗"三者之长，而以"诗人之诗"为主。

第二节　对先秦诗歌经典的追慕

先秦（前 21 世纪—前 221）是指秦朝建立之前的历史时期，经历了夏、商、西周，以及春秋、战国等历史阶段，是我国历史文化发展的源头。在长达一千八百多年的历史中，华夏的先祖们创造了光辉灿烂的中华文明史。在这个时期，诞生了我国最早的诗歌总集《诗经》，和第一位青史留名的伟大诗人屈原。上古神话、诸子百家、《诗经》、楚辞、屈原，等等，就是这一时期极其重要的文化成就和文化遗产，他们共同构成了后世中华文明的源头和基础，成为每一个有教养的华夏传人所必须熟知的文化典籍。作为 18 世纪中叶的诗人黄仲则，自然也不能例外，上述种种，应当成为他日后行走世上、安身立命之所资，所必须烂熟于心和简练揣摩的内容。汪昉《光绪丙子刊本序》称黄仲则道："盖先生之所得于天者独厚，而又沉酣经籍，融液子史，咳唾珠玉，不肯一语落第二乘，固非寻常以诗称者所可及也。"[①]即论及仲则诗才天赋之得天独厚，与经籍子史之博大精深。当然，能够直接提供给诗人艺术滋养的材料，就先秦这一特定的历史时期而言，自然当属与诗直接相关的《诗经》和《楚辞》了。

众所周知，《诗经》是中国最早的诗歌总集，收入自西周初年至春秋中叶大约五百多年的诗歌（前 11 世纪—前 6 世纪）305 篇。传为尹吉甫采集、孔子编订，先秦时称为《诗》，或《诗三百》。西汉时被尊为儒家经典，始称《诗经》，并沿用至今。《诗经》是儒家重要经典之一，是知识分子的必读书。当然，不同的人读同一部书所取的角度不一，其所得也就各异。对于黄仲则而言，《诗经》除了是儒家重要经典之外，还是重要的文学启蒙读物，对黄仲则诗歌创作的影响自是不言而喻。《诗经》特别是十五国风的民歌中有许多篇什是描写和咏赞爱情的，这也成为《诗经》最大的亮点之一。诸如《周南·关雎》《周南·汉广》《秦风·蒹葭》《陈风·月出》《邶风·静女》《召南·野有死

---

① 黄仲则《两当轩集》附录一《序跋》，上海古籍出版社，1983 年版，第 602 页。

麇》《卫风·氓》《邶风·谷风》《唐风·葛生》等，都非常脍炙人口。这些写恋爱和婚姻问题的诗，或歌唱男女相悦之情、相思之意，或赞扬对方的风采容貌，或描述幽会的情景，或表达女子的微妙心理，或嗟叹弃妇的不幸遭遇，内容丰富，感情真实，堪称全部《诗经》中艺术成就最高的作品。

爱情婚姻是人类最重要、最复杂的情感之一，也是自然人性最重要的表露方式之一，同时更是人类繁衍种族、传承个体的重要手段和方式，也是文学作品中永恒的主题和母题之一。因此，如何在文学作品中反映和表现人性，就成了文学作品和文学艺术家最重要的责任之一。黄仲则作为优秀诗人，他的诗歌创作，从《诗经》这一中华民族爱情母题滥觞中所受到的最要影响之一，就是在他的作品中不遗余力地歌赞爱情，咏叹爱情。他的许多描述爱情的名篇，如《感旧》四首、《感旧杂诗》《秋夕》《绮怀》十六首、《秋夜曲》等，真的是一唱三叹，低回哀婉，精神气质上与《诗经》可谓如出一辙。

《诗经》的另一个重要的传统就是强调其"美刺"功用，即诗的讽喻教化的政治功用，所谓"经夫妇，成孝敬，厚人伦，美教化，移风俗……上以风化下，下以风刺上，主文而谲谏，言之者无罪，闻之者足以戒"（《毛诗序》）。孔子甚至对其子孔鲤说"不学诗，无以言"（《论语·季氏》），并"小子何莫学夫诗？诗可以兴，可以观，可以群，可以怨，迩之事父，远之事君，多识鸟兽草木之名"（《论语·阳货》）。这一功能在《诗经》中得到了极大的发挥。如《魏风·硕鼠》《魏风·伐檀》等，以冷嘲热讽的笔调形象地揭示出权贵阶层贪婪成性、不劳而获的寄生本性，唱出了草根阶层反抗的呼声和对理想生活的向往，显示了他们反抗意识的觉醒；《小雅·何草不黄》《豳风·东山》《唐风·鸨羽》《小雅·采薇》等写征夫思家恋土和对战争的哀怨；《王风·君子于役》《卫风·伯兮》等表现了思妇对征人的怀念。它们从不同的角度反映了当时不合理的兵役制度和战争徭役给下层百姓带来的无穷痛苦和灾难。到了黄仲则所处的时代，《诗经》中所反映的这些问题和现象，不仅没有消失和消弱，反而变本加厉，有过之而无不及。《两当轩集》中的很多篇章，诸如《铺海》《骤寒作歌》《金缕曲·林冲夜奔》《何事不可为二章·咏史》《泥涂叹》《朝来》《入市》《新仆》《悲来行》《献县汪丞坐中观技》《苦暑行》《车中杂诗》《望泗州旧城》《邓家坟写望》《院斋纳凉杂成》《和钱百泉杂感》《话吟秋斋头次韵》《送春三首》《涡水舟发》《客冬从滁州肩舆至瓜步》等，机锋所向，当在庙堂。黄仲则虽然并非入世甚深的缙绅士大夫，但作为传统士人那种与生俱来的使命感和担当意识，使得他自觉承担起了指陈时弊、激浊扬清的责任。何况黄仲则本身就穷愁潦倒，蹭蹬坎坷，他诗中所写，几乎都是感同身受的切身体验，牢骚满腹，因而在诗中反复咏叹，也就不足为奇了。所以，从这一点上来说，黄仲则所受《诗经》的影响仍然是十分明显的。

这一时期，对黄仲则诗歌创作影响甚巨的另一重要因素，当属屈原。

屈原（约前 340—前 278）是我国最早的浪漫主义诗人，也是中国文学史上第一位留下姓名的伟大爱国诗人，他的出现，标志着中国诗歌进入了一个由集体合唱到个人独唱的新时代。他开创了“楚辞”这种文体，代表作品有《离骚》《九歌》《天问》等，被誉为“其衣被词人，非一代也”（《文心雕龙·辨骚》）。《离骚》是屈原以自己的理想、遭遇、痛苦、热情以至整个生命所熔铸而成的宏伟诗篇，其中闪耀着鲜明的个性光辉，是屈原全部创作中的扛鼎之作。《天问》是屈原根据神话、传说材料创作的诗篇，着重表现作者的学术造诣及其历史观和自然观。《九歌》是楚国祀神乐曲，经屈原加工、润色而成，在人物感情的抒发和环境气氛的描述上，充满浓厚的生活气息，显示了楚地文学传统的轨迹。其作品汉代后便产生了极大的影响，后汉的王逸盛赞屈原“膺忠贞之质，体清洁之性，直若砥矢，颜若丹青；进不隐其谋，退不顾其命，此诚绝世之行，俊彦之英也”（《楚辞章句叙》）。至于南朝梁刘勰的《文心雕龙》，又概括王逸的观点，写了《辨骚》一章，除证明屈原作品有异于《风》《雅》的四点以外，也有同乎经典的四事。杜甫《戏为六绝句》其五赞曰：“不薄今人爱古人，清词丽句必为邻，窃攀屈宋宜方驾，恐与齐梁作后尘。”针对当时文坛流行的厚古薄今现象，杜甫提出，不论对屈、宋、汉、魏、齐、梁文人，初唐四杰或者同时代的诗人，都应该给予合理的评价和应有的尊崇，只要其作品有清词丽句就应该肯定。杜甫的文艺观既不随流俗、求真求实，又富于卓越的识鉴。他对屈、宋、汉、魏文学的推重和对齐、梁文学的批评，都符合文学史的实际，因而深得后人赞同。鲁迅亦称屈原作品：“逸响伟辞，卓绝一世……其影响于后来之文章，乃甚或在《三百篇》以上。”①

乾隆三十四年（1769），诗人时年二十一岁。这年冬天，因恩师邵齐焘的书荐，诗人往谒时任湖南按察使的王太岳，这便是著名的“湖湘之行”。期间，诗人写下了大量描绘游览江西、湖南、湖北三省名胜的诗篇，其中著名的有《游岳麓》《登衡山看日出用韩韵》《湘江夜泊》《辰阳道中》《舟中望九华》《月中泛小孤山下》《汉江晓发》《岳阳楼用杜韵》《黄鹤楼用崔韵》《屈贾祠》

① 鲁迅《汉文学史纲要》，北京：人民文学出版社，1958 年版，第 20 页。

《耒阳杜子美墓》等数十首。

对黄仲则来讲，他之跋山涉水，千里迢迢远赴湖湘楚地，不单是为了稻粱之谋和个人声名，更重要的还有这里的山水胜迹在吸引他，这里深厚的文化底蕴吸引着他。这里也曾是屈原、贾谊、杜甫逗留和终老之地，他们共同构筑了湘楚文学的悠远历史。他们的才情气质、身世遭际和诗歌作品，成为湖湘楚地文学共同的精神远祖。湖湘文学以屈原导源于前，贾谊扬波于后，杜甫后来居上，三人均带壮志难酬之悲怨。屈原本楚之重臣，因小人馅害，“身绝郢阙，迹遍湘干”（南朝宋颜延之《祭屈原文》），憔悴行吟于三湘四水之间，反复悲吟；贾谊少年得志，后遭贬长沙，郁郁以终；杜甫流寓于湖湘之地，已是人生之暮，失意而悲苦。前贤之种种遭遇，皆可谓“虚负凌云万丈才，一生襟袍未曾开”（唐崔珏《哭李商隐》其二）。可以说，三位都不遇于时，是他十分敬佩、能与他内心产生共鸣的骚人诗客，他们的遭遇为历代相同或相似经历的文人骚客频频吟咏。黄仲则足践此地，深刻地感受到这一点，并在诗歌中达了类似情感，所谓“名岂身能待，愁将岁共过”[①]之类是也。他此次游湖湘的重要意图便是为酹酒招魂，以吊屈贾，缅怀杜甫的人品与诗品。湖湘之游，仲则得偿夙望，既有《浮湘赋》以寄意，又有《屈贾祠》以伤怀，还有《耒阳杜子美墓》以托慨。惜《浮湘赋》今佚不存。

“沧浪之水清兮，可以濯吾缨；沧浪之水浊兮，可以濯吾足。”（《渔夫歌》）据说屈原被放逐后，行吟泽畔。在和渔父的一次对话中，渔父劝他“与世推移”，不要“深思高举”，自讨苦吃。屈原则表示宁可投江而死，也不能使清白之身蒙受世俗之尘埃。在渔父看来，处世不必过于清高。世道清廉，可以出来为官；世道浑浊，可以与世沉浮。至于“深思高举”，落得个被放逐，则是大谬不然。屈原和渔父的谈话，表现出了两种处世哲学。但面对“举世皆醉而我独醒，举世皆浊而我独清”的浇薄世风，屈原最终还是坚守了自己最后的底线，没有随波逐流与世浮沉，而是洁身自好，身赴清流，从而流芳百世，名垂千古。黄仲则对此是无比钦佩的，《屈原祠》:“楚国椒兰犹自化，汉庭绛灌更何知?”楚国那些屡进谗言的势利小人们，和后世那些如绛婴灌夫之流不解风骚的赳赳武夫们，与光辉峻洁的屈大夫相比，都不过是过眼云烟。“天遣蛮荒发文藻，人间何处不相思”，虽然屈原被流放至荒蛮绝塞之地，但他的文采华藻，并未因此而稍减光焰，反而更加惊采绝艳，光芒万丈，为后人所倾

① 黄仲则《把酒》。

慕、思念和缅怀。此外，还有《水调歌头·仇二以湖湘道远且怜余病劝勿往词以谢之》词一阕，词曰：

> 一事与君说，君莫苦羁留。百年过隙驹耳，行矣复何求？且奈残羹冷炙，还受晓风残月，博得十年游。若待嫁娶毕，白发待人不？　离击筑，驩弹铗，粲登楼。仆虽不及若辈，颇抱古今愁。此去月明千里，且把《离骚》一卷，读下洞庭舟。大笑揖君去，帆势破清秋。

在这里，黄仲则自谦没有渐离击筑悲歌的慷慨，也没用冯驩弹铗的老谋深算，更没有王粲登楼的深沉潜涵，但却有着和古人一样的愁怀和苦闷，那就是怀才不遇，世无知音。排遣这种苦闷和愁怀，别无他法，唯有于月明风清之夜，手把《离骚》诗卷，帆势破清秋，读下洞庭舟，大笑着与屈子相揖而去。从“怀抱古今愁”，到“大笑揖君去”，黄仲则情绪的起落变化，可谓大相径庭，促使这种变化的关键因素就是《离骚》诗卷，它成了黄仲则安抚焦躁不安灵魂的镇静剂，也成了黄仲则慰藉忧愁苦闷的心灵鸡汤。

在《太白墓》一诗中，黄仲则除了对李白表达了真挚的膜拜和钦敬外，也对太白诗歌的艺术境界做了评骘，道是“陶镕屈宋入大雅，挥洒日月成瑰词”，称赞太白的诗艺熔铸了屈原、宋玉等楚辞的风格，吸收日月之精华，信笔挥洒，自铸伟词，从而达到了《诗经·大雅》的境界。《耒阳杜子美墓》的结句“由来骚怨地，只合伴灵均”，湘中之地，向来是骚人词客的怨恨之所，屈原投汨罗江而死，所以杜甫的归宿就只好与屈原做伴了。把杜甫的人格和屈原相提并论，从另一角度见出黄仲则对屈原推崇之高。

屈原的才华、人格、身世遭际，以及他所开创的楚辞的风格、气势都为黄仲则所认同和仰慕。友人孙星衍在诗中亦尝言及仲则此行曰：“南浮汨罗招屈原，洪涛浡潏颠乾坤。……胸中块垒谁共论，扣舷大啸呼灵均。”孙星衍认为，黄仲则汨罗酹酒凭吊屈原，“扣舷大啸呼灵均”，是把屈原当作可以共论“胸中垒块”的千古知音。如果没有对屈原摩顶放踵的崇拜和认同，黄仲则这种狂狷孤傲、自视甚高的才子诗人，怎么会如此垂眉折腰、低心下首于一个落魄文人呢？归根结底是导源于对自身处境的怨艾，并在这一点上与曾经逗留于湖湘之地的前贤，保持了精神上的高度认同和空前的一致性。不仅如此，湖湘楚地之行，还促进了黄仲则诗风的转变和诗艺的提高。几乎在同时，诗人还写了《述怀示友人》寄洪亮吉的两首七律，其中第二首就有：“江山惨淡埋骚客，身世凄凉变楚音”的感叹。他的好友洪亮吉在为他所作的

张维屏像

《黄君行状》中曾对此评价说："（景仁）自湖南归，诗益奇肆，见者一以为谪仙人复出也。后始稍稍变其体，为王、李、高、岑，为宋元佑诸君子，又为杨诚斋，卒其所诣，与青莲最近。"当然，他在诗艺上的提高，与他一向在这方面的刻苦努力是分不开的，洪亮吉说："岁辛卯，大兴朱先生筠奉命督安徽学政，延亮吉及君于幕中。……君日中阅试卷，夜为诗，至漏尽不止。每得一篇，辄就榻呼亮吉起夸视之，以是亮吉亦一夕数起，或达晓不寐，而君不倦。"黄仲则全心投入，乐此不疲。再加上他杰出的个人才具、师友朋辈的熏染和江山风月之助，他的诗艺进步神速。张维屏在《听松庐文钞》中对此亦有极为精辟的分析与评价："或曰：仲则诗诚工矣，然超逸有馀，而博大似未足也。余曰：子之意，必以多用书、多数典而后博乎？必以袭杜、韩之貌，学明七子之声，而后为大乎？夫古无类书，并无刻本，是以《三都赋》就，纸贵一时。今类书大备，刻本通行，为诗文者一题到手，但解翻书，居然博学。吾非谓书可少也，第以善为诗者，用书而诗益工；不善为诗者，用书而诗益拙。盖书不可废，亦不可恃也。……仲则天分极高，无所不学，亦无所不能至，下笔时要皆任其天之自然，称其心所欲出，乾坤清气，独往独来，此仲则之所以不可及也。"[①]对诗人的勤奋刻苦做了充分肯定。

黄仲则最为推重的诗人之一李白，对屈原也同样景慕不已。在《江上吟》中李白咏道，"屈平词赋悬日月，楚王台榭空山丘"。楚王极其台榭虽然曾经风光煊赫一时，但时过境迁，终成土灰。而屈原的辞赋随着时光的流逝，不仅没有湮没无闻，反而如日月般光辉灿烂，经天纬地，太白对屈原的作品表达了由衷的钦佩。龚自珍《最录李白集》："庄、屈实二，不可以并，并之

① ［清］张维屏《国朝诗人征略》卷三十九，清道光十年刻本。

以为心，自白始；儒、仙、侠实三，不可以合，合之以为气，又自白始也。”[①]凭借那些曼妙优美的文词，庄子成为中国古代第一个真正意义上的文学家；凭借那一百多个诙谐生动的寓言故事，他成为中国古代成就最高的寓言大师；凭借那些超凡睿智的思想，他成为那个伟大时代一座哲学高峰。他娓娓述说着一则则寓言故事，为我们描画了人间万象；他放任自己思想的翅膀，让它扶摇直上九万里；他观照古今兴衰成败，让后世所有思想者望洋兴叹。天子不得臣，诸侯不得友，这是古今狂傲者之极致；生不愿为万户侯，死不多占一抔土，这是古今淡泊者之极致。面对庄子，我们仿佛面对高山。然而，他却只是一只拽尾泽中的游鱼，一只飞舞于梦里梦外的彩蝶，一粒逍遥游于天地之间的微尘……

在黄仲则的人格修养和诗歌作品中，这种庄屈合并，儒、仙、侠为一的情形，其实也并不陌生。

“男儿作健向沙场，自爱登台不忘乡。太白高高天五尺，宝刀明月共辉光”，“宝刀不恋粟，男儿重横行”，“读书击剑好身手，野性束缚难为堪”这些诗句足以见出少年诗人那种建功立业，以天下为己任的高远志向和抱负，这与儒家的入世精神是一致的。

“坐愁行叹困羁旅，饮不成欢歌无腔”[②]，“功名自昔犹如此，莫为漂零怨此身”，“天涯几辈同飘泊，起看星辰黯未收”，“人生尽如寄，不如沙上禽”，“忍使桑榆乖色养，误将书剑换浮名”——这些诗句虽不免有些牢骚，但诗人仍颇肯定自己的才华，即使当下困于官幕之中，龙游浅水，虎落平阳，但诗人认为也只是一时之困顿，当属偶然，日后必能风云际会，有一番作为。

“仙佛茫茫两未成，只知独夜不平鸣”“读书击剑两无成，辞赋中年误马卿”“痛饮狂歌负半生，诗书击剑两无成”这样的诗句中，“仙佛”“书剑”，我们岂不是看到了仙人缥缈的身影和侠客豪迈的气度？

不过在经过数次江宁乡试的失败经历之后，在不断的痛苦煎熬下，仲则也曾起过退隐江湖、消极避世的念头：“相期著书好，归去掩蓬门”[③]，“自笑出门无远志，五湖三亩是归人”[④]。如此，则黄仲则身上，既有屈原的影子，也有李白的魂魄，庄、屈合并，儒、仙、侠为一，良有以也。

---

① ［清］龚自珍《定盦全集》文集补编卷三，清光绪二十三年万本书堂刻本。
② 黄仲则《春雨望新安江》。
③ 黄仲则《遇伍三》。
④ 黄仲则《舟中咏怀》。

小　结

黄仲则所处的乾隆时期，文治武功，内政外交，均于彼时臻于巅峰，一向被认为是封建社会的鼎盛期，表面上歌舞升平，国泰民安，但繁荣的背后，也是危机四伏，问题多多。作为一个敏感而富于表现力的青年诗人，黄仲则从自身的遭际出发，在那个所谓的盛世发出了不平之鸣。“正声何微茫，哀怨起骚人”（李白《古风五十九首》其一），怀才不遇、贫病交加、屡试不第、情场失意等等物质上和精神上的种种痛苦，常常是诗人的难言之隐，都成为诗人的诗材。重精神、讲气节，轻物质、淡功名，是封建社会自上而下对知识分子人格理想的共同期许。当其他许多诗人对所谓的“乾隆盛世”大唱赞歌的时候，忍无可忍的黄仲则置“怨而不怒”“厚于自责”这些“温柔敦厚”传统诗教于不顾，将穷愁潦倒的真切体验毫无顾忌地发为惊世骇俗的诗句，以宣泄一己之幽愤与感伤。这与先秦诗骚的哀怨美刺传统，在精神上是一致的。

在诗歌的美学维度上，仲则一生都在有意识地探索和完善自己的诗歌创作个性，尤其羡慕情感激越苍凉、风格飞扬激荡、气势浑涵厚重的诗作，所以他特别企慕庄子、屈原那样天马行空、灵动豪迈的气概。屈原生长于湖湘之地，楚地温润宜人的气候、优美旖旎的自然风光和深沉厚重的湘楚文化，加上前辈诗人的熏染，哺育了伟大的屈原，养成了他豪迈不羁和慷慨激昂的性格，并且反映在惊才绝艳的楚辞中。黄仲则同样作为南方诗人，他这种对以诗骚为代表的遥远的先秦文化的仰慕，体现了他在诗歌审美上的包容性与开放性。正因为这样，他的抒情诗即使是发自“小我”之体验，也并不让人觉得狭隘或纠缠不清，而是传达和飞扬出一种深沉而又热烈，凄凉而又激越的艺术特质①。从其情真意切、自然流畅的诗歌里，我们不难感到一个不同流俗、峻洁率真的屈原般的人格力量，以及那种的超拔脱俗、独立不迁的诗歌美学风貌与精神品质。

第三节　对汉魏六朝诗歌的萃取

古往今来，才高之人，其文学创作的风格面目呈现多样性、丰富性，并不专主一格，这样的例子并不少见，李白、杜甫、苏轼、陆游，等等，大抵如此。

① 参阅蒋郁葱《黄仲则诗歌的价值取向》，《河池学院学报》，第 25 卷第 1 期，2005 年 2 月。

黄仲则才华出众，少年时曾“效汉、魏乐府体，逾月而大工”[①]，又能转益多师，故其诗歌风格也较多样。王昶《黄仲则墓志铭》则强调黄仲则诗风自成一格：“至其为诗，上自汉魏，下逮唐宋，无弗效者，疏瀹灵腑，出精入能，刻琢沉挚，不以蹈袭剽窃为能。”由此我们不难看出，黄仲则对汉魏乐府的学习和继承确实不遗余力，质而言之，汉魏乐府对黄仲则诗风的影响也是不容置疑的。

乐府是自秦代以来朝廷设立的管理音乐的机构，汉武帝时期大规模扩建。据《汉书·艺文志第十》记载：“自孝武立乐府而采歌谣，于是有代、赵之讴，秦、楚之风，皆感于哀乐，缘事而发，亦可以观风俗，知薄厚云。”这种采集各地歌谣、整理和制订乐谱的机构，名叫“乐府”。后来，人们就把这一机构收集并制谱的诗歌，称为乐府诗，或者简称乐府。到了唐代，这些诗歌的乐谱虽然早已失传，但这种形式却相沿下来，成为一种没有严格格律、近于五七言古体诗的诗歌体裁。

这些乐府诗“饥者歌其食，劳者歌其事”，常被指为是现实主义的创作方法，意谓乐府诗的创作，是创作主体有感于现实生活中的悲哀或快乐，是源自具体的事件而发出的感慨。激发乐府诗作者创作热情和灵感的，是日常生活中的具体事件及人们普遍关心的敏感问题。这些问题，从人性角度而言，其实都不外乎人们社会生活、人生际遇中的悲欢离合，喜怒哀乐。情动于中，发而为诗，自然入人肺腑，感人至深。其中，最常见、最成功的乐府诗，当属爱情婚姻方面的作品。

爱情婚姻题材作品在汉魏乐府诗中占有较大比重，是对男女两性之间的爱恨情仇所作的直接坦露和表白。这些诗篇多是来自民间，或是出自下层文人之手，因此，在表达婚恋方面的情感时，都显得大胆泼辣，毫不掩饰。如《鼓吹曲辞》收录的《上邪》《有所思》等，而《孔雀东南飞》所写的是另一种类型的爱恨。此外还有《陌上桑》和《羽林郎》这样的诗。在这两篇作品中，男女主人公双方根本没有任何感情基础，是素不相识的陌生人，男方企图依靠权势将自己的意愿强加于女方。于是，出现了秦罗敷巧对使君、胡姬誓死回绝羽林郎的场面。这两首诗的作者也是爱憎分明，对秦罗敷和胡姬给予充分的肯定和高度的赞扬，嘲笑、鞭挞好色无行的使君和金吾子。

乐府诗中另外一个重要题材就是《相和歌辞》中的《东门行》《妇病行》

① 《武进县志·文学传》，见《两当轩集》附录二，上海古籍出版社，1983年版，第603页。

《孤儿行》等，表现的都是平民百姓的疾苦，是来自社会最底层的呻吟呼号。这些作品用白描的笔法，通过人物的对话、行动、内心独白，表现他们心灵的痛苦，感情上遭受的煎熬，兼顾到表现对象物质生活的饥寒交迫，以及从人性层面展现这些人在精神、情感世界的严重创伤。尤其可贵的是，诗的作者对于这些在死亡线上挣扎的平民百姓寄予深切的同情，是以恻隐之心申诉下层贫民的不幸遭遇。

黄仲则是个天才的诗人，他的五言诗明显受到汉魏六朝的影响，这在《两当轩集》的开篇之作《初春》中便有明确体现。洪亮吉《黄君行状》曾记载他学习和揣摩汉魏乐府的情景。这首《初春》，及其后的《舟中咏怀》《清明步城东有怀邵二仲游》《别意》《拟饮马长城窟》《秋夜酌闵二舟中》《题画》《遇王大邦誉》《十三夜》《登千佛岩遇雨》《游白沙庵僧舍》《秋风怨》《过钓台》《雨后湖泛》《花前曲》《道旁废园》《遇伍三》《山寺》《访草以南五明寺》《月下杂感》《登镇海城楼观海》《明州客夜怀味辛稚存却奇》《黄山寻益然和尚塔不得偕邵二云作》等，尤其是《杂咏》二十首，当为这一阶段学习汉魏乐府诗的阶段性成果。

其《新安滩》"一滩复一滩，一滩高十丈。三百六十滩，新安在天上"，是摹乐府民歌体裁创造的小诗，纯用白描手法，清新浅易，并无苦心孤诣炼字的痕迹，甚有乐府风味。可谓"豪华落尽见真淳"，非功力老到者不能道出。

在以下诸篇中，如："墙上蒿，托身何高高。托身虽高托根孤，主人家有屋上乌。乌饥墙头啄寒虫，啄蒿飘飘堕随风。主人虽爱惜，不能使乌不得食。乌得食，乌高飞，同作寄人活，彼此何用相仇为！"[①]"豹兮苦廉，狼兮苦贪。狼心忧饥，豹身忧肥。狼有膏而戕其躯兮，豹亦忧其有皮。"[②]"清江弥弥，白石粲粲。小星荧荧，大星烂烂。豢龙不如鳍虾，篸凤不如凫雁。贱修不如贵夭，饥聚不若饱散。"[③]黄仲则已经比较熟练地直接将散文化句式甚至虚词、民谚俗语、白话口语入诗。这使他的诗更自然，无矫饰，别具新质。再如："芳草远逾远，小楼空更空"，"深巷小儿呱呱啼，床头阿母知未知"[④]，"作客如在家，在家反如客。所以三年来，衣上尘土积"[⑤]，"飘零吾分定，愁煞路三千"[⑥]，

① 黄仲则《墙上蒿》。
② 黄仲则《古歌》。
③ 黄仲则《短歌》。
④ 黄仲则《寒夜曲》。
⑤ 黄仲则《哭叔宀先生兼怀仲游》其四。
⑥ 黄仲则《寄丽亭》。

“汪生汪生适何来，头蓬气结颜如灰”[①]，等等。都极平常，极质朴，明白晓畅，通俗清浅，却并无浅薄无聊之意。

《初春》诗曰：

> 未觉毡炉暖，旋怀柑酒新。池台平入夜，原野渺含春。物外欣然意，风前现在身。中宵感幽梦，冰雪尚嶙峋。

春日万物皆透欣然之意，诗人却无端梦到嶙峋冰雪。毡炉不暖，如那炎凉世态，杯酒在手，那个冷峻而孤标的少年，在写下这首诗的时候，想来也是未从心底里升腾起一星半点温暖的吧？我们猜不到他当时的心境里，是否也存着“冰雪尚嶙峋”之后迎来“山花烂漫时”的希冀与乐观？所谓“物极必反，自然之理”，最冷的时候，或许也就是转暖的开始？隐隐中注定其与世界的不相谐和。看似无意，终成必然。稍后的《舟中咏怀》写到今晚远眺，浣衣女郎，小径樵夫，明净的水，薄薄的雾，皆充满生机，诗人却于其中感到了萧瑟凄凉。“长歌阕已再，倾耳谁与应？殊悲生事薄，聊觉野情胜”，已明显表达出诗人对现实生存的无奈无力、对自然野趣的钟情，其内心的挣扎跃然纸上。这种矛盾心态，至其病故，始终未曾消歇。

《杂咏》组诗共二十首，均为五言诗。其第一首云：

> 东方月出皎，照见倾城姿。君宠正专房，不信能弃夷。梁尘飞更寂，璚枝冷欲披。一朝繁华露，化为千泪丝。终知恩决绝，未免心然疑。诘旦理清镜，方知玉貌移。天长沧海阔，何以度萧时！

用汉武爱妃李夫人典，美人凭借倾国倾城之貌，专房君宠，自以为可以高枕无忧，不被遗弃，但“一朝繁华露，化为千泪丝”，一切不过是浮云，当美人容颜老去，盛年不再，君王就会恩断义绝，使美人徒留兴叹。

第二首云：

> 小鸟有比翼，双飞愁天寒。朝衔榑桑枝，暮巢琪树端。劳生岂不惜，幸有相与欢。长天渺征路，中道逢哀鸾。关山引孤啸，毛羽自摧残。文采亦已高，谁与相盘桓。阳冈有梧实，努力加朝餐。

以小鸟的辛苦劳生为题，其实是诗人自伤身世，虽然辛劳，“幸有相与欢”，但遭遇的同类，与自己实际是同病相怜，“文采亦已高，谁与相盘桓”，是

---

① 黄仲则《偕容甫登绛雪亭》。

一种找不到知己的感伤，最后以“阳冈梧实”来勉励自己努力加朝餐。

第十六首云：

> 古交戒情尽，今交患情离。苦自留其馀，不知将赠谁。宝剑既心许，慨然脱相遗。安用挂树日，悲此宿草为？

以今人交友观来评价季札赠剑之举，是从利益出发。似乎慨然赠剑方见情谊深厚，否则便交浅情薄。诗人以为古之人交友以道义相砥砺，今之人交友以利益相投合。诗人崇尚的还是“君子之交淡如水”的交友观。以后的篇什，就题旨而言，大致相近，都是对时光易逝，功业难就，人生艰危等等的感悟与喟叹，流露出深深的感伤和忧患。

《两当轩集》中的诗，是以年代编次的，也就是说，黄仲则的这三首诗应为较早的作品，年轻的心尚且如此，年龄渐长后则更甚。

《除夕述怀》作于乾隆四十六年(1781)，距其生命终了只有两年。冥冥之中诗人大概自知年寿不永吧，所以在这首诗中，诗人对自己的一生做了一个小结。诗人自认自己是一个浪迹天涯的江海客，素性漂泊，吴山越水，江南塞北，无处不到。一路风尘，路过的津涯已经十不记二三了。他也不无心酸地回忆及自己佣书四库的经历，和迎养慈亲来京生活的艰辛，所愧自己职微俸薄，只能委屈母亲赁屋暂居。但母亲思乡之情甚殷，不得已又送母南归。诗人还谈到了自己的家庭生活，儿子痴憨，废学贪吃，连之无都不识，只知索要梨柑。幸喜女儿心性稍黠慧，但恨渠不为男儿身。所以，黄仲则仍在慨叹“俯仰既无藉，出处弥自惭”。然后追忆了自己远游齐鲁诸地的一路风尘。然而，诗人的病体每况愈下，“今如病马伏，不任驱骖騑”。诗人身旁除了一个相随多年的旧仆，以及锈迹斑斑的旧剑和尘封鱼蟫的破书外，别无长物。贫病交加，诗人只能卖字为生，“缩颈向炉火，暖意偷春酣”，狼狈万状，悲苦之甚，悲凉之雾，扑面而来。故洪亮吉评黄仲则诗“如咽露秋虫，舞风病鹤”。

在汉乐府和《古诗十九首》中，已有许多关涉生命主题的诗歌。《薤露》《蒿里》之作，以及“人生非金石，岂能长寿考”(《古诗十九首》其十一)等诗句，可以说是这类主题的直接源头。魏晋以后这一主题越发普遍，曹丕的《与吴质书》很真切地表现了当时这种想法：“昔年疾疫，亲故多离其灾。徐、陈、应、刘，一时俱逝，痛何可言邪！……少壮真当努力，年一过往，何可攀援？古人思秉烛夜游，良有以也！”生与死是永恒的主题：“对酒当歌，人生几何。譬如朝露，去日苦多”（曹操《短歌行》）；“有生必有死，早终非命促”、“死去何所道，托体同山阿”（陶渊明《拟挽歌辞三首》）；“春草暮兮秋风惊，秋风罢兮春草生。绮罗毕兮池馆尽，琴瑟灭兮丘垄平。自古皆有死，莫不饮恨而吞声”（江淹《恨赋》）。黄仲则与生俱来的忧郁感伤气质，和穷愁偃蹇的人生境遇，使得他对这类题材的作品有一种特殊的敏感，在他初涉学习作诗之际就与之不期而遇，岂非天意，受其影响自然也就顺理成章。

魏晋六朝时期的另一大诗人陶渊明，因为不愿为五斗米折腰，天真的诗人高唱《归去来兮辞》回到乡下老家。然而，“种豆南山下，草盛豆苗稀”，除了诗歌，诗人永远不可能在田园里收获五谷。当大家都以为诗人采菊东篱之下，果真每次悠悠然见到南山之时，我们的大诗人却在妻儿饥肠辘辘之际，奔走于告贷的路途之中。因此，后世文人虽都很景仰陶渊明的这种精神境界，却没有几个愿意继续他的人生道路，更没有几个人愿意继承他的铮铮傲骨。但黄仲则做到了，黄仲则无论在人格上、诗艺上，还是在个人的际遇上，都与陶渊明有共鸣之处，因而受其影响也十分自然。所以，黄仲则对世外桃源充满向往：“千载桃花源，想像遗民宅。自崖讵能从，问津信何益?”①而桃源已杳，斯境难寻，只有在人间苦度，在内心追随。神仙难以做得，那就退而求其次，做做樵夫或者渔夫吧：“一衣与一食，千里悬相招。吁嗟劳人亦已劳，何日归作西峰樵!”②“出郭病躯愁直视，登高短发愧旁观。升沉不用君平卜，已办秋江一钓竿。”③

汉魏六朝时期，黄仲则引为同调的还有嵇康、鲍照。

嵇康（224—263，一说223—262）是三国时期著名思想家、音乐家、文学家。正始末年与阮籍等竹林名士共倡玄学新风，主张“越名教而任自然”“审贵贱而通物情”（嵇康《释私论》），为“竹林七贤”的精神领袖。嵇康风度非凡，为一世之高标。尽管如此，嵇康却有“土木形骸，不自藻饰”（《晋书·嵇康传》）的个性倾向，而且旷达狂放，自由懒散，再加上他幼年丧父，故而经常放纵自己。成年的他接受老庄之后，在懒散与自由里孕育着嵇康的狂放和旷达。

黄仲则在性格气质上与嵇康几乎如出一辙，有着惊人的相似。包世臣《齐民四术》谈到了一些黄仲则的往事：“先生性豪宕，不拘小节，既博通载

① 黄仲则《杂咏》其十一。
② 黄仲则《道中偶成》。
③ 黄仲则《杂感四首》其四。

籍，慨然有用世之志，而见时流龌龊猥琐，辄使酒恣声色，讥笑讪侮，一发于诗。”洪亮吉《黄君行状》载：“（仲则）美风仪，立俦人中，望之若鹤，慕与交者，争趋就君，于是见者以为伟器，或以为狂生，弗测也。”王昶《黄仲则墓志铭》评价黄仲则时说：“风仪玉立，俦人争慕与交，仲则或上视不顾，于是见者指以为狂。”左辅《黄县丞状》曰：“（仲则）性颖悟，工诗歌，能文章。为人俶傥有奇气……然狂傲少谐，独与诗人曹以南交，馀不通一语。”许多友朋故旧也每有这样的评价，如为他编辑诗集的翁方纲就说黄仲则“放浪酣嬉，自托于酒筵歌肆”。可见，“狂”，是时人对他的普遍印象。所以，他与嵇康这种精神和心灵的契合是非常默契，几乎是不露痕迹的。其《夜起》诗中说“君平与世原交弃，叔夜于仙已绝缘”，分别用汉代严遵和晋代嵇康典故，以二人自比，谓自己与世不和但又无法解脱。在精神和道德品质上，对嵇康给予了高度认同。黄仲则作于乾隆三十八年（1773）的《和钱百泉杂感》其三中写道：“臣本高阳旧酒徒，未曾酣醉起呜呜。祢生谩骂奚生傲，此辈于今未可无。”仲则自比于祢衡和嵇康，欣赏他们放浪不羁的名士风度和嬉笑怒骂的反抗精神，其狷狂一面，其实在这些诗歌中已经昭然若揭。也许正是这种狂傲，使他八次落第。但是，榜上无名，未能蟾宫折桂，却没有妨碍他登上乾隆盛世诗坛的巅峰。天不假年，黄仲则在三十五岁的盛年英年早逝，真是天妒英才夭傲骨啊。以他的慷慨疏狂，能在文网密布的乾隆时代躲过文字狱而死于贫病，算是上天对他的眷顾了吧。

鲍照（约414—466），出身寒微。字明远，祖籍东海（治所在今山东郯城北），久居建康。系南朝宋文学家，与颜延之、谢灵运合称“元嘉三大家”。曾任秣陵令、中书舍人等职；后任临海王刘子项参军，兵败为乱兵所杀。有《鲍参军集》传世。他长于乐府诗，其七言诗对唐代诗歌的发展起了很重要的作用。其《拟行路难》十八首（一说十九首），表达了建功立业的愿望，以及对门阀社会的不满、怀才不遇的痛苦、报国无门的愤懑和理想幻灭的悲哀，真实地反映了当时贫寒士人的生活状况。他的诗形式上大力学习和写作乐府诗，尝试三、五、七言和杂言等多种形式。风格上俊逸豪放，奇矫凌厉，直接继承了建安传统，对后世李白、岑参、高适、杜甫有较大影响。他的五言诗讲究骈俪，圆稳流利，内容丰富，感情饱满；七言诗变逐句用韵为隔句押韵，并可自由换韵，拓广了七言诗的创作道路。可以说，他的乐府诗突破了传统乐府格律而极富创造，思想深沉含蓄，意境清新幽邃，语言容量大，节奏变化多，辞藻华美流畅，抒情淋漓尽致，并具有民歌特色。“自古圣贤尽贫贱，何况我辈孤且直”（《拟行路难》其六），鲍照的身世际遇、性格气质，与黄仲则相较，自有天然的心灵契合，诗风受其影响亦属自然。

黄仲则《拟饮马长城窟》与鲍照《拟行路难》，形式上均为拟乐府的七言诗，黄仲则直接借用乐府旧题，诗曰：

> 秦城苍苍汉月白，秋风饮马城边窟。髑髅出土绣碧花，犹道秦时筑城卒。秦皇筑城非不仁，汉武开边亦可人。遮断玉关朝遣戍，长驱青海夜生尘。祁连封后焉支失，绝漠愁胡眼流血。残星点点散牛羊，霜天萧萧动觱篥。闻道官家重首功，轻车仍拜未央宫。从此北庭常保塞，几曾南向敢关弓。射生旧日云中守，列帐传呼赐牛酒。三时禾黍种连云，四月桃花开马首。城郭安西净扫除，蒲桃天马贡长途。太平不用封侯相，卫霍于今只读书。

此诗取材历史，典故多见《史记·武帝本纪》等，颇有边塞诗的风致。玉关是关名，汉武帝时设置，因西域输入玉石时取道于此而得名。汉时为通往西域各地的门户，故址在今甘肃敦煌西北小方盘城。觱篥是汉代的一种管乐器，形似喇叭，以芦苇作嘴，以竹做管，吹出的声音悲凄，羌人所吹，用以惊中国马。轻车则是轻车将军的简称。鲍照《代东武吟》：“后逐李轻车，追虏穷塞垣。”清钱振伦注曰：“《汉书》曰：‘李广从弟蔡，为郎，事武帝。元朔中，为轻车将军，击右贤王，有功，卒封安乐侯。’”庾信《反命河朔始入武州》：“轻车初逐李，定远未随班。”亦用此典。

黄仲则诗中描写了秦汉时期边地战争的残酷与激烈，也写了边地风光的荒凉与萧瑟。对历代戍边政策有微讽批评，“闻道官家重首功，轻车仍拜未央宫”。也有歌赞认同，“从此北庭常保塞，几曾南向敢关弓”，“城郭安西净扫除，蒲桃天马贡长途”；甚至不乏艳羡，“射生旧日云中守，列帐传呼赐牛酒。三时禾黍种连云，四月桃花开马首”。结句则卒章显志，“太平不用封侯相，卫霍于今只读书”，半是赞美，半是讥刺：没有了金戈铁马的厮杀，武夫们也就失去了晋身之阶，像卫青、霍去病这些靠边患战争获致功名的名将只能读书为业了。倒过来讲，那么一味困守书城的读书人也就无足观矣！

杜甫在《春日忆李白》诗中说“清新庾开府，俊逸鲍参军”，对鲍照的诗给予了极高的评价。李白、杜甫都是黄仲则服膺的前辈大诗人，他们都在不同程度上受到鲍照的影响，黄仲则自然也不会例外。

元人方回《文选颜鲍谢诗评》卷一称：“明远多为不得志之辞，悯夫寒士下僚之不达，而恶夫逐物奔利者之苟贱无耻，每篇必致意于斯。”鲍照的这些讽刺之作又主要集中在乐府体裁上，见出他对汉乐府诗“感于哀乐，缘事而发”的现实主义精神的继承。鲍照《见卖玉器者》诗云：“泾渭不可杂，珉玉当早分。子实旧楚客，蒙俗谬前闻。安知理孚采，岂识质明温。我方历上国，从洛入函辕。扬光十贵室，驰誉四豪门。奇声振朝邑，高价服乡村。宁能与尔曹，瑜瑕稍辩论?”是用和氏璧的典故来调侃买主的有眼无珠。“我方”以下六句，自矜自夸，恰似战国纵横之士对“下里巴人”的嘲弄。结句“宁能与尔曹，瑜瑕稍辨论”，有曲高和寡之感，又和《庄子》不与俗人啄腐吞腥有异曲同工之妙。《代结客少年场行》“扶宫罗将相，夹道列王侯。日中市朝满，车马若川流。击钟陈鼎食，方驾自相求”，便以特写的手法，描写世人的钻营，暗含讽刺之义。“罗”、“满”，本身用于描写事物，这里却用在了形容人上，表现了对投机者们的嘲弄与不屑。而其《数诗》以十个数字为线，直面一群鄙俗的官僚形象，及世人的阿谈奉承之态。最后以“十载学无就，善宦一朝通”作结，道出了作者的不平与无奈。黄仲则在《何事不可为二章·咏史》诗中，对于官场中趋炎附势、钻营依攀，甚至不惜贱卖人格的丑恶现象进行了不遗余力的嘲讽和揭露。在《春城》中，黄仲则对“哀乐胡不均”的现象进行了批判，由此可见二人在精神气质上的心心相通。

我们再来看鲍照的《代贫贱苦愁行》一诗更是极力描写自己的窘迫：

> 湮没虽死悲，贫苦即生剧。长叹至天晓，愁苦穷日夕。盛颜当少歇，鬓发先老白。亲友四面绝，朋知断三益。空庭惭树萱，药饵愧过客。贫年忘日时，黯颜就人惜。俄顷不相酬，恧怩面已赤。或以一金恨，便成百年隙。心为千条计，事未见一获。运圮津涂塞，遂转死沟洫。以此穷百年，不如还窀穸。

在这首诗中，诗人因为极度的贫穷而承受着巨大的痛苦。他感到岁月的无情，世态的炎凉，生存的无助与无奈。他声称，如其这样困窘一生，不如早点死去。这是对自己生存状况极度悲观失望的沉痛诉说。《松柏篇》自叙则云：“余患脚上气四十馀日。……弥时不差，呼吸乏喘，举目悲矣！”他感叹“人生浮且脆”，无法像松柏那样享受长久的生命。同一怀抱在黄仲则的《秋兴并序》二首中，亦有表露，诗曰：

> 群植敛商气，壮士悲暮年。华心一朝尽，魂质无芳妍。摧残积独厚，零落争时先。于物为不详，于理有固然。昔人抗遐尚，奋藻辉星躔。

触寓感孤抱，流哀弥八埏。亮由悲年命，三叹抚遗篇。感时不可再，千载同逝川。

严飚一何疾，劲草心不忧。白发本至公，不上松期头。蓬壶一水隔，大药知难求。奈何处一世，俯仰同累囚。未识生人乐，行将成土丘。回风荡四壁，日影何倏倏。恨随孤蓬发，思逐纤尘流。嗟余未闻道，何能齐短修。征衰非一端，泪下不可收。

诗前有序云：“昔潘黄门以三十二见二毛，为赋秋兴。余则二十有三耳，临风揽鉴，已复种种，早凋如此，其何以堪！且念人之以白头盖棺者，十不得一，而余已先见此也。有慨于怀，率尔成咏，藻词莫托，感均期一，和之云尔。”与鲍照一样，都是感叹秋日到来，百草凋零。而更深层的感慨，是对自己生命和年华的无奈。这些，无论在精神气脉还是在形式上，都可以见到鲍照乐府诗的影子。

小　　结

黄仲则一方面在诗艺上博采众长，转益多师，在五言、七言，及近体诗的创作上成果颇丰。另一方面，他也在诗风、人格、节操诸多层面向他所心仪的前辈致敬膜拜。如前所述，陶渊明、嵇康、鲍照都成为他企慕学习的楷模。他们之所以为黄仲则所瞩目，就在于他们各自的经历际遇、行藏举止和气质风神，与黄仲则本人的某个方面有契合之处，因而虽在遥远的异代里，依然能够惺惺相惜，成为精神上的知己和知音。陶彭泽不为五斗米折腰，安贫乐道、归隐田园的壮举；嵇叔夜土木形骸，不自藻饰，崇尚老庄，超然物外的襟怀；鲍明远“自古圣贤尽贫贱，何况我辈孤且直”的孤寒耿介，与黄仲则“臣本高阳旧酒徒”的清高傲气，精神上完全是等量齐观的。

第四节　《两当轩集》中的唐音遗韵

王国维说“一代有一代之文学”，而唐诗是唐代文学的代表性体裁，是唐代文学最高成就的体现和标志。从数量上看，据胡震亨统计，有别集者 691 家。据清代康熙年间所编的《全唐诗》所录共九百卷，就有诗人 2 200 余人，作品 48 900 余首，这种现象是空前的。从质量上看，唐代不仅有李白、杜甫这样伟大的诗人，还有王维、白居易、李贺、李商隐、杜牧等一大批优秀诗人，唐诗的水平超过了中国历史上任何一个时代。从形式上看，三言、四言、五言、六言、七言、杂言、乐府、歌行、近体、绝句、新乐府等齐备；诗体大备，流派众多，除山水田园诗派、边塞诗派、元白派等大诗派外，还有许多独树一帜的诗人，使唐诗呈现出百花齐放的繁荣局面。“既闲新声，复晓古体。文质半取，风骚两挟。言气骨则建安为俦，论宫商则太康不逮”①，声律风骨兼备，骨气端翔，兴象玲珑，无工可见，无迹可求，而达含蕴深厚，韵味无穷之至，即所谓的“盛唐气象”，则成了整个唐诗的标志。

黄仲则对唐代诗歌遗产的学习借鉴是多方面的，他不仅仰慕取径太白、子美这样的超一流大诗人，也学习借鉴温飞卿和贾阆仙这样的二三流诗人，不仅崇尚太白的豪放俊逸、子美的沉郁顿挫，也欣赏义山的伤感缠绵、长吉的迷离惝恍，确实体现了他在诗学渊源上不主故常，兼收并蓄的宽广眼界和心胸气度。汪佑南曾说过：“黄仲则《两当轩集》希踪太白，予读之，颇有杜、韩气息，而似太白者转少。惟《太白墓》一首极力摹拟，有‘我所师者非公谁’句，此亦一时之倾倒语耳，非真有意学太白也。盖太白谪仙转身，故诗多高旷语，不愧仙才。仲则生不逢时，每多清迴之思、凄苦之语、激楚之音，自出游后，得山水之助，诗境为之大变，扶舆清淑之气，锺于一人，盖天才也。”②应当说是独具慧眼之见。

李白是有唐一代最富盛名的诗人，他的成就，不仅代表了盛唐诗歌的辉煌，同时也是整个中国诗坛上无与伦比的高峰之一。他变幻莫测的诗笔，丰润了大唐的山水，也充盈了盛唐诗歌的宝库。

黄仲则对于李白，可以说是从气质、个性、诗风，乃至装束、行止等生活方式，都达到了全面的服膺和膜拜，其学太白处，能直闯太白堂奥。在《太白墓》中，黄景仁表示了对李白的仰慕之情，诗中追述了黄仲则从少年时代就拜读李白的诗歌，直到今天才终于有了到太白墓上拜祭寄意的机会。大才如李白者，亦不免一死，但太白之死在黄仲则看来，并非诗人真的死了，而是如长庚星落地，只留残迹而已，精神是永垂不朽的。太白的装束、品行、个性，都为黄仲则所倾慕。至于太白诗歌的艺术境界，更是“陶镕屈宋入大雅，挥洒日月成瑰词”，熔铸了屈原、宋玉等楚辞的风格，达到了《诗经·大雅》的境界，吸收了日月之精华，信笔挥洒，从而自铸伟词。这是黄仲则对太白的

① ［唐］殷璠《河岳英灵集·集论》，载清杨守敬《日本访书志》卷十二，清光绪刻本。
② ［清］汪佑南《山泾草堂诗话》，引自《黄仲则研究资料》，上海古籍出版社，1986年版，第209页。

慨叹，其实也是对自身遭际的悲鸣。在黄仲则的笔下，太白的诗歌能发宇宙之奥妙，太白的精神与天地而齐一。诗中自称“我所师者非公谁”，表示自己将效仿太白纵酒任性的行为，死后亦当相从于地下。相似的主题和意愿，在黄仲则《贺新郎·太白墓和稚存韵》中亦有表达，词曰：

何事催人老？是几处、残山剩水，闲凭闲吊。此是青莲埋骨地，宅近谢家之朓。总一样、文人宿草。只为先生名在上，问青天、有句何能好？打一幅，思君稿。　梦中昨来逢君笑。把千年、蓬莱清浅，旧游相告。更问后来谁似我，我道才如君少。有或是、寒郊瘦岛。语罢看君长揖去，顿身轻、一叶如飞鸟。残梦醒，鸡鸣了。

词中，黄仲则面对太白墓，浮想联翩，突发奇想，虚构自己与太白于梦中相会的戏剧性场面。梦中二人相视而笑，相谈甚欢，互相交流千载以来的游历见闻。太白问仲则到，在我身后的千年中，更有谁和我相似？黄仲则答曰，像您一样才华出众的人凤毛麟角，最多也就是“郊寒岛瘦”而已。语罢，太白长揖而去。一觉醒来，天已破晓，不过南柯一梦而已。

黄仲则早期的诗作，如《笥河先生偕宴太白楼醉中作歌》、前后《观潮行》诸诗，都可以明显地看出学习李白的痕迹。如著名的《后观潮行》，诗写了杭州观钱塘潮之壮观，展示了海潮入江汹涌澎湃、惊心动魄的动态过程。“海风卷尽江头叶，沙岸千人万人立”，开头诗人用极为简洁的语言，写出海潮即将到来之前，强劲海风席卷江头落叶的紧张气氛和江岸万人如堵，翘首以待的宏阔场面，揭开了一场波澜壮阔、声势浩大的自然景观的序幕。对来势凶猛的海潮和眼前瞬息万变的景物，诗人作了绘声绘色的描摹，“怪底山川忽变容，又报天边海潮入。鸥飞艇乱行云停，江亦作势如相迎。鹅毛一白尚天际，倾耳已是风霆声”。潮水排山倒海、海涵地负的气势，由此得以进一步显示。“潮头障天天亦暮，苍茫却望潮来处。前阵才平罗刹矶，后来又没西兴树”，写出了海潮的汹涌澎湃、前仆后继，海天一色，混沌苍茫。诗人选择宏大的意象，构成了一个恢宏的境界。在以雄奇豪迈的笔力描写了钱塘潮的气势不凡的景象后，结尾八句则由景生情，即景抒情，抒发了诗人在海潮面前感到的人生渺小、孤独忧愁，及其功名难就、长生不得的悲凉与哀愁，“独客吊影行自愁，大地与身同一浮。乘槎未许到星阙，采药何年傍祖洲。赋罢观潮长太息，我尚输潮归即得。回首重城鼓角哀，半空纯作鱼龙色。”通观此诗全篇，我们不难看出李白《梦游天姥吟留别》，以及《蜀道难》《将进酒》等诗篇中那种汪洋恣肆，一泻千里的气概，以及那种桀骜不驯、睥睨千古的魄力。可以说，在精神气脉的流贯和承继上，黄仲则是李白不折不扣的传人，只是时过境迁，他所寄身的时空，远非千年以前那个昂扬蓬勃的大唐盛世……

黄仲则《洞庭行赠别王大归包山》起笔曰："洞庭一泻八百里，浮云贴天天浸水。君山一点碍眼青，却似今日酒酣别君之块垒。"呈豁然开朗，云淡风轻之势。虽云送别，却并不流于忧伤离情，而是将别意寄于壮阔的山水之中，使诗具有一种俊朗的气息。结末"安能郁郁久居此，明日扁舟亦东耳。前途待我烟波中，急掉来追子皮子"，充分展示诗人的自信自负。此诗与李白《梦游天姥吟留别》"世间行乐亦如此，古来万事东流水。别君去兮何时还？且放白鹿青崖间，须行即骑访名山。安能摧眉折腰事权贵，使我不得开心颜"，在精神气质上何其相似乃尔！李白的《登太白峰》"西上太白峰，夕阳穷登攀。太白与我语，为我开天关"，以一种拟人化的手法，赋予了太白峰以人格化的情感和魅力，这种手法也为黄仲则所继承和仿效。黄仲则在《元夜独坐天桥酒楼醉歌》诗中，开首即极富浪漫色彩，与李白的《登太白峰》有异曲同工之处。"此楼此月此客可一醉，谁共此乐独与清影相嬉遨?"在黄仲则的笔下，"此楼此月此客"，都成了可以与诗人同乐共嬉的朋友，流露出诗人寂寞孤高的情怀。诗人的情绪随着心境的变化而起落无端，变幻莫测。回头灯火辉煌处，"谪仙骑鲸碧海头，千馀年来无此游"，诗人不尽又兴起狂想。回到现实世界，诗人情绪又转消沉，"古人不可作，知交更零落。少年里闬同追欢，抛我今作孤飞鹤。不知此曹今夜何处乐？酒尽悲来气萧索"。诗人酒意正浓，似乎感到"天上星辰已堪摘，人间甲子休相催。然藜太乙游傍谁，吃齑宰相何人哉？瓮边可睡亦径睡，陶家可埋应便埋"，诗人仿佛已经超越了生与死、天上与人间的界限，生死不再措意，天上人间为一，物我一体，混沌难分。但诗人感情却又突然一转，觉得天上亦非久留之地，故而"只愁高处难久立，乘风我亦归去来"，末句实已流露悲哀之意，暗喻诗人郁郁不得意、四处碰壁的人生境遇。全诗借助丰富想象，感情忽起忽落，跳跃多变，形成生动而雄宕之风。此诗愁心孤意难抑，却又豁达放纵不羁，李白之恣情、陶潜之隐意，字里行间，借酒而出，读来直追太白遗风。

其他尚有许多诗篇诗句有太白之风，如"万八千人同一泣，卓然大阵如山立"，"当时河北廿四郡，大名独邀天子呼"，"碧海难骑李白鲸，红尘渐老嵇康凤"，"假如公有烟霞思，此必弟子相追随。前驱猿猱后麋麋，携囊入云采苓芝。剥刷幽怪穷险巇，佐公巨笔挥淋漓，此则不敢多让谁"，可谓举不胜举。

就才性而言，李白诗高华飘逸、气度轩昂，其艺术境界是后世之人难以企及的，明都穆《南濠诗话》曾发出"后之人作诗，乃多学杜而鲜师太白，岂非以太白才高难及"的疑问，清赵翼在其《瓯北诗话》中亦下过"青莲诗从未有能学之者"的断语。李、杜在唐朝和后世都是影响深远的伟大诗人，虽然在前述《太白墓》中黄仲则说过"终嫌此老太愤激"的话，似乎是对杜甫的不敬，但其实是李、杜相较，黄仲则更倾向于太白的潇洒飘逸，而不大认同子美的沉郁顿挫，并非说李优于杜，或者杜不如李。事实上，黄仲则都曾向他们学习过。

杜甫诗歌的主要成就在于其主题选择的草根性、诗艺锤炼的精准性，以及整体风格的沉郁顿挫诸端。艺术手法也丰富多彩，是唐诗思想艺术的集大成者。风格上，杜诗基本以"沉郁顿挫"见长，语言和篇章结构又富于变化，讲求炼字炼句。同时，杜甫善于运用古典诗歌的许多体制，并加以创造性地发展。其诗兼备众体，除五古、七古、五律、七律外，还写了不少排律，拗体。他的五七古长篇，亦诗亦史，展开铺叙，而又着力于全篇的回旋往复，标志着我国诗歌艺术的高度成就。杜甫在五七律上也表现出显著的创造性，积累了关于声律、对仗、炼字炼句等完整的艺术经验，使这一体裁达到完全成熟的阶段。他是新乐府诗体的开路人，继承了汉魏乐府"感于哀乐，缘事而发"的精神，摆脱乐府古题的束缚，创作了不少"即事名篇，无复依傍"（元稹《乐府古题序》）的新题乐府，如著名的"三吏""三别"等。死后受到韩愈、元稹、白居易等人的大力揄扬。他的乐府诗，促成了中唐时期新乐府运动的发展，对元白的"新乐府运动"的文艺思想及李商隐的近体讽喻时事诗影响甚巨。元稹《唐故工部员外郎杜君墓系铭序》："至于子美，盖所谓上薄风骚，下该沈宋，古傍苏李，气夺曹刘；掩颜谢之孤高，杂徐庾之流丽，尽得古今之体势，而兼人人之所独专矣。"秦观也有类似的看法："于是杜子美者，穷高妙之格，极豪逸之气，包冲淡之趣，兼峻洁之姿，备藻丽之态，而诸家之作所不及焉。然不集众家之长，杜氏亦不能独至于斯也。"（《淮海集·韩愈论》）宋代以后，王禹偁、王安石、苏轼、黄庭坚等人对杜甫推崇备至，被尊为"江西诗派"之祖。文天祥则更以杜诗为坚守民族气节的精神力量。

杜甫对黄仲则的影响也不断见诸《两当轩集》中的某些篇什，如《耒阳杜子美墓》（参见本著前述）。

杜甫晚年穷困潦倒，据《旧唐书·文苑下·杜甫》："乃泝沿湘流，游衡山，寓居耒阳。甫尝游岳庙，为暴水所阻，旬日不得食。耒阳聂令知之，自棹舟迎甫而还。永泰二年，啖牛肉白酒，一夕而卒于耒阳，时年五十有九。”耒阳聂令治葬筑墓，背经向南，墓周砌石栏，正面有南宋石刻，横贴有“唐工部杜公之墓”文。唐天佑四年(907)环墓建杜公祠，背北面南，四合院式封山楼房，土木结构。正中主殿设杜甫檀香木雕像，东、西廊房十数间，供祭祀守墓用。宋代在杜公祠旁又建了杜陵书院。在这首诗中，黄仲则对穷愁潦倒的杜甫给予了极大的同情，因为他本人的境况和杜甫极其相似，也是经常穷饿缠身。黄仲则惯于久饿，深谙个中滋味，颇能理解杜甫当时况味，所以直言不讳，也当是黄仲则本人的真情实感。“埋才当乱世，并力做诗人”，虽然才高如杜甫，心怀“致君尧舜上，再使风俗淳”(《奉赠韦左丞丈》)的宏愿，但身处乱世之中，他的大才终究被埋没而不得所用，只好努力去做一个诗人了。其实黄仲则生于盛世却也一样埋才穷困，一样终生未遇，其愤激之情只怕比杜甫尤盛。湘中之地，向来是骚人词客的怨恨之所，屈原投汨罗江而死，所以杜甫的归宿就只好与屈原做伴了，把杜甫的人格和屈原相提并论，足见对其推崇之高。“仙佛茫茫两未成，只知独夜不平鸣”，诗人既为自己不平的待遇而鸣，也为当时与他一样遭遇不公的士人而鸣。

黄仲则对杜甫的学习和继承，更多的是体现在主题选择的草根性上，这与老杜是前后相继的。老杜诗中有许多描述民间疾苦，抒发他悲天悯人的仁民爱物、忧国忧民的情怀，如《春望》《闻官军收河南河北》《茅屋为秋风所破歌》《自京赴奉先县五百字》等。相似的身世，相似的才华，相似的抱负，使得诗人在主题的选择上也有大致相似的偏好，这一点，黄仲则受杜甫的影响是十分明显的。如他的《铺海》“我欲云门峰，化为并州刀，持登天都最高顶，乱剪白云铺絮袍。无声无响空中抛，被遍寒士无寒号”，这种思想境界与杜甫的“安得广厦千万间，大庇天下寒士俱欢颜”并无二致的。又如《骤寒作》：“富人一岁独苦暑，窭人四时惟畏凉。渐愁空墙日色暮，预恐北牖寒宵长，谁将彤云变狐白，无声被遍茅檐客。”诗亦化用杜甫诗意，表达同样的悲愤，正所谓学力识力，皆有所独到，能取古人之长而不为所囿。

再如《春城》：“春城久阴雨，欣见白日轮。照我叹羁寂，更照东西邻。东家娶新妇，开筵罗众宾。烹膻香彻舍，喧笑夜达晨。西家屋颓破，中有新死人。床头老妪哭，哭子声酸辛。共此日光里，哀乐胡不均？”黄诗化用杜甫“朱门酒肉臭，路有冻死骨”之诗意，并发出“一身尚乞食，所遇犹邅迍”的悲音。

“茅草远粘孤骑没，绿杨低罩几家贫”，“频年苦蝗旱，此患匪所云。但见途路旁，野哭多流民。造物本无外，谁与排九阍。长歌不能尽，恐扰泉间魂”[1]，“我曹生世良幸耳，太平之日为饿民”，“瘦鬼驱蒲鞭，豪奴走华饷。更闻井里喧，索通百不让”[2]，“但见流民满淮北，更无馀笑落阳城”，对艳称乾隆盛世下社会众生的反映，也是具有深刻而广泛的现实意义的。“侧闻天上朝星辰，谁知人间茹冰炭”，“老亲病妇瓮牖底，忧饥苦暑谁相怜”，诗人对贫寒交困的苦难生活有着切身体会，所发出的感慨也尤为深沉，这些都有着杜诗反映现实的影子。

杜甫“晚节渐于诗律细”(《遣闷戏呈路十九曹长》)，在诗艺上追求“为人性僻耽佳句，语不惊人死不休”(《江上值水如海势聊短述》)。黄仲则在诗艺上亦有类似倾向，时常喜好依韵作诗。不避和韵、次韵、叠韵、分韵赋诗及用古人韵，《两当轩集》中有六七十首此类之作。叠韵之作有数叠前韵者，如《夜坐示施雪帆》《再叠前韵》《三叠夜坐韵》《题施锡蕃雪帆图四叠前韵》《笥河先生见次原韵复叠二首》《六叠前韵和余少云作》，每题两首，乃至于六叠前韵，而且情真意切。袁枚《随园诗话》卷一称：“余作诗，雅不喜叠韵、和韵及用古人韵。以为诗写性情，惟吾所适。一韵中有千百字，凭吾所选；尚有用定后不慊意而别改者；何得以一二韵约束为之？既约束，则不得不凑拍，既凑拍，安得有性情哉？”梁章钜《浪迹丛谈》记有仲则次韵之妙的事：“袭前人名作不可，次前人名作之韵尤难，然亦视其人之才力何如耳。在京师时，尝与吴兰雪谈诗，兰雪极笑黄仲则《黄鹤楼》诗必次崔颢韵，为胆大气粗，且‘悠’韵如何押得妥？虽以仲则之才，我断其必不能佳耳。适架上有《两当轩诗钞》，余因检示之。兰雪读至‘坐来云我共悠悠’，乃拍案叫绝曰：‘不料

梁章钜像

---

① 黄仲则《邓家坟写望》。

② 黄仲则《岁暮篇》。

云字下但添一我字，便压倒此韵，信乎天才，不可及矣！”一方面表明黄仲则确乎天才俊逸，难与其匹。另一方面，也由此见出他在诗艺追求上的承传相继，和杜甫有相当紧密的关系。

黄仲则那些吟咏爱情的诗篇常被指为有李商隐风致。李商隐，字义山，号玉溪生、樊南生（樊南子）。是晚唐最出色的诗人之一，和杜牧合称“小李杜”，与温庭筠合称为“温李”。其诗构思新奇，风格秾丽，尤其是一些爱情诗和无题诗写得缠绵悱恻，优美动人，广为人所传诵。但部分诗歌过于隐晦迷离，难于索解，至有“诗家总爱西昆好，独恨无人作郑笺”（元好问《论诗三十首》其十二）之说。可以说，悲苦人生中悒郁寡欢的心路历程，使得李商隐成为感伤文学中划时代的人物。而黄仲则正是继承了中国古代感伤文学的这个传统，深切因袭感应了李商隐的感伤诗风，同时把自身凄惨的遭遇，加之过人的才情注入笔端，调和融汇，成为乾隆诗坛“六十年间第一人”。

就李商隐和黄仲则的具体诗句来看：“身无彩凤双飞翼，心有灵犀一点通”、“春心莫共花争发，一寸一相思一寸灰”、“刘郎已恨蓬山远，更隔蓬山一万重”、“蓬山此去无多路，青鸟殷勤为探看”、“扇裁月魄羞难掩，车走雷声语未通”，以上均为李商隐的爱情《无题》系列诗摘句。我们再来看黄仲则的爱情诗摘句，他的《绮怀》十六首缠绵悱恻，意境优美：“妙谙谐谑擅心灵，不用千呼出画屏”、“检点相思灰一寸，抛离密约锦千重”、“何须更说蓬山远，一角屏山便不逢”、“辛勤青鸟空传语，佻巧鸣鸠浪策勋”、“水调曲从邻院度，雷声车是梦中过”等句，这些诗句以细腻绵密的笔触写诗人真挚痛苦的感情，不但从格律和字句上有着极相似处，而且在意境的营造、语词的使用，以及风格的感伤忧郁方面，仿佛都息息相通，均有李商隐《无题》诗的影子。这些诗歌，与其说是诗人们对爱情的直接描绘，不如说透过爱情题材，写出诗人们对青春和幸福的沉思与探索，表现了爱情追求中的苦闷和希望，也低吟了爱情遭遇挫折时的空虚和迷惘。再如：

> 心如莲子常含苦，愁似春蚕未断丝。（《秋夕》）
>
> 茫茫来日愁如海，寄语羲和快着鞭。（《绮怀》其十六）
>
> 载酒扁舟障锦车，风情无际擅年华。牵魂西子湖头月，照泪吴王苑里花。已是旧游如梦境，况经远别更天涯。马头细草茸茸碧，来岁相看可忆家？（《将之京师杂别》其六）

义山诗境，长于哀感，而短于闲适，此亦性情境遇使然，未必尽关才藻。

李商隐和黄仲则都具有敏感细腻的情怀与个性，都能够特别强烈地感受人生悲剧的创痛和戕害，表现在诗心诗艺上，就是浓郁葱茏的感伤格调。因此，黄仲则在诗歌情感上偏与感伤，亦是性情境遇使然。刘熙载《艺概·诗概》说：“诗有借色而无真色，虽藻缋实死灰耳。李义山却是绚中有素。”黄仲则之所以能在长期的诗歌创作中接受李商隐，并深受其影响，就是因为二人有着相同的悲剧性身世之感和人生体验，发之为诗就形成了声气相通的感伤文学。

“吴苑”“青鸟”“锦瑟”，这些典故或意象的使用，给人的感觉自然是动感十足且秾艳华丽，看到它们，不由人不想到“偷看吴王苑内花”、“青鸟殷勤为探看”、“锦瑟无端五十弦，一弦一柱思华年”，这些李商隐式的令人耳熟能详的诗句。《绮怀》十六首中的其他诗句，如“绿珠往日酬无价，碧玉于今抱有郎”、“仙人北烛空凝盼，太岁东方已绝踪”、“灵妃唤月将归海，少女吹风半入林”、“辛勤青鸟空传语，佻巧鸣鸠浪策勋”等，都是用典妥帖的诗句，而“碧玉”“绝踪”“月”“青鸟”“巧”一类字眼亦是李商隐诗句中的常用词语。

李贺，字长吉，世称鬼才、诗鬼等，与李白、李商隐三人并称唐代“三李”。李贺诗受楚辞、古乐府、齐梁宫体、李杜、韩愈等多方面影响，经自己熔铸、苦吟，形成非常独特的风格。他的想象神奇瑰丽、旖旎绚烂，上访天河、游月宫；下论古今、探鬼魅。长吉刻意锤炼语言，造语奇隽，凝练峭拔，色彩浓丽，瑰怪奇峭，笔下有许多精警、奇峭而有独创性的语言。但他的诗有时由于过分雕琢求奇，某些作品语意晦涩、堆砌辞藻，艺术形象欠完整，情思脉络欠连贯。杜牧《李贺集序》云：“贺能探寻前事，所以深叹恨今古未尝经道者，如《金铜仙人辞汉歌》《补梁庾肩吾宫体谣》，求取情状，离绝远去笔墨畦径间，亦殊不能知之。”李贺选择的意象有很大的虚幻和想象成分，他的作品中出现的“死”字多达二十多个，“老”字达五十多个，“泣”“血”等也比比皆是。他还喜欢写鬼魂、死亡、黑夜、寒冷等。反映了他对好景不常、时光易逝的感伤情绪，有的诗中也流露生命短促、及时行乐的思想。所以有人指斥他的诗是“牛鬼蛇神太甚”（宋张表臣《珊瑚钩诗话》卷一），甚至认为是“诗之妖”（清潘德舆《养一斋诗话》卷五）。

或许因为黄仲则和李贺的命运遭际、才性气质极为相似，黄仲则十分钟爱李贺的诗歌，李贺诗风对黄仲则的影响也不时见诸《两当轩集》。他和李贺一样频繁地使用“孤”“独”“幽”“寒”“愁”“苦”等主观感受极强的字眼，如《秋夜》：

络纬啼歇疏梧烟，露华一白凉无边。纤云微荡月沉海，列宿乱摇风满天。谁人一声歌子夜？寻声宛转空台榭。声长声短鸡续鸣，曙色冷光相激射。

络纬、梧桐、露华，纤云、月、列宿、风，颇含秋意的种种意象，勾画出秋夜的宁静与安谧，营造出一片凄婉清凉的氛围。子夜歌、台榭、鸡鸣、曙色等，则将诗人彻夜无眠的情思展露无遗。这首诗是《两当轩集》中比较接近李贺清冷幽深风格的诗，却没有李贺诗给人的疏离感和陌生感。诗中物象虽然繁复，但都是人们所习见熟悉的自然景物，从近在眼前到远在天边，从眼中之色到耳闻之音到心理动机，安排得层次分明，构图极为合理。展卷诵读，一个彻夜无眠、心事重重的抒情主人公的影子便跃然纸上。而这些繁复的意象，则共同构成了曲折深微的意境，使人可以从中感受到诗人清冷幽深的思想感情。

黄仲则《中元》诗"风膏着露精灵愁，蚖脂映溜蛟龙泣。回光却射恒河边，极天饿鬼来如烟"，可与李贺的"鬼诗"相互映照。李贺的"鬼"诗，总共只有十来首，不到他全部作品的二十分之一。李贺通过写"鬼"来写人，写现实生活中人的感情。这些"鬼"，"虽为异类，情亦犹人"，绝不是那些让人谈而色变的恶物。如《公无出门》《长平箭头歌》。《苏小小歌》是其中有代表性的一篇，诗曰：

幽兰露，如啼眼。无物结同心，烟花不堪剪。草如茵，松如盖。风为裳，水为佩。油壁车，久相待。冷翠烛，劳光彩。西陵下，风雨吹。

苏小小是南齐时钱塘名妓。唐李绅《真娘墓》诗序中说："嘉兴县前亦有吴妓人苏小小墓，风雨之夕，或闻其上有歌吹之音。"李贺的这首诗以苏小小的故事为题材，写幽灵形象和幽冥境界。全诗由景起兴，通过一派凄迷的景象和丰富的联想，刻画出飘飘忽忽、若隐若现的苏小小鬼魂形象。全诗以景起兴，通过景物幻出人物形象，把写景、拟人融合为一体。幽兰、露珠、烟花、芳草、青松、春风、流水，笔笔是写景，却又笔笔在写人。用"如"字、"为"字，把景与人巧妙地结合在一起，既描写了景物，创造出鬼魂活动的环境气氛，同时也就塑造出了人物形象，使读者睹景见人。诗中美好的景物，不仅烘托出苏小小鬼魂形象的婉媚多姿，同时也反衬出她心境的索寞凄凉，收到了一箭双雕的艺术效果。这些景物描写都围绕着"何处结同心，西陵松柏下"（古乐府《苏小小歌》）这一中心内容，因而诗的各部分之间具有内在的有机联系，人物的内心世界也得到集中的、充分的揭示，显得情思脉络一气贯穿，自然浑成。

但黄仲则与李贺仍旧有很大不同，由此导致二人在诗歌主题意蕴相似之外迥然相异的诗风。就抒情风格而言，李长吉常处于低徊感伤、自我封闭的状态。而黄仲则则经常纠结于各种情绪的包围而难以脱身，感伤与悲愤，消沉与飞扬，相互勾连，彼此缠绕。相比李贺，黄仲则更执着于对现实世界的感受，更注重于对当下情境的体悟，不大喜欢搜奇猎艳。虽也引经据典，但不喜生僻，大旨亦非在逞才炫博。因而他的诗歌没有李贺诗晦涩难懂的缺憾，容易使人领会接受。

《两当轩集》中也屡有用韩愈诗韵的作品，如《登衡山看日出用韩韵》《贾礼耕用昌黎石鼓歌韵赠诗和赠一首》等。其中《泥涂叹》一篇古朴典重，苍老瘦硬，颇似韩昌黎诗风，诗曰：

> 经旬滞愁霖，春泥苦融泄。但积征途艰，那补漏天裂。沉浊溃欲浮，流阴荡难闭。顿令如坻平，投足起窊凸。……

语带沉重，让人有举步维艰之感，然“那补漏天裂”一语，却又情感诚挚浓烈，气韵深厚沉雄，使诗不流于一味的艰涩凝滞，从而产生一种雄强壮美之气。由此我们也可以看到黄仲则受韩愈影响的吉光片羽。他对崔颢之诗也青睐有加，多有模仿。此外，黄仲则还不同程度受岑嘉州、贾阆仙、温飞卿等人的影响，限于篇幅，恕不辞费。

小　　结

黄仲则学习唐人取法乎上，集中在杜甫和“三李”——李白、李贺和李商隐等一流大诗人身上。宋严羽《沧浪诗话·诗辩》说：“论诗如论禅，汉魏晋与盛唐之诗，则第一义也；大历以还之诗，则小乘禅也，已落第二义矣；晚唐之诗，则声闻辟支果也。”如果按照严羽之论，则李贺和李商隐属中晚唐诗人，“已落第二义矣”。不过，这也正好体现出黄仲则在学习前人时的开明豁达之处，他能做到不主故常，熔铸百家，在取径上绝不依傍门户，不标榜宗派，不胶柱鼓瑟，自树藩篱，在所谓的主流诗坛外自鸣自唱。其实，诗之高下，在于是否有真情，而不在所处时代之先后。盛唐诗未必都是上品，中晚唐之诗也未必全是下品。杜甫和“三李”，不论在创作的手法上，还是在气象格调上，都是唐代自成一家的大诗人。不同于王士禛“神韵说”专主王孟，也迥异于沈德潜"格调说"独尊李杜，黄仲则不囿于一孔之见，自缚手脚，确是有别流俗的选择。

黄仲则学习唐人，并非一味模仿，而是主张在此基础上的"变"和"化"。他本人关于诗歌的议论和见解见于《两当轩全集》卷二十，此处辑有七则诗评，其中始终贯串着"变"和"化"两字。他曾主张"以岑嘉州与李昌谷、温飞卿三家汇刻，似近无理，然能读之烂熟，试令出笔，定有绝妙过人处，亦惟解人能知之也"，这是最耐人寻味的。岑参的雄浑豪迈，李贺的新奇瑰丽，温庭筠的绮丽秾艳，三家诗歌风格不同，但能熔铸一炉，自会出现新面目，写出"绝妙过人"的诗歌。这"似近无理"而实属悟知的看法，其要旨正在变化而自出精神这一点。[①] 譬如，李白抒发愁情的诗歌中，有"白发三千丈，缘愁似个长"(《秋浦歌》)"请君试问东流水，别意与之谁短长"(《金陵酒肆留别》)的夸张手法，往往于新奇的夸张中突出了愁思的无尽。但在黄仲则的绝大多数此类诗作中，并没有像李白一样采取极度夸张的手法，而是很现实的叙写愁情，如"心如莲子常含苦，愁似春蚕未断丝"、"忽风忽雨春愁客，乍暖乍寒天病人"、"天涯飞絮归何处，不到登楼也怆神。"[②]由此可见，黄仲则写愁苦的诗歌，于因袭太白处中又有些变化。再譬如，李贺的"鬼"诗，如《公无出门》《长平箭头歌》等。李贺通过写"鬼"来写人，写现实生活中人的感情。较之李贺，黄仲则《中元》一诗中描写的"鬼"则有些恐怖吓人，诗人于此以写实之笔状写中元盂兰盆节烟火燃放时的千奇百怪景象，在情感指向上与李贺写鬼之作迥异，黄仲则显然更执着于现实世界的感受。黄仲则与李商隐诗中都运用了大量的悲秋意象，构成落魄贫士凄寒心态的一种共同呈现。所不同的是，李商隐是晚唐衰颓时世中的悲秋，而黄仲则是清中叶乾隆盛世中的哀音，而后者更具典型意义。

黄仲则学习唐人，注重变化的倾向，不仅体现在修辞、造意、用典等具体的技术层面，更重要的是在诗体选择、风格流向及精神气质的承继与变化。

就诗体而言，他钟情于七言近体。杜甫、李商隐都是唐代七言近体的大家，他们在诗艺上的追求，尤其讲究声律协和，使事用典。黄仲则的七言近体，较之前人，艺术上一个突出的特点就是运用典故和对仗非常自然工整。从杜甫那种"渐于诗律细"的刻意经营中，抹去苦吟的苦心孤诣，而转变为自

---

① 参阅吴世永《黄仲则诗歌的渊源》,《台州师专学报》(社科版)，1994 年第 1 期。
② 黄仲则《春日楼望》。

然率真。虽也用典，但绝不炫耀才学，信手拈来，了无痕迹，不会让人感觉到为迎合格律而矫揉造作。

在风格上，黄仲则不同于盛唐诸公的昂扬阔大，豪宕腾挪，他的诗更多的是哀婉凄楚和悲慨苍凉；他也异于中晚唐的李贺和李商隐，他们的感伤悲苦，是清华高贵、幸福中的痛苦，而黄仲则则是寒虫病鹤般、身心俱废的凄苦，因而行诸诗中，各自的诗风也就大异其趣。

第五节　宋调的回声余响

唐音和宋调是中国古代诗歌的两座高峰，它们以各自不同的面目共同支撑起了华夏诗国的璀璨星空，并成为其中最灿烂的双子星座。元明之后，或者轨范唐音，或者步武宋调，尽管也有所变化，大抵不出“宗唐”与“宗宋”的藩篱。钱锺书先生曾指出过二者的同异之处：“唐诗、宋诗，亦非仅朝代之别，乃体格性分之殊。天下有两种人，斯分两种诗。唐诗多以丰神情韵擅长，宋诗多以筋骨思理见胜。严仪卿首倡断代言诗，《沧浪诗话》即有‘本朝人尚理，唐人尚意兴’云云。曰唐曰宋，特举大概而言，为称谓之便。非曰唐诗必出唐人，宋诗必出宋人也。故唐之少陵、昌黎、香山、东野，实唐人之开宋调者；宋之柯山、白石、九僧、四灵，则宋人之有唐音者”，“夫人秉性，各有偏至。发为声诗，高明者近唐，沉潜者近宋，有不期而然者。故自宋以来，历元、明、清，才人辈出，而所作不能出唐宋之范围，皆可分唐宋之畛域”，“且又一集之内，一生之中，少年才气发扬，遂为唐体；晚节思虑深沉，乃染宋调。”①缪钺先生在《论宋诗》一文中对唐、宋诗之区别所论亦颇详尽：“唐诗以韵胜，故浑雅，而贵蕴藉空灵；宋诗以意胜，故能精，而贵深析透辟。唐诗之美在情辞，故丰腴；宋诗之美在气骨，故瘦劲。唐诗如芍药海棠，秾华繁采；宋诗如寒梅秋菊，幽韵冷香。唐诗如啖荔枝，一颗入口，则甘芳盈颊；宋诗如食橄榄，初觉生涩，而回味隽永。譬诸修园林，唐诗则如叠石凿池，筑亭辟馆；宋诗则如亭馆之中，饰以绮疏雕槛，水石之侧，植以异卉名葩。譬诸游山水，唐诗则如高峰远望，意气浩然；宋诗则如曲涧寻幽，情境冷峭。唐诗之弊为肤廓平滑，宋诗之弊为生涩枯淡。虽唐诗之中，亦有下开宋派者，宋诗之中，亦有酷肖唐人者；然论其大较，固如此矣。……就内容论，宋诗较唐诗更为广

---

① 钱锺书《谈艺录·诗分唐宋》，北京：三联书店，2008年版，第2页。

阔；就技巧论，宋诗较唐诗更为精细。然此中实各有利弊，故宋诗非能胜于唐诗，仅异于唐诗而已。”[①]当然，诗之风格，决于性情。诗之优劣，也并不在于朝代的孰先孰后，袁枚《随园诗话》卷十六举引徐朗斋语：“论诗只论工拙，不论朝代。譬如金玉，出于今之土中，不可谓非宝也。败石瓦砾，传自洪荒，不可谓之宝也。”可谓持平之论。

作为一个享年只有三十五岁的诗人，黄仲则才气激越，诗心独放，他的诗是天才少年的任情纵意之诗，其诗歌沉着痛快，“放笔直干”，直抒胸臆，多抒情而少议论，总体风格无疑是更近“唐音”的。但纵观《两当轩集》全集，其中也不乏“宋调”的回声余响。

唐、宋诗的孰优孰劣历来纷争不止，褒贬取舍因人而异。就文学的发展而言，贵独创而不贵拘泥，宋诗人在唐诗已然兴盛至斯的情况下，难以为继；穷则思变，于是开辟新境，涉足唐人未到之处，另创一格与唐诗形成分庭抗礼之势。

宋诗的长处在于技法以及题材的扩大上较唐诗有所进步，在音调上也一改旧观，以黄庭坚诗为代表，多挺拔瘦劲，与唐诗的浑雅之音迥异。此外，严羽《沧浪诗话》指摘黄庭坚和江西诗派“以文字为诗，以议论为诗，以才学为诗”。实际这也正是宋诗区别于唐诗之处，是宋诗的一大特点。宋人既求新求变，于是天地万物、嬉笑怒骂皆入文章，独辟蹊径。而唐诗中香草美人、男女情辞，在宋诗中却很少能见到；不过文学技巧越是进步，天籁自然越失，难免露出斧凿之痕，失却雍容浑厚之美，这也是无可奈何之事。而与此同时，若一味求新求变、求深求险，一旦无新意所得，只好留意于字句之间，舍本逐末，便有损诗境，因辞害意。而宋诗不及唐诗之处也正在于此。

对于黄仲则而言，他能够各取其长，各弃其短，尽量吸取宋诗中的有益精华，而摒弃那些陈腐烂熟的俗套，不拘一格，为我所用。他的诗学观相对集中地表现在《桂未谷明经以旧藏山谷诗孙铜印见赠》一诗中。他的好友、乾嘉之际著名的文字学家桂馥曾以“山谷诗孙”的铜印相赠，按谱系黄仲则是北宋大诗人黄庭坚后裔。也是因为这个缘故，黄仲则在长诗中就“诗孙”印文借题发挥，讨论诗的门户派别之弊，表达自己的诗学观（诗文参见本著前述）。

---

① 缪钺《诗词散论·论宋诗》，上海古籍出版社，1982年版，第36页。

综其诗意，清楚地表述了他的诗学观，以及对当时标榜“宗唐宗宋”、各立门户的风气所表示的不同看法。首先，他对乃祖诗艺之高超是衷心敬佩的，认为其诗可以“祖天下”“凡能诗者宜当之”。他认为自己不受宗派的束缚，无意扛“我祖黄庭坚”的招牌。“若资华胄便窃据，不患造物嗔吾私”，这两句颇具幽默色彩的诗，表明诗人拒绝了死守家法、不思进取的保守和琐屑。他认为，“文章千古一元气，支分派别徒费词”，古往今来，好文章总是一气贯通，自有定数，强分支派，其实是枉费心力、才力薄弱的表现。因为缺乏自出机杼、自铸新词的才情气概，才不得不乞灵于古人和前辈，这就难免造成缘木求鱼、支离饾饤的结果。他并不想借助名人之后的先天优势，以正宗嫡派而自居。较之那种扶幽探微、追攀名人的势力屑小之徒，人品上不知道高出多少倍。由此，见出他对“宗唐宗宋”、标榜门户之见的态度。这种态度，在另一首《翁覃溪先生以先文节公像嘱题》诗里早已作过申述：“赋诗还画九顿首”“华胄敢恃图中人”。

在精神气质上，黄仲则对前辈黄庭坚还是膜拜有加的，其《失题》诗曰：

> 神清骨冷何由俗，凤泊鸾飘信可哀。何处好山时梦到，一声清磬每惊回。定知前路合长往，疑是此身真再来。闻道玉皇香案下，有人怜我在尘埃。

苏轼《书林逋诗后》称道林和靖曰：“先生可是绝俗人，神清骨冷无由俗。”据宋无名氏《道山清话》载：

> 黄庭坚年五岁，已诵五经。一日，问其师曰：“人言六经，何独读其五?”师曰：“《春秋》不足读”。庭坚曰：“于是何言也？既曰经矣，何得不读?”十日成诵，无一字或遗。其父庶喜其警悟，欲令习神童科举。庭坚窃闻之，乃笑曰：“是甚做处?”庶尤爱重之。八岁时，有乡人欲赴南宫试，庶率同舍饯饮，皆作诗送行。或令庭坚亦赋诗，顷刻而成，有云：“君到玉皇香案前，若问旧时黄庭坚，谪在人间今八年。”

黄仲则对其祖超越群侪的诗才和不同流俗的神清骨冷，是念兹在兹，心有灵犀的，也是向往的，“何处好山时梦到，一声清磬每惊回”，经常在梦中与先祖相会；“定知前路合长往，疑是此身真再来”，他甚至怀疑自己真是黄庭坚真身转世，自己就是山谷再世，这岂非极大的精神皈依和心灵认同?

黄庭坚在诗歌创作上是力主创新，别开新面的，他所开创的“江西诗派”即是为力矫“西昆体”诗人过分讲究声律、对偶、辞藻的流弊而发，主张向杜甫、韩、柳以来的诗人学习，并在此基础上有所创新。《苕溪渔隐丛话·卷四十九·山谷下》说："鲁直诗云：'随人作计终后人。'又云：'文章最忌随人后。'诚至论也。"可见他在文学创作上是有开辟道路的雄心的。但他在创新的方式上似乎有些剑走偏锋，不是主张丰富个人的人生阅历，主张在社会现实中开阔眼界，积累诗材，而是选择了一条在书本知识与写作技巧上争胜的创作道路。黄庭坚说："词意高胜，要从学问中来。"(《论作诗文》)又说："老杜作诗，退之作文，无一字无来处；盖后人读书少，故谓韩杜自作此语耳。古之能为文章者，真能陶冶万物，虽取古人之陈言入于翰墨，如灵丹一粒，点铁成金也。"(《答洪驹父书》)可以看出他的这种倾向。具体做法就是化用前人诗意，企图推陈出新。他称这种作法是"脱胎换骨"，是"以俗为雅，以故为新"(《杨明叔四首再次韵并序》)，是化腐朽为神奇。这种作诗的门径和方法，显然为黄仲则所继承。在他的近体诗中，几达无诗不典的地步，而且明用、暗用、正用、反用。这一点，我们已经在第四章《黄仲则诗歌的审美维度》第三节《黄诗的用典艺术：据事类义，援古证今》中有过较为详尽的论述，此处不赘。当然，黄仲则摆脱了乃祖一味在故纸堆中寻章摘句的缺欠，因为他一生的际遇便是他最好的诗材，这比单纯从书本中寻找灵感要强得多。"非诗之能穷人，殆穷者而后工也"(欧阳修《梅圣俞诗集序》)，"欢愉之辞难工，而穷苦之言易好"(韩愈《荆潭唱和诗序》)，诗人在受到困厄艰险环境的磨砺，幽愤郁积于心时，方能写出精美的诗歌作品。黄仲则偃蹇穷愁、坎坷蹭蹬的遭际，使得他的诗如"舞风病鹤，咽露秋虫"，夺人魂魄、感人肺腑，天然有一种感人力量。

虽然在这首《桂未谷明经以旧藏山谷诗孙铜印见赠》诗中他自谦说："我生衰门才更劣，岂有笔力能振支"，但在诗艺上，黄仲则对前辈的学习和继承还是毋庸置疑的。其七言律中有不少类似"添君风雪三更梦，老我江湖十载灯"、"急雪溪山同寂寞，孤舟天地入清贫"这样的句子，有学习山谷"桃李春风一杯酒，江湖夜雨十年灯"(《寄黄几复》)的痕迹，只是较之山谷，由于阅历上的欠缺，稍嫌清俊有余而又老辣不足，毕竟诗人只活了三十多岁。

黄仲则《晓雪》诗曰："先生屋小如宛丘，岁晏苦听风声愁。"宛丘，是地名，隋开皇初改项县置，属陈州。治所即今河南淮阳县。苏轼之弟苏辙曾为陈州(宛丘)博士，苏轼有《戏子由》诗云："宛丘先生长如丘，宛丘学舍小如舟。常时低头诵经史，忽然欠伸屋打头。"黄仲则诗中之"宛丘"，代指苏辙。

这两句诗化用东坡诗意，借指自己居处仄逼。黄仲则对苏东坡的学习借鉴，前人早有察觉，延君寿在《老生常谈》中曾列举了许多诗句来证明仲则对东坡的偏好：“仲则学东坡，亦有神肖处，如《题李明府天英借笠看山图》云：‘是物等闲难得戴，着屐何如放船快？君与东坡两蜀人，披图似有英灵会。’《铺海》云：‘返照一缕冲波开，彩翠细缕金银台。初疑百万玉鲸斗，阑入一道长虹来。’《采石寻三元洞因登妙远阁》云：‘海云下栋猿接臂，河鼓隐窦蛇藏车。最高一阁小于艇，凭栏浩浩江声粗。采石上峰翠窈窕，历阳远树烟模糊。鱼龙怪气走虚壁，水声天阔无象无？’《山铿》云：‘山非极高水非深，无一直笔方耐寻。’又句云：‘不知深入浓阴中，但觉逢人鬓须绿。’《云楼寺》云：‘斋馀寺后看严涧，腰脚纵好须扶藜。……’”[①]虽不无溢美之词，但大致不乖于事实。

杭州西湖是黄仲则喜欢游览的胜迹之一，他诗中有许多描写西湖的诗，如《游湖遇雨》《雨后湖泛》《春日楼望》《湖上和酬仇丽亭》《湖上杂感》《雨中游桃庄看飞泉》《问水亭》《湖楼夜起》等。

《雨后湖泛》曰：“风起水参差，舟轻去转迟。一湖新雨后，万树欲烟时。有客倚兰楫，何人唱《竹枝》？莲娃归去尽，极浦剩相思。”写雨后湖上泛舟的情景，清新雅致。《春日楼望》：“一碧招魂水涨津，远山浓抹雾如尘。忽风忽雨春愁客，乍暖乍寒天病人。芳草远黏孤骑没，绿杨低罩几家贫。天涯飞絮归何处，不到登楼也怆神。”诗人触景生情，感伤身世，同时联想到和自己处境一样的人们，诗意凄恻感人，其中化用苏东坡写西湖的名句“水光潋滟晴方好，山色空蒙雨亦奇”（《饮湖上初晴后雨二首》其二）和秦观《满庭芳》词“山抹微云，天黏芳草”之意，且自然贴切，不露斧凿之痕。

《湖上和酬仇丽亭》诗曰：

> 袖里琅玕一笑投，凭栏朗诵破枯喉。湖山本是君家物，风月翻添客里愁。夹岸晚荷香堕水，一堤烟柳澹思秋。采菱声散横塘暮，多病词人莫倚楼。

写西湖上的夹岸晚荷和一堤烟柳，以及在苍茫暮色中散落在横塘之上的采菱歌声，还有那多病多愁的落寞词人，于一片湖光山色中潜蕴淡淡哀愁，做到了因景生情，情景交融。与苏东坡《夜泛西湖》五首七绝组诗，风韵、

① [清] 延君寿《老生常谈》，引自黄葆树、陈弼、章谷编《黄仲则研究资料》，上海古籍出版社，1986年版，第212页。

格调上大致相近：

（一）新月生魄迹未安，才破五六渐盘桓。今夜吐艳如半壁，游人得向三更看。

（二）三更向阑月渐垂，欲落未落景特奇。明朝人事谁料得，看到苍龙西没时。

（三）苍龙已没牛斗横，东方芒角升长庚。渔人收筒及未晓，船过惟有菰蒲声。

（四）菰蒲无边水茫茫，荷花夜开风露香。渐见灯明出远寺，更待月黑看湖光。

（五）湖光非鬼亦非仙，风恬浪静光满川。须臾两两入寺去，就视不见空茫然。

东坡诗按照时间顺序，从新月初升，到三更新月渐垂，再到“苍龙已没牛斗横，东方芒角升长庚”，一直写到月落，描写新月照耀下的湖光景色之变化，通过新月和湖光的变化，东坡隐约道出了“明朝人事谁料得”“就视不见空茫然”，世事难料，人生渺茫的喟叹。而且都能做到因景语而生情语，情语与景语交相为用的妙处。只是东坡在浊世中浸淫日久，性情中多了一份处变不惊和恬淡从容，而黄仲则年轻气盛，屡屡不遇之后难免有些怨艾和愤激。

黄仲则的五律《不寐》：

不寐披衣坐，千林曙色封。山衔将落月，风约欲疏钟。虚白水明阁，高寒鹤唳松。回头看城堞，鸦散晓云重。

诗写山林拂晓时清净清幽之景，颇有其所谓“味清而腴，字简以炼”[①]之妙。首联一“封”字，颔联“衔”“约”字，堪称诗眼，十分精炼传神。颈联“虚白”用《庄子·人间世》“虚室生白”意，写晨光射进阁内。而“水明阁”化用杜甫《月》诗中“残夜水明楼”一语，“高寒”则用苏轼《水调歌头》“高处不胜寒”语，皆尽典雅之致。

《雨中游桃庄看飞泉》(即东坡题听泉亭处)诗前面用大量笔墨描绘山石泉流的清幽雅洁，以及访客寻芳探幽的艰辛，对于飞泉巧夺天工的造化之功表达了由衷的赞叹，但结末笔锋陡转，议论勃发：“大海及污潦，安知后所适。

① 黄仲则《与洪稚存书》。

保兹在山心，莫忘初境窄。逝矣眉山翁，谁欤证心获?”大海和积水成潭的小水洼，最初都说是微不足道的，日后能否汇聚百川成为汪洋恣肆的大海，确实很难预料。日后即使得偿所愿，也要勿忘当初幽居山野僻壤时的狭窄处境。颇有人生哲理意味在内。苏东坡曾在杭州任地方官，进行了许多文化建设，修建苏堤是其政绩之一，更是德政、善政，也是他为后世文人屡屡称道的佳话。黄仲则游踪及此，在凭吊先贤，追怀苏东坡人格精神之余，向其诗歌学习，也就成了题中应有之义。其他诗句，如“短长乡梦外，断续雨丝中”、“万绿烟生树，初弦月照琴。当风人意定，移覃竹香深”[①]等也都写得幽静清丽，意境疏朗，音节悠扬，似有细细徐香，袅袅不绝。此外还有《采石寻三元洞因登妙远阁》《山铿》《灵栖寺》等篇什，都是学苏之作。黄学苏轼，颇为神肖，“其学坡公，能在语言之外，脱胎换骨，浅者仓卒无能领会。其他歌行佳者，可得五六十篇，有集可按，本朝此体，几无二手”(延君寿《老生常谈》)。

黄仲则在乾隆三十四年(1769)十一月，由武林入四明，在钱塘江边观潮，看山甬江，登镇海城楼赏海景，然后准备转路赴湖南，不料在舟中卧病数日，遂作《途中遘病颇剧怆然作诗》二首。虽然诗意感怆悲酸，凄清哀怨，但也体现出青年诗人恃才自负的倔强个性。其中“去家已过三千里，坠地今将二十年”一联，自然、亲切、有味，属流水对，这种句法在宋诗中十分常见。黄仲则诗中，此类用法也还很多，像《月中泛小孤山下》中“不知疏柳岸，长笛为谁哀”，《黄鹤楼用崔韵》中“欲把登临倚长笛，滔滔江汉不胜愁”，《鹦鹉洲》中“沙浮草萋碧，中有万古愁”，《舟中望金陵》中“楼台未尽埋金气，风景难消击楫愁”，《城南晚步》中“悲哉秋气凄，六合为萧条”，《新月》中“顿使碧天远，平含万古愁”，《都门秋思》其二中“云浮万里伤心色，风送千秋变徵声”，《偶成》中“破浪乘风万里游，早时落魄更离忧”等，均为同一手法。

所谓流水对，是说律诗中同一联中的两句话，从形式看是两句话，但意思并不互相对立，实际上是一整句话分开成两句来说，流水对重意之浑成而不重字面。也就是这两句话在理解时应该是如同流水般一气贯穿下来，所以叫作流水对。

宋诗中使用流水对的情形是较为普遍的，对此，严羽《沧浪诗话》、葛立

① 黄仲则《喜新凉》。

方《韵语阳秋》等都曾论及之[①]。葛氏所谓十字格实即流水对。宋人诗中甚喜用此种对仗方式，如“泥上偶然留指爪，鸿飞那复计东西”（苏轼《和子由渑池怀旧》），“塞上长城空自许，镜中衰鬓已先斑”（陆游《书愤》），“但知家里俱无恙，不用书来细作行”（黄庭坚《新喻道中寄元明》），“山重水复提无路，柳暗花明又一村”（陆游《游山西村》），等等。

黄仲则向宋人学习的范围甚广，除上举数例之外，还有甚多。《赠万黍维即送归阳羡》二首是黄仲则送别同乡好友万黍维的赠别之作。阳羡即江苏宜兴，黄仲则少年时曾在宜兴氿里读书，对此感情甚深。此诗一反通常此类诗作的虚应故事，纯做应酬，而是情真意切，不仅表达了朋友间的深情厚谊，也寄托了自己的思乡之情。其第一首中颔联“半生蹭蹬因能达，百样飘零只助才”句，赞美朋友万黍维虽然半生蹭蹬，并不得意，但却心胸豁达，四处飘零的生活不仅没有削弱朋友的志气，反而增加了他的才干。这两句诗实是化用陆游《楼上醉书》诗“岂知蹭蹬不称意，八年梁益凋朱颜”。尾联“柳隐净洗连钱马，曾踏穷边雪窖回”，仍是恭维友人，在江南的柳荫之下，洗净你的连钱宝马——它曾经踏着酷寒之地的冰天雪地与你一同归来的啊。雪窖，即指酷冷极寒之地，典出《宋史·列传第一百三十二·朱弁》：“叹马角之未生，魂消雪窖；攀龙髯而莫逮，泪洒冰天。”其二“瓣香岁展方回墓，画舫春寻小杜家”一联，是说黄仲则的朋友万黍维可以以一瓣心香每年到贺方回的墓地祭拜，春天的时候可以驾着画舫去寻访杜牧的故居。瓣香，佛教语，犹言一瓣香，形似瓜子，为僧人向人祝福时所用。诸方开堂至第三瓣香则曰：此瓣香敬为某人，引申为对某人表示敬慕之意。宋陈师道《观兖国文忠公家六一堂图书》亦有“向来一瓣香，敬为曾南丰”之句。

七律《寄蒋耘庄》亦为黄仲则寄赠友人之作，诗云：

踪迹吟场半载同，水西楼下别忽忽。清狂好占溪头月，寥落应怜泽

① [宋] 严羽《沧浪诗话·诗体》：“有十字对，刘眘虚‘沧浪千万里，日夜一孤舟’是也。有十字句，常建‘曲径通幽处，禅房花木深’等是也。有十四字对，刘长卿‘江客不堪频北望，塞鸿何事又南飞’是也。有十四字句，崔颢‘黄鹤一去不复返，白云千载空悠悠’，又太白‘鹤鹉西飞陇山去，芳洲之树长青青’是也。”[宋] 葛立方《韵语阳秋》亦云：“梅圣俞五字律诗，于对联中十字作一意处甚多。如《碧澜亭诗》云：‘危楼喧晚鼓，惊鹭起寒汀。’《初见淮山》云：‘朝来汴口望，喜见淮上山。’《送俞驾部》云：‘何时鷁舟上，远见炉峰迎。’《送张子野》云：‘不知从此去，当见复何如。’《和王尉》云：‘度鸟不曾下，新文谁寄评。’《昼寝诗》云：‘及尔寂无虑，始知机尽空。’如此者不可胜举，诗家谓之十字格，今人用此格者殊少也。老杜亦时有此格，《放船诗》云：‘直愁骑马滑，故作放舟回。’《对雨》云：‘不愁巴道路，恐湿汉族旗。’《江月》云：‘天边长作客，老去一沾巾。’”

畔鸿。屐齿青馀三径草，泪珠红入半江枫。酒痕检点春衫在，聚散浑疑一醉中。

颈链“屐齿青馀三径草，泪珠红入半江枫”，想象友人徐行在故乡的小径之上，木屐的齿痕印在青青的草地之上，而诗人自己怀念朋友的泪珠却洒落在半江红透了的枫叶中。“屐齿”，是一种古人登山用的工具，即木屐，屐底有二齿。宋叶绍翁《游园不值》诗曰：“应怜屐齿印苍苔，小扣柴扉久不开。春色满园关不住，一枝红杏出墙来。”黄仲则此联即化用叶绍翁诗的首句。尾联“酒痕检点春衫在，聚散浑疑一醉中”，则用陆游《剑门道中遇微雨》“衣上征尘杂酒痕，远游无处不消魂”句意，黄仲则回忆和朋友欢聚时的美好时光，检点春衫上从前的酒痕还在，旧日的友朋却无端而散，真是一场匆匆的醉梦，对故人的思念和对友情的珍重，于此可见一斑。

小　结

不论是步武先秦，追踪汉魏，还是规范唐宋，在学习和借鉴前人方面，作为一个不甘人后的诗人，黄仲则总是力求变化和创新，而且也总是能如愿以偿。在他现存为数不多的几条论诗的言论中，变化而自出精神这一点，在论及宋诗学习时也明显体现出来：“二晁宗苏参黄，其沉峻刻炼处，又公然有离立之势。补之篇幅尤大，按其胜处，竟直入昌黎之奥矣。人多谓附苏而传，讵知有非苏亦传者耶！”[①]黄仲则在这则短评里深刻地指出，“二晁”[②]诗歌之所以得传的原因，不是因为宗尚苏黄而传，而是在学习苏黄的同时，又有“离立之势”。所谓“离立之势”，亦即学习苏黄，但不一味模拟，仅求形似，而是要在学习的前提下与之拉开距离，自出机杼，不墨守泥古，从而使得诗歌本身含有独特精神。其实，兼容各家风格，自出新意，反对泥古不化，这正是黄仲则诗歌创作主张，也是他创作经验的总结。[③]

黄仲则在《写怀》诗中写道：

望古心长入世疏，鲁戈难返岁云徂。好名尚有无穷世，力学真愁不尽书。华思半经消月露，绮怀微懒注虫鱼。如何辛苦为诗后，转盼前人总不如。

---

① 《两当轩集》卷二十《遗文・诗评七则》，上海古籍出版社，1983 年版，第 483 页。

② 指晁补之及其从弟晁詠之。

③ 参见吴世永《黄仲则诗歌的渊源》，《台州师专学报》(社科版)，1994 年第 1 期。

诗人回顾了自己为学、为诗的艰辛历程，感慨人生不易，世路艰难，“好名尚有无穷世，力学真愁不尽书”，不管是好名还是好学，都有漫长的路要走。结末两句“如何辛苦为诗后，转盼前人总不如”，更是道出了他在学诗路上的艰辛，诗人呕心沥血，殚精竭虑，但跟前人相比，总觉得自叹弗若。这既是实情，也是诗人的自谦，也是诗人对自己的不满和鞭策。唯其如此，诗人才能一如既往地不遗余力，勤学苦练，才能成就“狂澜力挽惊当时”[①]“六十年来第一人”的一代诗坛大家。

---

① [清] 陆嵩《书两当轩诗后》，《意苕山馆诗稿》卷三，清光绪十八年陆润庠刻本。

第六章

黄仲则与乾隆诗坛

第一节　乾隆时期的文化生态

黄仲则是乾隆诗坛上挺立特秀的一朵奇葩，是这一特定历史时空下孕育的菁英。因此，考察这一时期的社会文化生态，便成为题中应有之义，也是全面精到地理解黄仲则诗歌的锁钥。

本著所要研讨的对象——诗人黄仲则，其所生活的年代主要是在乾隆一朝，从乾隆十四年(1749)至四十八年(1783)，总共三十五年，我们讨论的这一范畴主要侧重于乾隆朝，以此为原点，行文中时段的上下限可能会略微延伸至此前的康熙、雍正朝，及其后的嘉庆朝。

一、文化策略和文化政策的大幅度调整

满清定鼎后，出于巩固政权，维护自身统治的政治需要，开始调整和转变统治策略与手法，崇儒尊孔、开博学鸿词、科举、编纂大型丛书、文字狱等举措，是其中的主要内容。

满清统治者虽然曾是僻居东北一隅的游牧民族，但入主中原后很快适应了这一经济文化发达地区的社会文化生活，并及时对自己的统治策略做了调整。他们意识到，仅仅依靠铁血的杀戮政策，只能从表面上驯服汉族人，并不能征服其心灵和思想，从根本上解决问题。他们从对汉族文化的研习中意识到，传统的儒家以“仁”为核心的“王道”学说，才是治国驭民的根本之策。所以，作为争取社会精英阶层知识分子的手段，他们对儒家学说及其代表人物孔子，采取了认同和尊崇的态度。康熙皇帝在《朱子全书序》中称赞理学宗师朱熹的学说是“集大成而继千百年绝传之学，开愚蒙而立亿万世

一定之规”的绝对真理，认为“非此不能知天人相与之奥，非此不能治万邦于衽席”[1]。据此，清统治者主要用朱熹作注的《四书》里的语句来作为八股文的考题，用理学家诠释的《五经》，作为策论的题目。文人学士只有通过这种禁锢思想的常年科举考试，才能步入仕途。因此，科举开考，是满清政府消弭汉族人士反满情绪，吸引汉族人才的重要举措。

为了笼络和安抚汉族知识分子，博学鸿词科的开考，当为柔性色彩比较浓厚的策略之一。康熙十七年(1678)，诏曰：“自古一代之兴，必有博学鸿儒……以备顾问、著作之选。……我朝定鼎以来，崇儒重道，培养人才，四海之广，岂无奇才硕彦、学问渊通、文藻瑰丽、可以追踪前哲者？凡有学行兼优，文词卓越之人，不论已仕未仕，着在京三品以上及科道官员，在外督抚布按，各举所知，朕亲试录用……”[2]康熙十七、十八年，连续两年开博学鸿词科，从中央到地方一共荐举出一百八九十人，经体仁阁考试诗赋，取中一等朱彝尊等二十人，二等毛奇龄等三十人，各授翰林院修撰、编修等职。名儒才士尽入彀中，就连傅青主这样顽固坚持遗民立场的人也被抬到北京。考中的这一干人，自然深感皇恩浩荡而愿效犬马之劳。落榜的百余人，也自觉无颜以前朝遗老野臣身份去随意讥评朝纲了。因此，康熙以后，雍正、乾隆两朝也相继效仿，征荐“文词卓越之人”。乾隆三十年(1765)，乾隆帝还要求在翰林院国史馆特设“儒林传”的名目，专门为大知识分子树碑立传，将他们的学术活动与生平记录于史，传诸后世。

编纂大型丛书和史志，也是文化策略调整的又一重要组成部分。统治者认为通过修纂史志，不仅可以网罗大批汉族知识分子参加，以此减少乃至消弭汉人的反清情绪；而且，另一方面亦可借此掌握各地户口、钱粮、山川形势、兵防险要、风土民俗等情况，以维持和巩固国家机器的运转；再者，亦可乘机篡改、删削、销毁文化典籍中不利于满清的违碍之说，可谓一石数鸟、一举数得。康熙即位后，全国经济复苏，政治稳定。康熙四年(1665)，曾召令征集志书、文集，供撰写《明史》用。康熙十一年(1672)时更有“大学士卫周祚奏令天下郡县，分辑志书”[3]，而“诏允其请”。雍正、乾隆也重视地方志编撰。雍正七年(1729)，“上谕着各省该督抚将本省通志重加修辑，务期考据

---

① [清]官修《清文献通考》卷二百二十五《经籍考》，清文渊阁四库全书本。
② [清]官修《清文献通考》卷四十八《选举考》，清文渊阁四库全书本。
③ [清]永瑢《四库全书总目》卷六十八《史部》二十四，清乾隆武英殿刻本。

详明，采摭精当，既无缺略，亦无冒滥，以成完善之书"①。乾隆亦是继续倡导、督令各地修志。乾隆八年(1743)《大清一统志》告竣后，又在乾隆二十九年(1764)召令二修《大清一统志》。康雍乾三朝形成了一次大的、持续不断的修志热潮，在这期间，共修志书二千六百三十五种之多，地域上更是涵盖了除今天吉林省以外的全国各地。这期间，还编纂了一系列大型丛书，如《佩文韵府》《骈字类编》《渊鉴类函》《全唐诗》《古今图书集成》《明史》《四库全书》及"三通"等。

《四库全书》这样大型丛书的编纂，不仅聚拢了大量名重一时的硕学耆宿，如于敏中、王际华、金简、纪昀、陆锡熊、陆费墀、周永年、戴震、翁方纲、姚鼐、邵晋涵、余集、杨昌霖等辈，而且也使像黄仲则这样仕途蹭蹬的普通读书人有了一条科举之外的晋身之路。乾隆三十八年六月初二日监察御史胡翘元上《奏请停纂修提调等官自行保举誊录等事折》云，士子"一闻开馆恩旨，无不踊跃争先，厕名誊录，冀邀议叙，以为仕进阶梯"②。乾隆帝在四十七年(1782)十月十一日的谕旨中更明言四库馆不过是"博取功名之地"。黄仲则在屡试不第之际，闻此佳讯，自然喜出望外，踊跃争先。乾隆帝于四十一年(1776)五月二十六日有谕旨："此次巡幸山东、天津两处，召试所取二等之举人、贡、监、生员等，着照上届巡幸天津召试二等之例，有愿在四库全书处效力者，俱准其誊录上行走。"③据黄逸之《黄仲则年谱》四十一年(1776)条云："先生遂得校录四库馆"。由此可知，仲则正是在乾隆帝诏书颁布后，前往天津参加此次恩科考试的。这

纪昀像

① [清]《雍正谕旨》卷一百二十六之十九《部咨开奉》，清文渊阁四库全书本。

② 《纂修四库全书档案》，转引自许隽超博士后出站报告《黄仲则年谱新编》，第108页。

③ 《纂修四库全书档案》，转引自许隽超博士后出站报告《黄仲则年谱新编》，第136页。

次恩科，黄仲则除献赋外，还有诗，即七古《平定两金川大功告成恭纪谨序》、杂言《平金川铙歌十章谨序》和七绝《平金川铙歌十章之七》，以上诸诗均见于《两当轩集》卷十二。

黄仲则在四库馆中的确切身份是誊录生，其自称“乞食江湖客，佣书馆阁身”[①]，他《夜坐示施雪帆再叠前韵》其二中“镇日抄书展箧縢”之句亦可证。但这种佣书四库，誊录抄写的工作，纯粹是义务劳动，并无任何薪俸。不仅如此，据乾隆三十八年(1773)闰三月十一日馆臣上《办理四库全书处奏遵旨酌议排纂四库全书应行事宜折》，明言誊录生还须“自备资斧效力”[②]。尽管如此，士子无不踊跃争先，厕名誊录，根本动因就在于可以借此“冀邀议叙，以为仕进阶梯”。有了这层履历，黄仲则“在武英殿书签，例得主簿，入资为县丞，铨有日矣”(洪亮吉《黄君行状》)，确实有了候选县丞的身份和资格。除此之外，或许还可于馆中结识诸司衡大臣，以利自己日后乡试，对于有心之人，这应该是一次建立联系、进行感情投资的绝佳契机。

科举的兴盛，一方面为知识分子提供了晋身之阶，使他们有了施展自身才华和抱负的机会，有了出人头地、致身通显的可能。另一方面，为了榜上有名，知识分子不得不穷毕生精力从事无用之学。在这种考试制度下，士子往往以毕生精力读经，而对各种有裨实用的知识无心关注，无暇学习。顾炎武曾说明代士子平日只读八股文稿，其他书籍一概不读，“有一二好学者欲通旁经而涉古书，则父师交相谯呵”(顾炎武《日知录》卷十六《十八房》)，认为没有出息。同时，由于粥少僧多，参加科考的人数远远大于录取的人数，录取率极低，落第的命运不可避免，相当一批人注定只能是陪练。因此，科举士人往往历数十年寒窗，皓首穷经，付出毕生的心血精力以求取功名，但最终金榜题名者少，名落孙山者众，许多人老死科场。乾隆四十九年(1784)会试，在参试的举人中有年届 90 岁者一人，80 岁以上者 20 人，70 岁以上者 5 人，结果没有一人中式。名落孙山者的心理，是永远心有不甘，所以一而再，再而三，屡败屡战，多次出入场屋。这样，由于长期屡试不第，士人受到严酷的精神摧残，心灵扭曲变态，人格破损萎顿。在这种科举制度的笼罩和张力下，读书、参试、做官是士人谋求社会地位、获取经济收入的唯一途径。因此，在各级考试中中式，几乎成为他们的第二生命。在年复一年的各级考

① 黄仲则《得吴竹桥书趣北行留别程端立》。
② [清] 梁国治《国子监志》卷四十《生徒》六，清文渊阁四库全书本。

试中，士子须忍受各种凌辱、辛苦和精神折磨。参考士子入场须经过搜身，考场中要忍饥受冻；出场后提心吊胆，坐卧不安；及到榜发，中式者甚至如《儒林外史》中的范进，欣喜而至于痴迷癫狂，名落孙山者则沮丧颓废，失魂落魄，痛不欲生。

黄仲则一生前后八次参加乡试均未中举，可谓“一第比登天”。科举考试的名落孙山，屡次败北，不仅耗费了诗人大量的时间和精力，尤为重要的是直接打击了诗人的自信心，使得诗人心头始终笼罩着一层浓厚的挫败感和挥之不去的屈辱感，进而也影响了诗人的诗作内容和诗作风格的整体走向。“茫茫来日愁如海，寄语羲和快着鞭”，“十有九人堪白眼，百无一用是书生”，“台上何人延郭隗，市中无处访荆卿”①，这种愁肠百结、一唱三叹的歌吟，在《两当轩集》中，真是无处不在，俯拾皆是。其衰飒悲苦之状，确是如“咽露秋虫，舞风病鹤”。

满清贵族采用软硬兼施、恩威并重的策略对汉族士人进行笼络和利用。清末民初天嘏所著《满清外史》曾记载这位乾隆皇帝的一次“天威”，说到乾隆“尝叱协办大学士纪昀曰：‘朕以汝文字尚优，故使领四库书，实不过以倡优蓄之，汝何敢妄议国事？’夫协办大学士，位亦尊矣，而曰‘倡优蓄之’，则其视群臣为草芥，摧残士气为何如者。尹会一视学江苏，还奏云：‘陛下几次南巡，民间疾苦，怨声载道。’弘历厉声诘之曰：‘汝谓民间疾苦，试指明何人怨言。怨声载道，试指明何人怨言。’夫此何事也，岂能指出何人乎？尹会一于此，惟有自伏妄奏，免冠叩首已耳，乃谪戍远边。”②对待知识分子的种种措施，实不过是“倡优蓄之”，既可以作为装点门面、粉饰太平的点缀，又可培养一批俯首帖耳、忠实恭顺的理想奴才，可谓一举两得。至于议论国事、参政理事，不过是知识分子的一厢情愿而已，稍有越轨言行必遭严词诘责，残酷打击，使其噤若寒蝉。

如果说科举制是施以恩惠的柔性手段，那么文字狱则是武力镇压、铁血政策的文学版，其血腥与残忍，几乎如出一辙。康熙在位六十一年，较大“文字狱”有十一起，多由汉人互相攻讦、互相揭发而起；而雍正则生性刻薄猜忌，虽在位只有十三年，却有残酷而大规模的“文字狱”二十多起，其中不少是亲自揭发，亲自审讯；乾隆一向“高己卑人，雄才易事”，所以虽在即位初期

---

① 黄仲则《都门秋思》。
② 天嘏《满清外史》，上海：新中国图书局，1914 年版，第 43 页。

准行“请宽妖言”，假造言论宽松幻象。一旦根基稳固，便改弦更张，在位六十年，竟锻炼成一百三十多起“文字狱”，创造了比此前中国历史上“文字狱”总和还多一倍多的空前奇迹。清初中叶，影响较大的文字狱有庄廷鑨“明史”案、戴名世“南山集”案、查嗣庭“维民所止”案、徐述夔“一柱楼诗”案等。牵连者多被枭首或凌迟处死，有的甚至被戮尸扬灰。即使不死，也难免百般摧残，或者隐姓埋名，亡命他乡，或者沦为奴婢，终身蒙羞。

在这种高压政策下，知识分子要么卖身投靠，追名逐利，要么钳口结舌，置身事外，不敢再议论朝纲，批评时政，纷纷埋头故纸堆，转向经学研究、考古及文字训诂。作为社会的精英阶层，同时也是社会良知与理性的代表，整个士阶层的精神气质呈现出全面萎顿之势，乃至整个中国社会成了一潭死水，再也难以恢复原有的活力，这种“万马齐喑”的局面维持了二百余年之久。在经历了所谓康乾盛世之后，清朝开始不可避免地走向衰落的深渊。

二、思想、学术界的新变

考据学，亦称朴学、汉学，作为一种治学方法，滥觞于明末清初，肇始于顾炎武，中经阎若璩、胡渭等人的推波助澜，至惠栋、戴震、钱大昕而大张其说，迄乾隆朝段玉裁、王念孙、王引之遂臻于极盛。汉学家治学主要以经学为主，以汉儒经注为宗，学风平实严谨，不尚空谈。他们本着“实事求是”“无征不信”的原则，重视客观资料，不以主观想象轻下判断，广泛收集资料，进行归纳研究，其治学精神精细专一，锲而不舍。他们首重音韵、文字、训诂之学，然后借此明经，旁及史籍诸子的校勘、辑佚、辨伪，留意金石、地理、天文、历法、数学、典章制度的考究，这些成为这一时期学者共同的学术趋向。尤其在诸经的校订疏解中，取得了超迈前代的成就，对古籍和史料的整理，亦有较大贡献。

朴学的兴盛，与当时的社会环境是密不可分的。清初，满清贵族在文化上也推行了极为酷烈的专制政策，在文网罗织之下，学者无不三缄其口，噤若寒蝉，唯有不问世事，埋头考据，才有立锥之地，才可能于夹缝中求生存。因此，汉学之兴盛，实有浓厚的反民族压迫和反理学内容的色彩，而考据只是借以通经致用的手段。此外，学术发展的自身规律，事实上也是一个与时俱进、推陈出新的自我“扬弃”过程。加之由于中国当时闭关锁国政策导致的中西文化交流几乎凝滞，士人们无法找到批判理学的新式理论根据和思想武库，只好在传统文化里寻找，于是，古老的汉代经学不得不担负起了批判理学的重任，这就成为汉学兴盛重要的内在动因。

官方主持的大规模修书活动也助推了汉学的兴盛。重要的官修书籍如《御定数理精范》《古今图书集成》《大清一统志》《四库全书》《佩文韵府》《渊鉴类函》《全唐诗》等，由于规模庞大，工程浩繁，每次修书，必然会聚集众多的一流学者乃至学术大师，他们在浩如烟海的图书中，辨伪存真，取精用宏，力求不落遗珠之憾。他们实事求是的学术态度及严肃审慎的治学方法，对中下层的士儒学术修养具有某种程度的示范引导作用，对有清一代的整体学术走向也必然有着深刻的影响。

明清之际，程朱理学成为官方主流意识形态横行天下。针对理学强化理欲对立、泯灭人性的流弊及其危害，历代思想界中的有识之士均进行过抗争与批判。明代中后期，李贽针对正统理学家的“存天理，灭人欲”的命题，他提出“穿衣吃饭，即是人伦物理”(《焚书·答邓石阳》)的主张，认为“理”就在百姓的日常生活当中，对正统思想提出了挑战。

入清后，思想界对理学家把“理”抬高到无以复加的地位，表示不满。他们肯定人的合理欲望，主张“尊情黜理”“反理学”的态势一度形成。其中对理欲之辨分析得最透彻、批判得最深刻的是戴震，推动和促进了思想界“尊情黜理”局面的形成。

针对理学造成的触目惊心的人间悲剧，戴震《与某书》发出了“后(宋)儒以理杀人”的控诉。对“去人欲，存天理”，戴震针锋相对地提出了“理者存乎欲者也”的命题，“人生而后有欲，有情，有知，三者，血气心知之自然也”(《孟子字义疏证·才》)。沿着人性离不开血气心知的思路，戴震将人性的内容概括为欲、情、知三个方面，其中，情指喜怒哀乐等情感，知指分辨是非的能力。在对人性的具体说明中，戴震对人之欲、情、知进行了深入探讨和说明。

所谓“欲”，是指人对声色嗅味等各种感官享乐的欲望，所谓“好货、好色”。戴震《原善》卷上曰：“生养之道，存乎欲者也；感通之道，存乎情者也；二者，自然之符，天下之事举矣。”由此而产生的“好货好色”“饮食男女”“怀生畏死”“人伦日用”“趋利避害”等，都是人们正当的欲望，是人们生存的必然需求，是“资以养其生”的“相生养之道”。皮之不存，毛将焉附？没有欲，则生养之道亦无从谈起。人生在世，没有谁不愿意追求享乐，追求幸福，故声色嗅味之欲，实在是人性本身之特质，为人类的繁衍生存之必不可少。

戴震对“欲”所起的作用，进行了反复推阐。他认为，人类的生存发展，离不开“欲”的推动和促进，所谓“饮食男女，生养之道也，天地之所以生生也”(《原善》卷下)。人的各种物质、情感和精神欲望的追求与满足,是无限的,而满足这些欲望的物质条件和物质资源,相对而言,则是有限的,受制于当时各种自然和社会经济条件。这种欲望的无限性与资源的有限性之间的巨大鸿沟,就决定了欲望的满足不是一件轻而易举之事,势必通过种种努力和手段,方可如愿以偿。“欲”因而也就成立推动社会前进的巨大动力,同时,“欲”也是人类生生不息,积极进取的基础。“天下必无舍生养之道而得存者,凡事为皆有于欲,无欲则无为矣;有欲而后有为,有为而归于至当不可易之谓理;无欲无为,又焉有理!”(《孟子字义疏证·权》)戴震充分肯定了“欲”在人性以及在个体生活实践中的作用,进一步肯定了“有欲”是人的行为的动力基础。由于人的自然欲望在可能性上是无限的,所以才能推动人类的历史不断地向前发展。恩格斯曾经指出:“自从阶级对立产生以来,正是人们的恶劣的情欲——贪欲和权势欲成了历史发展的杠杆。”[①]虽然这种意识形态色彩分明的社会历史观一度被大肆滥用,但在对人的“欲望”对社会巨大促进和推动作用的肯定这一点上,马克思主义经典作家的论断无疑是准确精到的。在对这一问题的认识上,可谓古今中外,英雄所见略同。

对于“理”的理解,戴震主要通过对“理欲关系”的论述加以阐释。他为“欲”正名,肯定了“欲”的合理性,并在此基础上来诠释“理”。戴震认为人欲是人的本性,而如何让人欲得到正常合理的满足和发展,则是理。“理义非他,可否之而当,是谓理义。然又非心出一意以可否之也,若心出一意以可否之,何异强制之乎!”(《孟子字义疏证·理》)在理性的指导下,使人的自然欲望得到适当满足。只要能以情为尺度加以节制,那么天理就存在于人欲之中。他说:“性,譬则水也;欲,譬则水之流也;节而不过,则依乎天理,为相生养之道,譬则水由地中行也;穷人欲而至于有悖逆诈伪之心,有淫泆作乱之事,譬则洪水横流,泛滥于中国也。”(同上)又说:“圣人教之反躬,……譬则禹之行水,行其所无事,非恶泛滥而塞其流也。……天理者,节其欲而不穷人欲也。是故欲不可穷,非不可有;有而节之,使无过情,无不及情,可谓之非天理乎!”(同上)在他看来,“理欲关系”犹如水和水流的关系,必须像大禹治水那样,因势利导,加以合理节制,才能趋利避害,否则便会遗患无穷。

针对程朱理学的“存天理,灭人欲”,戴震认为,“理欲”是统一的,天理作

---

① 恩格斯《马恩选集·费尔巴哈与德国古典哲学的总结》第四卷,北京:人民出版社,1995 年版,第 237 页。

为道德原则，就在人欲之中，不能脱离人的情欲而存在，不能无视老百姓求生存的欲望而谈“天理”。“使饮食男女与夫感于物而动者脱然无之，以归于静，归于一，又焉有羞恶，有辞让，有是非？”（《孟子字义疏证·性》）日用、饮食男女，是人类社会最基本的物质生活，而羞恶、辞让、是非，则是人类最基本的道德良知和道德原则。二者相互依存，密不可分，理存于欲之中，二者是和谐的统一。人欲的正确处理，就是天理。一方面，欲是理的基础，无欲则无理；另一方面，理对欲又起着制约作用，欲必须在理的节制和指导下，才能合乎规律地向前发展，而不致产生悖逆诈伪之事。他说：“后儒不知情之至于纤微无憾是谓理，而其所谓理者，同于酷吏之所谓法。……酷吏以法杀人，后儒以理杀人，浸浸乎舍法而论理，死矣，更无可救矣！”（《与某书》）他把批判的锋芒由程朱理学，直接转向了对清王朝专制统治的揭露和控诉，“此理欲之辨，适成忍而杀人之具”（《孟子字义疏证·权》），痛斥了权势者“以理杀人”的卑鄙和荒谬，可谓义愤填膺，振聋发聩，也为他治国理政者应“体民之情，遂民之欲”的主张奠定了扎实的思想基础。

戴震肯定人的欲望，但也反对“穷欲”，认为欲不可去，而可节，主张“节其欲而不穷人欲”。他认为人的情欲不可以无节制地发展，应有一定的限度，合理的做法应该是“君子使欲出于正，不出于邪，不必无饥寒愁怨、饮食男女、常情隐曲之感”（《权》）。主张把人的情欲控制在合理的范围之内。人只有用必然之理、道德准则来调节和指导自然之情欲，才能使其得到合理的满足和完善，最终实现遂欲达情，各得其所。

戴震认为，情与欲同人的社会地位无关。对于位尊者而言，应该推己及人，体察百姓的情感，满足百姓的欲望，此乃为政之本。要做到这一点，就必须具备悲天悯人、推己及人的仁爱之心，“以我之情，絜人之情”，以自己的好恶之情，推度别人的好恶，“诚以弱、寡、愚、怯与夫疾病、老幼、孤独，反躬而思其情，人岂异于我？”（《理》）只有这样，才能实现治理国家的目标——“王道备”。

黄仲则和戴震，作为乾隆时期不同领域中的领军人物，所操之术不同。而且，就年辈来说，戴震生于雍正元年（1724），黄仲则生于乾隆十四年（1749），戴长于黄25岁，属于两代人。戴震卒于乾隆四十二年（1777），是在黄仲则入都后的第二年。二人似乎没有交集的可能和机会，但事实并非如此。考诸《两当轩集》，并参诸其他材料，我们可以了解，二人在世期间，至少有三次交集的机会。分别是在安徽学政朱筠幕期间、校书四库和京中“都门诗社”期间。

先看第一次。乾隆三十六年辛卯冬，黄仲则与洪亮吉入时任安徽学政朱筠幕，先后在朱筠幕中者，有王念孙、章学诚、庄炘、瞿华、戴震、汪中、万黍维等。洪亮吉《卷施阁文乙集》卷二《伤知己赋》"昔者不乐，薄游江干"句自注："岁辛卯，朱先生视学安徽，一时人士会集最盛，如张布衣风翔、王水部念孙、邵编修晋涵、章进士学诚、吴孝廉兰庭、高孝廉文照、庄大令炘、瞿上舍华，与余及黄君景仁，皆在幕府，而戴吉士震兄弟、汪明经中亦时至。"此时，黄仲则是朱筠幕中正式的幕友，而据洪亮吉上述所言"亦时至"，可知戴震则是时来时走，偶至署中校刊经籍，不是正式的入幕，而是属于临时客串。按《钦定大清会典则例》，本地士子不得入本省学政幕府。[①] 戴震为安徽休宁人，确实是没有资格入朱筠之幕的。但这并不妨碍戴黄二人在此期间的相识。

当时戴震已是声闻遐迩的经学大师，而黄仲则本人也已是声誉日隆的青年诗人了。虽然文献中暂时没看到戴黄二人交接的具体记载，但戴震"理欲之辨"的高论、黄仲则哀感顽艳的诗名，在彼此的认知中，很难不心有戚戚，二人于此相识，则就成了一个最佳的契机。

第二次当在四库馆中。乾隆三十八年(1773)秋，邵晋涵、戴震等奉诏入四库馆。[②] 据段玉裁《戴东原先生年谱》本年条："上开四库馆，于文襄公以纪文达公、裘文达公之言，荐先生于上。上素知有戴震者，故以举人特召，旷典也。奉召充纂修官，仲秋至京师。"乾隆四十一年(1776)，黄仲则于津门应召试，列二等，充武英殿书签官，即《四库全书》誊录员。戴、黄二人这次成了同事，不过二人的地位不同，黄仲则是书签官，即誊录员；而戴震则以翰林院编修任纂修官。除了戴震外，仲则师友中，先后在四库全书馆中者甚多。其中，纪昀以文渊阁直阁事、兵部侍郎任总纂官，翁方纲以文渊阁校理、司经局

---

① 《钦定大清会典则例》卷六十八，"(雍正)十二年，覆准：各直省学政，职司文衡，但试卷繁多，一己之精神不能遍览，势不得不延请宿学之士寄以衡鉴，然必须慎择他省之人，方可以远避嫌疑，杜绝弊窦。乃学政中往往有希图简便，即以此府考居前列之生，带至彼府阅卷者，其中瞻顾乡曲，势必暗通关节，广徇情面。兼之书役勾连传递消息，夤缘说合，招摇撞骗等弊，皆不能免。嗣后学政考试，应于未入境之先，即延请他省中学问优长、操守廉洁之士，同往阅卷。如系两省接壤之地，亦必在五百里之外者，方准延请。兼令该督抚严饬地方官并儒学教官，通行晓谕，严禁士子钻营随任，妄希衡文。如该学政仍蹈前辙，即行题参议处，并将同往之该生斥革。"转引自许隽超《黄仲则年谱考略》，上海古籍出版社，2008 年版，第 223 页。

② 《纂修四库全书档案》载，乾隆三十八年七月十一日，内阁奉上谕："前据办理四库全书总裁奏请将进士邵晋涵、周永年、余集，举人戴震、杨昌霖调取来京，同司校勘，业经降旨允行。但念伊等尚无职任，自当予以登进之途，以示鼓励。着该总裁等留心试看年馀，如果行走勤勉，实于办书有益，其进士出身者，准其与壬辰科庶吉士一体散馆，举人则准其与下科新进士一体殿试，候朕酌量降旨录用。钦此。"引同上书，第 172 页。

洗马任纂修官，朱筠、邵晋涵则亦以翰林院编修任纂修官。

第三次当在“都门诗社”的诗文雅集上。虽然黄仲则入都后一年多，戴震就去世了，但他们谋面的机会还是有的。黄仲则进京后，广受都中名流的欢迎，经常参加各种形式的雅集，觥筹交错，诗酒风流，出席的都是京中的名流显宦，如朱筠、王昶、翁方纲、纪晓岚、周永年等辈，戴震自然不会例外。《两当轩集》卷十三有《挽李南涧》诗，其二首联“吾道频年气死灰，海阳新冢亦成堆”句，诗人自注曰：“谓戴东原。”尽管这是《两当轩集》现存文字中，仅此一处提及戴震者①，但诗人对这位当代大思想家的感伤与叹惋、追念与缅怀，情见于词。

戴震对于“情”“欲”“理”的精深见地，与黄仲则的身世遭际、精神气质和诗歌自身的风格流向，可以说具有高度的契合，黄仲则受到这种思想的影响也就理所当然。

思想界这种“尊情黜理”局面的出现及其“理欲之辩”的深化，其深远意义是不言而喻的。戴震的“理欲之辩”以及对理学的揭露和批判，表明以他为代表的乾隆思想界，在一定程度上看到了意识形态化的理学伪善而残忍的本质，看到了其对普遍人性的极大戕害与摧残，表达了从草根大众到庙堂精英，这种自下而上的对礼教的不满和抵触情绪，以及要求挣脱理学这一封建精神牢笼的强烈愿望。特别是他对宋儒“以理杀人”本质的揭露与批判，喊出了批判封建道德的最强音，成为中国近代思想界批判封建礼教吃人本质的理论先驱。不仅体现出其理论批判的洞鉴性及超前性，也体现出其悲天悯人的高蹈情怀和勇毅无畏的人格魅力。思想学术界的这种新动态，对于彼时文学观念的转圜及其文学风尚的新变，起到了推动促进的作用。文学的创作主体和接受主体逐渐由士大夫精英阶层向市井平民转化，文学功能的多元化趋势也愈益突出，于“载道”之外，更多的是强调其“尊情”“娱情”功能。此外，文学的总体风尚也由典雅向通俗递进。总之，这一时期，文学的近世性倾向呈现一种逐步递变、层垒推进的态势。

第二节 对清诗总体评价的不同趋向

作为传统中国古典文学的标志性体裁，诗歌到有清一代已经有数千年

① 参阅许隽超《黄仲则年谱考略》，上海古籍出版社，2008年版，第143页。

的发展史，经过历代不断的踵事增华，后出转精，无论在题材的选择、审美的格调上，还是在技术手法的应用上，都已臻烂熟，几乎到了题无剩义的地步。换言之，就是说，诗歌领域里可供清人开拓的空间已经不是很多了。但即使在这种情况下，清代诗歌仍然独具与前代迥异的特色。仅就数量而言，有清一代诗歌的总量，虽未见有确切数字，但初步估计，可以肯定的是，它已远远超出了之前的任何一个朝代，恐怕要比前此历代诗歌数量的总和还要多。仅乾隆皇帝一人的诗歌总量就达四万三千多首，几乎与《全唐诗》的约五万首相埒。①

对于清诗的评价，大致呈现"打杀"与"捧杀"趋于两极的格局。

持"打杀"论者，多以文学退化论为依归，主张唐以后诗，愈趋愈下，一代不如一代，清诗自不待言。宋代严羽首倡"诗惟盛唐"论，其后，明前后七子承其余绪，继续鼓吹此论②，并逐渐演变为"文学退化论"。李梦阳说："宋无诗，唐无赋，汉无骚。"(《潜虬山人记》)何景明曰："经亡而骚作，骚亡而赋作，赋亡而诗作。秦无经，汉无骚，唐无赋，宋无诗。"(《杂言十首之五》)李攀龙谓："谓文自西京，诗自天宝而下，俱无足观。"(《明史·李攀龙传》)攀龙死后，王世贞独霸文坛二十年，"其持论，文必西汉，诗必盛唐，大历以后书勿读"(《明史·王世贞传》)。

胡应麟《诗薮》内编卷一曰："宋人词胜而诗亡矣，元人曲胜而词亦亡矣"；又"西京下无文矣，东京后无诗矣"；又"骚盛于楚，衰于汉，而亡于魏；赋盛于汉，衰于魏，而亡于唐"。较之前后七子，胡应麟的文学退化论更加具体，不仅涉及骚、赋、诗，还兼及词曲。

清代焦循云："有明二百七十年，镂心刻骨于八股，如胡思泉、归熙父、金正希、章大力数十家，洵可继楚骚、汉赋、唐诗、宋词、元曲，以立一门户……夫一代有一代之所胜，舍其所胜，以就其所不胜，皆寄人篱下者耳。"他打算"自楚骚以下至明八股，撰为一集，汉则专取其赋，魏晋六朝至隋则专录其五言诗，唐则专录其律诗，宋专录其词，元专录其曲，明专录其八股，一代还其一代之所胜"③。焦氏所云，当为其后王国维"一代有一代之文学"论的先声。

文廷式《闻尘偶记》："国朝诗学凡数变，然发声清越，寄兴深微，且未逮

---

① 参见戴逸《我国最多产的一位诗人乾隆帝》，载《吉林大学学报》，1985年第5期。

② 《明史·李梦阳传》："梦阳才思雄鸷，卓然以复古自命。弘治(1488—1505)时，宰相李东阳主文柄，天下翕然宗之，梦阳独讥其萎弱，倡言文必秦、汉，诗必盛唐，非是者弗道。"

③ [清]焦循《易馀籥录》卷十五，本犀轩丛书本。

元明，不论唐宋也。固由考据家变秀才为学究，亦由沈归愚以‘正宗’二字行其陋说，袁子才又以‘性灵’二字便其曲谀。风雅道衰，百有馀年。其间黄仲则、黎二樵尚近于诗，亦滔滔清浅。下此者，乃繁词以贡媚，隶事以逞才，品概既卑，则文章日下。采风者，不能不三叹息也。”[①]文廷式主要针对的是清前中期诗坛的具体情况而言，认为清代文学连元明都及不上，更不要说唐宋了。究其原因，他首推考据家的寻章摘句，“变秀才为学究”；其次，则归罪于沈德潜的“格调”和袁枚的“性灵”，分别斥之为“陋说”、“曲谀”。虽未直接明言二人为“风雅道衰，百有馀年”的罪魁祸首，但不满之意是显而易见的。他肯定了黄仲则、黎二樵二人“尚近于诗”，是对近百年来有清诗坛仅有的取推崇态度的两位诗人，但也出语谨慎，“亦滔滔清浅”，其余则自郐以下，对清诗的态度明显是否定的。

章炳麟《国故论衡・辨诗》“物极则变，今宜取近体一切断之”后自注云：“唐以后诗，但以参考史事存之可也，其语则不足诵。”此论则更是退化论的进一步推衍，甚至有过之而无不及，将唐以后之诗全部一笔抹倒。

梁启超《清代学术概论》：“以言夫诗，真可谓衰落已极。吴伟业之靡曼，王士禛之脆薄，号为开国宗匠。乾隆全盛时，所谓袁、蒋、赵三大家者，臭腐殆不可向迩。诸经师及诸古文家，集中多亦有诗，则极拙劣之砌韵文耳。嘉道间，龚自珍、王昙、舒位，号称新体，则粗犷浅薄。咸同后，竞宗宋诗，只益生硬，更无馀味。其稍可观者，反在生长僻壤之黎简、郑珍辈，而中原更无闻焉。直至末叶，始有金和、黄遵宪、康有为，元气淋漓，卓然称大家。”梁启超对清诗几乎全部骂倒，“衰落已极”，是总括，其后一一坐实：号称“开国宗匠”的吴伟业“靡曼”，王士禛“脆薄”；所谓“乾隆三大家”，“臭腐殆不可向迩”；诸经师及诸古文家，“则极拙劣之砌韵文耳”；嘉道、咸同，则分别以“粗犷浅薄”、“生硬无馀味”冠之。只有黎简、郑珍得人，“稍可观者”。被他称为“卓然大家”的金和、黄遵宪、康有为等辈，因是其鼓吹改良的同道，颇有党同伐异之嫌，故不足道。但梁氏对清诗总体的贬抑态度还是十分明显的。

王国维《宋元戏曲史・自序》：“凡一代有一代之文学：楚之骚，汉之赋，六代之骈语，唐之诗，宋之词，元之曲，皆所谓一代之文学，而后世莫能继焉者也。”王国维生活在近代史中各种势力、学术思潮、人生理念大冲突、大裂变、大融合的特殊时期，他受西方文学观念的影响，对小说、戏曲这种在传统

---

① ［清］汪辟疆撰，王培军笺证，《光宣诗坛点将录笺证》，北京：中华书局，2008 年版，第 584 页。

士大夫社会中不为人所重的文学体裁，给予极大的关注，进行深入细致的研究，抬升其地位。他和那一时期的学人深受进化论的影响，因而反对复古倒退的文学观，提出“凡一代有一代之文学”的观点，是一种向前看的眼光和气度。就文学的外部因素看，文学的发展与社会的发展基本上是同步的，每一时代都有表现其时代特征的文学样式出现，故“凡一代有一代之文学”。从文学自身内部因素看，每一种文体都有从尝试到盛大，到落入俗套而衰敝这一“始盛终衰”的过程。正是这种内外互动的综合张力，共同导致了清代文学的嬗变，推动了清代文学的继续发展。

鲁迅受进化论的影响不可谓不深，以他一贯的深刻和犀利，总是认为新的胜过旧的，现在胜过过去，将来胜过现在，青年人胜过老年人。但他对诗歌发展的看法，与他一向的思想相较，似乎有些保守和矛盾，在《致杨霁云》信中说：“其实我于旧诗素未研究，胡说八道而已。我以为一切好诗，到唐已被做完，此后倘非能翻出如来掌心之‘齐天大圣’，大可不必动手。”对于这段话的理解，王英志认为，对鲁迅“好诗，到唐已被做完”之说，我们不必拘泥，正如对其自谦“于旧诗素未研究，胡说八道而已”不能当真一样。王英志先生觉得这是鲁迅常用的夸张、幽默手法，旨在向杨霁云表白本不该“言行不一致”，再写旧体诗而已，当然此言亦反映了鲁迅对唐诗的极其推崇。[1] 王先生的理解不能说没有道理，但鲁迅先生既然明确表示了对唐诗的推崇，而对清诗的态度也就是分明了。虽然鲁迅先生的态度未必就是非此即彼，不赞成就是反对或者否定如此简单，但至少对清诗的态度没有唐诗那样首肯，这是毋庸置疑的。

上述种种，对清诗的态度都不太积极，基本上是批评的居多。但对清诗持积极的、肯定态度的也并非绝无仅有，其中徐世昌之《晚晴簃诗汇》堪为突出代表。徐世昌在《晚晴簃诗汇》序文中，首先用简短的语言概括了自顺治、康熙以至清季间的诗歌发展历程，其中每一时期的代表人物，主要诗论观点以及诗风流变均有所关涉：

> ……顺、康文学，映照昌时：七子馀波，见讥糟粕。胜流南北，姓字如林。符孟《覆舆》，坦园《秋水》。孤芳夐响，矜服前修。江左岭南，宁云多让？渔洋既出，神韵独标。坛坫迭张，词流锋起。声光所被，爰逮乾嘉。支叶繁滋，更仆难数。归愚守宗法，随园主性灵，标榜偶缘，蔚为

① 王英志《〈清诗三百首今注新译〉导言》，苏州大学学报(哲学社会科学版)，2010年1月第1期。

风会。道、咸以后，湘乡低首西江，湘绮导源汉、魏。广雅褎然，振奇郁起，宏开幕府，奄有众长。季世说诗，祧唐宗宋。初慕后山，嗣重宛陵。寖远苏、黄，稍张杨、陆。三百年间，诗满天地。

不仅如此，徐氏继而又全面具体地分析了清诗繁盛及诗风流变的诸种原因：

综其卓绝，约有数端。庙堂巨制，炳若日星。鸿博两征，召试累举。《柏梁》联句，朝元咏歌，雅道既兴，流飚斯广。查田太液，赐谕烟波。竹垞南斋，言思贱日。狨鞍酋长，《湛露》兴谣，麟窟天孙，采风载录。灵珠在握，蛮徼姚声。诗教之盛，此其一也。考据之学，后备于前；金石之出，今寓于古。海云鼎籀，纪事西樵；杜陵铜檠，征歌石笥。钟彝奇字，敷以长言；碑碣荒文，发为韵语。肴核《坟》《典》，粉泽《苍》《凡》。并足证经，亦资补史。苏斋备体，雷塘嗣音；滂熹洽闻，瓶庐精鉴。诗道之尊，又其一也。中叶而降，文网渐疏。党锢不兴，风人多刺。宝鸡题壁，秋蟪成吟。龙壁从军，淋漓篇什。萝庵选韵，想望承平。感物抚时，微辞贞义。拾遗直笔，契厥精深；长庆新篇，举以讽谕。诗事之详，又其一也。海通以后，闻见日恢。三山引舟，八纮置驿。倚衡奉使，梦咏波涛。人境羁宾，集开世界。兰阇唱诺，痡野谐声。槎路低徊，莼斋珥笔。能言四裔，散见诸家。兴寓竹枝，目营卉服。輶轩游履，极迹区寰。据实摭华，夐焉博物，诗境之新，又其一也。凡兹四者，均异前规。陶镕英词，驰骛新作。春兰秋蕙，异畹同芳。蓝胁号钟，应荓协奏。风美所扇，鼓舞方来。上轶元明，自成轨范。①

这里徐氏提出的"诗教之盛""诗道之尊""诗事之详"和"诗境之新"，既概括了清初、清中叶以及清后期诗歌创作的基本特点，同时也阐述了清诗发展演变的时代背景和主要原因，言简意赅，持论公允。尤其引人注意的是，《晚晴簃诗汇》提出了"均异前规""上轶元明"的看法，对清诗总体上给予了积极的、肯定的较高评价，这是比较难得的。结合之前他对清诗发展历程的描述，徐世昌在《晚晴簃诗汇·叙》中不仅对文学史的运行有详尽的论述，而且对其演变的规律和原因也有透辟的阐发，是这一时期较有代表性的论家之一。

---

① 徐世昌《晚晴簃诗汇·叙》，闻石点校，北京：中华书局，1990年版，第2页。

任何事物都有一个从萌芽，到生长、兴盛、衰落，以至消亡的过程，作为一种文学题材的诗歌，自然也不例外。在经历数千年的发展衍变后，到清代，诗歌当然难以重现盛唐时期的辉煌，衰落是必然之势。不可否认，清诗虽不可与唐宋媲美，亦不可与元明等量齐观，但它依然有自己的独特面目，依然不失为独放异彩的文学遗产，它的价值与意义依然不容忽视。

就清初、中叶时期的诗歌本身而言，其各自的面目实际上也是迥然有别的。

清初，由于江山易代，时代风云的吉光片羽，也不难在忠于前朝、怀念故国的遗民诗人的断章残篇中有所反应，所以这一时期诗坛上最富有时代精神的诗歌是遗民的作品，著名的诗人有顾炎武、黄宗羲、王夫之、吴嘉纪、屈大均、杜浚、钱澄之、归庄、申涵光等。他们的诗篇，具有抒发家国之悲和同情民生疾苦的共同主题，或谴责清兵，或讴歌贞烈，或表白气节，或追思故国，可谓字字血泪，句句酸辛。反映了天崩地坼、神州陆沉之际惨痛的史实与民族共具的感情，笔力遒劲，沉痛悲壮，开辟清诗发展的新起点。

钱谦益、吴伟业和龚鼎孳被称为“江左三大家”，是前朝就已诗名远播、入新朝后继续保持着相当影响的诗人。他们的人生经历颇为相似，都有一段屈节仕清、其后又都深表忏悔的经历。这种士大夫立身大节上的亏缺，不仅影响了个人的人生走向，也涉及他们对诗歌的表达和理解，因而他们诗歌的造诣、作风和对诗歌的看法都不尽相同。在明末清初之际诗歌总体格局的形成中，他们各自代表了不同的趋向。

从康熙初期到中期，虽然抗清武装斗争在某些边疆海隅时有起伏，尚未消歇，但在清兵的铁血政策之下基本上呈强弩之末，大势已去。与此同时，清王朝笼络与强制汉族文人恩威并用的政策，如温水煮青蛙，日久天长，也逐渐产生了效果。中原定鼎后，清朝皇帝亲自祭拜明太祖，修缮十三陵，安葬崇祯皇帝，并给抗清英雄如史可法辈修庙祭祀，同时修撰明史，还别出心裁的给“从龙入关”的投降清朝的明臣设了个贰臣传，很是契合前朝遗老遗少的心曲，同时还寓有“孔子撰春秋而乱臣贼子惧”之意。康熙朝又开设博学鸿儒科考试，同时，再度大开科举，且内容比明朝还八股。这些都笼络了当时的读书人，让他们有事做，无暇从事反清事业。剃发易服，大兴文字狱，则不仅钳制了思想，也造成汉族文人精神领域内的萎顿和荒芜，使得整个知识精英阶层集体噤声失智，心甘情愿地成为专制皇权的附庸和死心塌地的忠臣孝子。至此，整个社会的文化心理已经发生了本质性的变化，一心想着恢复“汉官威仪”的，的确成了“一小撮”人的专利。尽管这“一小撮”坚持反清立场的"遗民"们仍不能甘心于这种历史的巨变，但事已至此，回天无力，剩下的除了接受既成事实外，别无他法。适应这种变化而成为新一代诗坛领袖人物的是王士禛。

康熙末年，清朝开始步入中期。经过康熙朝近一个花甲的治理经略，雍正、乾隆两朝续有发展，在文治武功的综合治理之下，出现了政治稳定，经济繁荣的局面，鲜花着锦，烈火烹油，形成了所谓"康乾盛世"。这一时期，明清易代的所带来的空前震荡和巨大破坏，已经渐趋平复，满清王朝终于为汉族士庶所接受，取得了名正言顺的正统地位，这已成为无可置疑的事实。由于清朝统治者出于对稳定江山、巩固政权的需要，对汉族固有传统文化，采取了尊重的态度，并在此基础上加以消解、改造和利用。满清统治者采取"稽古右文"的政策，使得汉族知识分子于仕途经济之外，经史、辞章和考据之学亦不失为安身立命之途。这一类学问的精深雅致，甚至还有过于元明，这对于民族对立意识的淡化也起到了促进作用。受这种政策和训诂、考据朴学之风的左右，社会上读书向学风气高涨，文学创作活跃，前此历代出现过的诗歌风格和流派，此刻几乎都有回应和接响。沈德潜、厉鹗、翁方纲和袁枚、赵翼等严分门户，分庭抗礼；自成一格的郑燮、黄景仁等也竞逐其间，各领风骚。

虽然清王朝社会历史进程中呈现出政治经济稳定繁荣的表象，但并不能避免其背后潜伏着的深刻危机，其所造成的更具根本性的矛盾，诸如对帝国专制下人正常的、合理的情感、需求和欲望得不到满足的不满与怨艾，汉族知识分子对民族分化政策所造成的人格戕害现象的厌恶，对个人的创造才能无法实现而感到的苦闷，时时敲击着精英阶层敏感的神经，促使人们进行思索和探讨。这些，确实在清中期的文学中有着持久而深入的表现，这既见于小说，也见于诗文。前者如曹雪芹的《红楼梦》、吴敬梓的《儒林外史》，后者如袁枚、廖燕、黄仲则、王昙、舒位等。而到了嘉庆、道光之际，随着各种社会矛盾的深化，和清政权由于自身的腐败，而逐渐失去对社会大局的全面掌控，终于出现了像龚自珍那样，横空出世，更具有反抗意义和启蒙色彩的创作，意味着古典文学的终结与近世文学的滥觞。

第三节 黄仲则在乾隆诗坛上的活动

——从"毗陵七子"到"都门诗社"

文学作品的生产、传播和接受，共同构成了文学活动的完整过程。它包括作家的文本写作、编辑出版以及成型的、以不同介质媒介为载体的文学作品的流通，当然还有读者的阅读，及其阅读后的信息反馈等。在这个过程中，这三个重要因素所承担的作用不尽相同，但缺一不可，任何一个环节的缺失，都将导致整个活动过程的失败。没有生产，传播和接受无从谈起；仅有生产，没有传播和接受，这种生产是没有意义的。我们不能想象，一个作家或诗人，他呕心沥血创作的作品，秘不示人，守口如瓶，没有任何"名山"之思，纯粹就是自娱自乐。文学作品的生产或曰创作本身，先天就带有一种传播的冲动和欲望，诸如"文以载道""代圣人言""有感而发""发愤著书"之类，带有明显的期待和写作目的，那就是作品最终为人所接受。生产是前提，传播是手段，接受是目的。在这个过程当中，由世界、作者、作品和读者共同建构，完成了一次高级的精神活动之旅，这便是人性的揭示、情感的历练和审美的体验。作家从事文学创作，目的在于给读者带来审美享受和精神快感。同时，自己也得到一种创造的审美精神享受。读者同样可以在欣赏和接受从这些文学作品的过程中，获得自己的审美享受。因此，文学的接受机制，是我们在研究和考察文学活动时所不可忽视的。

在文学活动过程中，生产、传播和接受，是三个不同的阶段，但这三个阶段有时并不是泾渭分明，截然分开的，而是呈现一种与时俱进、并驾齐驱之势，是一种你中有我，我中有你的态势。黄仲则诗歌的生产、传播和接受过程，亦是如此。虽然黄仲则年寿短促，但他才华特秀，他身边有一群年辈相当、声气相投的师友朋辈，在诗艺上、人生上，切磋琢磨，砥砺共进，他的才华和诗名，生前就为士林所激赏和接受。在他身后，随着他诗集的刊刻流布，他的诗名为更多人所接受。他凄凉衰飒的身世、苍凉感伤的诗风，不仅成为后世相同遭际、相同怀抱知识分子共同的心灵归宿，也成为专家学者们眼中的学术关注点。文学是人学，其发展与人性的发展密不可分。黄仲则诗歌中的种种歌哭，从自伤身世、叹苦嗟贫，到追悼爱情、吟咏风月，再到模山范水、吊古伤今，无一不是人性的自然流露。所以，时至今日仍然能够使我们心有戚戚，为我们接受，其原因就在于此。

依据地域的差异和时间流变的不同，我们大致把黄仲则在乾隆诗坛上的活动分为两大阶段，一是乾隆年四十年(1775)二十七岁前的江南时期，二是这之后的北方时期。在这两个不同的时期，黄仲则诗歌的接受情况也各有不同。

一、江南"毗陵七子"时期的黄仲则

黄仲则享年仅三十五载，乾隆年四十年二十七岁时辞亲远游，远赴幽并，在此之前，一直生活在江南。

他的家乡常州，是江南著名的历史文化名城之一。清代常州，文化繁盛，常州词派、阳湖文派，声名远播。清代常州的诗歌也很繁荣，清初诗坛上就活跃着"毗陵四家""毗陵六逸"等诗人群落。乾隆时期的"毗陵七子"更是声名远播。比较详细的关于七子的记载，来自钱伯坰："自余姑子庄虚庵，即以诗文著声……予亦追附其间。……味辛（赵怀玉）订交时年十四耳。至予羁留都下十数年，闻家乡有七才子之目，为洪稚存、黄仲则、杨西河伦、徐尚之书受、孙渊如、吕星垣，味辛首列焉。洪则蒋心馀先生赠诗有云：'万口争传洪礼吉'者也。渊如尊人抡元勋为余至契，渊如年十二，杂坐联句，应声云：'吾侪放浪百年后，仍作星斗归青天。'气概大是不凡。仲则善铁笔，或投之石，辄置之，在京师半日为予刻石三方。尚之亦晤于京师，尝持诗册属订，余为执笔，极为投契。余丁酉自京师，偕尚之旋里，获与洪杨诸君畅叙。"[①]权威的说法，当出自《清史稿·赵翼传》："其同里学人后于翼而知名者，有洪亮吉、孙星衍、赵怀玉、黄景仁、杨伦、吕星垣、徐书受，号为'毗陵七子。'"同时期的诗人之间结社、集会十分频繁，诗酒流连，相互酬唱，彼此之间往来十分密切。

赵怀玉像

这种文人雅集，诗酒文会，不仅是骚人墨客切磋诗艺、互相学习的重要机缘，而且也是发布新作、传播流布的有利场合。魏晋时期著名的"兰亭雅集"，当为后世文人雅集的滥觞，曲水流觞、饮酒赋诗，遂成为后世文人效法的经典范式。

"毗陵七子"之间的诗酒酬唱、相互

① ［清］钱伯坰《钱鲁斯书册跋》，载张惟骧《小双寂庵琐谈》，民国稿本。

来往，共同学习，彼此接受，意义十分重大。黄仲则与“七子”均有交往，其中与洪亮吉、孙星衍、赵怀玉等人性情最为相投，“少年谁最狂，雅数孙与黄”（洪亮吉诗），交往唱酬，非同寻常。

洪亮吉与黄仲则，志趣相同，性情相近。黄仲则殁于解州运城后，洪亮吉不顾炎天酷暑，千里疾驰，日走四驿，扶柩南归。其后，葬殁存生，慰老抚孤，可谓是一生相契的生死至交。检《两当轩集》，仲则写给洪亮吉的诗词有近四十首。

黄仲则与“七子”中的赵怀玉交往唱酬也很频繁。赵怀玉诗与同里孙星衍、洪亮吉、黄仲则齐名，时称“孙、洪、黄、赵”，著有《亦有生斋集》诗文总五十卷、乐府二卷、词五卷、续集六卷。工古文词，工书法，宗米芾、苏轼，字体雅健，著称于时。他与黄仲则、洪亮吉、钱维乔等为好友，他与洪亮吉相互宽慰，“天涯谁共负米心，遗画沧洲入良友”[①]。他与黄仲则同病相怜，“浮踪君作水上萍，索处吾惭裈中虱”[②]。乾隆三十四年（1769）冬，黄仲则依湖南按察使王太岳幕府，行前赵怀玉作诗《衡山高送黄生》送别，黄亦和诗《衡山高和赵味辛送余之湖南即以留别》留别。这年的十月初一，黄仲则招饮赵味辛，醉后二人同游近园，赵味辛有《十月朔日黄秀才景仁招饮，醉后游近园作》诗记之。赴湘途中，离家甫十日，黄仲则就有诗《明州客夜怀味辛、稚存却寄》赠洪亮吉和赵怀玉，赵也有和诗，即《得黄秀才景仁书和寄怀韵》。这一年，赵怀玉在所作《岁暮怀人二十首》其十九《黄景仁汉镛》，怀念黄仲则。黄也作《独鹤行》寄赵怀玉、洪亮吉，可见彼此相契之深，交谊之厚。乾隆三十七年（1772），赵怀玉作《忆昔篇寄黄秀才景仁姑孰》诗，中云：“昨岁双鱼来，江寒水清浅。剖书得君心，明月当天满。……忆昔复忆昔，劝君莫忧懑。且斟琥珀醪，一泛琉璃碗。青山对茫茫，采石歌缓缓。有地不行乐，饮河笑鼢鼹。仰视空中轮，西行声不返。”[③]黄仲则作《忆昔篇和赵味辛》和之。此外，黄仲则尚有《味辛客游浙西余顷从楚南归不得即见怅然赋怀》二首、《味辛病愈兼示病中和章作歌归之》，赵怀玉有《和黄大景仁》“匆匆浙水转征桡，布袜相逢长板桥。花雨几穿经院屐，松风曾逐孝陵樵。楼头书剑悲王粲，天上星辰应伍乔。自笑病馀心不系，也增归思趁江潮”[④]等诗唱酬。乾隆五十八年

① ［清］赵怀玉《〈云溪一曲图〉为洪大礼吉题》，《亦有生斋诗钞》卷六，清道光元年刻本。
② ［清］赵怀玉《衡山高送黄大》，《亦有生斋诗钞》卷一，清道光元年刻本。
③ ［清］赵怀玉《亦有生斋诗钞》卷三，清道光元年刻本。
④ ［清］赵怀玉《亦有生斋诗钞》卷三，清道光元年刻本。

(1793)，赵怀玉在京中任中书舍人，八月十五日游法源寺，有诗《中秋日雨中游法源寺》悼怀仲则。法源寺是黄仲则离京赴陕西依毕沅前，在北京最后的栖身之地，生前曾多次陪洪亮吉、赵怀玉等好友共同游玩。

“毗陵七子”中与黄仲则、洪亮吉“并称巨手”①，其诗“视黄仲则、洪稚存有过之而无不及”②的，是孙星衍。他还是清代著名的藏书家、目录学家、书法家和经学家。少年时与杨芳灿、洪亮吉、黄景仁以文学见长，袁枚称他为“天下奇才”，《芳茂山人诗录》自序中云：“余少与里中士洪稚存、黄仲则、杨西河、赵亿生为诗歌，弱冠时持谒袁简斋太史，颇蒙赏叹。”③

乾隆三十七年(1772)，黄仲则绘《黄山图》，孙星衍为其题诗《题黄二景仁所藏黄山图》，载《澄清堂稿》卷下，诗云：“新安老子何嬉顽，看山不饱思吞山。胸中荦确化清墨，天醉吐出千烟鬟。”④同卷又有《黄二景仁游黄山归索赠长句》诗，当亦作于是时。三十九年(1774)，黄仲则偕杨伦、孙星衍、洪亮吉放舟至平山堂看荷，孙星衍有《偕杨三伦、洪大礼吉、黄二景仁放舟看荷至平山堂》诗记之。同年，黄仲则与孙星衍同赴江宁秋试，作词送孙星衍归里，词为《金缕曲·送孙渊如归里且订白门之游四叠前韵》。同年九月，与孙星衍等同舟返里，宿丹徒，途中有诗《润州舟次偕黄二景仁作》记之。

左辅与黄仲则、洪亮吉、赵怀玉等为同里至友，亦有许多诗词往来唱和。黄仲则与他同病相怜，声气相投，对许多诗彼此都互有评点。左辅有《寄黄大仲则》一诗曰：“故人江夏有黄童，廿载飘零类转蓬。计拙大都遭鬼笑，人生何苦作诗工？拂衣濠水歌冯铗，落日津门怅楚弓。献赋不逢杨狗监，茂林司马老秋风。”⑤黄仲则评曰：“读人生句不禁泪下。”再如《蝉》：“诉尽齐宫怨，萧萧续苦声。芳华销短梦，风露贷馀生。疏柳长洲苑，残阳白下城。吟躯听欲瘦，辛苦为关情。”⑥黄仲则评曰：“‘芳华’十字，黯然神伤，仲甫为我写照乎！”所以如此，是因为彼此心同，故能做到心有灵犀。

乾隆三十七年(1772)三月初三上巳节，安徽学政朱筠与文士们在采石矶边的太白楼聚会。黄仲则写出了《笥河先生偕宴太白楼醉中作歌》，人们

---

① ［清］杨文荪《济上停云集跋》，《芳茂山人诗录》卷四，光绪十二年刻本。
② ［清］石温玉《芳茂山人诗录序》，《芳茂山人诗录》卷首，光绪十二年刻本。
③ ［清］孙星衍《芳茂山人诗录序》，《芳茂山人诗录》卷首，光绪十二年刻本。
④ ［清］孙星衍《孙渊如先生全集·题黄二景仁〈黄山图〉》澄清堂稿卷下，四部丛刊景清嘉庆兰陵孙氏本。
⑤ ［清］左辅《念宛斋诗集》卷二，光绪石印本。
⑥ ［清］左辅《念宛斋诗集》卷一，光绪石印本。

争相传抄，一时纸贵，使他名扬天下。诗云：

> 红霞一片海上来，照我楼上华筵开。倾觞绿酒忽复尽，楼中谪仙安在哉！谪仙之楼楼百尺，笥河夫子文章伯。风流仿佛楼中人，千一百年来此客。是日江上同云开，天门淡扫双娥眉。江从慈母矶边转，潮到然犀亭下回。青山对面客起舞，彼此青莲一抔土。若论七尺归蓬蒿，此楼做客山是主。若论醉月来江滨，此楼作主山作宾。长星动摇若无色，未必长作人间魂。身后苍凉尽如此，俯仰悲歌亦徒尔。杯底空馀今古愁，眼前忽尽东南美。高会题诗最上头，姓名未死重山丘。请将诗卷掷江水，定不与江东向流。

这首诗是黄仲则的成名作，人以诗名，诗以人传，也是其人其诗为更多人所了解和接受的一个重要契机。

乾隆诗坛上的这个以洪亮吉和黄仲则领衔的“毗陵七子”诗派，在诗学企向和创作实践上，有大致相近的取向。赵翼的《瓯北诗话》和洪亮吉的《北江诗话》是他们诗学理论的基础，主张以创新为导向，强调性情、品格和学识并重。最重创新的毗陵诗人当首推赵翼，他的《论诗》云：“满眼生机转化钧，天工人巧日争新。预支五百年新意，到了千年又觉陈”（其一），“李杜文章万口传，至今已觉不新鲜。江山代有才人出，各领风骚数百年”（其二）。[①] 洪亮吉《北江诗话》中曰：“七律至唐末造，惟罗昭谏最感慨苍凉，沉郁顿挫，实可以远绍浣花，近俪玉溪。盖由其人品之高，见地之卓，迥非他人所及。次则韩致尧之沉丽，司空表圣之超脱，真有念念不忘君国之思。孰云吟咏不以性情为主哉！”[②]以前辈诗人之人品来评价其诗品之优劣，高尚人品是较高诗品的前提条件，甚至认为“诗人岂藉诗句传，大节所在尤昭然”（洪亮吉《跋唐丰溪处士吕从庆诗集后》），诗人之大节比诗句更重要。由此见出洪氏强调人品对诗歌创作的重要性。他们反对以学问入诗，以考据入诗，提倡诗写性情，但他们并不否定学问学识的作用。诗人既要有学问，又不能以学问掩性情，影响诗歌的表情达意，应当在诗写性情过程中自然见其学识。[③]

在创作实践上上，“毗陵七子”大多张扬和尊重个性，关注个体的存在和价值，将个体的境遇、感受及对社会现实的关注，真实而动情地寓之于诗，流

---

① ［清］赵翼《论诗》，《赵翼诗编年全集》卷二十八，天津古籍出版社，1996年版，第821页。

② ［清］洪亮吉《北江诗话》卷四，北京：人民文学出版，1983年版，第99页。

③ 参阅纪玲妹《清代毗陵诗派研究》，南京师范大学，博士论文，2007年，第52—79页。

畅而自然，语朴而情真。黄仲则诗歌保持了与“七子”的同步性相似性，但又有自己不同于他人的特出之处。这就是他“好作幽苦语”“咽露秋虫，舞风病鹤”般的凄苦感伤诗风，这一点是其他任何人都无出其右的。

二、北方“都门诗社”时期的黄仲则

乾隆四十年(1775)，黄仲则负笈北游，岁暮抵京，从此，在北方度过了他生命中的最后八年。这八年，对诗人一生的创作和生活有着极其重要的意义。黄仲则不远千里，来到人地两生的都城，第一个落脚点就是投奔自己的恩师朱笥河先生。赵希璜诗曰：“每自手钞传好句，曾闻拍案叹天才”句下自注：“昔在笥河师座，有少年以己诗方仲则者，笥河师大噱曰：‘仲则天才也。’”[①]朱筠也有诗记其事。朱先生对仲则的赏识和奖掖早在他做安徽学政时就已开始，现在又再续前缘，朱先生对仲则可谓恩重如山。

黄仲则初到京师开局不错，一切似乎正向着诗人想象的方向发展：由于恩师的眷顾，暂时有了落脚之地；他应乾隆的东巡召试，取二等，并得武英殿书签官一职；又与王昶、翁方纲、陆锡熊、金榜、周永年、戴震、张埙等都中名流结识，日与之游，极文宴之盛，得到极高礼遇。吴蔚光的《黄大景仁过我即依所贻诗韵奉报且述怀也》一诗，给我们描述了黄仲则初至京师生活的最初阶段：“去冬入都门，轻装记初卸。陈藩下榻留，蔡邕倒屣迓。”不难想象，一个享誉江南、久负盛名的天才诗人的到来，在京城文坛引起了一阵不大不小的轰动，对初来乍到的诗人表示了欢迎和惊喜。王昶回忆：“都中士大夫如翁学士方纲、纪学士昀、温舍人汝适、潘舍人有为、李主事威、冯庶常敏昌，皆奇仲则，仲则亦愿与定交，比贵人招之，拒不往也。”对于这帮见多识广、自视甚高的京城名流来说，一般的才智之士是很难入其法眼的，黄仲则所受到的礼遇，从侧面反映了他诗才的超拔与声誉之远播。

乾隆四十年(1775)岁暮，黄仲则抵京几天后的十二月二十六日，朱筠、何青就共同出面，在陶然亭举行了一次文人聚会，可谓是为黄仲则接风。出席此次聚会的名流有翁方纲、程晋芳、程瑶田等多人。除了饮宴高会，还有另外一项重要活动，就是分韵赋诗，这应该是文人雅集的压轴之举了。黄仲则此次分的韵是“影”字。同去诸人中，吴蔚光得“乱”字，翁方纲得“阳”字，

---

① 见《两当轩集》附录六《唱酬/题赠》，上海古籍出版社，1983年版，第670页。

吴蔚光像

冯敏昌以病未赴，但也分得了“色”字，会后赋呈。[①]

也就是在这次聚会不久，黄仲则结识了朱筠之弟朱珪。此人乃乾隆十三年(1748)进士，曾任督抚，官至体仁阁大学士，卒谥文正。而黄仲则虽多次参加科考，但屡试不第，其时仍是白衣之身，与京中诸君相较，身份上似乎相差甚远，但这并不妨碍黄仲则的才气发露，或者说狂狷孤傲，也并不妨碍都中名流对他的认同和接受。朱珪曾劝仲则“保慧以凝福”，论辈分，朱珪当为仲则师叔，且对其闻名已久，亦爱其诗才葩发，但这种对这位师叔富有哲理和规劝意味的箴言，仲则颇不以为意。翁方纲《悔存诗钞序》云：“予初识仲则于吾里朱竹君学使座上，读其诗大奇之，自此，仲则时以其诗来质。其信予之笃，出于中心之诚。”与翁方纲因诗而订交。

身居都门的朱筠，德高望重，桃李满天下，门生故吏遍布京师。而且因为上书皇上，主张开四库馆而名声大噪，声誉日隆。黄仲则千里来投，真是得其所哉！朱先生的身边围绕着大批京中的知名之士，如汪中、洪亮吉、孙星衍、章学诚、陆锡熊等辈。这是一个京城中的士林精英集团，黄仲则得以跻身其中，或与有荣焉。除了恩师朱筠的眷顾之外，更多的是其自身才华与声名所致，也是对其诗歌的接受。

黄仲则在谈到自己北上京师、辞亲远游的动机和原因时，《将之京师杂别》其一曰，“自嫌诗少幽燕气，故作冰天跃马行”。这固然不错，但只是部分而非全部原因，更多原因其实还是稻粱之谋，功名之思。乾隆四十一年(1776)，也就是他到北京后的第二年春天，乾隆平定两金川大功告成，召试各省士子。四月，黄仲则偕赵希璜步行赴津门献赋，乾隆帝召试于柳墅行

① 参见吴蔚光、翁方纲、冯敏昌等人诗集。

宫。二十一日榜发，与吴蔚光等列二等，赏缎二匹。据《清实录·高宗实录》卷一千零七载对此有详尽的记载。所献诗即《两当轩集》卷十二所载之七古《平定两金川大功告成恭纪》、杂言《平金川铙歌十章》、七绝《平金川铙歌》（十首存七）。因献赋津门，嗣后不久，黄仲则以二等充四库誊录生。这样的结果，其实据黄仲则的期待有不小的距离。此前他曾多次落第，原因在于其所长在诗，而非八股时文，而科场重文不重诗。弃其所长，而用其所短，其结局自然不言而喻，屡试不第也就不难理解。现在献赋津门，恰恰提供了一个施展其所长的机会，所以他的期望值不可谓不高。如能名列一等，就可乘直通车，以内阁中书的身份补用，这样就绕开了令其心灰气沮的科举考试，从而扬眉吐气，一扫屡试不第之霾。奈何仅列二等，总是天逆人愿，心中的失落可以想见。不过，毕竟还是有了一个比较正式的名分，虽食之无味，但也聊胜于无吧。

这一阶段，黄仲则依然与都中的一班旧知新交诗酒流连，酬唱往还，乐此不疲。二月十二日，与吴蔚光、何青、赵秉渊、汪端光、金翀、杨芳灿诸人集钱敬熙、钱元熙兄弟寓斋，分韵赋诗。[①] 三天后的二月十五日，又应温汝适、冯敏昌之招，与翁方纲、朱筠、程晋芳、洪朴、陈本忠、陈本敬、李威、何青、汪端光诸人晚饭于法源寺。六月二十四日，黄仲则陪朱筠及诸位师友黄轩、邹西麓、程晋芳、洪朴、王昆霞、汪瑞光、吴尉光、何青等游忏园，并为何青作诗送别。[②]

黄仲则与翁方纲的交谊也日渐亲密，几次在翁方纲的诗境轩雅集，观钱载所藏名人尺牍，与翁方纲、黄斳、潘有为、杨揆、冯敏昌、张埙、陈崇本、温汝适等人联句。这种联句，其实是一种高级的文字游戏兼智力游戏，由两人或多人共作一诗，相联成篇。初无定式，有一人一句一韵，两句一韵，乃至两句以上者，依次而下。后来习用一人出上句，续者须对成一联，再出上句，轮流相继。这种形式多用于上层饮宴集朋友间应酬，纯为游戏，绝少佳作。

这年的岁末除夕夜，十二月三十日，王昶招请翁方纲、朱筠、程晋芳、许宝善、陆锡熊、吴省兰、洪朴、陆德灿、胡梅、张彤及仲则在其寓斋雅集，观赏所收藏的邝湛若砚一方，并分赋。黄仲则《两当轩集》卷十二有《王兰泉先生斋头消寒夜集观邝湛若天风吹夜泉砚作歌》诗，题注："铭八分书，下小行楷

---

① ［清］吴蔚光《素修堂诗集》卷七《花朝偕何二明经青赵大上舍秉渊汪大孝廉端光黄二秀才景仁金九秀才翀杨二上舍芳灿集钱二上舍敬熙钱五上舍元熙寓斋以今十二日为百花朝为韵分得为字》，清钞本。

② 参阅许隽超《黄仲则年谱考略》，上海古籍出版社，2008 年版，第 223 页。

镌'邝湛若'三字,并'明福洞主'小印。"又,卷十三有《丙申冬王述庵通政斋见邝湛若八分铭天风吹夜泉研为作歌》诗,即记此一事也。①

"东风不与周郎便,铜雀春深锁二乔"。时光如梭,黄仲则在京师的生活转眼就是一年。这一年,有恩师朱筠、王昶的提携与眷顾,黄仲则得与都中名流往还,在京中的文化圈中声誉鹊起。包世臣云:"眉峰年十九,题诗于虎邱石壁,为朱笥河先生所见,遂招携入都。笥河为风雅宗,天下名流出门下,然常曰:'妙才黄仲则,奇才胡眉峰。'故都下言诗必推黄胡。"(《胡眉峰诗序》)都中、名儒、耆宿、诗文、学问、醇酒、妇人,伴随着都城的诗酒风流,黄仲则的声名日高。总起来看,这一年,诗人过得还算顺遂,至少看起来很美。

另一都中名流王昶对黄仲则的提携和也很重要。乾隆四十二年八月,王昶于陶然亭宴客。这是一次大型的文酒之会,出席的均是名流耆宿,朱筠、翁方纲、程晋芳、孔继涵、李威、张埙、赵秉渊、王念孙、钱坫、陈以纲、王复、张彤、胡量、许乃扬、金翀、钱伯坰、徐书受等四十六人与会,可谓盛况空前。② 黄仲则当然与有荣焉,《两当轩集》卷十九《换巢鸾风·王述庵先生招集陶然亭》词中有云:"群公车盖满亭皋。文雄谈绮,书狂饮豪。非此会,可不负、凤城秋好。"对此会的盛况做了描述,并对能够与会甚感欣慰。同时与会的徐书受在其《教经堂谈薮》卷一"孔㧑约序事"条记载云:"丁酉秋八月,王大理述庵先生宴客于陶然亭,一时日下文人以不与斯会为耻,自公卿至布衣之士,集者四十馀人,曲阜孔检讨㧑约为序其事。时先生参阿公军,初自蜀还……客为笥河先生、大兴翁学士覃溪、歙程吏部鱼门、阙里孔民部荭谷、龙溪李畏吾、吴县张瘦铜、上海赵少钝三舍人、高邮王孝廉怀祖、嘉定钱明经献之、海宁陈竹厂、秀水王秋塍、乌程张萼楼、长洲胡眉峰、溧阳许介山、休宁金振之及余邑钱鲁思、黄仲则八上舍,皆余素交。"③"一时日下文人以不与斯会为耻",可见此次聚会是何等重要,能够参与其中又是何等荣耀。

频频涉足这种高级聚会所形成的虚假繁荣,使黄仲则的判断力出现了偏差。尽管他前此已经遭遇了种种挫折和坎坷,但或许对一个激情四溢的诗人来说,对生活总是充满不切实际的浪漫幻想吧,他在给好友洪亮吉的信中不无自负地说:"人言长安居不易者,误也。若急为我营画老母及家累来,俾就近奉养,不至累若矣。"(洪亮吉《黄君行状》)认为居京城并非想象中的

① 许隽超《黄仲则年谱考略》,上海古籍出版社,2008年版,第233页。
② 同上,第244页。
③ [清]徐书受撰《教经堂谈薮》,载《常州先哲遗书后编》,清光绪武进盛氏刊本。

居大不易，所以他要移家来京，奉亲养家，作久居之计了。九月，在洪亮吉的帮助下，终于移家来京，在遥远的帝都合家团聚。但接下来的情况并不乐观，“武进黄景仁，夙负才名，落拓来京师，从先生（指朱筠）游，常以老母在籍，贫不能养为忧。先生乃为区画举家入都，既至，于所居之西，赁屋数椽以处之，告诸名士爱才者，醵金若干，月馈薪米。岁暮，则为母制寒衣”①。关键时候还是仰赖老恩师出手助其养家奉母。

这年十一月，王昶再次招诸人夜集，仲则亦再次与会。这次的规模显然要比上次要小些，人数约二十人，为上次之半弱，出席的人员，据吴蔚光《素修堂诗集》卷八记载，有钱载、吴绶诏、翁方纲、曹学闵、朱筠、朱珪、纪昀、陆锡熊、张焘、施学濂、程晋芳、金榜、黄轩、吴省兰、汪如藻、丁逵鸿、陈以刚、王元勋、汪大梓等人，但规格仍然甚高。类似的活动不一而足，再如，乾隆四十三年八月，吴玉纶于引藤书屋为文酒之会，翁方纲、蒋士铨、曹仁虎、陆锡熊、程晋芳、吴锡麒、陈崇本及仲则等人与会。据钱荣、吴玉纶《香亭先生年谱》本年条载：“八月，举文会。先生与翁阁学方纲、蒋编修士铨、曹学士仁虎、陆副宪锡熊、程编修晋芳、吴编修锡麒、陈学士崇本、黄上舍景仁相率为诗古文，月再举。……先生自移寓横街，稍事增葺，曲径长廊，缀以花木，招集同人于引藤书屋，为探春消寒之会，诗酒联欢，殆无虚日。”从时间、地点、与会人员、活动内容等方面，对此次活动做了全面介绍，由此可以窥见当时的盛况。

黄仲则个性狷狂，孤傲清高，偶尔也与人发生某些龃龉。刘禺生《世载堂杂忆》“和坤当国时之憨翰林”条云：“北京呼常州人为憨物，孙渊如、洪稚存其领袖也。”不无调侃揶揄之意。对仲则的诗，都中人士也未必人人首肯，据张埙《竹叶庵文集》卷二十一《论诗答友人四首》其二：“昨见黄生仲则诗，欲删遗稿泪先垂。生相轻薄死珍重，豪气哀情两不知。”自注：“仲则存时，余颇不惬其诗。”仲则生前，张埙并不看重其诗，等到仲则身后，也许为其人格身世所感，才觉得其人其诗值得珍重。

乾隆四十四年（1779）十一月十九日，翁方纲招程晋芳、张埙、罗聘、桂馥、吴蔚光、陈鸿宾、周厚辕、吴锡麒、陈崇本、沈心醇、宋葆淳、洪亮吉及仲则等人雅集于苏斋，预祝东坡生日，兼送罗聘出都。

同年，翁方纲、蒋士铨、周厚辕、吴锡麒、张埙等结都门诗社，邀洪亮吉、黄仲则入社。赵希璜诗曰：“每自手抄传好句，曾闻拍案叹天才。”陈燮诗曰：

① ［清］朱筠《笥河文集》卷首李威《从游记》，清嘉庆九年朱珪椒华吟舫刻本。

“主盟得黄子，壁垒竖高纛。”赵希璜有诗云：“宣武坊南法源寺，那堪回首丙申岁。诗坛牛耳执黄郎，禅榻心灯传宝志。”“黄郎”下注：“谓仲则”。不是位高权重，亦非著作等身，仲则以自己的出色的诗艺和特出的人格魅力，为众所钦服，被当时都门诗坛尊为执牛耳者。①

乾隆四十六年(1781)，四月初二日，黄仲则招冯敏昌、张锦芳、洪亮吉、安嘉相、余鹏翀诸友同集法源寺寓斋，为饯花之饮。余鹏翀作图，分韵赋诗。《两当轩集》卷十五有《冯鱼山、张粲夫、洪稚存、安桂甫、余少云同集寓斋，为饯花之饮，得饯字》诗。虽然黄仲则被尊为诗坛盟主，但由于阮囊羞涩，亲自做东邀集友朋雅集并不多见，这次人数不多，也并无公卿巨公，都是同辈贫贱之交。

这一系列的诗文酒会，实是都中士林精英阶层的精神会餐，交流的是诗艺，获得的是人气，抬升的是声望。同声相应，同气相求，加入这个精致优雅的小圈子，对于黄仲则这样的弱势群体来说，无疑是扩大知名度，进一步为人所接受的捷径之一。就这点来说，黄仲则是成功的。一再出席高规格雅集，加入“都门诗社”，被公认为诗坛盟主，标志着黄仲则的诗歌为京城士人的全面接受。

黄仲则天纵英才，独出群论，在流派纷呈、各树坛坫的乾隆诗坛中，尤其是京中八年的都门生活中，一方面广泛地学习、吸收和借鉴他人为人、为学、为诗的长处与菁华，含英咀华，融会贯通，使得自己的诗艺日臻成熟和老练，足以跻身其间而毫不逊色。另一方面，黄仲则也以他自己丰硕精良的创作业绩、超绝非凡的诗才诗艺和别具一格的诗风，为都中权力和知识精英阶层的名流耆宿所认同和接受，成为“都门诗社”的实际领袖而当之无愧。个体与乾隆诗坛的这种互动，不仅成就了黄仲则本人的诗名，也有益于整个乾隆诗坛创作的繁荣。

第四节　黄仲则诗歌与乾隆诗坛主流的互动

乾隆诗坛在考据学、科举制和文字狱的共同张力下，总体创作上虽然仍然难以摆脱宪章盛唐、祖述两宋的局面，虽无顾亭林、钱牧斋、吴梅村和王士禛那样的大家巨手，但也还是名家济济，纷扰如常，呈现出特有的时代风貌，出现了以沈德潜、袁枚和翁方纲各自领衔的“格调说”“性灵说”和“肌理说”

---

① 参见许隽超《黄仲则年谱考略》，上海古籍出版社，2008年版，第275页。

鼎足而三的格局，诗学理论上也是三水分流，各分畛域。黄仲则正是在这样的文化土壤和文化环境中，秉承先天之灵机，吐纳乾嘉之菁华，熏染习见，取精用宏，博取众长，含英咀华，最终成长起来的诗坛俊材。

一、沈德潜："格调说"——主流意识形态的文学演绎版

沈德潜(1673—1769)是乾隆年间著名的馆阁重臣和宫廷诗人。他耆儒晚遇，乾隆四年(1739)，近古稀之年方考中进士。据其前后身份地位的不同，其诗歌本身内容上虽有差异，但亦为时代风云对个体心灵情感所造成影响之反映。《过钟山》《北固山怀古》《金陵咏古》《韩忠武王墓》《张氏牡丹花歌》《谒孝陵二十韵》《谒岳庙》《于忠肃公庙》等作品中，都隐约传达出汉族知识分子对异族统治者情感上无法认同的怨艾。他自身命运在此时也同广大草根平民如出一辙，屡试不第，功名不遂，内心的焦虑、痛苦是可以想见的，这些在他的诗中都有反映和记述。如在《王韩起见过》其二中描绘："落魄滞江皋，三年一布袍。长贫真到骨，众论尚吹毛。"在《岁暮行》中感慨："终年学道成卤莽，终岁著书俱谬悠。年过四十不得志，开口且莫谈封侯。"

沈氏诗记述其家乡江南遭受的天灾人祸之作极多，如《夏日述感》"空村多鬼语，茅屋少炊烟"，《夏日杂咏十章》"吴中饥岁后，触目总荒凉。树剥榆皮尽，泥穿山骨伤"。这些都是诗人在通显发达之前，所见所闻民间生活的真实写照，尚不失草根阶层的真诚。

登科后，作为一名与乾隆"以诗始，以诗终"的馆阁重臣和宫廷诗人，沈德潜写作了大量的奉和应制之作，表达他对圣恩的感激，和对朝廷文治武功的赞扬，如《恭和御制消夏十咏元韵》《恭和御制落叶诗元韵》《恭和御制柳絮诗元韵》《恭和御制落花诗即用落叶元韵》《恭和御制桃花寺八景元韵》等，此类诗基本上乏善可陈，意义不大。

沈德潜继神韵派领袖王士禛之后主盟诗坛数十年，他在诗学上的建树恐怕要远在其诗歌创作之上。沈德潜年轻时曾受业于叶燮，他的诗论在一定程度上受叶燮的影响。他论诗的宗旨，主要见于所著《说诗晬语》和他所编的《古诗源》《唐诗别裁集》《明诗别裁集》《清诗别裁集》等书的序和凡例中。

沈德潜论诗的主要观点大致有二，一是鼓吹"温柔敦厚"诗教说，强调诗为皇朝政治服务。《说诗晬语》开宗明义说："诗之为道，可以理性情，善伦物，感鬼神，设教邦国，应对诸侯，用如此其重也。"同时提倡"温柔敦厚，斯为极则"，要求诗要有益于统治秩序，合于"温柔敦厚"的"诗教"，这是他论诗的

一个最重要和最根本的前提。温柔敦厚本指人温和宽厚的品性，又延伸为讽谏要合乎礼义规范而不能言辞过激，沈德潜极称“温柔敦厚”之旨，力求通过朴实无华的遣辞造句，追求一种自然而无雕饰的艺术风格，以达到中正和平的艺术境界。

二是在艺术风格上讲究“格调”，所以他的诗论一般称为“格调说”。所谓“格调”，本意是指诗歌的格律、声调，同时也指由此表现出的高华雄壮、富于变化的美感。其说本于明代七子，故沈氏于明诗推崇七子而排斥公安、竟陵，论诗歌体格则宗唐而黜宋。他的所谓“格”，是“不能竟越三唐之格”的，认为诗至有唐，菁华极盛，体制大备，而宋元则流于卑靡，实质上与明代前、后七子一样主张扬唐而抑宋。所谓“调”，即强调音律的重要性，他说：“诗以声为用者也，其微妙在抑扬抗坠之间。读者静气按节，密咏恬吟，觉前人声中难写、响外别传之妙，一齐俱出。朱子云：‘讽咏以昌之，涵濡以体之。’真得读诗趣味。”(《说诗晬语》卷上)

在宗唐和讲求格调的同时，还须“仰溯风雅，诗道始尊”。他又说：“乐府之妙，全在繁音促节，其来于于，其去徐徐，往往于回翔屈折处感人，是即依永和声之遗意也。”沈德潜把“温柔敦厚”的原则和“蕴藉”的艺术表现混为一谈，主张中正平和、委婉含蓄而反对直白发露。他认为，诗歌的职志是讽谕美刺，反映现实政治，用诗歌起到沟通朝庭与民间的作用，给统治者以借鉴和警觉，目的是维护现时统治，不应违背“圣衷”的。

所以，他的“温柔敦厚”诗教说，他的崇唐黜宋的“格调说”，其实都不过是乾隆王朝主流意识形态的文学版而已，对于诗歌艺术本身的创新和促进作用微乎其微。其价值与意义就在于，通过他本人的诗歌创作实践，和一系列选本如《古诗源》《唐诗别裁集》《明诗别裁集》《清诗别裁集》的示范引领，和诗学著述如《说诗晬语》等的理论升华，使得这种主张得以宣扬和传播，并大行其道，从而为乾隆圣朝的江山稳固大帮其忙而已。

据有关记载，曾从沈德潜受业者，初以盛锦、周准、陈魁、顾诒禄为著，继则有王鸣盛、王昶、钱大昕、曹仁虎、黄仁莲、赵文哲、吴泰来等“吴中七子”，其后又有褚廷璋、张熙纯、毕沅等继起，再传弟子中声名最著者则有黄景仁。沈氏在当时诗坛的地位和影响，于此可见。

王昶以乾隆朝台阁重臣和经学大师的身份，秉承沈德归愚“格调”诗学之大纛，流连风雅，主盟坛坫，奖掖后学，一时从其游者甚众。王昶是黄仲则的老师，他工诗善文，早年与王鸣盛、钱大昕等并称为“吴中七子”。他的诗文结集《春融堂集》共60卷，姚鼐、俞樾曾先后为之作序。此外还辑有《湖海诗传》《湖海文传》《明词综》《国朝词综》等选本，是声名卓著的文学家。尤其为人称道的是，王昶还十分爱才，喜欢提携后进。据钱泳《履园丛话》卷六云："（王昶）谦恭下士，著作等身。闻人有一才一艺者，即录其姓名籍贯，细书小折，盛以锦囊，各分门类。每与人坐谈，一闻佳士，辄从锦囊中取出补之。自古怜才爱士之诚，未有如先生者也。"

从其留存后世的著作中，我们约略可以勾勒出其诗歌极其诗学主张的大致内容。

王昶的诗学思想也继承了沈德潜的衣钵，主张温柔敦厚，清真雅正。他推崇沈氏诗为诗道正轨："往者沈文悫公以风雅之传教于吴下者七十馀年，是时海内诗人，或尚流易，以白乐天、杨诚斋为宗；或尚苦涩，以黄山谷、陈无己为法，于文悫之教互有出入。公入词馆，受天子特达之知，称为'清时名士，吴下诗翁'，且序其诗集比于高王。高谓明侍郎启，王谓尚书士正也。夫明代诗人众矣，国朝以诗名家亦不下十余人，而独举以况文悫，盖谓二家独得风雅之正也。自文悫殁后，迄今又几三十年，聪明秀杰之士各以所好为诗，不复求宗于正轨，是以诗道日卑。"[①]《文献征存录》中也说他"弟子益众，昶教其为诗以唐人为宗，盖犹守沈尚书绳墨，不忘师法也"[②]。就"温柔敦厚"诗教说的传承和弘扬而言，王昶与沈德潜可谓一脉相承，是对沈德潜诗学的继承和发展。

王昶评沈德潜："独综今古，无藉而成，本源汉魏，效法盛唐，先宗老杜，次及昌黎、义山、东坡、遗山，下至青邱、崆峒、大复、卧子、阮亭，皆能兼综条贯。"[③]作为弟子，王昶也继承了其师的衣钵，在诗文创作上强调"博观约取"，遍求诸体。吴泰来《春融堂集·诗序》论王昶："先生之诗学至矣。余尝闻其绪论曰：'诗之为道，偏至者多，兼工者少，分茅设蕝，各据所获以自矜。学陶、韦者，斥盘空硬语、妥帖排奡为粗，学杜、韩者，又指不着一字、尽得风流为弱，入主出奴，二者恒相笑，亦互相绌也。吾五言诗期于写性情，清真微妙，而七言长句颇欲拟于大海回澜，纵横变化。世之偏至者，或可以无讥欤？'"

在论及创作主体即诗人自身的素质时，王昶重视学问的浸润涵养之效。

---

① ［清］王昶《春融堂集·邹晓坪午风堂诗集序》卷三十九，载《续修四库全书》1438册，上海古籍出版社，1996—2003年版，第75页。

② ［清］钱林《文献征存录》，载周骏富《清代传记丛刊》，台北：文海出版社，1986年版，第1512页。

③ ［清］王昶《蒲褐山房诗话新编》，周维德辑校，济南：齐鲁书社，1988年版，第34页。

他曾言："吾之言诗也，曰学，曰才，曰气，曰声。学以经史为主，才以运之，气以行之，声以宣之，四者兼，而弇陋生涩者，庶不敢妄厕于坛坫乎。"（吴泰来《春融堂集·诗序》）他认为，学、才、气、声四者当中，首以"学"为重，"学"是基础。而"学"当以儒家经史为主，以学问为基础，"才、声、气"才有发挥之余地，他是把学问作为诗人创作的土壤与源泉来看待的。

王昶本人也身体力行，率先垂范："先生于学，无所不窥。治经通汉儒之学，诗礼宗毛、郑，易宗荀、虞，而言性道则尊朱子，下及薛河津、王阳明诸家，不分门户。性好金石，所藏碑刻凡千数百通，撰《金石萃编》一百六十卷，考订精博，为嗜古者所珍。其诗文宏博渊雅，有关于经史文献，曰《春融堂集》，共六十八卷。"[①]这种经史大家，汉学名儒的身份，发其余力出为诗歌，自然有别具一格的价值和魅力。

王昶的诗歌创作很好地体现和实践了他的诗学观。李慈铭《越缦堂诗话》言："阅王述庵《春融堂诗词》，述庵学诗于归愚，词则以竹垞、樊榭为宗。其诗分《兰泉书屋集》《琴德居集》《三泖渔庄集》《郑学斋集》《履二斋集》《述庵集》《蒲褐山房集》《闻思精舍集》《劳歌集》《杏花春雨书斋集》《存养斋集》《卧游集》，共十二集二十四卷，计二千馀首。自《兰泉书屋集》至《述庵集》，虽气稍弱，而醇雅清切，律绝尤有风致。盖皆其未仕以前所作，得于山水之趣者为多。《蒲褐山房集》至《闻思精舍集》，则召试官中书直军机房后所作，已不免尘滞沓冗。《劳歌集》三卷，乃罢官后从征缅甸、金川时所作，戎马阅历，滇、蜀烟云，多入歌咏，诗又较前为胜。《杏花春雨集》以后，则凯旋晋秩，自此扬历中外，致位九卿，老手颓唐，可取者鲜矣。总其大要，实胜归愚。"[②]这段议论基本符合王昶创作的实际，由此，我们不难窥见王昶诗歌各个阶段内容之侧重。其诗歌内容大致而言，无外乎颂圣意识，仁者情怀；胸怀苍生，心忧黎庶；从军征战，磨盾草檄；朋友契阔，骨肉离合；羁旅行役，关山万里；悠游山水，凭吊古今等几个方面。

乾隆四十一年（1776），黄仲则入都后，王昶"因以益奇仲则"（《黄仲则墓志铭》），由此也开启了两人的交往，素有爱才美誉的王昶，对于才华出众的黄仲则，给予了极大的关爱和提携，利用各种机会和场合为黄仲则延誉。心高气傲的黄仲则，虽然一向自视甚高，但对于王昶的眷顾还是感恩戴德、铭

① 徐世昌《清儒学案卷八十一·兰泉学案》，沈之盈、梁运华点校，北京：中华书局，2008年版。
② 引自钱仲联《清诗纪事》第二册（乾隆朝卷），南京：凤凰出版社，2004年版，第1405页。

感五内的，亦曾向王昶学诗，并多次从其出游、宴集、雅会等。据严荣《述庵先生年谱》云："时先生（王昶）僦居东华门外西堂子胡同，新知若贡生洪稚存亮吉、赵亿生怀玉，弟子若杨荔裳、徐尚之、张汉宣、黄仲则等，数过从谈宴如曩时。"[①]这些都在黄仲则的诗中有所体现，诸如《两当轩集》卷十二《王兰泉先生斋头观砚作歌》诗，题注："铭八分书，下小行楷镌'邝湛若'三字，并'明福洞主'小印"；又，卷十三《丙申冬王述庵通政斋见邝湛若八分铭天风吹夜泉砚为作歌》诗，以及《王述庵先生招集蒲褐山房观刘贯道兰亭禊饮图作歌》诗，题注："卷尾书：至元六年春，中山刘贯道画"；卷十九《水调歌头·题王兰泉先生三泖渔庄图》《东风第一枝·送钱献之之西安》词等。

黄仲则与王昶的交往可谓有始有终。乾隆四十八年（1783），岁在癸卯，黄仲则离京远赴西安投奔毕沅，孰料这年四月，行至山西运城即卧病不起。当时，河东盐运使驻山西运城，运城属解州安邑县。沈业富于乾隆四十六年（1781）授河东盐运使。据王昶《过蒲州沈运使方谷业富出迎小饮》诗："门墙自别年华远，书剑谁怜疾病深"，句下自注："时黄仲则景仁卧病署中"[②]。师生二人得以最后聚首。不久，四月二十五日，黄仲则即以肺病卒于河东盐运使沈业富署中。黄仲则殁后，王昶为其做了《黄仲则墓志铭》，还写了悼诗《哭黄仲则六十六韵》，对仲则的生平风仪、彼此的交往，以及仲则的盖世诗才，做了回顾和概括，给出了极高的评价，"斯文既可定，传世断非妄。风霆划雷硠，河岳发悲壮。披发乘麒麟，千古足神王"[③]。同时也客观地指出了黄仲则的若干缺点和不足，"颇为狭斜游，微吟寄惆怅"，苦口婆心，情见乎词，惋惜之情隐约可见，师生之间的情谊之深，可见一斑。出于对这位才高命短、英年早逝的弟子的怀念，嘉庆七年（1802）十月，王昶辑刻《国朝词综》时，还收录了黄仲则的词十四首。嘉庆八年（1803）冬，王昶辑刻《湖海诗传》竟，又收录仲则诗三十一首。

作为王昶的嫡传和沈德潜的再传弟子，黄仲则虽然在精神气质上不可能不受其熏陶和习染，但在诗风和诗学企向上，却并没有沿着乃师及其师祖的路子顺流而下，而是骋其才华，大异其趣，独出机杼，自成面目。

首先，沈、王"格调说"的核心是推崇"温柔敦厚"诗教观，追求清真雅正，宗法唐宋。在诗歌的价值取向上，沈、王以"颂圣"为鹄的，正是在这一点

---

① ［清］严荣《述庵先生年谱》，载王昶《春融堂集》附录，清嘉庆十二年塾南塾舍刻本。
② ［清］王昶《春融堂集》卷十八，清嘉庆十二年塾南书舍刻本。
③ ［清］王昶《春融堂集》卷十八，清嘉庆十二年塾南书舍刻本。

上，黄仲则体现出其迥异师法的特质。纵观《两当轩集》中，除个别几首外，如七古《平定两金川大功告成恭纪》、杂言《平金川铙歌十章》和七绝《平金川铙歌》(以上诸诗均见于《两当轩集》卷十二)，我们几乎再也看不到类似的篇什。

即使是上述几篇，其背景也值得商榷。金川地区位于四川大渡河流域。清乾隆十二年(1747)，大金川安抚司莎罗奔出兵攻掠小金川地区，四川巡抚纪山派军弹压，反为所败。云贵总督张广泗、大学士讷亲继而督军进攻，然疲师半载，劳而无功。次年，高宗命傅桓为经略统兵进金川，旋派岳钟琪至大金川老营勒乌围说降莎罗奔，事遂定。三十六年(1771)，大金川土司莎罗奔侄孙索诺木与小金川僧格桑复叛。四川总督阿尔泰兵阻打箭炉不进，赐死。大学士温福、尚书桂林督师进讨，连夺关隘，次年入小金川，旋转攻大金川。三十八年(1773)，小金川降人复变，猛攻清军木果木大营，温福战死，全师大溃。寻清廷命阿桂为定西将军，调集精兵先克小金川，转而逐碉争夺，历时一年，始逼近大金川勒乌围。索诺木杀僧格桑求降，不允。四十年(1775)中秋夜，清军久攻破寨，索诺木逃至刮耳崖，次年出降，大小金川之乱平定。为了纪念此次大捷，乾隆帝曾作多首贺诗，见于其《御制诗集·四集》卷三十五，有《二月十二日驻跸桃花寺是日红旗报功喜而成什》等诗。不仅乾隆本人对此次胜利欣喜若狂，反复以诗纪之，而且还下诏，号召天下士子形诸笔墨，为之歌功颂德。据《清实录·高宗实录》卷一千零七载："(乾隆四十一年四月)壬戌，以平定两金川，遣官告祭永陵、福陵、昭陵。谕：朕因平定两金川，告成阙里，回銮举行郊劳盛典。跸途经过津门，直隶及各省士子祗迎道左，抃颂抒诚，进献诗赋者甚多。因照此次在山东召试之例，就其文意，量加甄录。所有列在一等之进士、举人丘桂山、祝堃、洪榜、戴衢亨、关槐，俱着以内阁中书补用；万年、方起莘、张曾太，俱着赏给举人。其列在二等之举人、贡监生员周光裕、陆滋、李蔚观、王奉曾、郭纬銮、叶汝兰、薛蓉、张元楷、张景运、王绩著、黄继光、周赞、钱敬熙、黄骍、吴蔚光、蒋传馨、周嘉猷、王丕烈、黄景仁、丘桂芬，俱着赏缎二匹，以示嘉惠士林之至意。"①正是在这样的背景下，黄仲则写下了上述诸诗。而当时黄仲则甫进京师不久，立足未稳，衣食无着，暂寓居其恩师朱笥河先生家。迫于生计，黄仲则参与了此次献诗活动，结果被列为二等。由此，黄仲则得以佣书四库，算是暂时解决了

① 《清实录·高宗实录》第二十一册，北京：中华书局，2008年版，第22026—22027页。

在京城的生计问题。

由此，我们不难看出，黄仲则此次的献诗颂圣，绝非出自本怀，更不是其与生俱来的使命意识和自觉的道德担当，而确是迫于生计的无奈之举。这一点，与沈德潜、王昶相较，是十分明显的。其实，不论是沈德潜，还是王昶，都曾受知于当时的最高权力核心乾隆皇帝，成为台阁重臣，居于庙堂之上。对于沈、王这样的庙堂诗人而言，大量创作颂圣诗，不仅是台阁重臣的职责所在，也是其保位固宠的生存策略。一如王充《论衡·须颂》篇所谓"臣子当颂"的意识，柳宗元有言："思报国恩，独惟文章"（《献平淮夷雅表》）。主动地讴歌盛世，"鸣国家之盛"，发啴缓宽裕之音，奏闲雅升平之调，力求无有与盛世不协之声，就是当时乾隆朝诸如沈、王这样的诗人的必然选择。纪晓岚（《乌鲁木齐杂诗序》）说，他写诗的目的就是"欲俾寰海内外咸知圣天子威德郅隆"，颂扬"一统之极盛"。王昶也曾言道："盖余辈遭际升平，故得从容退食，以娱戏于文墨，虽遇沍寒凛冽之时，而酒酣以往，词赋杂出，如融风彩露，熏熏熙熙。后世考诗以论世，当不独为余辈幸，而将为海内幸也"（《官阁消寒集序》），颂圣的道德自觉十分明显。而沉沦下僚、抑塞偃蹇，处于在野之身的黄仲则，虽则也生活在所谓的"乾隆盛世"，但并未沐浴过多少浩荡皇恩，亦未享受过升平优渥。因而，颂圣的动力明显不足。

其次，黄仲则的诗也并不温柔敦厚，而是哀怨凄婉，满纸辛酸。依传统儒家之见，所谓"温柔敦厚"，最早见于《礼记·经解》："温柔敦厚，《诗》教也。"唐代孔颖达《礼记正义》疏曰："《诗》依违讽谏，不指切事情，故云'温柔敦厚，是诗教也'。"这是就诗歌讽谏的特点来说的，体现了对作者写作态度的要求。同时，《礼记正义》疏续曰："此一经以《诗》化民，虽用敦厚，能以义节之。欲使民虽敦厚不至于愚，则是在上深达于《诗》之义理，能以《诗》教民也。"这是就诗歌的社会作用而言，既需要运用温柔敦厚的原则，同时也必须以礼义进行规范。强调"止乎礼义"和"主文而谲谏"，只允许"怨而不怒"地委婉劝说，不允许尖锐地揭露批判。在艺术表现上要蕴藉含蓄，微宛委曲；内容上要深郁厚笃，既不叫嚣乖张，又不浅显直露。但也有人表示了不同的见解，王夫之在《姜斋诗话》卷下曰："诗教虽云温厚，然光昭之志，无畏于天，无恤于人，揭日月而行，岂女子小人半含不吐之态乎？《离骚》虽多引喻，而直言处亦无所讳。"认为诗教并不切合实际。

到乾隆朝，鼓吹"温柔敦厚"之说不绝于耳。纪昀《月山诗集序》说："平心而论，要当以不涉怨忧之怀，不伤忠孝之旨为诗之正规。”王昶《胡安公吟石诗集序》则褒胡诗为盛世之音：“……今观安公之诗则又异……大抵古诗宗汉魏，近体效晚唐，皆啴谐慢易，宽裕肉好，及俯仰身世，间效次山乐天，所作又哀而不伤，怨而不怒，绝无抉摘刻削，凌厉愤激之概，迥与东野二李不同。使其登于朝，著从容簪笔以飏盛世之音，岂不伟欤？”推重“哀而不伤，怨而不怒，绝无抉摘刻削，凌厉愤激之概”之作。以这样的标准，去衡量黄仲则之诗，则其不“温柔敦厚”也明矣，过矣，甚矣！

黄仲则的诗中，充满了卑微的个体在生存竞争中的无谓挣扎和血泪凝成的痛苦呻吟，充满了诗人对他所生存的社会环境的强烈控诉和冷静思考。诸如贫病交加、生活无着；科场、情场均告失意；怀才不遇、壮志难酬；忧患、彷徨，无处安放的灵魂等，作为个体与生存环境之间的诸种矛盾与冲突等，在他的诗中无处不在。

黄氏诗中与“食”有关的诗句比比皆是，以“衣”为主题的亦俯拾即是（前文已述，不赘）。

脍炙人口的《都门秋思》组诗，更是道尽了仕途的坎坷和生计的艰难，“全家都在风声里，九月衣裳未剪裁”，是诗人生存处境的极好写照。

在《朝来》一诗中，面对故乡遭旱蝗灾，民不聊生的惨状，更是愤然作了“我曹生世良幸耳，太平之日为饿民”的辛辣嘲讽。

所以，黄仲则诗中的诸多篇章，真可谓“语语沉痛，字字心酸”。更难以符合前述纪晓岚“不涉怨忧之怀，不伤忠孝之旨”，并王昶“哀而不伤，怨而不怒，绝无抉摘刻削，凌厉愤激之概”之标准，何来“温柔敦厚”？

再次，他的前辈沈德潜和王昶，都十分注重和讲究学问。黄仲则崇尚学问，但其诗中，不堆垛学问、不炫耀学问，用典时能够做到出入经史、牢笼百家，如盐入水中，涵混无间，不着痕迹，因而其诗被世人目之为“诗人之诗”。关于此点，我们已经在本著第四章中做了十分详尽的论述，故此处不再赘述。

黄仲则天纵英才，独出群伦，但客观地讲，毕竟在声望、学识和诗风诸方面，较之乾嘉诸大佬，还是小字辈，难以望其项背，更难以与之较短论长。黄仲则之于乾嘉诗坛，作为个体，他的影响至微。倒是乾嘉诗坛对他的影响，远胜于他个人对整个诗坛的影响。出乎其内，而又超乎其上，并不囿于众人的成见成规，不因群疑而阻独见，不任己意而废人言，而能独出机杼，自铸伟词，成一家之言，为一代诗杰，确实难能可贵。

二、“一代才豪仰大贤”——袁枚“性灵说”诗论

袁枚主要是继承晚明公安派“独抒性灵，不拘格套”诸论，又汲取南宋杨万里的意见，而构筑成自己系统的诗歌理论。他的诗歌主张一般被称为“性灵说”，这里的“性”即性情、情感，“灵”即灵机、灵趣。袁枚认为，从诗歌的本质来看，人的性情乃是诗歌的本源，“性情以外本无诗”(《寄怀钱屿沙方伯予告归里》)，所以“提笔先须问性情”(《答曾南村论诗》)。在袁枚看来，最好的、最感人的诗是那些真情发露、不加雕琢，自然而然地流露的诗，而不是那种堆砌典故，卖弄学问之作，也不是那种假道学嘴脸的矫情伪饰，“然鄙意以为，得千里伪濂洛关闽，不如得一二真白傅、樊川。以千金之珠，易鱼之一目，而鱼不乐者，何也？目虽贱而真，珠虽贵而伪故也”(《答蕺园论诗书》)。从“诗三百”，到他所处的乾隆之世，能够流传至今的，都是真情洋溢之诗，否则，必然因缺少真情而湮没无闻。情感是诗的第一要素，也是衡量诗歌水平高下的重要标准准之一。所以，诗必须本乎性情，唯其如此，才是真诗，好诗。

而男女之间的爱情，尤为袁枚所重视。“且夫诗者，由情生者也，有必不可解之情，而后有必不可朽之诗。情所最先，莫如男女。”(《答蕺园论诗书》)男女之情，是人世间第一等重要的情感之一，关乎人种繁衍，种族传承。情欲也是推动人类进步和社会发展的重要推动力之一。袁枚论诗以“情”为出发点和归宿，确实是抓住了问题的核心和实质。所以他对沈德潜选诗时不收艳诗，和程晋芳要删去集内的“缘情之作”大为反感。

袁枚认为，诗歌所反映和抒发的喜怒哀乐等性情，是人类普遍的共同的性情，但又总是具体个人的性情。因为每个人的情感，具体而言，又各自不同，千人千面，各呈面目。“诗文之道，总以出色为主，譬如眉目口耳，人人皆有，何以女美西施，男美宋朝哉？无他，出色故也。余常谓：人不和平不享福，文不奇巧不动目，尤忌一题到手，有许多人云亦云之语，陈陈相因之话头，尤宜扫而空之。凡事皆然，不独诗文。”(《答孙俌之》)所以作诗须讲求自我个性，不可因袭他人。

在以性情、灵机为前提的情况下，袁枚也不废学问，重视学习古人、精心磨炼，主张“不学古人，法无一可；竟似古人，何处著我”(《续诗品》)，并自述“爱好由来落笔难，一诗千改始心安”(《遣兴》)。他之所谓“学”，是一种在“性灵”指导下的发挥主观能动性有机的学习积累过程，是一种自身学识和素质学养上的提高，而非亦步亦趋，字模句拟似的机械仿效，照抄照搬。诗人不仅要博学多闻，而且要融会贯通，以学问济其性情，以才情统帅书卷。

要善于读书，善于用典。因此，他倡导多读书，重视诗人要有深厚功力，具备真学问，在这样的基础上融会贯通，化繁为简，自然流出，才能使诗歌创作在保持平实晓畅的同时，又显出典雅深厚的旨趣。

本于“诗有工拙，而无古今”的诗论主张，他又强调博采众长。《续诗品·相题》曰：“宜善相之，多师为佳。”

袁枚的“性灵说”诗论，是针对当时乾隆诗坛上特定情况而发的。他同沈德潜、翁方纲的主张直接对立，和王士禛的“神韵说”则既相排斥又相关联。

袁枚的文学思想及论诗观点，大胆新奇，迥异时流，充满了叛逆精神，对既有的正统文学观点及形式主义思潮以极大的冲击。晚清朱庭珍《筱园诗话》抨击曰：“袁既以淫女狡童之性灵为宗，专法香山、诚斋之病，误以鄙俚浅滑为自然，尖酸佻巧为聪明，谐谑游戏为风趣，粗恶颓放为雄豪，轻薄卑靡为天真，淫秽浪荡为艳情，倡魔道妖言，以溃诗教之防。”这个评价完全是负面的，否定了袁枚诗论的积极意义，体现出正统文人对他的不满。平心而论，袁枚的诗论在清代诗史，乃至整个中国诗史上，也具有十分重大的意义。它意味着重情唯美的诗学导向，虽经专制主义、复古主义的一再打压，仍然具有顽强的生命力。这种对诗歌缘情唯美本质的体认和回归，既是晚明个性觉醒思潮的遥远余响，也是对近世文学对人性呼唤的先声。可谓上承明末，下接晚清，并与“五四”现代文学遥相呼应。

袁枚本人的诗歌创作有其显著特色，清新隽永，流转自如，基本上与他的诗歌理论相一致，但难称大家。

袁枚的“性灵说”在当时诗坛上影响甚巨，一时从者如云，同调者所在多有，但持异议者者亦复不少。乾隆时代与袁枚并称“江右三大家”的蒋士铨、赵翼以及郑燮等人，都与袁枚有交往并不同程度受到他的影响。其中，和他的诗歌主张与风格相似的诗人还有赵翼、张问陶和黄仲则等，而黄仲则尤为此中之佼佼者。

黄仲则在二十六岁那年，即乾隆三十九年(1774)甲午冬，曾拜访袁枚，袁亦礼遇之，并挽留其在随园小住一段时间，并作诗《呈袁简斋太史》四首。其后二人也有书信及诗歌往来。其时，黄仲则因为屡试不第，心境十分苦闷。

人的性情禀赋各异，故体现在学养及人生走向上也就各有千秋。就黄仲则而言，他多愁善感的气质、凄凉悲苦的身世、偃蹇坎坷的际遇，注定了他终其一生，就是一个浅吟低唱、寥落穷愁的落魄诗人。作诗是他最擅长的、也是做得最好的事情，除此之外，其他的工作，于他而言，都是如隔云泥，乏善可陈。尽管他的诗作的很好，素享盛名，但诗，尤其是他的诗，不是硬通货，换不来锦衣玉食，换不来华屋轩敞，换不来轻裘驷马，要想在世上出人头地、平步青云，对他而言，最好的也是唯一的出路就是按照当时大多数一般人的选择，走科举之路。但他的举业成就一塌糊涂，失去了寻找晋身之阶的最佳途径。但他有又不甘心"并力作诗人"，其内心的纠结，可以想见。他的诸多师友如邵齐焘、王太岳、洪亮吉、孙星衍、汪中等辈，出于善意，也都曾屡次劝其改弦更张，致力于考据学问，以便来日在科场上大显身手、蟾宫折桂。此时，唯有袁枚给了他极大的支持，当得知黄仲则意欲束诗高阁，从事考据时，袁枚作了《再答黄生》，批评说："近日海内考据之学，如云而起。足下弃平日之诗文，而从事于此，其果中心所好之耶？抑亦为习气所移，震于博雅之名，而急急焉欲冒居之也？足下之意以为己之诗文业已足矣，词章之学不过尔尔，无可用力，故舍而之他？不知天下无难事，只怕有心人。天下无易事，只怕粗心人。诗文非易事也，一字之未协，一句之未工，往往才子文人穷老尽气而不能释然于怀。亦惟深造者，方能知其症结。子之对文未造古人境界，而半途弃之，岂不可惜？且考据之功，非书不可，子贫士也，势不能购尽天下之书，倘有所得，必为辽东之豕，纵有一瓻之借，所谓贩鼠卖蛙，难以成家者也。"[①]袁枚的这些规劝，对于仲则人生道路的选择，无疑起了十分重要的参照作用。

仲则殁后，作为当时乾嘉诗坛上声誉日隆的前辈诗人，袁枚闻讣后感到十分悲痛，据清蒋敦复《随园轶事》载："黄（仲则）不幸早亡，先生（袁枚）深惜之，挽以联云：'道谊知交，又弱一个；清平遗韵，自有千秋。'"[②]对仲则的英年早逝表示了惋惜，同时也给了他极高的评价。此外，袁枚还写了悼诗《哭黄仲则·有序》，载于《小仓山房诗集》卷二十九（参见本著第78页，不赘）。

虽然袁、黄二人交谊甚深，但并不表示黄仲则对袁枚所提倡的"性灵说"的全面认同和虔诚皈依。而洪稚存、黄仲则虽与袁枚过从，亦未尝列北面，成为袁门弟子。袁、黄之间，只能说在诗歌应当抒发自己内心真实感受、刬发心灵性情这一点上，有共同之处。但不能由此就将黄仲则视为性灵诗论的忠实拥趸和积极践行者，正如李国章先生所言，"黄仲则也并不是性灵说的忠实信徒，说他的论诗主张与创作实践接近性灵说是有道理的，但他不是

---

① ［清］袁枚《小仓山房尺牍》卷四，《袁枚全集》，南京：江苏古籍出版社，1997年版，第81页。
② 许隽超、康锐《黄仲则资料汇编》，哈尔滨：黑龙江大学出版社，2012年版，第222页。

十足的性灵说的实践者”[①]。前辈学者的见解可谓持平之论。因此，如果要将黄仲则的诗歌创作归入乾嘉诗坛的某个派别的话，那么，与袁枚所倡导的“性灵派”最为接近，目之为性灵派的外围，庶几近于其诗的实际。

因为黄仲则的诗，从人性的角度而言，绝大多数都是抒写真性情的“性灵派”作品。在诗人的笔下，大量的笔墨用来抒写他纠结缠绵的爱恨情愁、他对悲苦人生酸甜苦辣的咏叹、以及优游山水的心灵放逐与知己难逢的友情追忆。作为个体与生存环境之间的诸种矛盾与冲突，在他的诗中均有表现，诸如贫病交加、生活无着；科场、情场均告失意；怀才不遇、壮志难酬；忧患、彷徨，无处安放的灵魂等。除此之外，诗人的笔触还穿越时空，出入古今，写了大量吊古伤今的咏史怀古之作。当然，作为久处下层、穷困潦倒的草根诗人，他也写了许多体察苍生、感同身受的现实诗，卑躬违己的干谒诗，甚至逞才炫学的才学诗，这些也同样是他至情至性的情感宣泄，是他细腻敏感的心灵折光，也是他真实人性的自然流露。

和袁枚一样，黄仲则也很注重对“情”，尤其是男女之情的咏赞。在他的笔下，爱情诗是最能使他灵感突进、俊采神驰的题材之一，也是他集中写得最好、最令人感动的内容之一。因此，表达爱情失意、对逝去爱情的痛悔和追忆，就成为他诗中一个重要的主题。《绮怀》十六首、《感旧》四首、《感旧杂诗》四首、《秋夕》《别内》等都是《两当轩集》中著名的爱情咏叹调。

黄仲则身世孤寒，屡试不第，衣食无着，贫病交加，诗歌也就成了表达他作为个体，在生存竞争中与生存环境之间的巨大矛盾和冲突，在严酷现实中进退失据、彷徨无计窘境的工具。在《和仇丽亭》《重至新安杂感》《述怀示友人》《春觳道中》《都门秋思》四首、《杂感》等诸多诗篇中，这些方面均有生动的体现。

对于亲情更是他及其珍视的。黄仲则四岁丧父，幼年失怙，由母亲抚育成人，而其博取功名，多半也是为了慰藉母亲：“倘来事业惭青鬓，未了名心为老亲”。可是，科场失意，屡试不第，每每使其心生愧疚，常以母恩未报为恨，这种情愫屡屡形诸笔端，在许多篇什中均有表现：

> 敢喜无事贫，所愧有亲养。（《岁暮篇》）
> 乡闾嫚薄百无恋，讵忘亲鬓霜丝丝。（《答和维衍二首》其一）
> 亲在名心留百一，我行客路惯三千。（《将之京师杂别》其二）

① 李国章《论黄仲则在清代中期诗坛上的地位》，《苏州大学学报》（哲社版），1984 年第 3 期。

老亲日月倚门望，试问游子何时归？（《沙洲行》）

最是难酬亲苦节，欲笺幽恨叩苍苍。（《移家南旋是日报罢》）

其中，《别老母》堪为代表（见前引）。言语沉郁，情感深挚，将身为人子，为生计所迫，不得不辞亲远去的无奈和愧疚，描写的沉痛淋漓，感人至深，也将整个诗情推向了至为沉郁痛切的境界。

他也十分看重师友之间的友情。他一生中交谊甚广，相知相识，遍布海内。亦师亦友、情同父子之交，如邵齐焘、朱筠等；名公巨卿、谊兼师友之交，如郑虎文、王太岳、袁枚、王昶、毕沅、纪晓岚等；同窗朋辈、情同手足之交，如洪亮吉、汪中、孙星衍、毗陵七子、蒋士铨、吴蔚光等。《两当轩集》中交游诗类就有三百多首，友情在他心中和诗中的分量，由此可见一斑。洪亮吉是他一生中交契最久、相知最深的朋友，在《两当轩集》中，有多篇忆念洪亮吉的诗，如《与稚存话旧》《别稚存》《淮上夜发怅然有作寄稚存》《闻稚存丁母忧》《与稚存话旧》《题洪稚存机声灯影图》《同集寓斋为饯花之饮得饯字》等近四十首。此外，怀念汪中的诗也有十数首。《检邵叔宀先生遗札》《展叔宀先生墓》则是表达对恩师邵齐焘先生的追怀和思念。

诗歌也是黄仲则表达自己对自然山水热爱之情的载体，如《观潮行》《后观潮行》《笥河先生偕宴太白楼醉中作歌》等，是其诗中的杰作，流布久远，洛阳纸贵。在游历名山大川的同时，在《屈贾祠》诗、《浮湘赋》，还填了词《水调歌头·湖湘》，他寄意屈原、贾谊，表达他对古圣先贤的钦佩与仰慕。此外，在《太白墓》《木兰祠》《涂山禹庙》《寿阳怀古》《濠梁》《濠州杂诗》《乌江吊项羽》《洪忠宣祠》《凤山南宋故内》《廉颇冢》《孙叔敖祠》《寿阳》《八公山》《东阿项羽墓》《董子读书台》《华不注》《鲍叔祠》《望鹊山》《张桓侯故里》《荆轲故里》《尧母庙》《获鹿》《井陉行》《女娲庙》等诗中，写各地的名胜古迹，咏史怀古，别寄怀抱。

体现人性，抒写人的情感与欲望，表现个体与生存环境之间的矛盾与冲突，是文学中的永恒主题，也是文学得以成为文学的重要特征和标志。而性情，或者性灵，都是人性的具体体现。正是在这一点上，袁、黄之间，有很大的相似乃至相同之处，因而将黄仲则目之为“性灵说”的外围，也并非凿空之说。但二者的差异之处其实也是比较明显的。

首先是各自对体现“性灵”的“性情”之认知和理解有异。袁枚所谓之“性情”，主要集中在表现男女之情，所谓“情所最先，莫如男女”。在《再与沈大宗伯书》中，他说："夫《关雎》即艳诗也，以求淑女之故，至于辗转反侧。使文王生于今遇先生，危矣哉！《易》曰：'一阴一阳之谓道。'又曰：'有夫妇然后有父子。'阴阳夫妇，艳诗之祖也。"针对沈德潜"温柔敦厚"诗教说所持的观点，袁枚从儒家经典《诗经》入手，认为其开篇之作《关雎》即是抒发男女相思之情的艳诗；然后又援引儒家又一经典《易经》作为论据，得出"阴阳夫妇，艳诗之祖也"。可谓以子之矛攻子之盾，确实击中了"诗教说"的要害，也由此看出袁枚对男女之情的推重。在具体的生活实践和创作实践中，袁枚也确实身体力行，名实相副。他公开承认自己好色好财，他说："有目必好色，有口必好味。戒之使不然，口目成虚器。"[①]他一生妻妾成群，时常狎妓买笑，甚至有好男风之习。他一向讨厌填词，盖因填词须依谱入韵，拘禁甚多。终其一生，袁枚只填了唯一的一首词《满江红》："我负卿卿，撑船去、晓风残雪。曾记得，庵门初启，婵娟方出。玉手自翻红翠袖，粉香听摸风前颊。问姮娥何事不娇羞？情难说。既已别，还相忆。重访旧，杳无迹。说庐阳小吏公然折得。珠落掌中偏不取，花看人采方知惜。笑平生双眼太孤高，嗟何益！"表达了他痛失美女的悔恨之情。据《随园诗话》卷十一"二九"条载："乾隆戊辰，李君宗典，权知甘泉，书来，道女子王姓者，有事在官，可作小星之赠。予买舟扬州，见此女于观音庵；与阿母同居，年十九，风致嫣然，任予平视，挽衣掠鬓，了无忤意。欲娶之，而以肤色稍次，故中止。及解缆，到苏州，重遣人相访，则已为江东小吏所得。余为作《满江红》一阕云。"足见男女之情对他的影响之大。

袁枚一生中风流韵事颇多，他大量招收女弟子，频繁出入酒席歌场，直言不讳地说自己"寻花问柳"，说自己不过是"《国风》之好色耳"。在花甲之年还在苏州召集一百个妓女，让她们唱百年歌，并为旧相识、女校书任氏题扇头诗，称为"雅会"。在暮年之时，还亲赴狱中探看被关押的妓女，曾被俞樾讥笑道："可笑鲅鸾囚凤处，先生也为看花来。"[②]与袁枚并称为"乾嘉三大家"的赵翼，也曾经在《瓯北控词》中，以戏谑之笔描述过袁枚的冶游行径，云：

园偷宛委，占来好水好山；乡觅温柔，不论是男是女。盛名所至，轶

① [清]袁枚《小仓山房诗集》卷十五《陶渊明有饮酒二十首，余天性不饮，故反之作不饮酒二十首》，清乾隆刻增修本。

② 引自王英志《〈袁枚日记〉载俞樾题词》，《古典文学知识》，2009年第1期。

> 事斯传。借风雅以售其贪婪，假觞咏以恣其饕餮。有百金之赠，即登诗话揄扬；尝一脔之甘，必购食单仿造。通家花烛，使刘郎直入生筵；妓宴笙歌，约杭守无端闯席。占人间之艳福，游海内之名山。人尽称奇，到处总逢迎恐后；贼无空过，出门必满载而归。结交要路公卿，虎将亦称诗伯；引诱良家子女，蛾眉都拜门生。凡在胪陈，信无虚假。虽曰风流班首，实乃名教罪人。①

虽然语含调侃，意涉诙谐，但其中指控则件件皆实，作为自命风流的"性灵派"大师，在追逐男女情欲上的苦心孤诣与不遗余力，于此可见一斑。

而黄仲则对"性情"的定位，则较为宽泛，除了男女之情外，也关涉师友亲朋、故园风物、羁旅乡愁、自伤身世，乃至春花秋月，自然山水，吊古伤今，述学咏史等等，可谓包罗万象。即使是男女之情，黄仲则也明显有别于袁枚。袁枚由于生活境遇的优裕与身份地位的清贵，显然更具备追逐声色犬马的物质条件，因此他之男女之情很大成分上是一种追求感官刺激的滥情，甚至于色情。而清寒悲苦的黄仲则，所注重的则是不以满足个人肉欲为目的纯情，是一种近似于柏拉图式的、纯粹出自心灵慰藉和灵魂皈依的精神需求，形诸于笔墨便是《感旧》四首、《感旧杂诗》《秋夜曲》《秋夕》《绮怀》十六首等这样的名篇。

其次是所呈现的内容不同。袁枚诗多含闲情逸致，流连风花雪月。而黄仲则诗则多包含个人身世之感，表现人生困顿，也有诸多篇什关注民生疾苦等。袁枚诗歌题材平泛，更趋向于扁平化、琐屑化，存在着表达内容和描述对象范围过于狭窄，以及由此而导致庸俗、无聊的现象。譬如《齿痛》一诗，长达八十六句，无非是描写牙痛之不堪，不免失之浅俗。石玲的《袁枚诗论》在谈到"袁枚诗歌题材的平凡"时也指出："袁枚诗歌创作的题材大都呈现出鲜明的日常生活化倾向。在他的笔下，儒家的兼济天下的英雄情怀已基本不复存在，取而代之的是对个人生存的关注，对个人生活的摹写与表现，对此，我们通过《小仓山房诗集》的题目即看出一些端倪，诸如《栽松》《闲坐》《答人问随园》（十八首）《拔齿》《病足》《自嘲三绝》《归家即事》《留须》《削园竹为杖》等等。有的诗歌作品侧重描写身边平凡、琐细的日常生活，贴近人生，有的则思考人生，在表现个体生命的世界中，对生存的价值和意义进

① ［清］梁绍壬《两般秋雨庵随笔》卷一，清道光振绮堂刻本。

行追寻。”[①]可以说是搔到了痒处。潘德舆《养一斋诗话》对袁枚在“性情”表达方面的过于空泛也深致不满之意：

> 予究其所谓性情者，最高不过嘲风雪，弄花草耳。其下则叹老嗟穷，志向龌龊。其尤悖理，则荒淫狎媟之语，皆以入诗，非独不引为耻，且曰此吾言情之什，古之所不禁也。于虖！此岂性情也哉？[②]

在潘德舆看来，所谓“嘲风月，弄花草”，甚至“荒淫狎媟之语”，这类过于狭窄的内容并非真性情，不值得提倡。

黄仲则出身衰族寒门，幼年失怙，且又多病，上有老母，下有幼子，其苦况堪比李密《陈情表》所描“既无伯叔，终鲜兄弟……窘境，庶几近之”。浪游谋食也就成了他的日常功课，因此，他诗中与“衣”“食”有关的诗句比比皆是；他出入场屋，屡试不第，《两当轩集》中以此为题材的作品也数不胜数：

> 胡我郁郁久居此，低头顾影只不双。（《春雨望新安江》）
> 岂曰轻远游，欲已不可得。（《明州客夜怀味辛稚存却寄》）
> 我亦天涯有泪人，对此茫茫惨无泽。（《晚泊九江寻琵琶亭故址》）
> 行路多憔悴，无为独黯然。（《车中杂成》其一）
> 自忖不材终放弃，江潭瓠落寄吟身。（《送容甫归里》其二）
> 功名自昔犹如此，莫为漂零怨此身。（《辰阳道中》）
> 无涯几辈同飘泊，起看星辰黯未收。（《夜坐怀维衍桐巢》）

黄仲则少负才名，诗名早着。然而“高才不遇，孤客酸辛”，终其一生，怀才不遇、壮志难酬，一直是他人生的常态。在他的诗中，体现这种情感的篇什也是屡见不鲜，诸如《泥涂叹》《冬夜左二招饮》《夜坐写怀》《夜起》《即事》《将之京师杂别》十六首等。

不同于袁枚那种士大夫阶层的清华门第，和优游林下、锦衣玉食的闲适自在，黄仲则一生都在贫困穷愁中苦苦挣扎，因而他得以有机会了解草根阶层的酸甜苦辣和悲欢离合。在《两当轩集》中，有许多体察苍生、感同身受的现实诗，诸如《铺海》《骤寒作歌》《金缕曲·林冲夜奔》《何事不可为二章·咏史》《泥涂叹》《朝来》《入市》《新仆》《悲来行》《献县汪丞坐中观技》《苦暑行》《车中杂诗》《望泗州旧城》《邓家坟写望》《院斋纳凉杂成》《和钱百泉杂感》

---

① 石玲《袁枚诗论》，济南：齐鲁书社，2003年版，第225页。
② [清]潘德舆《养一斋诗话》卷十，朱德慈辑校，北京：中华书局，2010年版，第157页。

《话吟秋斋头次韵》《送春三首》《涡水舟发》《客冬从滁州肩舆至瓜步》等。较之袁枚的一味吟诵风花雪月、沉溺于儿女情长，黄仲则的诗至少让我们领略到了人间的烟火气，体验到了黎民黔首流离辗转的酸辛和悲苦，看到了所谓“乾嘉盛世”繁荣表象下的破败与荒寒。由此而形成的诗歌品位的高下，自然也就不难分辨。

第三，诗风倾向各异。袁枚之诗有“滥情”“肆情”倾向，风格失之油滑肤浅；黄仲则之诗展示悲苦，自鸣失意，总体诗风失之清寒幽苦。

无论是沈德潜的“格调说”，还是翁方纲的“肌理说”，背后都不免有庙堂势力这只“看不见的手”。而袁枚的“性灵说”，则是在野诗人的诗学宣言，因而具有浓郁的民间色彩和浅易的平民情结，“打破了文人对诗歌的垄断，打破了一切限制性情表达的壁垒，主张人人有性情，人人都可以表现自己的性情，肯定了每个人表现自我性情的权利，不受社会地位、性别的限制”①。但其流弊也显而易见，其中之一，就是由“滥情”“肆情”倾向所造成的风格上的油滑肤浅。

据《随园诗话》卷一“三三”条载：“余戏刻一私印，用唐人‘钱塘苏小是乡亲’之句。某尚书过金陵，索余诗册。余一时率意用之，尚书大加诃责。余初犹逊谢，既而责之不休，余正色曰：‘公以为此印不伦耶？在今日观，自然公官一品，苏小贱矣。诚恐百年以后，人但知有苏小，不复知有公也。’一座粲然。”袁枚此论，当属惊世骇俗之论，其超越流俗、不同凡响之处也因此而愈益鲜明。

沈德潜选当朝诗，不选王次回的香奁诗《疑雨集》，袁枚表示不满：“本朝王次回《疑雨集》，香奁绝调，惜其只成此一家数耳。沈归愚尚书选国朝诗，摈而不录，何所见之狭也！尝作书难之云：‘《关雎》为国风之首，即言男女之情。孔子删诗，亦存《郑》《卫》，公何独不选次回诗？沈亦无以答也。”（《随园诗话》“三二”条）

凡此种种，都见出他对男女之情的推重，其“滥情”“肆情”的倾向，也就其来有自。因而袁枚的诗歌与诗论本身，就带有强烈的叛逆性与反传统性。他纵情放诞，私生活有失严谨，难免有负面影响，这些在他的诗歌中多有反映。洪亮吉因此批评袁枚的诗“失之淫艳”，他指出：“怪可医，俗不可医；涩

① 石玲《袁枚诗论》，济南：齐鲁书社，2003年版，第238页。

可医，滑不可医。”[①]即是针对袁枚而发。洪亮吉还进一步认为，袁枚诗“如通天神狐，醉即露尾”[②]，有“俗”与“滑”之弊，品格不高。清人钱林对袁枚诗文的这种弊端，在其《文献征存录》卷六有较为客观允当的评价：“所为诗文，天才横逸，不可方物……然名盛而胆放，才多而手滑，后进之士相率效尤，未学其才能，先学其放荡，渐且恣其游戏，其流弊诚非细故矣。”在肯定其诗文才气横逸的同时，也指出其“才多手滑”的流弊，及其对后世所造成的恶劣影响。王英志在《性灵派研究》一书中，也认为“其诗时有油滑纤挑的习气，而游戏笔墨或格调卑下之作亦难免”[③]。各家之见，洵为的论。

黄仲则诗歌总体上呈现“清寒幽苦”之气。关于此，前人多有论列。邵齐焘《劝学一首赠黄生汉镛》序曰：“家贫孤露，时复抱病，性本高迈，自伤卑贱”，故而“所作诗词，悲感凄怨”；王昶在《湖海诗传小序》中称他的诗“循环吟讽，不啻哀猿之叫月，独雁之啼霜也”；吴兰修说是“其词激楚如猿啼鹤唳，秋气抑何深也”（《黄仲则小传》）；吴蔚光：“仲则秋声也，如霁晓孤吹，如霜夜闻钟”（《两当轩诗钞序》）；张维屏题仲则诗集有云：“黄生抑塞多苦语”，道出黄仲则诗的基本风格；在所有评论中，洪亮吉的评语最为精当，洪说：“黄二尹诗，如咽露秋虫，舞风病鹤”；郁达夫有“语语沉痛，字字辛酸”之语；其《自叙》亦自称“好作幽苦语”。

总括诸说，可以认为，黄仲则诗风总的倾向是清寒幽苦，颇多衰气，呈现一派浓郁的感伤气质，衰飒悲凉之感弥漫字里行间，虽也兼有豪气，但衰气明显占据上风。各家之说，大致符合黄仲则诗歌总体风貌的实际。

黄仲则诗风总体格局的形成，是与他的先天性情和后天的生存境遇密切相关的。在“性情”和“性灵”中，“情”包含喜怒哀乐，“欲”关涉饮食男女、声色犬马。但各种“情”是可以千变万化的，也可以是矫情伪饰，虚情假意。但“性”不可更易，这里的所谓“性”，是指人的本性，是先天具有、与生俱来的禀赋、个性、气质等，它具有恒定性、持久性，不像“情”那样，随时地的变迁而更易，所谓江山易改本性难移。

对于黄仲则而言，他生来就具有一种多愁善感的气质。彭崇伟先生认为，“敏感的天性和艺术的天赋，使诗人的内心世界自幼起就得以迅速扩展，而与外在世界显得越来越不相谐适，从而形成日益激烈的碰撞。这便成了

① ［清］洪亮吉《北江诗话》卷一，北京：人民文学出版，1983年版，第8页。
② 同上，第4页。
③ 王英志《性灵派研究》，沈阳：辽宁大学出版社，1998年版，第165页。

诗人内心孤独感产生的基本条件”[1]。这种才情超拔、气性孤傲的气质再加上现实世界的种种苦难，诸如幼年失怙、爱情失意、贫病交加、屡试不第等等，主客观因素综合作用，先天与后天交相为用，共同催生了黄仲则凄苦幽寒的诗风。

三、翁方纲“肌理说”——“学人之诗”的推波助澜者

乾嘉诗坛，“格调说”“性灵说”和“肌理说”，鼎足而三。“肌理说”的鼓吹者是翁方纲。

“肌理说”是翁方纲的主要诗学主张，实际上也是对王士禛“神韵说”和沈德潜“格调说”的调和与修正。翁方纲认为，“神韵”和“格调”异名同质，具有同样“虚”的弊端。要纠正二者之短，则需往“实”的方向努力，这样自然而然提出了“肌理说”的诗学主张：“吾谓新城变格调之说而衷以神韵，其实格调即神韵也。今人误执神韵似涉空言，是以鄙人之见，欲以肌理之说实之，其实肌理亦即神韵也。”又说“其实格调即神韵也”。[2] 翁方纲用“肌理”说来给“神韵”“格调”以新的解释，借以使复古诗论重整旗鼓，以期继续与他认为空疏圆滑的袁枚“性灵”说相抗衡。

翁方纲倡言“肌理”，包括两个方面：一是以儒学经籍为基础的“义理”和学问，一是词章的“文理”。他说：“义理之理，即文理之理，即肌理之理也”，“士生今日，经籍之光，盈溢于世宙，为学必以考证为准，为诗必以肌理为准。”[3]他认为学问是作诗的根本，“宜博精经史考订，而后其诗大醇”[4]。这种主张，是当时统治者极力提倡经学、提倡考据朴学在文学上的反映。众所周知，乾嘉朴学之风大盛，原因在于前朝康雍时期大兴文字狱。士大夫噤若寒蝉，动辄得咎，为了全身远害，他们不得不穷经皓首，倡言经世之学，于是遁而治经。但在治经过程中，又不敢涉及微言大义，生怕被说成是借古讽今，所以尽量围绕名物、训诂打圈子，有时难免钻牛角尖，陷入饾饤琐屑，以致空疏无用。翁方纲试图消弭考据之学的消极因素，调和宋学和汉学之间的矛盾，把考据和义理结合起来，以汉儒的训诂考证之法考证经史，并以此

---

① 彭崇伟《两当轩诗伤感情绪产生之主观原因》，《衡阳师范学院学报》(社会科学版)，第21卷第5期，2000年10月。
② [清] 翁方纲《复初斋文集·神韵论上》卷八，清李彦章校刻本。
③ [清] 翁方纲《复初斋文集·志言集序》卷四，清李彦章校刻本。
④ [清] 翁方纲《复初斋外集·粤东三子诗序》文卷第一，民国嘉丛堂刊本。

来解释宋儒所发明的义理，尤其强调在此基础之上实践儒家的修齐治平之道，这样就在考据和义理、宋学和汉学之间架起了一座沟通的桥梁，把考据学和官方倡导的程朱理学结合起来了。因此。翁方纲的“肌理说”，是在乾隆时期文字狱大兴和考据风盛行这种新的历史条件下“学人之诗”的极致。翁方纲也是清诗史上庙堂气与学究气融汇为一，从而使诗歌的抒情气质再次遭到严重戕害的代表人物。这当然于庙堂的稳固大有裨益，是官方所求之不得的。“肌理说”也由此获得了官方的认可和接受，取得了官方的正统、正宗地位。

翁方纲长黄仲则十六岁，可以算作两代人，他们之间的交往亦可称为忘年之交。他们最早的交往始于乾隆四十年(1775)岁末，初识于黄仲则的恩师朱筠的家宴上。是年黄仲则只身北上，岁暮抵京，其时二十七岁，翁方纲四十三岁。据翁方纲《黄仲则悔存诗钞序》云：“予初识仲则于吾里朱竹君学使座上。”当初黄仲则不仅与朱笥河过从甚密，笥河之弟朱珪亦为仲则所礼重。据郑大谟《题两当轩集》其三“执经谁领袖，煮酒细论才”句下自注：“石君师言：‘张孟词经学为吾门之冠，诗才则奖仲则云。’”[1]朱珪是朱筠之弟，论辈分，乃仲则师叔，故仲则于朱珪亦执弟子礼，黄仲则同时受到翁方纲和朱珪的青睐。翁氏同黄仲则经常切磋诗艺，仲则虚心求教，“其信予之笃，出于中心之诚”，见出二人相谈甚欢。朱珪不仅爱重仲则诗才，悉心指导，对他的行止也多有规箴。其《知足斋诗集》卷十四《题黄仲则遗稿·小序》云：“予闻常州有四才子之目，曰洪北江亮吉、黄仲则景仁、吕叔讷星垣、孙季仇星衍，其乡人假借以为伯仲叔季云。四人皆游竹君先兄之门。乙未，予初自晋归，先识仲则，爱其诗才葩发，语之曰：‘天予人慧，必与之福，君当保慧以凝福，无忘老生常谈。’而仲则以为平平，不屑意也。”惜乎仲则并未措意，依然故我。

其后，黄仲则在都中与翁方纲等一干京城文人名流，多相过从，诸如游法源寺，集诗境轩等等，诗酒流连，迭相唱和。乾隆四十一年(1776)丙申夏，翁方纲将一幅黄庭坚的画像送给黄仲则欣赏，并嘱其题诗，这就是载于《两当轩集》卷十二的《翁覃溪先生以先文节公像属题，像李晞古笔，藏夏邑彭春衣侍讲家，此先生属山阴朱兰圃临本也》一诗。翁方纲是学者，喜欢收藏砚台。乾隆四十二年(1777)，翁方纲请黄仲则为他题邝湛若“天风吹夜泉”砚铭及“洗研池”三字合拓本。《两当轩集》卷十三《丙申冬于王述庵通政斋见

① 见《两当轩集》附录六《唱酬/题赠》，上海古籍出版社，1983年版，第678页。

研作歌》一诗，对此记述甚详。不久，又与翁方纲、蒋士铨、吴锡麒、陈崇本等聚于程晋芳寓斋，观汉铜吉羊洗铭拓本，并题诗纪之。诗即载于《两当轩集》卷十三《汉吉羊洗歌在程鱼门编修斋头作》诗，题注："同作者蒋新畬、翁覃溪两先生，吴榖人、陈伯恭两编修。"

朱珪像

据黄逸之《黄仲则先生景仁年谱》、许隽超《黄仲则年谱新编》，以及黄仲则《两当轩集》所载，类似的活动甚多，几乎成为黄仲则日常生活的主要内容。乾隆四十三年(1778)十一月，与翁方纲、蒋士铨等聚于吴玉纶寓斋，观其所藏明人孙克宏、董其昌书画合册，题诗纪之，即《两当轩集》卷十四《集吴香亭太常斋，见所藏孙雪居董香光书画合册作歌》诗，题注："董书唐人五七言绝句八幅，孙为补图。"十二月，黄仲则自绘《江上愁心图》一幅，翁方纲同陈夔、施晋等人一道为之题诗志庆，翁方纲诗题为《题黄仲则(江上愁心图)二首》。①

乾隆四十四年正月，与翁方纲、蒋士铨等又聚集于陆锡熊寓斋，观其家藏明陆深书玉蕣诗卷，题诗纪之。即《两当轩集》卷十四《题陆耳山学士家藏明陆文裕公书玉蕣诗卷》诗。中有"招邀皆巨公，传玩引飞斝；一从座后观，敛手起惊诧"诸句。五月十五日，与张埙、陈崇本、程普芳、沈心醇、袁清等人共聚翁方纲书斋，同观张埙所携董其昌所书之杜甫诗卷。

乾隆四十五年(1780)，著名文字学家桂馥以旧藏宋铸"山谷诗孙"铜印在翁方纲斋中相赠予仲则，闵贞为之绘了《传印图》。为了表示感谢，仲则作诗以答，同时赋诗的还有翁方纲、赵希璜、吴锡麒、李宪乔等人。《两当轩集》卷十四有《桂未谷明经以旧藏山谷诗孙铜印见赠》诗。其实，据许隽超《黄仲则年谱新编》，黄仲则入都前即以"山谷诗孙"自许，并治有阳文印一枚，乾隆四十年闰十月所作之《题梁可堂画兰竹谱》一文，手迹纸端即钤此印。入都后，"山谷诗孙"之号益为人知，故未谷有赠印之举。

其后，黄仲则赴山东济南，客山东学政程世淳幕，其时，翁方纲有诗送仲

① [清]翁方纲《复初斋诗集》卷十八《秘阁集》四，清刻本。

则出都，即其《复初斋集外诗》卷十五《题仲则〈印传书屋图〉，即送其出都二首》一诗。

乾隆四十八年(1783)，黄仲则三十五岁，这是他生命中的黄昏。这一年中，他依然在为自己的生存而奔波忙碌着。虽然他的身体状况并不尽如人意，且有每下愈况之感。但他还是强支病体，在初春三月，出都往西安谋选资于毕沅。或许是早有预感，隐约觉得自己年命不永，行将告别人世，所以出都前，他就写好了自己的生平小传交给了翁方纲，无意中完成了他对这位都中挚友的最后嘱托。[①] 四月二十五日，仲则以肺病卒于山西运城河东盐运使沈业富署中。十一月，据仲则殁世半年后，翁方纲整理编次其遗诗，将千余首诗中所涉有伤雅正的风月之作，尽行剔除，最后仅存500余首，编作《悔存诗钞》八卷，并亲自作了序，不久又为此赋诗五首，即《编次黄仲则诗偶述五首》。这部诗钞是黄仲则诗集的第一个刻本，也是第一部选本，嘉庆元年(1796)由刘大观刊刻，卷首有翁方纲《序》。

与此一时期另一部比较通行的黄诗选本，即其师王昶的《湖海诗传》比较，并参诸洪亮吉、袁枚等人的评价，我们不难看出黄仲则为人所广泛接受的诗作大概有《观潮行》《后观潮行》《圈虎行》《都门秋思》《绮怀》《杂感》四首、《笥河先生偕宴太白楼醉中作歌》《癸已除夕偶成》等诸篇。但在翁方纲《悔存诗钞》中，则不见《圈虎行》《绮怀》的踪影。盖因《圈虎行》以虎类人，喻才智特出之士任人颐指气使，愤世嫉俗之迹甚明。至于《绮怀》十六首，追怀少年时期缠绵悱恻的情事，当然是不折不扣的艳诗，这些自然难入翁方纲的法眼。像同一内容的《感旧》《秋夕》《杂感》四首，就更不在话下，所以"删之又删"也就不能理解。

然则，翁方纲对仲则还是有感情的，他追怀仲则的悼诗《编次黄仲则诗偶述五首》，载《复初斋诗集》卷二十七，回顾彼此的交往，缅怀仲则的生平风仪，感慨其高才沦落的坎坷，诚挚委婉，如泣如诉，见出彼此的相知之深，相契之厚。

近朱者赤，近墨者黑。黄仲则与翁方纲很长一段时间的交往中，大多数活动内容是欣赏书画，品鉴古玩，研讨学问，切磋诗艺。因此，在黄仲则后期

---

① 据许隽超博士后出站报告《黄仲则年谱新编》195页叙述，沈津辑《翁方纲题跋手札集录》载翁方纲致陈崇本札云："仲则自作小传，是其手书，片纸久弃敝箧，今遍检不获，恐偶置某册内，当再寻之，然断不至遗失也，一检出即奉上眷入，今且存空纸一二叶于卷前可耳。藉候不既。伯恭老先生史席。学弟方纲顿首。七月二日。"

的诗作中，就出现了若干研习学问的篇什。

乾嘉之世，朴学大盛，讲求学问是流风所向，文人学者无不趋之若鹜。黄仲则本人多次出入科场，屡试不第，原因就在于其与举业相关的学问修炼尚欠火候。他自从北上进京后，多与都中的诗界名流和学界大佬等交游往还，诸如翁方纲、程晋芳、蒋士铨、纪昀、孔继涵、李威、张埙、赵秉渊、王念孙、钱坫、陈以纲、王复、张彤、胡量、许乃扬、金翀、钱伯垧、徐书受、王复、何青、汪端光、汪中、李威、余鹏年、余鹏翀、吴兰庭、武亿、洪亮吉、胡梅、高文照、施晋、徐书受、孙星衍、张彤、陈宋赋、庄炘、章学诚、钱坫、程晋芳、温汝适、温景莱、赵希璜、万应馨、杨芳灿、杨揆、陆锡熊、戴震、桂馥、纪昀等。他的师辈如朱筠、王昶、邵齐焘等，也都是卓有建树的学界耆宿。尤其是朱筠，对朴学隆兴有开启之功。乾隆三十八年(1773)，朱筠奏请开四库馆。由此，稽古之风大行，朴学趋于兴盛。梁启超《近三百年学术史》云："乾隆三十八年，朱笥河筠奏请开四库馆，即以辑《大典》佚书为言，故四库全书之编纂，其动机实自辑佚始也。"①他还主张以汉学辟宋学，黜浮尚实，以识字通经训士，自上而下崇兴经学训诂，黄仲则幕府校文，遵朱筠之教，以朴学为重，获益之丰，并不逊于皖中士子。汪灼有《述怀赠黄仲则》，黄仲则有《题汪松溪遗集并所著诗学汝为》之诗，二诗均记载了黄仲则当年在汪灼不疏园读书，研讨训诂的情况。朱筠的影响是一重要方面，另一方面邵晋涵、章学诚、王念孙、汪中等人的影响也不可小觑。

受此风影响，黄仲则在《两当轩集》中，也写了一部分"以学入诗"，有"注虫鱼"之味的所谓"才学诗"，如《王兰泉先生斋头消寒夜集观邝湛若天风吹夜泉砚作歌》《汉吉羊洗歌在程鱼门编修斋头作》《王述庵先生招集蒲褐山房观刘贯道兰亭修禊图作歌》《集吴香亭太常斋见所藏孙雪居董香光书画合册作歌》《蒋心馀先生斋头观范巨卿碑额拓本》《冬夜饮程鱼门编修斋观耶律文正公像》《题翁覃溪所藏宋椠施注苏诗原本》《未谷以汉瓦并天下文拓本属题》等古体长诗数十篇，多为鉴古品画之作，考据为诗，多发议论，十分近于翁方纲诸子之诗。但这样的篇什在《两当轩集》中所占比例甚小，不足以影响其总体诗风。

乾隆后期和嘉庆时代，黄仲则同袁枚、赵翼、张问陶、宋湘等人，前仆后继，摇笔自抒情性、不着力于追慕古人，语言平易流丽，风格秀逸清拔，成为

---

① 梁启超《近三百年学术史》，北京：东方出版社，2004 年版，第 288 页。

这一时期总的趋势。他们大多饶有才华，却缺乏骨力，内容不够深厚。至王昙的粗犷叫喊，舒位的肤浅，陈文述的浮艳，就走到了末路穷途。

时代在变迁，诗歌也在发展，新的诗人又在东南崛起。乾隆诗坛的最后一位诗人是龚自珍，当陈文述还在浅斟低唱的时候，龚自珍已在东南打破万马齐喑的局面，慷慨高歌了。

乾隆四十八年（1783），黄仲则在山西解州病逝于投奔陕西巡抚毕沅的途中，九年之后，龚自珍出生于浙江仁和。龚自珍和黄仲则有许多共同之处，他们都身世畸零，蹭蹬偃蹇；个性兀傲，与人少谐；才华绝世，盛世难遇。处于封建王朝由盛到衰的转折期，他们以诗人的共同敏感察觉到了隐微的乱世末世气息，因而产生了“埋才当乱世，并力作诗人”的感慨，行诸于诗中，皆如咽露秋虫，舞风病鹤，哀感衰飒，歌哭无端。在诗中写道：“秋气渐摇落，吾徒合放歌”[①]、“我意先秋感摇落”，黄仲则在诗中多次咏到“秋”，隐隐地预感到秋的来临，流露出浓重的末世悲秋意识，蕴涵有文人末路的悲慨。龚自珍则明白地唱出了“四海变秋气，一室难为春”（《自春徂秋偶有所触拉杂书之漫不诠次得十五首》其二），“秋心如海复如潮，但有秋魂不可招”（《秋心》其一）。虽然龚、黄二人缘悭一面，正是这种相似的身世、境遇，特别精神气质的前后相继，使龚自珍对黄仲则的诗产生了强烈共鸣，并受到其深刻的影响。[②]

龚自珍及其诗歌，无论在形式上，还是在内在情感向度与精神气质上，意味着乾隆诗坛的零落与破败已经不可逆转，同时也是古老中国古典主义诗歌的终结与近世文学深化的一个标志，意味着一个新的文学时代不可避免地即将来临。

---

① 黄仲则《赠别沈子盂》。

② 李明军《长留天地作秋声——黄景仁诗歌意象的文化解读》，《信阳师范学院学报》（哲社版），第27卷第2期，2007年4月。

第七章

黄仲则诗歌的刊刻流布及其对后世的影响

第一节 黄仲则诗歌的刊刻与流布

乾隆时期传播技术的进步与图书出版业的发达，为诗人、作家个人作品的面世提供了可靠的物质保证，大量读书人的存在、藏书家的涌现及藏书业的兴盛，为图书提供了广阔的需求市场，大批杰出诗人、作家、学者的辛勤劳作，又为图书市场提供了可靠的图书生产者和充足的市场供应。正是这样特定的历史时空之下，黄仲则的出现，是一件十分有意义的事情。

黄仲则年寿不永，在世时间仅三十五载，除去幼年十年左右，保守估计，他实际作诗的时间大概不会少于二十年。这二十年当中，诗人坎坷蹭蹬，落魄失意，将一腔英雄失路、托足无门之悲，一泄之于诗。诗人手不停挥，无日不诗，可谓勤勉有加，收拾检点其一生呕心沥血之作，所积甚伙。乾隆乙未年(1775)季春之十一日，他在《自叙》中说："年甫二十七耳，气喘喘然有若不能举其躯者……恐贫病漂泊，脱有遗失，因检所积，十存其二三，聊命故人编次之。"根据上海古籍出版社 1983 年版最足本《两当轩集》中所列乙未年(是年不计)以前的诗作统计，共 609 首。以"十之三"还原推算，1775 年以前的黄诗总数当为 2 030 首。再加上 1775 年以后现存的诗作 391 首和辑佚的诗作 131 首，全部黄诗的估计总数(不计后人删除数)应为 2 500 首左右。现存黄诗连辑佚在内，总共 1 180 首，可见黄诗被后人删除的数量相当可观。

乾隆四十八年(1783)五月十九日，诗人殁后，好友洪亮吉在扶柩南归途中，有书致毕沅，并将黄仲则诗稿寄给毕沅。洪亮吉《出关与毕侍郎笺》曰："今谨上其诗及乐府，共四大册。此君平生与亮吉雅故，惟持论不同，尝戏谓亮吉曰：'予不幸早死，集经君订定，必乖余之指趣矣。'省其遗言，为之堕泪。

今不敢辄加朱墨，皆封送阁下，暨与述庵廉使、东有侍读，共删定之。即其所就，已有足传，方乎古人，无愧作者。惟稿草皆其手写，别无副本，梓后尚望付其遗孤，以为手泽耳。”洪亮吉封送毕沅的黄仲则遗稿四大册，不仅有诗，而且还包括乐府，即词作，希望毕沅能按照诗人生前的遗愿加以删定整理，以期传之士林。①

乾隆四十八年(1783)初春三月，出都往西安谋选资于毕沅前，黄仲则就写好了自己的生平小传，交给了翁方纲。乾隆四十八年冬天，翁方纲接到解州运城河东盐运使沈业富抄寄的黄仲则遗诗，为其编次选本计八卷，题名《悔存诗钞》，并作序。不久又为此赋诗五首，即《编次黄仲则诗偶述五首》。这部《悔存诗钞》是黄仲则诗集的第一个刻本，也是第一部选本，后由刘大观刊刻。

翁序曰：

> 今年夏，闻黄君仲则殁于解州。其冬，运使沈公钞寄其诗来，俾予编次。既而得洪君稚存所为仲则《行状》，称其诗可传者凡二千首，今是钞仅千首，予又删其半，存五百首而已，又不知尚有可传之作若干首落何处也。予既惜其诗不尽钞，而于所钞乃从严删者，何哉？予初识仲则于吾里朱竹君学使座上，读其诗大奇之，自此仲则时以其诗来质，其信予之笃，出于中心之诚。予今见是钞，如见仲则，亦相待以不欺而已。予最不服欧阳子“穷且益工”之语，若杜陵之写乱离，眉山之托仙佛，其偶然耳。使彼二子者生于周、召之际，有不能为《雅》《颂》者哉！世徒见才士多困踬不遇，因益以其诗坚之，而彼才士之自坚也益甚，于是怨尤之习生，而荡僻之志作矣。仲则天性高旷，而其读书心眼，穿穴古人，一归于正定不佻，故其为诗，能诣前人所未造之地，凌厉奇矫，不主故常。其有放浪酣嬉，自托于酒筵歌肆者，盖非其本怀也。……所以兢兢致慎，删之又删。……乾隆四十八年冬十有一月望大兴翁方纲序。

翁序写于乾隆四十八年(1783)十一月，时距黄仲则逝世已逾半载。翌年正月二十七日，翁致函洪亮吉：“然仲则之诗，必如此严删，乃足传之。若全付劂，则非所以爱之矣。恳吾兄速致札关中，暂停梨枣，则弟即将此删本寄去，否则此删本煞具苦衷，亦不肯轻以示人也。”②

---

① 参阅张文飞《关于黄景仁作品的版本》，《社会科学家》，2007年增刊。

② [清]翁方纲《致洪亮吉手札》，引自黄葆树、陈弼、章谷编《黄仲则研究资料》，上海古籍出版社，1986年版，第118页。

这篇序交代了《悔存诗钞》编纂的来龙去脉，尤为重要的是，其中透露出，翁方纲本人的诗学观念颇具浓郁的主流意识形态色彩。序中称“凡涉绮语及饮酒诸诗皆不录入”，且美其名为“不敢以酒圣诗狂相位置者，欲使仲则平生抑塞磊落之真气，常自轩轩于天地间”。他不满意欧阳修“穷且益工”之说，尤其不喜欢在诗中表现才智之士的“困踬不遇”，和“怨尤之习，荡僻之志”。他所秉持的标准就是所谓的“《雅》《颂》”。因此，他虽然也承认仲则“天性高旷，而其读书心眼，穿穴古人，一归于正定不佻，故其为诗，能诣前人所未造之地，凌厉奇矫，不主故常”的优点与长处，但又以己之心度人之腹，认为黄仲则“放浪酣嬉，自托于酒筵歌肆者，盖非其本怀也”。因而对仲则遗诗痛下杀手，毫不手软，那些“放浪酣嬉，自托于酒筵歌肆者”，有碍雅正、甚至有伤风化之作，就被他毫不客气地删除了。雅则雅矣，正则正矣，但最能体现诗人性情的风月之作，精粹之作，却被刻意抹杀了。诗人翁方纲亦为仲则好友之一，但身为内阁大臣，其选诗的眼光，当然不会违背温柔敦厚儒家正统诗教的准则，果不出仲则生前担忧梓集者“将必乖余之指趣”的预料。

乾隆五十九年(1794)，毕沅以“不自检束”之评加于仲则，只选了古近体诗一百四十一首编入其主编的《吴会英才集》卷五，内题《两当轩集》。

其实，《悔存诗钞》的刊印是在刘大观于嘉庆元年(1796)到北京之后。洪亮吉在刘大观刊《悔存诗钞》竣工时，感赋中有“删除花月少精神”①句，即指黄诗凡涉及绮语及饮酒诸诗，均为翁方纲所删而言，未能尽显黄仲则诗歌的风神气韵，这种指摘不为无见。黄仲则地下有知，不知对此做何感想。刘嗣绾《尚䌹堂尺犊·致施雪帆书》:“仲则诗近为某明府选刊，去取失当”。当时人们就认为黄诗的选本，有乖诗人本意。经过后人多次辑补，才渐近黄诗全貌。

嘉庆元年六月，刘大观在都中得翁方纲于乾隆四十八年冬所编次黄诗钞本八卷，始刊《悔存诗钞》，共有诗五百零一首，未收词，是为黄仲则诗集单行本之始，也是最早选本之始。此书在上海图书馆、南京图书馆、中国社会科学院图书馆、日本京文图书馆均有藏本。其中南图藏本有刘履芬批注，青海省图书馆藏本有杨佩瑗程止斋批注。

嘉庆二年(1797)三月，黄仲则恩师朱笥河之子朱锡庚手录仲则诗，题曰《黄仲则诗钞》，是编共录诗二十三首，封面署“丁巳暮春录于皖江节署，少河

---

① [清] 洪亮吉《北江诗文集卷十八·刘刺史大观为亡友黄二刊悔存轩集》，引自黄葆树、陈弼、章谷编《黄仲则研究资料》，上海古籍出版社，1986 年版，第 97 页。

孙原湘像

朱锡庚”，纸尾附摘句五韵，皆为今本《两当轩集》所收。

嘉庆四年（1799），赵希璜鉴于《悔存诗钞》并非全豹，刻仲则遗诗于河南高堰厅署，以诗人书轩名之为《两当轩诗钞》，凡十四卷，诗八百十七首，《悔存词钞》二卷，为以“两当轩”命名诗集之始。吴蔚光为之作序，其《素修堂遗文》卷三载此《两当轩诗钞序》文曰：“数十年以来，所见闻海内之公卿、大夫、士，以及于女史、山人、缁流、羽客，号称能诗者众矣，而私心叹赏为精能者，一武进黄景仁仲则，一昭文孙原湘子潇。……仲则死后，称仲则诗者益多，而余已先归田，弗获收其遗稿，与子潇言之，以为憾。嗣毕制府秋帆、翁学士覃溪，尝为选刻十之四五；王侍郎述庵，亦有仲则诗百馀纸，将选入《湖海诗传》，然皆非全豹也；最后乃得安阳明府赵君渭川，渭川古义，不忘死友，尽刻其遗集。且知余与仲则交甚笃也，不远二千里，而以序属余。……嘉庆四年十二月，昭文吴蔚光撰。”[①]此书在北京、上海、南京、四川、湖南、广东、河南、辽宁、安徽等地省级图书馆，以及复旦大学、湖南师大、安徽师大、日本东洋图书馆中均有藏本。湖南省图书馆藏有王运长批校，何绍基、徐廷华跋本。

嘉庆七年（1802），吴蔚光搜集黄仲则词，编成《竹眠词》，但未刊刻。吴在《竹眠词》跋中云：“仲则词稿在京时，不知为谁攫去，复自追忆，兼于诸知好搜辑，得还旧观。赵渭川为刻《两当轩诗》成，欲续刻此未果也。去秋杨荔裳自蜀书来，属予取之小仲，小仲今由洪稚存寄余。因使人钞一副，而以原本致之荔裳。嘉庆七年五月，昭文吴蔚光识。”[②]后因赵希璜病殁，又遇河南

① 参阅《两当轩集》附录一《序跋》，上海古籍出版社，1983年版，第595—596页。
② 同上，第596—597页。

水灾，致书板残缺漫漶者多。

嘉庆七年，王昶辑刻《国朝词综》竟，收入仲则词十四首。

嘉庆八年(1803)冬，王昶辑刻《湖海诗传》毕，收录仲则诗三十一首。《湖海诗传》共四十六卷，仲则之诗载卷三十四。《湖海诗传》卷首王昶之序作于嘉庆八年八月十五日。有同治四年(1865)仲秋重校刊本，绿荫堂藏板，四十卷，并提到黄仲则有"《两当轩》《蔗梢》诸集"。

作为沈德潜门人及其经学家的王昶，其诗学观自然不出"格调说"之"温柔敦厚"一脉，追求清真雅正，宗法唐音宋调。因此，《湖海诗传》在收录黄仲则诗作时，其选择的标准，自然同他一向的论诗尊尚相得益彰。较之前述翁方纲的《悔存诗钞》，并参诸洪亮吉、袁枚等人的评价，我们看出，某种程度上，二者的选录标准几乎如出一辙。黄仲则为人所广泛接受的诗作大概有《观潮行》《后观潮行》《圈虎行》《都门秋思》《绮怀》《杂感》《笥河先生偕宴太白楼醉中作歌》《癸巳除夕偶成》等诸篇。但在翁方纲《悔存诗钞》和王昶《湖海诗传》中，均不见《圈虎行》与《绮怀》的踪影。盖因《圈虎行》以虎类人，喻才智特出之士任人颐指气使，愤世嫉俗之迹甚明。至于《绮怀》十六首，追怀少年时期缠绵悱恻的情事，当然是不折不扣的艳诗，这些自然难入翁方纲的法眼。像同一内容的《感旧》《秋夕》《杂感四首》，就更不在话下，所以"删之又删"也就不难理解。①

嘉庆二十二年(1817)，侯官郑炳文书带草堂重修补刻赵渭川本《两当轩诗钞》十四卷、《悔存斋词钞》二卷，共十六卷。郑跋曰："凡古今体诗八百五十四首，词七十九阙，庶无遗憾焉。"此书有中国科学院图书馆藏本，牌记为"两当轩诗钞，书带草堂藏板"。首有乾隆四十年《自序》，次则洪亮吉《行状》，再次赵希璜《校仲则诗付梓不觉怆然》诗二首，次郑大谟《题两当轩集》诗四首，正文署"武进黄景仁著，长宁赵希璜渭川校"。中国国家图书馆亦有此书藏本。本年，萚古山房亦有《两当轩诗钞》十四卷刻本，藏于广东中山图书馆与贵州省图书馆。

这一年，安徽庐州府庐江县人章炜，字符诚，号管香，应刘大观之请，重刻《悔存斋诗钞》，署曰"《悔存斋诗钞》，武进黄仲则著，嘉庆丁丑庐江章管香重梓"。据光绪《庐江县志》卷八《人物·文学》载，章炜是道光元年举人，道

① 参阅叶倬玮《抒情诗与现代——黄仲则诗在民国》，《淡江中文学报》第二十九期，2013年12月，第407—437页。

赵希璜像

光九年成进士，官至吏科掌印给事中。著有《六家诗选》《陶诗补注》《涵翠山房杂咏》等。

嘉庆二十四年(1819)，张维屏《国朝诗人征略初编》编竟，其《黄景仁》条云：

> 古今诗人，有为大造清淑灵秀之气所特钟，而不可学而至者，其天才乎！飘飘乎其思也，浩浩乎其气也，落落乎其襟期也。不必求奇而自奇，故非牛鬼蛇神之奇；未尝立异而自异，故非诘屈聱牙之异。众人共有之意，入之此手而独超；众人同有之情，出之此笔而独隽。亦用书卷，而不欲炫博贪多，如贾人之陈货物；亦学古人，而不欲句摹字拟，如婴儿之学语言。时而金钟大镛，时而哀丝豪竹，时而龙吟虎啸，时而雁唳猿啼。有味外之味，故咀之而不厌也；有音外之音，故聆之而愈长也。如芳兰独秀于湘水之上，如飞仙独立于阆风之巅。夫是之谓天才，夫是之谓仙才，自古一代无几人。近求之百馀年以来，其惟黄仲则乎？

《国朝诗人征略》是张维屏在嘉道年间所著的大型诗话汇编。《初编》编定于嘉庆二十四年(1819)，六十卷，收入清代诗人929家，黄仲则是其中之一，位于卷三十九。在这里，张维屏从多个侧面对黄仲则其人其诗做了评价。首先是对黄仲则以“大造清淑灵秀之气”“不学而至”，且百年不遇的“天才”目之，旗帜鲜明，毫不含糊。其次，是肯定黄仲则诗思诗气的奇异，飘飘浩浩，不必求奇而自奇，未尝立异而自异，但又非牛鬼蛇神之奇，亦非诘屈聱牙之异，而是一种自然之气，自然之思，能够把常人皆有的平凡情意化腐朽为神奇。第三，张维屏对黄仲则使事用典、学习古人的成就也给与了极高评价，认为他能做到不炫博贪多，不句摹字拟，肯定他的读书心眼，穿穴古人，凌厉奇矫，不主故常，而又能自出机杼，自铸伟辞。最后是赞美其风格多样，时而金钟大镛，时而哀丝豪竹，时而龙吟虎啸，时而雁唳猿啼。且有味外之味，音外之音，有“状难写之景如在目前，含不尽之意见于言外”（欧阳修《六一诗话》）之概。

道光四年（1824），海盐吴修认为《悔存诗钞》和《两当轩诗钞》“前后多错乱，且去取失宜”，曾从黄仲则之子黄小仲处读到黄诗原稿 1 100 多篇，欲为刊行。此书甫雕及半，吴修去世，后由蒋光煦于道光十七年（1837）足成之，列入《别下斋丛书》，今藏南京图书馆。此《两当轩诗集》虽未臻完备，但已为整理黄诗奠定基础。道光十七年刻本《两当轩集》卷首吴修《两当轩诗集序》曾对此事有详尽追述：

> 武进黄君仲则，诗名著乾隆间，没后名益重。……君与同里孙观察星衍、洪编修稚存、赵司马味辛齐名，世称孙、洪、黄、赵。三君者，余皆与游处，相与上下其议论，独未识君，而识君之子小仲，得读君手定诗稿千一百篇，益叹服欣喜，欲为刊行，久而未果。今小仲亦归道山，且无子，乃介丁君若士复假原稿，细为校阅，起癸未，终癸卯，凡二十年，年月先后，可按诗而得，遂编成十六卷，授之梓人，践前诺以公同好。视赵所刻，多十之三。其间句字互异之处，指不胜数，鱼豕之讹，悉为厘正。……道光四年夏五，海盐吴修序。

该编起癸未终癸卯，凡二十年。该集十六卷，收诗一千首，比嘉庆四年（1799）长宁赵希璜渭川刻本多，增补十之三。赵渭川刻本虽名为《两当轩诗钞》，但亦收词，所以放入诗词集一类。吴修得到黄仲则手定稿千一百篇之后，“乃介丁君若士复假原稿细为校阅，按年编次，起癸未终癸卯，凡二十年，年月先后可按诗而得”，遂成十六卷《两当轩诗集》。据冯登府《石经阁文集》卷五《墓志铭》载，吴修，字子修，号思彦，浙江嘉兴府海盐县人，寓嘉兴府嘉兴县。乾隆二十九年（1764）生，道光七年（1827）卒。贡生，官布政使司经历。有《思亭近稿》《吉祥居存稿》《昭代名人尺牍小传》等。

道光十一年（1831），袁祖惠刊刻其父袁通所辑《三家词选》，选录仲则词五十一首。三家为高文照《宾香词选》、钱枚《微波亭词选》及黄仲则《悔存词选》。署曰“金匮杨芳灿蓉裳选定，钱塘袁通兰村参校”，后附车驰谦、袁祖惠跋。但据黄志述《两当轩集考异》卷上《诸家刻本目录》所载云：“《三家词选》，钱塘袁通刻，未见。”

道光十三年(1833)，黎兆棠等于广州据赵希璜本校刊，稍有增补，刻为《两当轩诗钞》十四卷、《竹眠词》二卷，今藏于首都图书馆。此书有哈尔滨师范大学图书馆藏本，其封面题《两当轩诗钞》，内题“黄氏仲则《两当轩诗钞》十四卷，《竹眠词钞》二卷”；“道光十三年广州重刊版本”。首嘉庆四年吴蔚光《原序》，次乾隆四十年仲则《自叙》，次赵希璜《校仲则诗付梓不觉怆然》诗二首、郑大谟《题两当轩集》诗四首，次洪亮吉《黄君行状》、吴兰修《黄仲则小传》。正文署“武进黄景仁著，顺德黎兆棠校刊”，尾附嘉庆二十二年郑炳文《原跋》。

《清史列传》卷七十二载：吴兰修，字石华，号荔村、古榆，广东嘉应州(今梅州)人。嘉庆十三年(1808)举人，官信宜训导。有《南汉纪》《荔村吟草》《桐华阁词》《端溪砚史》等。

道光十四年(1834)，番禺许玉彬等依赵本刊刻《两当轩诗钞》十四卷，依杨荔裳选本刊《竹眠词》二卷。据《黄仲则年谱》本年条云：“番禺许玉彬等依赵本刊《两当轩诗钞》十四卷，依杨荔裳选本刊《竹眠词》二卷”。虽依赵、杨本，却作了一番校订增补。据咸丰八年本《两当轩全集》附录一许玉彬《重刻两当轩诗竹眠词跋》云：

> 按是集所见凡三本，赵渭川原刻诗十四卷八百十七首，郑文轩补刻跋语称诗十六卷八百五十四首，然核其卷数诗数，仍与原刻相符，未尝增益。词二卷，凡八十阕，各本皆同。郑初印本跋云一百五十八阕，覆刻本又改云七十九阕，均未免矛盾也。余与钟君翼民、姚君揆藻喜读是集，合诸本校而刻之十四卷，内《落花》二绝句，已见卷九，作七律一首，题虽异而诗同，今删去。从《湖海诗传》补诗三首，从《悔存诗钞》补诗一首，仍为十四卷。又得写本《竹眠词》一百三十六阕，写本所无，从原刻《悔存词钞》补十四阕，从《词综》补三阕，分为二卷，今称《竹眠词》者，从其多也。各本字句互有异同，兹依吴石华师所定，不复注云。道光十四年五月，番禺许玉彬跋。

对于其间的流变、损益、增删，所述甚为详尽。

许玉彬《冬荣馆遗稿》卷四《挽钟竹香二十四韵》诗“共勘书鱼鲁”句自注：“君与姚巽君及予再校刊《两当轩集》”。

据陈澧《东塾集》卷六《许青皋墓碣铭》，许玉彬，字璘甫，后易名鍑，字伯鬲，号青皋，广东广州府番禺县人。嘉庆十三年(1808)生，咸丰年间卒。诸生，好书画古玩，有《冬荣馆遗稿》。

道光二十四年(1844)，仲则侄黄锡申重刊《两当轩集》，麟庆贻以梓费并撰序，十一月刻竣。黄锡申，字艺屏，仲则从子，生平不详。据宗稷臣《躬耻斋文钞》卷十《前江南河道总督完颜公墓志铭》及麟庆自撰《鸿雪因缘图记》，麟庆，姓完颜氏，字伯馀，一字见亭，满洲镶黄旗人。生于乾隆五十六年(1791)，卒于道光二十六年(1845)。由内阁中书累官至江南河道总督、两江总督。有《凝香室集》《河工器具图说》等。

黄葆树等编《黄仲则研究资料》载黄锡申《道光甲辰刊本跋》云：

> 河帅麟见亭先生，学识淹贯，著述宏通，以退食之馀提倡风雅，海内士大夫翕然宗之。乃复自视欿然，虚怀若谷，每获残编断简，珍若球琳，往往不惜巨赀，为付剞劂。世父仲则先生诗词遗稿凡三刻，历年既久，字迹剥蚀者几过半矣。锡申谋以家藏旧本校订重梓，河帅不远千里，慨然贻以梓费，并赐弁言，以光泉壤，洵可谓成人之美已。开雕既竣，爰志数语，以附简末。时道光甲辰仲冬长至前一日也，侄锡申谨跋。

道光二十六年，留丹书屋据郑炳文本重刻《两当轩诗钞》十四卷，今藏于杭州大学图书馆。

咸丰八年(1856)，由仲则裔孙黄志述刊刻《两当轩全集》，是即后世之坊间通行本。此刻现存两种，一为二十卷本，一为二十二卷本，分藏于上海图书馆、北京师范大学等多地图书馆。

上图本二十卷，收诗一千零七十二首，词二百一十四首，文六篇。题“《两当轩集》二十卷，考异二卷、附录六卷”，“咸丰八年家塾校梓”。卷首有仲则《自序》一篇，次吴儁所绘“仲则先生小象”一副及徐廷华题词，小象署“戊午夏日吴儁摹于都门寓斋”。次“两当轩集校勘姓氏”。该版本为黑口双鱼尾，每半页十一行，行二十二字。

北师大本，二十二卷，题“《两当轩集》二十二卷，考异二卷、附录六卷”，“咸丰八年家塾校梓刊”。卷一至十六诗，卷十七至十九词，卷二十遗文，卷二十一、二十二补遗，卷二十二后附黄志述《跋》。后为《考异》二卷、附录一序跋，附录二传状志文，附录三、四唱酬题赠，附录五年谱，附录六诗话、先友爵里名字考。卷首亦有仲则《自序》，较之上图本二十卷本，该本仲则《自序》文末多了一方“山谷诗孙”的朱墨阳文方印。次吴儁所绘“仲则先生小象”一副及徐廷华题词，小象署“戊午夏日吴儁摹于都门寓斋。”次“两当轩集校勘姓氏”,“两当轩集补遗校勘姓氏”。目录后镌“武进杨肇基、阳湖杨翰云合镌”。另补刻徐廷华诗一首、庄敏诗两首、邵震亨诗一首,最后为季锡畴跋,这部分内容,也是二十卷本所没有的。

同治六年(1867),有刘履芬钞本,为《两当轩集》二十二卷,考异二卷、附录六卷,今藏国家图书馆。同治八年(1869)重印本,程秉钊校,叶景葵跋。

同治十二年(1873),有集珍斋木活字印本问世,系据咸丰八年二十卷刊本排印。题“仲则先生两当轩集,癸酉九月集珍斋印。”首乾隆四十年仲则自序,次“两当轩集原刊姓氏”,次“集珍斋印本校勘姓氏”。次“仲则先生小象”,署“癸酉秋月宗嘉树重摹”。次徐廷华题词,卷尾季锡畴跋,叶景葵得咸丰八年本后云:“吾家郎园(指叶德辉)先生,搜罗《两当轩集》甚备。以同治活字本为镇库,谓志述所编足本,当时未及刊行,同治癸酉,集珍斋以活字印行。后来坊间一再翻雕,皆据同治本,盖未见此咸丰八年本也。”①有国家图书馆藏本,重庆市图书馆藏有费念慈批注本。

光绪二年(1876),有黄氏家塾重刻本《两当轩全集》,该版本为黑口双鱼尾,每半页十一行,行二十二字,藏于复旦大学图书馆。是本依据咸丰八年二十二卷本翻刻,题“《重刊两当轩全集》二十二卷,光绪二年家塾校梓”。卷首仲则《自序》,次“仲则先生小象”一副及徐廷华题词,次汪昉《序》,序尾镌“曾孙婿刘清泰莼浦、曾孙男兢执武校字”。次“重刻两当轩集校刊姓氏”。该集二十二卷,考异二卷,附录四卷,收诗一千一百七十首,词二百一十六首,文六篇,成为坊间通行本。此光绪本与咸丰本比较,内容略有差异,光绪本删去咸丰八年本附录第三四唱酬题赠二卷;卷十、卷十九所收诗多少均有差异;光绪本比咸丰本多了卷二十一、二十二两卷补遗。汪昉《光绪丙子刊本序》所及此编刊刻经过甚为详尽,志述之妻吴氏,为保存先泽,备尝艰辛,历尽劫难,夙愿终偿。今人仍能得睹《两当轩集》全豹,吴氏之功,善莫大焉。

汪昉,字叔明,一字菽民,号菽翁、梦衲庵老人,江苏阳湖(今常州)人。生于嘉庆四年(1799),卒于光绪三年(1877)。道光二十四年举人。历官山东济阳、莱州同知。工诗,善书画,有《梦衲庵诗偶存》。

宣统二年(1910),扫叶山房以光绪二年本作为底本,石印《两当轩集》。是本二十二卷,考异二卷,附录四卷。白口单鱼尾,每半页十四行,行三十

① 叶景葵《卷盦书跋》,引自黄葆树、陈弼、章谷编《黄仲则研究资料》,上海古籍出版社,1986 年版,第 555 页。

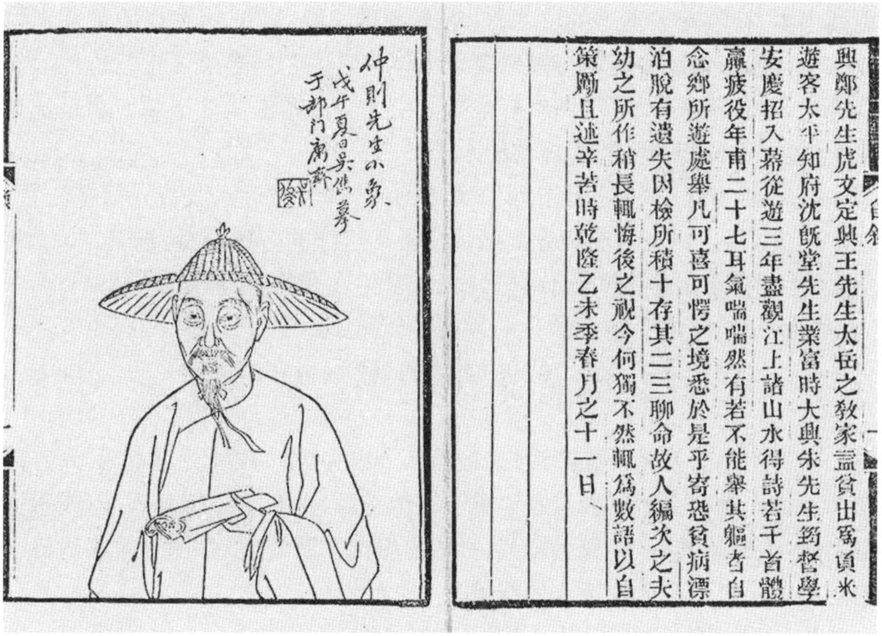

興鄭先生虎文定興王先生太岳之教家貧出爲負米遊客太平知府沈既堂先生業富時大興朱先生筠督學安慶招入幕從遊三年盡覩江上諸山水得詩若干首體羸疲役年甫二十七耳氣喘喘然有若不能舉其軀者自念鄉所遊處舉凡可喜可愕之境悉於是乎寄恐貧病漂泊脫有遺失因檢所積十存其二三聊命故人編次之夫幼之所作稍長輒悔後之視今何獨不然輒爲數語以自策勵且述辛苦時乾隆乙未季春月之十一日

光绪二年版本书影

字。有汪昉序，后有太仓季锡畴跋。民国十年(1921)、十四年(1925)，上海扫叶山房先后两次石印此书。

民国二十二年(1933)，金艮天校、上海光华印本《黄仲则诗词》。

民国二十三年(1934)，扫叶山房再次石印《两当轩集》。是本较之宣统二年本，内容相同，差别仅在附录和考异的顺序不同而已。宣统二年本附录在前，考异在后，民国二十三年本考异在前，附录在后。

后直到民国二十六年(1937)十二月有上海文明书局印行、中华书局音注本《黄仲则诗》(蒋剑人选、陆律西音注)，选诗一百余首，每半页十三行，行三十二字。前有黄仲则诗揭要、小传及编辑大意。同年，上海商务印书馆出版了《两当轩集》的排印本，除正文外附录了有关黄仲则的传记、行状、年谱、墓志及画像等多种材料。此外，还藏有写本若干：一为《黄仲则诗钞》一卷，清末朱锡庚钞本，一册，藏于中国科学院图书馆；一为《两当轩诗集》不分卷，清钞本，二册，藏于国家图书馆。

1959 年，台北文粹出版社出版了排印本，此本依据宣统二年扫叶山房本作为底本，是本二十二卷，考异二卷，附录四卷。

1983 年 3 月，为纪念黄仲则逝世二百周年，李国章以光绪本为底本，校以咸丰本，补收咸丰本中的诗八首，唱酬题赠二卷，并把新发现的黄仲则佚作三篇(《朝来》《读容甫近诗过以哀怨为体诗以广之》《题梁可堂兰竹谱》)作为补遗，重新整理标点了《两当轩集》，并由上海古籍出版社出版。这是迄今为止，搜罗黄仲则作品较为详备的本子。

1985 年 4 月广东人民出版社《黄仲则诗选》，止水注，收诗一百零三首。2009 年 1 月，人民文学出版社出版了李圣华选注的《黄景仁诗选》。2011 年 3 月，中华书局出版了蔡义江、沈开生、李梦生选注的《黄仲则诗选》。

第二节　黄仲则诗作对后世的影响

黄仲则生前就驰誉乾隆诗坛，被同侪公推为“都门诗社”盟主，其人其诗向为京城士林精英阶层接受和宝重。在他身后，人们或心折其人格，或感怀其遭际，或倾慕其诗才，或追步其诗风，纷纷撰文赋诗，以各种方式表达自己对这位英年早逝的天才诗人的痛悼。

据其后人黄葆树等 1986 年编撰的《黄仲则研究资料》，从乾隆四十九(1783)年到 1983 年，在诗人去世后 200 年的时间里，就有诸多关于诗人的悼诗、题赠、题词、序跋、诗话、笔记、传记、行状、年谱、事略和墓志铭问世。其中既有官方史乘的著录，又有地方史志的收载，也有师友朋辈和家族个人的追怀。诗人生前书剑飘零，一生沦落，但其身后并不寂寞，诗人地下有知，当含笑九泉矣！

一、悼诗、题赠、题词

这位身负绝世高才、性格狂狷耿介的诗人，虽然清高孤傲，但对志同道合者，还是有许多共同语言的，因而与其交往过从的大多为才智之士。他的天才早夭，引起诗坛上下一片痛惜，一时出现大量悼念之作。名公巨卿如王昶、袁枚、翁方纲等，师友辈如洪亮吉、汪端光、吴蔚光、杨芳灿、武亿、黎简、赵怀玉、杨伦、刘大观、吴锡麒、张锦芳、邵培德、陈燮、吴阶、余鹏年、管世铭等数十辈。这些诗词或惋惜其才，或悲其不遇，或表达共鸣，其中较有价值的是那些点明其诗歌渊源和风格的作品，这些对黄仲则诗歌的传播和接受都是十分有益的。

王昶有长诗《哭黄仲则六十六韵》，诗云：“……艺事更多能，倚声奏清畅。铜章彝敦古，画帧烟云飏。一朝归山丘，谁爱等宝藏。惟此数卷诗，视古无所让。中丞已网罗，珠玑几颉颃。逝将授雕镵，宁至厌冗长。斯文既可定，传世断非妄。风霆划雷硠，河岳发悲壮。披发乘麒麟，千古足神王。”王昶不仅肯定了黄仲则诗歌即将传之久远的艺术魅力，“惟此数卷诗，视古无所让”，还表彰了他的多才多艺，对音乐、金石、书画也都造诣甚深，“艺事更多能，倚声奏清畅。铜章彝敦古，画帧烟云飏”，是艺术上的多面手。王昶对仲则的评价是“年未弱冠，所撰小赋新诗，已有烟月扬州之誉”，并且选了其诗如《观潮行》《后观潮行》《都门秋思》《圈虎行》《黄山松歌》《竹君先生偕宴太白楼醉酒》《虞忠肃祠》等二十四首，以为范式。

袁枚《哭黄仲则》感叹其身世沦落不偶，对其诗歌渊源做了准确的定位，“七古绝似太白”，洵为笃论。一方面，视仲则为“道谊知交”，另一方面，认为其诗“自有千秋”。袁枚与仲则之地位悬殊，不啻云泥，他的评价，当出自肺肝。

同龄朋辈中，洪亮吉的悼诗《自西安至安邑临黄二景仁丧奉挽四首》最为沉痛：

其一

生何憔悴死何愁，早觉年来与命雠。病已支床还出塞，君扶病自京师逾太行，出雁门，始抵安邑，故病益殆。家从典屋半居舟。魂归好入王官谷，名在空悬太白楼。君早年以《太白楼》诗得名。一事语君传欲定，卅年心血有人收。西安幕府将为君梓遗诗。

其二

归骨中条我未安，为怜亲在欲凭棺。君病中欲葬中条。须营江畔坟三尺，好种篱前竹百竿。君生平喜竹。空有头衔书尺旐，愁馀名纸伴高冠。君衣裘为医药质尽，卒后馀名纸及敝冠数事。才人奇气难销歇，六月松风刮殡寒。

其三

早年猨鹤与齐名，月旦人先赴九京。朱笥河先生尝呼余及君为猨鹤，今先生已下世。共哭寝门思往日，向偕君在西安，闻笥河先生讣，同哭于兴善寺。独临遗殡怆生平。贞孤论尽朱公叔，存没交馀范巨卿。却愧素车来未晚，树头飘雨旐将行。

其四

倜傥平生孰可如，遗缄欲发屡踟蹰。交空四海惟馀我，魂到重泉更付书。君作太夫人书毕，目已瞑，复苏，乃更作书贻子于西安。庚亮报函疑可达，台卿服友感难除。伤心昨岁青门道，执手危言未尽纾。君不善摄生。去岁别西安，余又苦规之，君虽颔之而不能从也。

二、传记、行状、年谱、事略

官方正史《清史列传》《清史稿》中均有《黄景仁传》；地方志如《武进阳湖合志》有《黄景仁传》；私人撰著甚多，如洪亮吉有《黄君行状》、左辅有《黄县丞状》、王昶有《黄仲则墓志铭》、汪启淑有《鹿菲子小传》、吴兰修有《黄仲则小传》、张维屏有《黄景仁征略》、李元度有《黄仲则事略》、毛庆善、季锡筹有《黄仲则先生年谱》、黄逸之有《黄仲则年谱》等。

见诸官方正史著录的，主要是《清史稿》和《清史列传》。《清史稿·文苑二·黄景仁》云：

> 景仁，字仲则，武进人。九岁应学使者试，临试犹蒙被索句。后以母老客游四方，觅升斗为养。朱筠督学安徽，招入幕。上巳修禊，赋诗太白楼。景仁年最少，着白袷立日影中，顷刻成数百言，坐客咸辍笔。时士子试当涂，闻使者高会，毕集楼下，咸从奚童乞白袷少年诗竞写，名大噪。尝自恨其诗无幽、并豪士气，遂游京师。高宗四十一年东巡，召试二等。武英殿书签，例得主簿。陕西巡抚毕沅奇其才，厚赀之，援例为县丞，铨有日矣，为债家所迫，抱病逾太行，道卒。亮吉持其丧归，年三十五。著《两当轩集》。子乙生，通郑氏《礼》，善书，早卒。[①]

《清史列传·文苑传三·黄景仁》曰：

> 黄景仁，字汉镛，一字仲则，江苏武进人。四岁而孤，伯兄继卒，家甚贫。母屠督之读，所业倍常童。常熟邵齐焘主讲常州龙城书院，与同郡洪亮吉偕守业焉。邵卒，闻秀水郑虎文贤，谒之于杭州，郑爱异之。居月余，泫然辞曰："景仁无兄弟，母老家贫，居无所赖，将游四方，觅升斗为养耳。"乃为浪游。揽九华，涉匡庐，泛彭蠡，历洞庭，登衡岳，观日出，过湘潭，酹酒招魂，吊屈原、贾谊，作《浮湘赋》以寄意，悲慨伤怀。时湖南按察使定兴王太岳故名士，负其才，及见心折，每有所作，必持质黄秀才定可否。自湖南归，诗益奇肆。大兴朱筠督学安徽，招入幕。三月上巳，为会于采石矶之太白楼，赋诗者十数人，景仁年最少，着白袷，立

① 《清史稿校注·文苑·黄景仁》，台北：台湾商务印书馆，1999年版，第11189页。

日影中，顷刻数百言，遍视坐客，咸辍笔。时八府士子以词赋就试当涂，闻学使者高会，毕集楼下。至是，咸从奚童乞白袷少年诗竞写，一日纸贵焉。生平于功名不甚置念，独憾其诗无幽、并豪士气，尝蓄意欲游京师。乾隆四十一年，上东巡召试，名列二等，以武英殿书签例得主簿。时陕西巡抚毕沅，见《都门秋思》诗，奇其才，速其西游，厚赀之。乃由西安入都，入赀为县丞，寓京师法源寺，诠有日矣。为债家所迫，抱病逾太行，出雁门，将复游陕，次解州病殆，卒于河东盐运使沈业富署，年三十五。友人洪亮吉持其丧以归。景仁体羸，长身伉爽，性高迈，好游，尽观江上诸山水。每独游名山，经日不出，值大风雨，或瞑坐崖树下，牧童见之，以为异人。诗宗法杜、韩，后稍稍变其体，为王、李、高、岑，卒其所诣，与李白最近。乾隆间论诗者推为第一。曲阜桂馥以宋铸"山谷诗孙"铜印赠之，骈体文绝似六朝。工书，擅山水，皆极古质。晚号鹿菲子。著《两当轩诗文集》《竹眠词》，凡二十二卷。子乙生，通郑氏《礼》，行不违其言，早卒。[①]

《清史稿》的《黄景仁传》较略，简介传主的籍贯、生卒、生平、仕履、著述等，偶涉传主轶闻，基本上是平铺直叙，不带感情色彩。《清史列传》的《黄景仁传》则较为详备，除了介绍传主基本信息，勾勒出其生平大致轮廓外，还补充了许多细节，如师从邵齐焘、入王太岳幕兼游湖湘等。而几个众口相传的情节，如赋诗太白楼、津门献赋、西依毕沅等，则大致一致。《清史列传》重在传达传主神情气质，"生平于功名不甚置念，独憾其诗无幽并豪士气"，"每独游名山，经日不出，值大风雨，或瞑坐崖树下，牧童见之，以为异人"，使读者能从中见出传主的不同流俗、清远高迈的特异风神。尤为重要的是，《清史列传》揭橥了黄仲则诗歌的艺术特质，"诗宗法杜、韩，后稍稍变其体，为王、李、高、岑，卒其所诣，与李白最近"，表明了其诗明显的宗唐倾向。同时对黄仲则诗歌的地位给予了评价，"乾隆间论诗者推为第一"，也肯定了黄仲则多方面的艺术才能，"骈体文绝似六朝，工书，擅山水，皆极古质"。

上述这些传状事略，大都介绍了黄景仁的家世、经历、性格、才情等，其中也涉及对其个性特征和诗歌渊源的评述，但通常主要是零星的赏析式的评点，认为其诗主要风格是幽苦，亦有近太白、昌谷的豪宕之作。推重其诗能转益多师，不立门户，独出机杼，自铸伟辞。

---

① 《清史列传·文苑传三·黄景仁》，王锺翰点校，北京：中华书局，1987 年版，第 5941 页。

三、序跋

诗人去世后，人们仰慕其人格、诗风，刊印其诗集风行一时，版本甚多。这些序跋多述其版本来由，兼及对其诗风的评述。主要有翁方纲《悔存诗钞序》、刘大观《悔存诗钞目录后序》、吴蔚光《两当轩诗钞序》《竹眠词跋》、吴修《两当轩诗集序》、郑炳文《两当轩诗钞跋》、许玉彬《重刻两当轩诗竹眠词跋》、蒋光煦《两当轩诗集跋》、麟庆《黄少尹集序》、章炜《悔存斋诗钞序》、季锡畴《咸丰戊午刊本跋》《澹然居笔记述黄仲则诗词书画》、黄锡申《道光甲辰刊本序》，以及黄志述《咸丰戊午刊本跋》《两当轩集考异二卷序》《两当轩集先友爵里名字考跋》、汪昉《光绪丙子刊本序》等。

其中，黄仲则之孙黄志述《咸丰戊午刊本跋》甚有特色，他详细记叙了诗集收集的始末：

> 道光二十八年，志述得先大父手定诗稿十五卷，词稿三卷，案时事皆止于乾隆辛丑。续以吴思亭布经本所增诗二十七首，赵渭川员外所增诗三首，为今第十六卷，亦仅及壬寅正月，下距易箦时尚年馀。且辛丑岁游太原、秦中有诗二卷，见武虚谷知县吊文，今其存者才数首尔。忆昔李申耆师尝持番禺许氏刻本授志述曰："惜乎，其意甚盛，而仅汇外间传本也。传本于晚年声希味淡之作，多从删省。曩见诗片，莫非美玉精金，安得缀缉散佚，成一完本乎?"时志述未能详叩诗片所从见，后乃于书肆得壬辰至甲午初稿一册，去年十月校刊是集，谨摘其未刻者。而季丈菘耘、周君淳之、吴君敬叔各有录示，并为补遗，分附诗词卷末。今年八月梓工告竣，庄君竹安忽于其家旧簏中捡得初稿百馀纸，盖丙戌至壬辰作也。吴刻所增者为辛丑夏日作，其手定稿亦在焉。大喜逾望，急取第十六卷校改之，而初稿虫穿蠹蚀，涂注模糊。徐子楞、庄涤园、陆紫峰三先生及周君弢甫共为审定，去其重出者，得如干首，因裁并前刻补遗，都为二卷。于是《两当轩集》统计有诗千一百七十首，词二百十六阕。使吾师尚在，为之搜辑，讵止于此哉? 壬寅以后诗词，当即王兰泉侍郎所称《蔗梢集》。又《浮湘》《渡淮》两赋，《如无录》二卷，皆见推于前辈，不知何时更得而备刻之也。咸丰八年冬十二月，孙志述谨识。

黄仲则一生，视作诗为生命，一日不诗，便觉索然无味。历年所作，据推测，总数当在 2 500 首左右。但诗人奔走四方，居无定所，所作散佚颇多。殁后传抄过程中，又多遭删汰斧削，所以尽管后人勉力搜求，所得亦不过断章残简，终难成完璧。其孙黄志述于咸丰戊午年(1858)，经多方搜求，补其残佚，校其阙失，终于完成了《两当轩集》的新刻本，有诗千一百七十首，词二百十六阕，仲则之诗至此遂大备。但传说中的《蔗梢集》，及《浮湘》《渡淮》两赋、《如无录》二卷，仍不见踪迹。此刻梓工告竣不久，太平军兴，版本又毁于兵燹。其后，志述之妻吴氏，不忍先人手泽被湮没无闻，遂节衣缩食，几经周折，历十余载，才在光绪二年(1876)，完成家塾重刻本《两当轩全集》。

汪昉《光绪丙子刊本序》也记录了这一艰辛的过程，云：

> 吾乡黄仲则先生，以诗鸣乾隆中叶。……咸丰八年，先生之孙志述复为重刻于里中，且补其残佚，校其阙失，先生之诗遂以大备。乃未及数稔，复为粤逆之乱所毁。今先生之冢孙妇志述之室吴孺人，怆然念先泽之就湮，痛其夫毕生之志未能传久，又为节缩衣食，勤立针黹，积其所入，至十数年，虽冱寒盛暑，不敢少休，视有成数，亟为鸠工集手民于厅事，自治馔具以供亿之，命其子执武朝夕监视，几及一年，剞劂完竣。语有之，天之生物，因材而笃。先生之诗，刊而仍毁，再刊再毁，复得吴孺人之贤，卒成乃夫之志，而先生之诗终以不朽，此非天之相先生之深且笃欤！光绪二年丙子十月既望，同里后学汪防谨序。[①]

后人由此，既见学术，又见人事。诗酒文章，其穷通际遇，坎坷曲折，一如仲则生平之遭际，令人不胜唏嘘！

四、诗话、笔记

清代论及黄景仁的诗话和笔记甚多，有的点评其某句某篇，有的钩沉其诗的本事，有的记叙其轶事，如洪亮吉《北江诗话》、梁章钜《浪迹丛谈》、潘瑛《诗萃》、吴嵩梁《石溪舫诗话》、包世臣《齐民四术》、郭麐《灵分馆诗话》、徐珂《清稗类钞》、谭献《复堂日记》、杨锺羲《雪桥诗话》、文廷式《闻尘偶记》、汪佑南《山泾草堂诗话》、朱庭珍《筱园诗话》、陈廷焯《白雨斋词话》、陈衍《石遗石诗话》、厉志《白华山人诗话》、徐世昌《晚晴簃诗汇》、吴文溥《南野草堂笔记》、董现庵《毗陵前后七子诗话》、舒位《乾隆诗坛点将录》等。其中那些对其诗风和诗歌渊源的评述颇足珍视。

陆继辂《春芹录·述黄仲则都门秋思诗》记述了毕沅与仲则的一段交

① 引自黄葆树、陈弼、章谷编《黄仲则研究资料》，上海古籍出版社，1986年版，第522页。

吴嵩梁像

谊，毕宫保惜才爱才，真情毕现，确是千古佳话。后仲则果然依附秋帆，获其厚赀，于生活不无小补。在《合肥学舍札记·论黄仲则诗》中，陆继辂记载了另一则轶事，“黄丈仲则诗有云：‘独立市桥人不语，一星如月看多时’，向来平平阅过。顷吴大令山锡语余：‘此诗题癸巳除夕，乾隆三十八年也。其明年有寿张之乱，金星先期骤明，作作有芒角，作者盖深忧之，非流连光景之作也。’余嗟赏其言，以为读古人诗，皆当具此手眼。”[①]语涉对黄仲则诗句的理解，虽不免有些牵强附会，但却为解读此诗提供了一个独特的视角。

潘瑛、高岑《国朝诗萃初集》论黄仲则曰：“仲则天分绝伦，幼有神童之目，朱竹君学士以天才称之，良非虚誉。其诗自汉魏、六朝，下逮唐宋，咸能采撷菁英，自成杼轴。而七古神奇变化，独近青莲，观其太白墓诗有云：‘我所师者非公谁？’可以知所本矣。”[②]对仲则的诗风和诗学渊源作了分析，在众多的相关评价当中，这一段是最为精当准确的。特别是对仲则诗歌渊源的把握，比较全面，能够看到仲则取径多师的用心，非独具只眼者不能道出。

包世臣《齐民四术》论黄仲则诗曰：“仲则先生性豪宕，不拘小节，既博通载籍，慨然有用世之志，而见时流龌龊猥琐，辄使酒恣声色，讥笑讪侮，一发于诗。而诗顾深稳，读者虽叹赏，而不详其意之所属。声称噪一时，乾隆六十年间，论诗者推为第一。”对其秉性气质作了描述，是关于黄仲则性格性情最为生动地记录，对于知人论世，更好地理解仲则诗歌提供了极好的背景材料。“乾隆六十年间，论诗者推为第一”，对于黄仲则在诗坛上的地位，也给予了准确的定位，因而这段话，一再为人所称引。

① 参见黄葆树、陈弼、章谷编《黄仲则研究资料》，上海古籍出版社，1986年版，第181页。
② 同上，第199页。

郭麐《灵芬馆诗话》评黄仲则诗曰:"论诗各有胸怀,其所爱憎,虽己亦不能自喻。黄仲则诗佳者伙矣,随园最称其前后《观潮》之作,杨荔裳爱诵其'似此星辰非昨夜,为谁风露立中宵'之句,金仲莲爱诵其'全家都在风声里,九月衣裳未剪裁'之句。余最赏其'茫茫来日愁如海,寄语羲和快着鞭',真古之伤心人语也。"属于摘句批评,所论均为仲则诗中名句,而且能够概括出仲则诗歌总体的感伤气质,"真古之伤心人语也",真是一语中的。

毕沅《吴会英才集小序》曰:"(黄仲则)曩以薄游关中,绸缪觞咏,才贤并集,实谓胜游。踰年,客死安邑,人传其《过平遥》绝句云'疑是晋乡灵未泯,九原风雨逐人来',词虽警绝,信为诗谶。"信有夙命,哀哉痛哉。

朱庭珍《筱园诗话》主要着眼于仲则诗风的豪气而言,认为其"才力恣肆,笔锋锐不可当",有"大将军本领气度",对仲则的名篇也能给予极高评价。但同时,朱庭珍认为,真正大诗人,应当"敛才气于理法之中,出神奇于正大之域",不可过分逞才,要适当收敛。"仲则七古,尚未望见此境,然足以自豪,卓有可传矣。五古殊欠古厚,律诗则不免靡靡之音。"[①]仲则诗明显依靠大才挥洒,横行无忌,虽"足以自豪,卓有可传",终究美中不足。造成这种局面的原因,朱庭珍认为,是由于"中年早死,故养未纯粹,诣未精深耳",他的学养,他的造诣,因为英年早逝,均未达成熟,未臻化境。不过,指责仲则"律诗则不免靡靡之音",恐失之过苛。仲则诗歌主要成就,律诗一门当为翘楚,其讴歌爱情、吟诵风月之作,如《绮怀》十六首、《感旧》四首、《杂感》四首、《都门秋思》等,脍炙人口,声闻遐迩,向有定评,斥之为"靡靡之音",诚不免头巾之气耳!

五、近代以降黄诗的影响

西方文明结束了中世纪的黑暗和迷茫后,经由文艺复兴、启蒙运动,终于步入了近现代文明的进程。以人为中心的西方人文主义,在经历了近千年以神为核心的蒙昧和黑暗后,也终于发现了"人"和人的价值,逐渐恢复和遵从从前以神的名义被剥夺的要求与权力,人的价值和尊严被重新认识,重新评估。文学的主题也注重于关心人的情感、欲望和需求,侧重于人性领域内的开掘与深化。中国近世文学与世界文学的发展大致同步,也是在这种大的背景下,逐步从以群体为中心,转向以个体为中心。特别注重对个人的

---

① [清]朱庭珍《筱园诗话》卷二,清光绪十年刻本。

要求和权力的尊重，注重反应个体与生存环境的矛盾和冲突，追求人性的解放，进一步与世界文学接轨，与世界文学交融共生。

黄仲则去世后，古老的中国社会发生了前所未有之大变局，鸦片战争使得中国沦为西方列强的半殖民地，亡国灭种成为所有志士仁人为之忧心忡忡的空前的危机和灾难，救亡图存，也就成了一代代知识分子理所当然的历史担当。在中国近世文学向现代文学的递嬗转换过程中，黄仲则及其诗歌的审美意蕴、风格流向与精神气质依然不绝如缕，影响着其后一大批与他有着相似或相同命运，而又多愁善感的知识分子，苏曼殊、柳亚子和陈去病等人就是其中最具代表性的人物。

在20世纪中国文学中，苏曼殊(1884—1918)是一位介于新与旧之间的作家。他"零余人"般的凄苦身世，断鸿零雁式的生涯，聪慧颖悟的天性，披发长歌的壮怀，行云流水的浪漫，以情证道的虚妄，沿门托钵的苦行，志业落拓的抱憾，使得他形成了和黄仲则极其相似的精神气质，都具有天才、真率，忧郁、感伤，怀才不遇、命途偃蹇，甚至薄命的、神经质的共同特点。他的哀情小说，一向被视为"鸳鸯蝴蝶派"的鼻祖。他的译作《拜伦诗选》和创作的《燕子龛残稿》中那些极富浪漫情调的爱情诗，都极大地滋润和影响过"五四"那一代浪漫派。

苏曼殊的诗充满古典气息，意象清新优美，既有方外之士的清越拔俗，又有传统士人的家国情怀。在"古典主义"诗歌终结的时代，他以特殊的才情，在诗词中创辟出了感伤、凄绝的审美境界。拜伦、雪莱等域外诗人的影响，特别是他横跨僧俗两界的特殊身份，以及内心深处情与欲的矛盾状态，使他的诗在情感表达上升华出凄幽哀婉的悲剧之美，诗中所抒之情，缠绵悱恻，哀伤忧郁，真挚感人。这样，苏曼殊诗中所表达的孤独无助、感怀忧伤，不期然的切合了黄仲则在人生路途上孤独彷徨、无所依归的心灵状态。在《燕子龛随笔》中，也曾对黄仲则诗句着意关注，他的诗得仲则之神韵之处甚多。其"芒鞋破钵无人识，踏过樱花第几桥"即取境于仲则"独立石桥人不识，一星如月看多时"；"还卿一钵无情泪，恨不相逢未剃时"或脱胎仲则"珊瑚百尺珠千斛，难换罗敷未嫁身"。清高、孤独、病态、感伤，这种浪漫主义者所特有的情绪和气质，使黄仲则、苏曼殊和"五四"浪漫派，成了精神上的一脉相传。

"鬼才可能容地下，狂名不复到人间。"黄仲则和苏曼殊的死，也有些许相似之处。同样是三十五岁，同样是两个天才，他们都是重情的人，他们都不善“珍摄”，因情伤身，因诗损寿，让人不胜感喟。

“五四”时期，一批受西方文化熏陶和影响的年轻知识分子，秉承“德先生”和“赛先生”的理念，走上了探索民族复兴，追求实现个人价值的漫漫征途。“文学革命”中，周氏兄弟“掊物质而张灵明，任个人而排众数”“人的文学”等主张，是振聋发聩的呐喊和大纛，郁达夫“晓得为自我而存在”也是耳熟能详的空前创获。但这些“求新声于异邦”的舶来品，在老中国的土地上难免有些水土不服。再加上周遭旧营垒、旧势力的壁堡依然固若金汤，虽迭经冲击，仍如百足之虫死而不僵。因而对这批雄心勃勃的少年新锐而言，种种的挫折遭遇也就在意料之中。而尤其当他们种种个人的情感、欲望与周围环境冲突加剧的时候，他们内心的种种失意和不快，也极易造成精神上的萎顿、沮丧与绝望。这时候，他们躁动不安的灵魂，起伏不定的情绪，就势必需要一种能够引起其心灵共鸣的精神产品来加以慰藉和安顿，而黄仲则就是这样的一帖良药。因为黄仲则前所未有的凄凉身世、超拔特出的天才诗艺和他感伤忧郁的诗风，与“五四”青年们很有某些契合点。他诗中所歌吟不绝的种种，对爱情的绝望，个人事业的屡遭挫折，以及多愁多病之身，饥寒交迫的物质生活，等等，都是发自肺肝，呕心沥血之作，是人性的自然流露。真是千古伤心人语，可谓语语沉痛，字字辛酸。“十有九人堪白眼，百无一用是书生”，这一时期，许多与黄仲则具有相似经历、相近气质，处于困境中的知识分子，就很容易和黄景仁产生了强烈的共鸣。因此，黄仲则的名字、事迹曾一度在现代文学史上十分走俏。1925—1935年间，瞿秋白、郁达夫、钱杏邨、缪钺、章衣萍、淦克超、黄汝昌等人，都曾学习鉴赏黄仲则的诗作，著有多篇有关黄仲则研究的介绍之文，不同程度地受到他的影响。

他们不仅读黄仲则的诗，还在许多地方引用他的诗。中共早期领导人之一的瞿秋白，在他的报告文学集《饿乡纪程》中写到与父亲分手时，触景生情，不由自主想起了黄仲则《别老母》中的名句“柴门惨惨风雪夜，此时有子不如无”[①]。在《赠羊牧之》一诗中，瞿秋白联想到自身处境，“我意斯文外，别有天地宽。词人作不得，身世重悲酸”，也感慨地写道，“吾乡黄仲则，风雪一身寒”[②]。创造社的著名作家郁达夫，不仅喜欢黄仲则的诗，还同情其身世遭际，甚至有意向其学习，他的许多旧体诗，就有模仿黄仲则的痕迹。如七律《和冯白

① 瞿秋白《瞿秋白文集》第一卷，引自《黄仲则研究资料》，上海古籍出版社，1986年版，第247页。
② 《江苏党史资料丛刊》1979年第一辑，引同上书。

桦〈重至五羊城〉原韵》:“侏儒处处乘飞马,博士年年伴瘦羊。薄有文章惊海内,竟无饘粥润诗肠。敢夸邻女三秋望,忝受涪翁一瓣香。升斗微名成贱事,词人身世太凄凉。”针对黄仲则凄凉身世而发,表达了对这位盛世诗人的无限同情。有的诗句如“人到中年万事休”“出卖文章为买书”“江山也要文人捧”“生非容易死亦难”,颇有仲则风味。此外,郁达夫还借《感旧》四首为素材,以黄仲则为主人公,创作了小说《采石矶》,而其实是在“夫子自道”。[①]学者阿英(钱杏邨)还曾打算写《黄景仁评传》,后由于种种原因未能完成。[②]

① 参阅黄葆树、陈弼、章谷编《黄仲则研究资料》,上海古籍出版社,1986 年版,第 260 页。
② 同上,第 269 页。

结　语

一、清代文学的总体流向与特征

郭绍虞先生在《中国文学批评史》绪论中曾经指出:“清代学术有一特殊的现象,即是没有它自己一代的特点,而能兼有以前各代的特点。它没有汉人的经学而能有汉学之长,它也没有宋人的理学而能撷宋学之精。他如天算、地理、历史、金石、目录诸学都能在昔人成功的领域以内,自有它的成就。就拿文学来讲,周秦以子称,楚人以骚称,汉人以赋称,魏晋六朝以骈文称,唐人以诗称,宋人以词称,元人以曲称,明人以小说、戏曲或制义称,至于清代的文学则于上述各种中间,或于上述各种以外,没有一种比较特殊的足以称为清代的文学,却也没有一种不成为清代的文学。盖由清代文学而言,也是包罗万象兼有以前各代的特点的。”①其实,清代文学因其所处历史时期的末世性与近世性,与其他时代的文学相比,还是有它有一些自己的独特之处的。

1. 接受主体由文人士大夫转向城乡平民

通常认为,作者、世界或曰环境、作品、读者,再加上传播机制和传播过程,等几个要素,就构成了文学传播的完整链条。生活在世界中的作者,通过自己对环境的观察、体悟,创作出渗透着浓厚个性色彩的作品,通过一定的传播方式和传播机制,为读者所欣赏和接受。在这个过程中,作为创作主体的作者,是文学作品的生产者,读者则是以文学消费者的面目出现。作者与读者,生产与消费,是一对双向互动的矛盾结合体。创作主体所提供的产品能否满足市场需求,能否满足消费者的需求,影响着产品的生产。反过来,接受主体的消费习尚及其品味,也影响和决定着生产者与产品的生产和质量。

就创作主体而言,清代文学的状况较之前代,没有太大、太明显的变化,在自身地位、身份诸方面,基本保持了与前代相似的作者队伍。就是说,清

---

① 郭绍虞《中国文学批评史》,上海古籍出版社,1979 年版,第 6 页。

代文学的创作主体，仍然以文人士大夫等知识精英阶层为主。这批人大都受过良好的教育，自身的文化素质比较高，有的还是有一定身份和地位的官员。我们只要看一下《晚晴簃诗汇》《经世文编》《清诗纪事》《全清词钞》《曲海总目提要》《中国通俗小说书目》，《清史稿》和《清史列传》中的《文苑传》，以及各种文体流派中的主要参与者，诸如四大诗派"神韵""肌理""格调""性灵"，浙西词派、常州词派、阳羡词派，阳湖文派、桐城文派，作家蜂起的戏曲小说领域，就会领略到，这一时期的作家队伍是何其庞大，层面是何其广阔。

与之相对应的是接受主体，即读者群体的新变化、新情况。梁启超说："凡文化发展之国，其国民于一时期中，因环境之变迁，与夫心理之感召，不期而思想之进路，同趋于一方向，于是相与呼应汹涌如潮然。始焉其势甚微，几莫之觉；浸假而涨—涨—涨，而达于满度；过时焉则落，以至于衰熄。凡'思'非皆能成潮；能成潮者，则其思必有相当之价值，而又适合于其时代之要求者也。凡'时代'非皆有'思潮'；有思潮之时代，必文化昂进之时代也。"①晚明直到清初中叶，由于经济的发展，市民阶层的数量空前庞大。他们的出现，使社会形态有所变迁，社会主体的世界观、人生观、价值观，包括生活态度、审美态度亦有所变化，从而促使新的社会思潮和文学观念渐趋生成。可以说，市民阶层的出现，是封建社会出现的新的机运，作为一个新的文化、文学消费群体，对于社会的发展，文学观念的嬗变具有特别重要的意义。

众所周知，中国古代文化文学生产和消费的主体，一直是权力精英和文化精英的专利，下层布衣草根基本上被排斥在外。但随着社会经济文化的缓慢发展，这一局面也在悄然发生着改变。宋代商品经济的出现，催生了坊市瓦肆的出现，市民阶层由此相伴而生。这一特殊群体的出现，使得文学创作，文学消费的主体开始向市民阶层转移。文学也开始越来越大众化、平民化，文学也因经济社会的影响开始商品化进入到特殊的"文化市场"。到明清之际，特别是号称"康乾盛世"的清中叶，由于国家的统一、社会的安定和经济的长足发展，使得人口激增，市民阶层的规模呈日趋扩大之势。其构成主要是小商贩、雇员、艺人、贩夫走卒、引车卖浆者流等中下层城市居民，因其没有显赫的社会地位和雄厚的经济实力，而与达官显贵相区别；他们大多受过教育，粗通文墨，有一定程度的文化修养，也承载积淀着厚重的民族文化传统，但他们的所学多是一些较为粗浅的文化知识，因而区别于文人雅

① 梁启超《梁启超论清学史二种·清代学术概论》，上海：复旦大学出版社，1985年版，第1页。

士。因此，与乡村农民、达官显贵和文人雅士相比，中国古代的市民阶层有着自己独特的文化品位、审美理想和艺术追求。

除了城市里的市民阶层外，广大的农村也是一个广阔的文化、文学消费市场。古代中国，传统上是一个农耕文明为主的古老国度，农村及其农民是构成中国社会的主体。因此，研究中国古代文学，忽视这一点，是不客观的，至少也是不全面的。由于科举制的引领带动作用，书院制度的普及，也推动了文化的下移和草根化，部分地促进了整个社会文化水平的提高。可以说，城市里的精英显贵，其根源绝大部分是在农村，都是从农村走出去的佼佼者。因此，农村就成了盛产和哺育、培养人才的摇篮。分布在广阔农村里的穷寒士子，怀抱出人头地、经邦济世的宏愿，寒窗苦读，孜孜以求，以期金榜题名，平步青云，“朝为田舍郎，暮登天子堂”。他们在读书应举之暇，作为消遣，势必会对诗文、戏曲小说有所涉猎。作为乡村的文化精英，他们的喜怒哀乐，情感欲望，也都会行诸笔墨，见诸诗文，最突出的一个代表就是大名鼎鼎的聊斋老人蒲松龄。因此，他们既是文化、文学的消费者，也是生产者。此外，农村中大量的粗通文墨者和目不识丁者，同样也有一定的文学审美需求，只不过其品位不同于精英阶层而已。所以，明清之际，特别是清中叶时期，从城市，到农村，文学消费的主体越来越平民化、大众化、通俗化。滥觞于宋元、成熟于明代，又在明清易代之际的社会动乱中备受摧残的市民文艺，在新的历史时空下和新的文化土壤上，又重获生机。思想学术界崇情黜理局面的出现及其理欲之辨的深化，使得晚明带有早期启蒙性质的人文思潮，再一次波澜壮阔地展开于这一片既万马齐喑又生机勃勃的土地上，市民阶层审美文化也在以黄宗羲、唐甄、戴震为代表的反抗封建禁欲主义、批判圣人之学和崇尚“弃儒就贾”的社会浪潮中走向成熟。

文学的接受和消费主体，由士大夫阶层转向城乡平民，势必影响文学生产的走向。随着“城市工商业高度发展所带来的市井的扩大、城市人口的剧增，市民阶层向社群转变的完成以及经济、政治地位的提高，作为一种独立的文化族群的市民群体（阶层）最终形成。而这个文化族群一经形成，随着社会活动的加强与突出，共同的物质文化心态逐步趋同，代表这个族群物质文化心态的市井文化就由之产生了”①。市井阶层和乡村阶层共同构成清初中叶文学的接受和消费主体，作为新的消费群体，必然要求相应的、可以满

① 段玉明《中国市井文化与传统曲艺》，长春：吉林教育出版社，1992 年版，第 71 页。

足其消费欲望的精神文化产品，即各种文化或文学文本。文化消费者的审美要求是文学观念形成和嬗变的直接原因。当城乡平民阶层成为文化消费的主体时，由于他们经济地位的不同，文化水平的差异，因而对文化的需求既是多变的，又是多样的。既需要高雅的，也需要通俗的；既需要严肃的，也需要诙谐的，但总起来是趋向于通俗一路的。这便是这一时期小说、戏曲、说唱文学兴盛的主要动因。[①]

除此之外，这种文学的接受和消费主体由士大夫阶层转向城乡平民的新变，还会影响到文学功能的转向，以及推动审美趣味、文学风格由“雅”转向“俗”的变异。

2. 功能上由“载道”转向“尊情”“娱情”

中国文学的“载道”传统由来已久，而且长期以来一直占据主流地位。“文以载道”的艺术命题是宋代理学家、古文家周敦颐提出来的。他在《通书·文辞》中说：“文，所以载道也。轮辕饰而人弗庸，涂饰也，况虚车乎！……文辞，艺也；道德，实也。笃其实而艺者书之，美则爱，爱则传焉。贤者得以学而至之，是为教。故曰：‘言之不文，行之不远。’此犹车载物，而轮辕饰也。然不贤者。虽父母临之，师保勉之，不学也；强之，不从也。不知务道德而第以文辞为能者，艺焉而已。”这里所说的“道”，是指儒家的传统伦理道德。周敦颐认为，写作文章的目的，就是要宣扬儒家的仁义道德和伦理纲常，为封建统治的政治教化服务；评价文章好坏的首要标准是其内容的贤与不贤，如果仅仅是文辞漂亮，却没有道德内容，这样的文章是不会广为流传的。其实在此之前，远在先秦，《论语》中已露端倪，孔子提出“兴观群怨”说，强调《诗经》的社会功能。汉代的《诗大序》中反复论述“故正得失，动天地，感鬼神，莫近于诗。先王以是经夫妇，成孝敬，厚人伦，美教化，移风俗”。与孔子一样，再三强调《诗经》的社会功用，这些都是后世“文以载道”的先声。后来唐代文学家韩愈又提出的“文以贯道”之说，他的门人李汉在《昌黎先生集序》中说：“文者，贯道之器也。”明清之际，“文以载道”说这种得到历代官方认可的主流文学功用理论，自然不会轻易退出历史舞台。沈德潜“格调说”、翁方纲“肌理说”实际上都是“文以载道”说的翻版。

但时代毕竟演进到了清中叶的18世纪，“文以载道”说虽然仍然雄踞诗

① 蒋寅《清代文学的特征、分期及历史地位——〈清代文学通论〉引言》，《烟台师范学院学报》(哲学社会科学版)，第21卷第4期，2004年12月，第1—9页。

坛和文坛，但已是江河日下，日薄西山，早已不复昔日的光荣与梦想。诗歌、小说、戏曲、散文等各个文学领域中，对“情”的推崇，不一而足，渐有后来居上之势。

清初，顾炎武、黄宗羲、王夫之三大思想家，猛烈地抨击封建专制，提倡经经世致用的学风，为清代启蒙思潮开启先路。他们要求要求文章要“有益于世”，在民族危亡之际，要担负拯救国家、复兴民族的责任，并注重教化功能，发挥移风易俗、转变世道人心，使之具有向善的作用。但他们并不废“情”，而是大力“尊情”。王夫之论诗主抒情，“己情之所自发”；顾炎武说“诗主性情，不贵奇巧”；黄宗羲则提出“万古之性情”的观点。虽然顾炎武念念不忘亡国之痛，一心要反清复明，但撇去这层说教的泡沫，我们也不难看出，他对文学作品中“情”的重视是非同寻常的。

其后，进入中叶乾嘉、嘉道时期，袁枚“性灵说”、龚自珍“尊情说”先后相继，桴鼓相应，在清代诗坛上掀起了强劲的“尊情”“崇情”之风，显示了文学发展进入近世期，人性的觉醒和对人的情感的崇尚所达到的新高度。他们尊崇个体生命存在的价值，提倡对“情”的崇仰，肯定个人的情欲、才情、志趣，尤其重视和强调人的个体性，承认人的生物本能性，这对冲破名教与理学牢笼，解放人性起了积极作用，对于人性的自由发展和文学的健康演进，都十分有益。

袁枚论诗，一再标榜“专主性灵”，发抒怀抱。所谓“性灵”是什么呢？袁枚在《钱玙沙先生诗序》中他提出了“巧”与“妙”的审美标准，提倡灵活风趣的艺术风格，即“性情”与“灵机”，合之谓“性灵”。袁枚高举“性灵说”旗帜，一改传统诗学过分强调诗歌社会功能的积习，在诗坛大倡“性灵”之风，真正回归到诗歌本位，不是为了“载道”而作诗，而是因为“性灵”才作诗。他集合包括赵翼、张问陶、舒位、王昙等人在内的一批著名诗人，形成了影响深远的“性灵诗派”。他独树一帜的“性灵说”，冲击了盛行诗坛的“格调派”的模拟复古，“肌理派”的考据学问，以及浙派的琐屑饾饤，开拓了清诗发展的新局而。

其后的龚自珍在道光年间，当满清王朝濒临近代社会之时，继承和发展了明清之际启蒙思想家的“经世致用”，以及清中叶袁枚的“性灵说”，建立起具有启蒙主义色彩的“尊情说”。他在《长短言自叙》中说：“龚子之为《长短言》，何为者耶？其殆尊情者耶！情孰为尊？无住为尊，无寄为尊，无境而有境为尊，无指而有指为尊，无哀乐而有哀乐为尊。”他又说：“虽曰‘无住’，予之住也大矣；虽曰‘无寄’，予之寄也将不出矣。”“无住”“无寄”见诸佛书。鸠摩罗什译《维摩诘所说经・观众生品》记维摩诘语云:"无住为本……从无住本立一切法。"佛教称一切事物和现象为"法",认为一切法都没有独立自主的"自性",都是因缘和合的产物。龚白珍借用"无住""无寄"来描述他所尊之情,就是说一切外在对象、知性、功利、语言概念都没有住止、寄寓在这种特殊情绪之中。它与它们无关,超越了它们,因而"无住""无寄""无境""无指""无哀乐"。也就是说,他的情是发之于自然,而又不得不发的。他所强调的是人性的自然本真,不加矫饰,所谓"无寄";自然而然,酣畅淋漓,一往无前,所谓"无住"。在《书汤海秋诗集后》中,他强调:"诗与人为一,人外无诗,诗外无人,其面目也完。"此处所谓的"完",是一种不假言辞、一片天真的纯粹自然的本真状态,类似于李贽"绝假纯真,最初一念之本心也"的"童心",也与袁枚的"性情""灵机"殊途同归。龚自珍的"尊情说",继承了晚明以来尊崇个性思潮中崇情、重童心,以及强调"人""我"与"心之力"的优秀传统,并在其基础之上进行了淋漓尽致的发挥,因而更具有鲜明的向近世文学深化和转换的启蒙性与时代性。

这与龚自珍一向推崇的具有近代气息和叛逆色彩的追求个性自由的人生理想,是一脉相承的。龚氏强调要任其自然和"解缚",他的《病梅馆记》一文,可以说是追求个性自由,反对专制束缚的宣言。在这篇文章里,那些原本傲霜斗雪、不畏严寒的梅花,被人为"析其正,养其旁条;删其密,夭其稚枝;锄其直,遏其生气",而变成各种畸形状态的病梅,并以之为美。作品用比兴手法,以病梅为喻,是对当时万马齐喑的社会钳制思想言论、戕害个性灵机、摧残精英人才的抨击,也是整个社会沉入病态的写照。他毅然决然地进行了抗争,"即泣之三日,乃誓疗之,纵之,顺之,毁其盆,悉埋于地,解其棕缚,以五年为期,必复之全之"。这不啻是石破天惊的宣言书,宣告与摧残个性,泯灭灵机的专制主义的彻底决裂,宣告对顺应天理人性、追求个性解放的近世潮流的热切呼唤,同时也预示着一个新的社会和新的文学发展机缘的即将来临。

《红楼梦》和《儒林外史》是清中叶小说领域中,具有开创意义的两部优秀之作。《红楼梦》以宝、黛爱情为全书的主线,热情讴歌了二人生死相依,忠贞不渝的伟大爱情。这种爱情不是建立在门当户对的门第基础之上,也不是依凭一厢情愿的单相思,而是基于共同的追求、共同的目标,心心相印,情投意合,是建立在对封建伦理和既成习俗的叛逆,这一共同思想基础之上的爱情。它颠倒了封建时代的价值观念,把人的情感生活的满足放到了最高的地位上。小说也前所未有地描绘出美丽聪慧、活泼动人的如宝钗、湘云、元春、探春等女性群像，用受社会污染较少、富于人性之美的青年女性，来否定作为社会中坚力量的如贾政、贾赦、贾珍、贾琏等士大夫阶层，从而表现出对自然人性的尊崇，对美丽爱情的憧憬和对自由生活的渴望。虽然《红楼梦》始终笼罩着一种宿命的伤感和悲凉，但也始终未曾放弃对美的理想的追求。在引导人性毁弃丑恶、趋向完美的意义上，它闪耀着不朽的光芒。《儒林外史》以科举制张力下的下层知识分子为描写对象，吴敬梓以辛辣的讥讽之笔，对士林中的种种丑态进行了描摹，揭示了封建专制下士林阶层人性的扭曲，是从另一种意义上对人性的呼唤，对自然人性的尊崇和向往。此外，在《镜花缘》《聊斋志异》《子不语》等大批通俗小说中，都或多或少地对"载道"观流露出鄙薄与厌弃，不同程度上表现出对人性人情的推重。

戏曲领域则以《长生殿》和《桃花扇》为代表。洪昇《长生殿》以唐以来叙述、咏叹天宝遗事为素材，"念情之所钟，在帝王家罕有"，重在唐明皇杨贵妃的"钗合情缘"，写出了封建宫廷中帝王与妃子的真实关系、真实情况，真实地展现了封建帝王与妃子的情爱生活，也塑造出了一个具有高度艺术真实的宠妃的性格，"借太真外传谱新词，情而已。"明确指出自己创作此剧的动机和目的就是为了歌颂李杨帝妃之间罕有其匹的真挚爱情。经过"冥追""觅魂""补恨""寄情"，执着的感情和真诚的忏悔，终于得到了天孙、玉帝的恩准，双双进入月宫，实现了"长生殿里盟言"。他们的爱情不仅生前在真实的世界里缠绵悱恻，死后在虚幻的世界里依然刻骨铭心，这就将《长恨歌》里无法实现的幻景化作了幻想中实现了的美好愿望，以精神的"长生"消解了现实的"长恨"。虽然还是留下了非现实的缺憾，但却表现出对至真之情的崇尚，是晚明尚情的思想的回响，也与清初的启蒙思潮息息相通。

《桃花扇》虽然是一部接近历史真实的历史剧，但孔尚任在全剧创作中仍以清流文人侯方域和秦淮名妓李香君的离合之情为线索，通过二人悲欢离合的爱情故事来展示和揭露南明弘光小王朝兴亡的历史面目。"借离合之情，写兴亡之感"，把个体的爱情置诸与时代兴亡的历史风云中，可见爱情威力的非同小可。

3. 风格上由"雅"趋"俗"

清代初中叶，由于文学的创作主体和接受主体都在不同程度上发生了某些变化，特别是作为接受主体的读者群由士大夫向城乡平民的转化，促成了文学欣赏阶层的大众化、平民化和通俗化的转向。这种变化，不仅使文学的功用由"载道"转向了"崇情"，而且，这种大众化、平民化和通俗化的鉴赏品味，也推动了文学书写的总体风格由"雅"向"俗"转化的趋向。

不可否认，诗词文等传统的文学体裁在清代依然占据主流位置。但同样不可否认的是，一向被视为小道末流、不登大雅之堂的戏曲、小说等通俗文学体裁，在清代却大行其道，由附庸而蔚为大国，其风头大大超过诗词文，一跃而为文坛的主流、主角。人们众口相传、津津乐道的不再是某人某诗或某人某文，而是"开谈不说红楼梦，读尽诗书也枉然"（清得硕亭《京都竹枝词》），"家家收拾起，户户不提防"①。同时，通俗文学市场的商业竞争也造成新的人才流向，市场竞争机制与刻书业的发达相呼应，共同造就了通俗文学创作的繁荣局面，也改变了传统的文学格局。② 而作家的才能也适应这种变革走向多元化，一大批本以"雅"文学自命的文人士大夫，也纷纷纡尊降贵，加入通俗文学的创作队伍中来，涌现出吴伟业、丁耀亢、金圣叹、尤侗、黄周星、董说、蒲松龄、廖燕、曹寅、孔尚任、洪昇、徐大椿、吴敬梓、郑板桥、蒋士铨、屠绅、黎简、王昙、舒位等，一大批在传统文学和通俗文学两方面都取得很高成就的作家，在通俗文学方面的成就同样令人所瞩目。

长篇小说小说除了《红楼梦》和《儒林外史》之外，还有李汝珍的《镜花缘》，署名"西周生"的《醒世姻缘传》，李百川的《绿野仙踪》，李绿园的《歧路灯》等。清中期拟话本形式的白话短篇小说，较著名的有题"圣水艾衲居士编"的《豆棚闲话》、杜纲的《娱目醒心编》及李渔的《无声戏》《十二楼》。才子佳人小说，最著名的是《玉娇梨》《平山冷燕》《定情人》等。

戏剧中的佼佼者自然非《长生殿》《桃花扇》莫属。

清初中叶文学风格的通俗化，还表现在散曲、子弟书、快书、评话、鼓词、鼓书、评书、弹词，以及宝卷、道情、小曲、南音等大量说唱文学的相关文本中，而这种说唱文学的传播方式之迅捷，受众面之广，普及程度之高，是前所未有的。由此亦可见出整个有清一代文学风格由"雅"趋向"俗"，确实是一个不可逆转的趋势，它与其后的"诗界革命""戏剧改良""白话运动"等前后

① 语出[清] 李玉《千钟禄·惨睹》【倾杯玉芙蓉】："收拾起大地山河一担装，四大皆空相，历尽了渺渺程途，漠漠平林，垒垒高山，滚滚长江，但见那寒云惨雾和愁织，受不尽苦雨凄风带怨长。雄城壮，看江山无恙，谁识我一瓢一笠到襄阳。"洪昇《长生殿·弹词》【南吕一枝花】："不提防馀年值乱离，逼拶得岐路遭穷败。受奔波风尘颜面黑，叹衰残霜雪鬓须白。今日个流落天涯，只留得琵琶在。揣羞脸，上长街，又过短街。那里是高渐离击筑悲歌，倒做了伍子胥吹箫也那乞丐。"

② 蒋寅《清代文学的特征、分期及历史地位——〈清代文学通论〉引言》，烟台师范学院学报（哲社版），第 21 卷第 4 期，2004 年 12 月，第 1—9 页。

相接，共同开启了"五四"新文学的先声。

二、文学自身的近世性新质

章培恒先生一向认为，就提倡以个人为本位，注重个性的精神这一点而言，在近世文学中，主要表现为开始注重对人性问题的思考，与此相关的则是强调对自我的尊重。其次是对文学本身特征和价值的认识，包括对文学本体价值的认识和重视，以及对文学审美形式的探索和强调。再次是文学创作的实践。依据章培恒先生关于中国文学史分期的有关看法，中国文学发展到清初中叶时期，显然已经步入了近世文学的嬗变期或深化期。因此，强调人性的解放，自觉融入世界现代文学的潮流，广泛吸收各种积极有益的文学潮流和文学思想，高度重视文学的审美形式和艺术特征，应当成为此一时期文学的共同特征。[①] 那么，在这一时期文学自身究竟发生了那些新的变化呢？这些变化对于近世文学有什么样的作用，以及这些作用是如何发挥的，正是本著要讨论的问题，限于篇幅和个人才力，仅就这一时期文学对人性问题的关注，作为主要论述对象，其他方面暂付阙如。

1. 通俗白话小说的异军突起成为近世文学嬗变的先导

清中叶乾嘉时期以小说、戏曲为代表的通俗文学大行其道，已成为不可逆转之势，尤其是通俗白话小说的异军突起成为近世文学嬗变的先导，其中尤以《红楼梦》《儒林外史》表现最为显著。

《红楼梦》[②]主题和情节的多义性、复杂性和开放性，一直是一个争论不休、悬而未决的问题，"经学家看见《易》，道学家看见淫，才子看见缠绵，革命家看见排满，流言家看见宫闱秘事"（鲁迅《〈绛洞花主〉小引》）。但无论如何，"大旨谈情"，小说中对宝黛爱情的描写，以及"木石前盟"与"金玉良缘"的对峙，则是不容忽视的，也是其中最有价值的部分。

贾宝玉是金陵四大家族——贾、史、王、薛中贾家荣国府二老爷贾政的二公子。作为荣国府嫡派之孙，他衔玉而生，出身不凡，又聪明灵秀，是贾氏家族寄予重望的继承人。但贾宝玉是一个性格叛逆，不喜欢读书，尤其是厌恶八股文，不追求上进，即奇又俗的人物，是一个封建家庭叛逆者的形象。

---

① 章培恒、骆玉明《中国文学史新著》，上海：复旦大学出版社/上海文艺出版总社，2007 年版，第 389—399 页。

② 此处所引用的《红楼梦》版本，为中国艺术研究院红楼梦研究所的校注本，北京：人民文学出版社，2008 年版。

他的另一个显著的性格特点就是他对“情”的执着和迷恋。他尊重女性、热爱女性、崇拜女性、同情女性。不难看出，他性格的核心是平等待人，尊重个性，推崇自由，主张各人按照自己的意志自由生存，这些已经具备了现代理想人格的基本特征。贾宝玉的人生理想就是只企求随心所欲、听其自然，亦即在大观园女儿国中那种斗草簪花、低吟浅唱、自由自在的生活。他宣称“女儿是水做的骨肉，男子是泥做的骨肉”，“凡山川日月之精秀只钟于女儿，须眉男子不过是些渣滓浊沫而已”。贾宝玉生长在少女群中，他对许多少女都多情，多所眷爱，喜欢林黛玉，暗慕薛宝钗，欣赏史湘云，尊重袭人、晴雯等一干丫鬟。而且他的爱并非只是男女之爱，而是更广泛意义上的对周围不幸者的泛爱，抑或是一种博爱。

他和黛玉之间的爱情是作者倾注毕生精力和心血，倾情刻画的千古绝唱。林黛玉首先是个秀外慧中的女性，富有西施式的清瘦之美，更具有绝世的姿容。林黛玉之美，还表现在她才学横溢和浓郁的诗人气质，她是“海棠诗社”中才冠群芳的诗中魁首。但林黛玉生性孤傲，天真率直，和宝玉一样，憎恨繁文缛节，从不逼宝玉做不愿意做的事。她蔑视功名权贵，她和宝玉有着共同理想和志趣，真心相爱，最终泪尽而逝。

宝黛爱情的最终结局令人叹惋，他们深于情而绝望于情。对于宝玉而言，为情而生，因情而死，追求“情”在生活和生命中的重要价值，甚至用死来显现“情的价值”高于“生命的价值”，“之死靡它”，这就是宝玉的终生事业。迂腐如贾政，凶蛮如贾赦，毒辣残酷如凤姐，禄蠹如贾雨村，跛扈颟顸如薛蟠，滥情纵欲如贾珍、贾琏，以及内热外冷、感情上严重分裂如薛宝钗等，他们都在“他乡”中迷失了自我，陷入了分裂，不过是行尸走肉，虽生犹死。同这些扭曲的人性相比，宝黛更多地保持了自然个性的完整与和谐，在忠实于自我上，依然保持着自我的统一。从人性角度而言，他们才是真正意义上的真、善、美。这种对自由美满爱情以及自然人性的向往和执着追求，无论如何，都具有近世文学追求个性解放、尊崇个人情感的意义，因而值得我们珍视。

另一部有影响的小说《儒林外史》[①]，着重揭露和鞭挞科举制对人性的戕害，凸显士林阶层在生存环境中的种种尴尬，以及心灵上的扭曲和精神上的堕落，同样洋溢着近世文学某些特质的理性光辉。

① 此处所引用的《儒林外史》，系以祖本五十六回卧闲草堂本为底本，张慧剑校注，人民文学出版社1995年版。

《儒林外史》的主题是显豁明了的，“机锋所向，尤在士林”（鲁迅语），对于遭受欺侮、摧残、压榨等“厄运”的一代文人，给予了同情。而对于沉溺于科名功利不能自拔、造成人格扭曲却又沾沾自喜的士人，又给予了深刻的批判与嘲讽，对于德行高洁、讲究文行出处的高隐、真儒、奇人等形象则给予了赞美。面对士林文坛整体人格的滑落，作者也设计出了拯救的方案，寄予了殷切的期望。

“八股士”和“假名士”是吴敬梓笔下所鄙视和批判的对象，他们共同构成了封建末世士人整体人格沉沦的现状。“邦有道则仕，邦无道则隐”，“达则兼济天下，穷则独善其身”，“不汲汲于富贵，不戚戚于贫贱”，他们既缺乏儒家的担当意识，毫无责任感和使命意识，也没有道家的超脱情怀，全然丢弃和遗忘了真正的文化思想传统，在功名利禄为导向的在科举制张力下，彻底丧失了独立人格和独特个性，成为中国士文化史上最卑微、最驯服的一群犬儒和奴才。屈原曾经标举的所谓“举世皆浊我独清，众人皆醉我独醒”的人格魅力和个性追求早已成为过眼云烟。

作为封建末世叛逆者和批判者的吴敬梓，并不是一个纯粹意义上旧秩序的破坏者。以他个人对封建制度和文化的浸淫与濡染，以及他个人的认识水平，恐怕还没有上升到对造成这一切的制度本身的怀疑和否定，因而他反抗的目的其实还是重在重建，“扶大厦于将倾”，重建以儒家学说为核心价值的士林整体人格体系。当他发现士林中一片狼藉，士林阶层的朽败与没落已经难堪重任时，面对由他们联手造成的浇薄世俗和堕落士风，吴敬梓似乎并未绝望，仍然苦口婆心地为士林阶层设计了寻求理想人格和灵魂救赎之路，他悄然换了一套新的价值标准，转而将目光投向了那市井中间有闪光人格的“几个奇人”：写字的季遐年、卖火筒的王太、开茶馆的盖宽、做裁缝的荆元。他们分别精通琴棋书画，过着自由快乐的生活。与一般士子不同的是，他们都是市井中人，处于社会政治权利的边缘地带，对待名位、声誉的态度比较超脱淡漠，具有较强的自我意识，注重独立人格的培养和追求，所以，他们不像正宗文人那样孜孜以求，总是冀求跻身于庙堂中心和时代涡流之中。他们经济上自食其力，精神上任性自由、清醒独立；生活于市井但隐逸于琴棋书画；既不受名利束缚，又能追求个性的解放和伸张。称他们为“奇人”，是因为他们并不是纯粹的儒林中人，而有着市民的生存技能，传统真儒的品格精神，魏晋名流的风度神韵、自由精神。作者融众多品格于一身，塑造出“市井四奇人”的形象，体现了他对于文人理想人格的新悟：知识分子只有彻底摆脱掉对庙堂的膜拜与依附，甘心位于边缘境地，淡泊名利，清贫自守，方可保全独立完整的人格，真正实现人的价值。因此，“四大奇人”的出现，意义是非凡的。从王冕到杜少卿，以至这四个“市井奇人”，都是作者理想人格的具体化身。吴敬梓正是通过名士、贤人、奇人形象来不断实现自己对于文人理想人格的探索。而崇尚自然、任情适性的魏晋风度，则成了贯穿这一探索始终的文人独立人格、自由精神的体现，成为它们的重要品质。

《儒林外史》真实地写出了士人在封建制度和科举制笼罩下人性的扭曲和变形，写出了士人整体人格堕落的现状，以及作者为了改变这些状况而做的种种探索和努力。在专制统治甚嚣尘上、登峰造极的乾嘉之际，皇权这把高悬在士人头上的达摩克利斯之剑，使得知识分子个人的命运和前途实际上处于一种朝不保夕、岌岌可危的地步，个人和生存环境之间的矛盾与冲突，呈愈演愈烈之势。因此，追求人性自由和解放，也就成为时代的必然趋势，也是文学作品必然反映的主题之一。吴敬梓的《儒林外史》可以说是把握了这种趋势，并与之同步前行。

2. 清初中叶戏剧彰显出来的流风余韵

明清易代之际，汉族人民在血雨腥风之中，心中的惊悸和惶恐自然不言而喻。面对百孔千疮的社会，以及低人一等的屈辱，痛彻骨髓的凄凉沧桑之感，萦绕在敏感而多思的文人士子脑际，如梦魇般挥之不去。于是在昆腔京韵、花雅递嬗的浅吟低唱中，也就寄寓了对乱离和兴亡的感喟与悲叹，有时也以悲欢离合的男女爱情故事来托古伤今。因此，也就有了若干受人瞩目之作，如初期有吴伟业的《秣陵春》《临春阁》《通天台》，李玉的《千钟禄》，中期则有洪昇的《长生殿》和孔尚任的《桃花扇》。其中尤以洪、孔二剧最为知名。

洪昇《长生殿》以人所习知的唐代李杨爱情故事为素材。其命意十分显豁，即“念情之所钟，在帝王家罕有”，重在唐明皇杨贵妃的“钗盒情缘”，“借太真外传谱新词，情而已”。剧本最后一曲又以“旧《霓裳》，新翻弄。唱与知音心自懂，要使情留万古无穷”与之遥相呼应。明确指出自己创作此剧的动机和目的是“言情”，就是为了歌颂李杨、帝妃之间罕有其匹的真挚爱情。

李隆基与杨贵妃的爱情故事之所以传诵以久，为人所津津乐道，其原因在意二人不同凡响的地位和身份，以及它们之间的悲欢离合所具有的特殊的意义。他们不同于普通男女之间的爱恨情仇，他们一个是一言九鼎、声威赫赫的帝王，一个是倾国倾城、美貌绝伦的绝世佳人，帝王的宠妃。普通人的爱情只是两个人之间的事，而皇帝和后妃之间的恩怨情仇，就不单是两个人的事，而是动辄关乎江山社稷，涉及黎民苍生，乃至国家安危。在《长生殿》中，洪昇既要考虑到他们身为帝、妃的特殊身份，又要从普通人的角度出发，描写他们与普通人一样所具有的因爱而生的酸甜苦辣、悲欢离合。

他们的爱情不仅生前在真实的世界里如火如荼，死后在虚幻的世界里依然刻骨铭心，这就将《长恨歌》里无法实现的幻景，化作了幻想中实现了的美好愿望，以精神的"长生"消解了现实的"长恨"。虽然留下了非现实的缺憾，但却表现出对至真之情的崇尚，是晚明尚情思想的回响，也与清初的启蒙思潮息息相通。

孔尚任在《桃花扇》凡例中说："朝政得失，文人聚散，皆确考时地，全无假借。至于儿女钟情，宾客解嘲，虽稍有点染，亦非乌有子虚之比。"但《桃花扇》并非严格意义上完全符合历史真实的历史剧。他不过是"借离合之情，写兴亡之感"，在全剧创作中仍以清流文人侯方域和秦淮名妓李香君的离合之情为线索，通过二人悲欢离合的爱情故事，来展示和揭露南明弘光小王朝兴亡的历史面目。虽然爱情在全剧中似乎只是处于从属的味道配角，但反过来说，孔尚任把个体的爱情置诸与时代兴亡的历史风云中，让他们的爱情建立在共同政治理想的基础之上，还是体现了爱情威力的非同小可。

《桃花扇》中侯方域、李香君之间的爱情，不同于《长生殿》中的李杨之爱，因为时代的氛围发生了天翻地覆的巨变，且个人不同的身份地位，也使得他们各自的爱情故事呈现出各自的风采。清初黄宗羲发出了"天下之治乱，不在一姓之兴亡，而在万民之忧乐"的呼喊；乾隆时，戴震提出了"理也者，情之不爽失也，未有情不得而理得者也""今以情之不爽失为理，是理者存乎欲者也"的观点，将"情""欲"凌驾于"理"之上，不仅从根本上否定了程朱理学"存天理，灭人欲"的理论，而且为人们按照"情""欲"的要求重新设计自己的生活道路开辟了新的空间。他们呼唤人的价值的复苏，鼓励人们要实现自己的价值，在那个时代，这无异于一声春雷。个体的人性开始觉醒，或者说是重新觉醒，然而他们面临的现实，却是江山社稷的兴废变乱，专制集权统治的高压和酷烈，个人与社会大环境的矛盾与冲突也愈演愈烈，势如水火，不可调和。

《桃花扇》中侯、李之间的爱情就带有明显的时代烙印。他们都正值年轻气盛，才华横溢，具备传统爱情题材中郎才女貌的基本条件。

李香君是秦淮河畔的一位有名的歌妓，和许多少女一样，对自己的幸福有过憧憬。她的非凡之处就在于，她对爱情的追求，不仅限于才貌，而更希冀一种灵与肉的结合，一种基于志同道合前提下的真正的情与欲的碰撞。这种志同道合，在当时的特殊历史时空下，就是反对阉党余孽如马、阮者流，支持弘光小朝廷，抵抗清兵南下，反清复明，这就是她与侯方域爱情的基础。这种对爱情价值的理解和追求，显然不同于杨玉环仅仅满足于个人恩宠的天长地久和家族威势的历久不衰。当然，一个烟花女子，能有这样的识见，确乎独出众流之上，巾帼不让须眉，不要说阮大铖、马士英之流等而下之，即使像侯方域这样以清流自命、以气节自许的复社文人也自叹弗如。其原因，固然有剧作家对南明朝文臣武将衮衮诸公治国无方、党争不休的绝望和批判，很大程度上也寄寓了剧作家自身的政治理想和道德期待，因而不免有拔高之嫌。

作者把这对爱情主人公放到动乱的时代、复杂的政治纠葛中去，处在这样一个时代激流的漩涡里，负载着沉重的社会义务的侯、李二人，必然像《长生殿》里的李、杨那样，出现爱情和政治、个体利益和社会需求的剧烈的矛盾冲突。这种个人与环境之间巨大的矛盾冲突，在戏剧中得以表达，且达到了空前的艺术成功，说明文学发展到了近世阶段，其演变与深化的脚步愈益加快，其深度与力度也愈益加大。

3. 桐城文派“义法”理论的盲区——人性人情的欠缺

清代文坛上最大的散文流派是桐城派，亦称“桐城古文派”。其文统源远流长、文论博大精深、著述丰厚清正，在中国古代文学史上占有显赫地位。戴名世、方苞、刘大櫆、姚鼐被尊为桐城派“四祖”，师事、私淑或服膺他们的作家，遍及寰中宇下，主盟清代文坛二百余年，其影响延及近现代。

桐城派的文章，在思想上多为“阐道翼教”、宣传儒家思想，尤其是程朱理学而作。在选取素材，运用语言上，只求简明达意、条理清晰，“清真雅正”。

在理论上，方苞作为“桐城派”的开山祖之一，继承归有光的“唐宋派”古文传统，提出了“义法”主张：“义”即“言有物”，文章要有内容；“法”即“言有序”，文章要有条理和形式技巧。他要求文章风格的须“雅洁”。

刘大櫆《论文偶记》中也强调：“义理、书卷、经济者，行文之实，若行文自另是一事。譬如大匠操斤，无土木材料，纵有成风尽垩手段，何处设施？然即土木材料，而不善设施者甚多，终不可为大匠。故文人者，大匠也；义理、书卷、经济者，匠人之材料也。”关注的是写作技巧的重要性。

作为“桐城派”理论的集大成者，姚鼐则更进一步地提出了“义理、考证、文章”三者兼长相济的理论主张。方苞的“义法”说，提供了解决了文章内容与形式统一的办法，姚鼐的“义理、考证、文章”三者兼长相济说，则进一步提出了学问与文章相结合的要求，为桐城古文的发展奠定了坚实的基础，开辟了更为广阔的道路。在姚鼐生活的乾嘉时期，桐城派由此繁荣壮大，一枝独秀，并被人们公认为“正宗”，标志着清代独具集大成特色的散文，业已发展到成熟的阶段。

在学习他人的具体方法上，姚鼐在《古文辞类纂·序目》中提出了“神、理、气、味、格、律、声、色”八个审美要素。他说：“神理气味者，文之精也；格律声色者，文之粗也。然苟舍其粗，则精者亦胡以寓焉。”

关于文章的风格，姚鼐《海愚诗钞序》中说：“文章之原，本乎天地；天地之道，阴阳刚柔而已。苟有得乎阴阳刚柔之精，皆可以为文章之美。”另一篇《答鲁挈非书》中也有相近的表述，都从审美角度揭示出文章“阴阳刚柔”的两种风格之美。

由桐城派的创作实践及其理论主张，我们不难看出，这个清代文坛上最大的散文流派，之所以声势浩大、颇具影响，个中缘由不言自明。桐城派的“义法”理论，可为“制举之文”所利用。这种适应清朝统治者提倡程朱理学需要的“载道”思想、以“道统自任”的自觉卫道意识，其实就是努力为官方服务，自觉充当官方价值观念和道德伦理的传播者和鼓吹者。这一点，是为庙堂所默认和大为嘉许的，因而其在清代文坛上影响极大，从康熙一直绵延至清末，得以长盛不衰。

无论是“义法”“雅洁”，还是“义理、考据、词章”“神、理、气、味、格、律、声、色”，讲的都是关于文章的思想内容、写作方法以及风格特色等方面的问题，这些不能说没有道理，但却忽视了一个重要问题，就是对“情”的关注。文学作品最重要的价值就在于它能反映人情物理，刘勰在《文心雕龙·神思》中，叙述形象思维的情景说，“登山则情满于山，观海则意溢于海”，“谈欢则字与笑并，论戚则声共泣偕”。庄子《渔父》也曾说过，“不精不诚，不能动人”。文学毕竟是人学，感情是作者进行形象思维的一个重要因素，是文学作品不可缺少的重要内容。只有写出了自己的真情实感，说出人人心中所有而笔下却无的话，才会打动读者，引起他们发自内心的共鸣。不带感情色彩、不能引起读者情感共鸣的作品不是成功的作品。但他们的理论中有一个极大的盲区，这便是对“情”的忽视，我们从“桐城派”代表作家的文论中很少能看到他们关于“情”的探讨。

不管是有意还是无意，“桐城派”文论家理论上对“情”的忽视，确是客观存在。但在其创作实践上，似乎二者并不完全一致，“桐城派”代表作家的作品中也有许多关于“情”的篇什。泛览方苞《望溪先生全集》、刘大櫆《海峰文集》和姚鼐《惜抱轩全集》，就会发现，除去那些经世致用、关心民瘼、表彰正气、揭露黑暗的篇什，以及那些流露真知灼见的论学、论史、论文之作外，也有许多的寿序、墓志铭、家训等一类应用文字和人情应酬之作，而描写自然风光、记载亭台楼阁，逸兴遣怀、感发人性的篇什等等，也确有许多精心结撰之作，其中亦不乏艺术珍品，尽管此类文章在他们个人的别集中所占比例微乎其微。由此可见，人情人性魅力之大，是无法压抑的，必然会通过各种方式在作品中流露出来。

譬如方苞，在某些地方也强调文章以情感人的重要性，他认为“然则在文言文，虽功德之崇，不若情辞之动人心目也”（《与程若韩书》）。他的《先母行略》《兄百川墓志铭》《鲍氏妹哀辞》《亡妻蔡氏哀辞》等，也抒发了母子之情、兄弟之情、朋友之情、夫妻之情、主仆之情等等，文章体制短小，但却韵味隽永、情深意长。

游山泛水、写景状物的记游散文，本应成为写意遣怀、抒发性情的佳构杰作，但由于他们刻意保持古文家的身份，在模山范水中仍不忘“义理”，就使得这类文章也减少了可读性。他们写了不少有关山水游记的文章，方苞的《游雁荡记》、姚鼐的《登泰山记》、刘大櫆的《游三游洞记》，都是名篇。方苞的旨意不在模山范水，游兴游踪，而是着眼于游时的所见所思，重点写“感”与“理趣”。他认为，人们能够认识“修士守身涉世之学”和“圣贤成己成物之道”的真谛，就在于游览雁荡山时，发现雁荡山能完好地保待“太古之容色”，能使人产生“严恭静正之心”。仍然是一副古文家念兹在兹、重视义理的本色。姚文在面对东岳极顶时，则离审美遣兴走得更远，虽然也为自然界中最美妙、最生动的画面所震撼，把一个五彩缤纷、奇丽壮观的世界展现在读者面前，但同时作者又笔锋陡转，摒弃人生感慨的内容，而是把对泰山自然风光的描写，与古今地理沿革的稽考相合揉，形象地体现了他“义理、考据、辞章”三者统一的文论主张。倒是刘文，不仅对游历路线，山川岩洞，所见所闻，交待得清清楚楚，极尽形容之能事，读之如见其形，如闻其声，如临其境。而且，作者在纪游中融进个人的生活遭际，借山水以抒怀，跌宕、冷峭，读来快人胸怀。

姚鼐编《古文辞类纂》是代表“桐城派”散文观点、示范其文章理念的一部选本。近七百篇文章中，大部分是以“义法”笼罩下的、讲求“雅洁”的论说文，而且大部以韩、欧为鹄的，唯其马首是瞻。尽管如此，仍然有传状、哀祭、杂记等类抒发性情篇什，并非全是一本正经的卫道之作，也绝非情感的荒漠。

由此可见，作为文学作品，人性的完沛与情感的真挚是至关重要的，也是构成文学作品不可或缺的重要因素。这些因素并不因理论的高妙和学理的深远而有所削弱，也不因作品所承载的社会功能繁复沉重而有所淡化，犹如严冬酷寒笼罩下的小草，遇到合适的季节和温度，迟早还是会蓊郁苍翠、满眼新绿的。尽管"桐城派"的文学主张以卫道文学自居，但其中隐约呈现的人性光辉与情感魅力，与乾嘉时期整个文学的"崇情""尊情"的大趋势大致还是保持了同调的。

三、世界文化视野中的乾嘉诗坛

明崇祯十七年甲申(1644)，清军入关，是为顺治元年。此时正值西方英国资产阶级革命时期，当东方古老的中华大地上，因为明清易代、王朝更迭而杀得难分难解之际，英国的资产阶级革命也正如火如荼，轰轰烈烈。

革命的缘由其实并不复杂。17 世纪中期，英国已经变成拥有广大殖民地的海上强国，资本主义经济的迅速发展，不仅摧垮了英国的封建经济基础，也培育了一个新的阶级，即资产阶级，新贵族的势力也随之增强。但是保护它的上层建筑却不愿自动退出历史舞台，这成为资本主义进一步发展的最大阻碍，也成为革命爆发的根本原因之一。1689 年《权利法案》(The Bill of Rights)的颁布，是这次革命的一个重要成果，标志着君主立宪制的资产阶级统治的确立，其内容并不多，只有短短的十三条，核心是限制王权，扩大议会及人民的权利。《权利法案》的颁布，不仅为限制王权提供了法律保障，而且也标志着人类社会由专制转向民主，由人治转向法制，是英国人民对民主和法制的重要贡献。

而这次资产阶级革命的重要思想资源，则源自此前的文艺复兴运动(The Renaissance)。文艺复兴是一场发生在 14 世纪中期至 16 世纪末的文化运动，其思想解放动摇了整个欧洲专制统治的精神支柱。

西欧的中世纪(The medieval，约 476—1453)是个特别"黑暗的时代"。基督教教会成了当时封建社会意识形态的核心和各阶层民众的精神支柱，它建立了一整套严格的等级制度，把上帝当作绝对的权威。文学、艺术、哲学一切都得遵照基督教的经典——《圣经》的教义，谁都不可违背，否则，宗教法庭就要对他制裁，甚至处以死刑。在教会的专制下，中世纪的文学艺术死气沉沉，科学技术也没有什么进展。公元 6 世纪到 14 世纪，两次黑死病（亦称鼠疫）席卷欧洲，导致人口急剧下降，也加剧了人们心中的恐慌，使得人们开始怀疑宗教神学的绝对权威。有人认为，这场黑死病严重打击了欧洲传统的社会结构，削弱了封建与教会势力，间接促成了后来的文艺复兴与宗教改革运动。

其后，资本主义萌芽在多种条件的促生下，于欧洲的意大利率先出现。城市经济的繁荣，物质财富的迅速积聚，使事业成功、财富巨大的作坊主、富商和银行家等新生资产阶级更加相信个人的价值和力量，更加充满创新进取、冒险求胜的精神。与此同时，多才多艺、高雅博学之士受到人们的普遍尊重。这就为欧洲鼓吹人的自由这种新的思想运动——文艺复兴的兴起提供了深厚的物质基础和适宜的社会人文环境。

古希腊和古罗马时代，文学艺术的成就极其辉煌，是古典文学的代表。那个时期，人们拥有言论自由，可以自由地发表各种学术见解，表达各种学术思想，这与黑暗的中世纪是个鲜明的对比。这种辉煌的成就与资本主义萌芽产生后，人们精神需求的趋向也是一致的。于是，许多西欧的学者纷纷要求恢复古希腊和古罗马时代的文化与艺术，文艺复兴运动由此兴起。

人文主义（Humanism）是文艺复兴的核心思想。在中世纪，理想的人应该是自卑、消极、无所作为的，人在世界上的意义不足称道。而人文主义的理念，其重点则是“人”，是“人”的发现和人的伟大。“人”的本能的发挥，是“人”追求真善美的动力。人文主义者高扬“人性”和“人权”的大纛，对封建教会所秉持的“神性”和“神权”发起了猛烈地进攻。他们歌颂人的智慧和力量，赞美人性的完美与崇高，重视、肯定人的价值和创造力，他们主张人要获得解放，反对禁锢人性，个性应该自由，提倡积极冒险精神。他们反对宗教禁欲主义，重视人性，重视现世生活，要求现世幸福和人间欢乐，追求物质幸福及肉欲上的满足，藐视关于来世或天堂的虚无缥缈的神话。在文学艺术上要求表达人的感情，反对虚伪和矫揉造作。这在彼特拉克的《歌集》和薄伽丘的《十日谈》中都有极其生动的反映。“人文主义”的兴起，艺术风格的更新，空想社会主义的出现，近代自然科学的开始发展，印刷术的广泛应用和科学文化知识的传播与普及，等等，这一系列的重大事件，都标志着“文艺复兴”是“创新”而非“复兴”，是近代文化的开端，而非古典文化的再生。因此，“文艺复兴”是新兴资产阶级在意识形态领域里的一场革命风暴，在人类文明发展史上标志着一个伟大的转折，对当时及其后世的政治、科学、经济、哲学、神学世界观都产生了极大影响。

其后很长的一段时间内，自然科学取得很大进展，科学家们揭示许多自然界的奥秘，特别是哥白尼的“日心说”，使得教会一向鼓吹的“地心说”不攻自破，封建教会的理论基础摇摇欲坠，人们对自身的认识能力也有了更多的自信。

尤其在文学艺术领域，但丁、彼特拉克、薄伽丘、莎士比亚、达·芬奇、米开朗琪罗、拉斐尔等一大批文学、艺术巨匠纷纷登场，创造出大量富有魅力的精湛的艺术品及文学杰作，成为人类艺术宝库中无价的瑰宝。

“文艺复兴”这场广泛持久的思想文化运动，不仅在意识形态领域中摆脱了封建专制和宗教神学思想对人的精神束缚，解放了人的思想，推动了欧洲文化思想领域的繁荣，也为欧洲资本主义社会的产生奠定了思想文化基础。同时，对于其后进行的新航路开辟、宗教改革、启蒙运动以及后来风起云涌、如火如荼的资产阶级革命或改革也具有深远影响。

随着资本主义的发展，新兴资产阶级逐渐走上了历史舞台，他们要求冲破封建专制统治和教会压迫的愿望日益强烈，率先在思想领域解开了抗争的序幕，由此掀起了继文艺复兴运动之后又一场空前的思想解放运动，这便是启蒙运动。

启蒙运动(The Enlightenment)，通常是指在18世纪初，至1789年法国大革命期间的一个较长的文化运动时期，涵盖了自然科学、哲学、伦理学、政治学、经济学、历史学、文学、教育学等各个知识领域，是继文艺复兴运动之后欧洲近代第二次影响深远的思想解放运动。

启蒙运动就字面上讲，是启迪蒙昧，开启民智，提倡普及文化教育的运动。但其实质是宣扬和鼓吹资产阶级政治思想体系的运动，是文艺复兴时期资产阶级反封建、反禁欲、反教会斗争的继续和发展。在这次运动中，启蒙思想家们如伏尔泰、狄德罗、卢梭、孟德斯鸠、康德、霍布斯、洛克等，一批先进的、新兴的资产阶级思想家，冲锋陷阵，披坚执锐。他们以文化先锋自居，继承了人文主义者的思想和精神遗产，对封建专制制度及其精神堡垒——天主教会展开猛烈抨击，进一步从理论上阐述和论证了封建制度的不合理，完成了对封建专制制度的讨伐和批判。进行破坏的同时，重建工作也在紧锣密鼓地进行，他们对未来的资本主义社会蓝图也进行了憧憬和描绘。核心观点就是“自由”“天赋人权”和“法律面前人人平等”，其目的都是为了建立资产阶级的政权。启蒙运动不仅直接为不久以后的法国大革命与美国独立战争提供了框架，奠定了思想上和理论上的基础，也对后来资本主义的发展和人类社会的进步影响深远。

在相同的历史时期内，东西方思想文化和社会经济领域内所发生的事情是迥然有别的。当西方人文主义学者和启蒙主义思想家正在为被后世尊奉为普世价值观的人性、自由、民主、科学等理念而著书立说，大声疾呼的时候，乾嘉时期的文人学者们除了个别清醒者如戴震、龚自珍之外，却都在忙于寻章摘句的考据，忙于代圣贤立言的举业，忙于对个人功名利禄的追逐和竞奔。乾隆三十四年(1769)，英国人瓦特发明蒸汽机，开始进入工业革命，东西方由此判然而分，一方突飞猛进，一方却原地打转，止步不前。乾隆四十一年(1776)，清王朝平定大小金川叛乱，是年北美十三州发表《独立宣言》，宣布成立美利坚合众国。乾隆五十四年(1789)，法国资产阶级革命爆发。1793年，英国遣使来华意图通商，乾隆起初以为英国是化外番邦到天朝来朝贡，龙心大悦。后来，因英国使臣不愿向乾隆行三叩九拜大礼，乾隆龙颜大怒，以"天朝物产丰盈，无所不有，原不藉外夷货物以通有无"为由，断然拒绝了英国人通商的请求。二十三年后，乾隆的儿子嘉庆皇帝，因为英国使臣仍然不愿行三叩九拜大礼干脆将其驱逐。在西方社会文化酝酿滋生巨大变局且已风生水起之际，清王朝的秉国者却妄自尊大，私心自用，采取了闭关锁国策略，拒绝与西方交流，失去了互相学习，取长补短，共同进步的良机。

尽管面临种种不利因素，但常言道，世界潮流，浩浩汤汤，顺之则昌，逆之则亡，世界大势绝非某个权势人物所能左右，东西方文化在这一特定历史时期也不可能完全隔膜，老死不相往来。就文学领域而言，亦是如此。正如章培恒先生所言："因为每个国家或地区的文学虽各各具有自己的特点，但也必然存在着某种共同性；那是由人性的共同面所决定的。人性受自然条件、社会条件的制约。时代越早，自然对社会的影响越大，从而对人性的影响也越大，在不同的自然条件影响下的社会文化——包括文学——之间的具体差别也就越明显。但随着生产和技术的发展，自然对社会的影响相应减弱，不同国家和地区在经济上的共同性逐渐增加(这也就是经济全球化之所以可能的原因)，文学的其他方面的共同性也相应强化，从而体现人性共同面的特色就愈益显示出来。就这一点来说，世界上自然条件互异的各个地区、国家的现代文学之间的共同性必然大于其古代文学、中世文学间的。换言之，任何一个国家、地区的现代文学，固然应有其自己的特点，但却不应在根本精神上异于世界现代文学的总体趋势。”①

所以，尽管东西方远隔重洋，山遥水远，但呼唤人性解放，崇尚人的自由发展，推重民主、科学、理性，已经成为世界潮流。“东海西海，心理攸同；南学北学，道术未裂”（钱锺书语），不论是苏格拉底、柏拉图、埃斯库罗斯、但丁、塞万提斯、莎士比亚、歌德、雨果、雪莱、巴尔扎克、托尔斯泰、狄更斯、罗曼罗兰、茨威格、艾略特、卡夫卡、乔伊斯、萨特、索尔仁尼琴和马尔克斯，等等，还是老子、孔子、屈原、司马迁、陶渊明、王羲之、李白、杜甫、韩愈、苏轼、辛弃疾、陆游、关汉卿、汤显祖、曹雪芹、胡适、陈独秀、鲁迅、老舍、王国维、陈寅恪、钱穆、钱锺书、沈从文、巴金，等等，他们无不进行着哲学上的终极追问：我们是谁？我们从哪里来？我们往何处去？生命的意义是什么？人间的美是什么，人间的肮脏和丑陋是怎样的?!

物极必反，否极泰来。明清之际，专制独裁空前绝后，文字狱甚嚣尘上，科举制大行其道。知识分子群体整体人格萎顿，创造力缺失。但同样是在这一时期，个体的人开始实现觉醒，或者说是重新觉醒，虽然他们面临的现实仍然是江山社稷的兴废治乱，封建专制统治的越发酷烈。古老的中国，在大批思想家理论、思想上的探索中，也开始对人自身进行了深刻的洞察。明清之际的许多有识之士和进步文人学者，从李卓吾、徐渭、袁宏道、汤显祖、金人瑞，到黄宗羲、顾炎武、颜元、唐甄、戴震、廖燕、袁枚、曹雪芹、吴敬梓、龚自珍等，筚路蓝缕，薪火传承，各自作出了自己的努力。

自明末，泰州学派的李贽以其“童心说”论证了每个人都应具有追求世俗幸福的自由之后，清初的黄宗羲，对专制的主义的君主集权统治奋起发难，他提出“贵不在朝廷也，贱不在草莽也”，君君、臣臣这种等级观念被打破，代之而来的是人人平等思想的觉醒，呼唤人的价值的复苏，呼吁人们要努力实现自己的价值。在其《明夷待访录》中顺着李卓吾的逻辑推绎：君主或圣人的职责就在于为天下人“谋欲”服务，由此得出了“天下为主，君为客”的“民主”结论。接踵而至的戴震延伸黄氏之心路：既然君主或圣人之“理”，只是为天下人“谋欲”，这说明“理在欲中”，无“人欲”则无“天理”；因而不能根据“求理”或“求欲”将人划分为“君子”与“小人”的不同等级，人格在本质上是“平等”的。由此否定了程朱理学“存天理，灭人欲”的道德标准。

---

① 章培恒《关于中国现代文学的开端——兼及“近代文学”问题》，复旦学报（社会科学版），2001年第2期，第4页。

所有这一切，都标志着清中叶乾嘉之际的文学与世界文学的发展是息息相关的，文艺复兴时期从以神为中心向以人为中心的价值取向，与清中叶乾嘉时期近世文学嬗变期对个人情感、欲望、自由、尊严的追求是东西呼应的，乾嘉文学也是世界文学的一个重要组成部分。黄仲则及其诗歌，同样也是这个大视野中组成这个部分的重要因素之一。

总而言之，中国古代文学的发展进入近世乾隆以来，更加注重和强调个人的情感、欲望、自由和尊严，这种倾向日益扩大和深化，对个人与环境的矛盾和对立的表现日益丰富、深入、细腻和强烈。乾隆语境中，思想学术界“尊情黜理”倾向，与文学自身内部审美趋向由雅入俗、创作主体和接受主体由知识精英向市井平民转化、对人性的表达，日渐成为文学自觉追求的终极价值指向等文学近世性因素的出现，都对黄仲则诗歌的主题选择与诗性表达方式的偏好产生了多重影响。作为乾隆诗坛上声名卓著的大诗人之一，黄仲则有清代李白之誉。他诗歌中对爱情的咏叹、对自然山水的歌赞、对自身遭际的愤懑，是个体与环境的激烈冲突，是人情、人性的自然流露。与此同时，东西方文学在同一时空下对“人”的价值和尊严的体认，对人情、人性的尊崇等若干普世性特征，使得其诗具有了世界性的共时性意义。江南常州绵远悠长的历史文脉、崇学重教的人文环境和优美婉约的自然风光，为诗人的成长提供了完整的外部环境。他自身卑微寒素的门第、忧郁畸零的性格气质和坎凛沦落的人生际遇，是形成他衰飒与豪气并存的诗歌美学风貌的内在机制。从先秦汉魏，到“唐音”“宋调”，再到神韵、格调、肌理、性灵，黄仲则转益多师，博采众长，终能独出机杼，自铸伟词，形成了自己独特的诗歌审美维度与风格走向。随着传播技术的不断精进，清代中晚期刻书业的繁荣，使文学的传播和接受发生了新的变化，黄仲则诗歌的传播与接受，也与世推移，具有彼时的时代特征。

主要参考文献

[1] 陈祥道.论语全解[M].清文渊阁四库全书本.
[2] 杨伯峻.论语译注[M].北京：中华书局，1995.
[3] 列御寇.列子[M].四部丛刊影北宋本.
[4] 荀况.荀子[M].清抱经堂丛书本.
[5] 庄周.南华真经[M].四部丛刊影明世德堂刊本.
[6] 吕不韦.吕氏春秋[M].四部丛刊影明刊本.
[7] 刘向.古列女传[M].四部丛刊影明本.
[8] 毛亨，毛苌.毛诗[M].四部丛刊影宋本.
[9] 佚名.三辅黄图[M].四部丛刊三编影元本.
[10] 班固.汉武帝内传[M].明正统道藏本.
[11] 王逸.楚辞章句.四部丛刊影明翻宋本.
[12] 何休.春秋公羊经传解诂[M].四部丛刊影宋建安余氏刊本.
[13] 司马迁.史记[M].北京：中华书局，1959.
[14] 曹植.曹子建集[M].四部丛刊影明活字本.
[15] 嵇康.嵇中散集[M].四部丛刊影明嘉靖本.
[16] 葛洪.抱朴子内外篇[M].四部丛刊影明本.
[17] 干宝.搜神记[M].明津逮秘书本.
[18] 陆机.陆士衡文集[M].清嘉庆宛委别藏本.
[19] 徐陵.玉台新咏[M].四部丛刊影明活字本.
[20] 江淹.江文通集[M].明万历二十六年刻本.
[21] 庾信.庾子山集[M].四部丛刊影明屠隆本.
[22] 庾信.庾子山集[M].清文渊阁四库全书本.
[23] 刘勰.文心雕龙[M].四部丛刊影明嘉靖刊本.
[24] 萧子显.南齐书[M].清乾隆武英殿刻本.
[25] 鲍照.鲍明远集[M].四部丛刊影宋本.
[26] 萧统.文选[M].清嘉庆十四年胡刻本.
[27] 锺嵘.诗品[M].明夷门广牍本.
[28] 刘义庆.世说新语[M].四部丛刊影明袁氏嘉趣堂本.
[29] 徐震堮.世说新语校笺[M].北京：中华书局，1984.

[30] 刘知几.史通[M].四部丛刊影明万历刊本.
[31] 孟棨.本事诗[M].明顾氏文房小说本.
[32] 李白.李太白集[M].清光绪十四年湖北官书局刻本.
[33] 杜牧.樊川诗集注[M].清嘉庆德裕堂刻本.
[34] 段成式.酉阳杂俎[M].四部丛刊影明本.
[35] 白居易.白氏长庆集[M].四部丛刊影日本翻宋大字本.
[36] 高适.高常侍集[M].四部丛刊影明活字本.
[37] 王勃.王子安集[M].四部丛刊影明本.
[38] 李商隐.李义山诗集[M].四部丛刊影明嘉靖本.
[39] 杜牧.樊川集[M].四部丛刊影明翻宋本.
[40] 李白.李太白全集[M].王琦,注.北京：中华书局,1985.
[41] 姚思廉.梁书[M].北京：中华书局,1973.
[42] 仇兆鳌.杜诗详注[M].北京：中华书局,1979.
[43] 马其昶.韩昌黎文集校注[M].上海：上海古籍出版社,1998.
[44] 刘昫.旧唐书[M].清乾隆武英殿刻本.
[45] 赵崇祚.花间集[M].四部丛刊影明万历刊巾箱本.
[46] 王仁裕.开元天宝遗事[M].明顾氏文房小说本.
[47] 冯延已.阳春集[M].清光绪四印斋刻本.
[48] 韦縠.才调集[M].四部丛刊影清钱曾述古堂影宋钞本.
[49] 方夔.富山遗稿[M].清文渊阁四库全书本.
[50] 何士信.群英草堂诗馀[M].明洪武年遵正书堂刻本.
[51] 王存.元丰九域志[M].清文渊阁四库全书本.
[52] 祝穆.方舆胜览[M].清文渊阁四库全书本.
[53] 乐史.绿珠传[M].清宣统香艳丛书本.
[54] 李昉,等.太平御览[M].四部丛刊三编影宋刻本.
[55] 郭茂倩.乐府诗集[M].四部丛刊影汲古阁刻本.
[56] 朱熹.四书章句集注[M].清文渊阁四库全书本.
[57] 魏庆之.诗人玉屑[M].清文渊阁四库全书本.
[58] 晏几道.小山词[M].明刻宋名家词本.
[59] 李昉,等.文苑英华[M].明隆庆刻本.
[60] 胡仔.苕溪渔隐丛话前后集[M].清乾隆刻本.
[61] 苏轼.东坡诗集注[M].王十朋,集注.四部丛刊影宋本.
[62] 陈起.江湖小集[M].清文渊阁四库全书补配清文津阁四库全书本.
[63] 陆游.剑南诗稿[M].清文渊阁四库全书补配清文津阁四库全书本.
[64] 曾慥.类说[M].北京：文学古籍刊行社,1955年影印本.
[65] 邓广铭.稼轩词编年笺注[M].上海：上海古籍出版社,1993.
[66] 钱仲联.剑南诗稿校注[M].上海：上海古籍出版社,1988.
[67] 刘祁.归潜志[M].崔文印,点校.北京：中华书局,1983.

[68] 苏轼.苏轼诗集[M].孔凡礼,点校.北京：中华书局,1982.
[69] 苏轼.苏轼文集[M].孔凡礼,点校.北京：中华书局,1986.
[70] 王谠.唐语林校证[M].周勋初,校证.北京：中华书局,1987.
[71] 元好问.遗山集[M].四部丛刊影明弘治本.
[72] 马端临.文献通考[M].清浙江书局本.
[73] 辛文房.唐才子传[M].清佚存丛书本.
[74] 丘濬.大学衍义补[M].清文渊阁四库全书本.
[75] 胡震亨.唐音癸签[M].清文渊阁四库全书本.
[76] 冯惟讷.古诗纪[M].清文渊阁四库全书本.
[77] 李贽.焚书[M].四库禁毁书明刻本.
[78] 李梦阳.空同集[M].清文渊阁四库全书补配清文津阁四库全书本.
[79] 何景明.大复集[M].明嘉靖刻本.
[80] 胡应麟.诗薮[M].续修四库全书影印明刻本.
[81] 胡应麟.少室山房集[M].光绪二十二年广雅书局丛书本.
[82] 袁宏道.袁宏道集笺校[M].钱伯城,笺校.上海：上海古籍出版社,1981.
[83] 斌良.抱冲斋诗集[M].清光绪五年崇福湖南刻本.
[84] 包世臣.艺舟双楫[M].清道光安吴四种本.
[85] 陈夔龙.松寿堂诗钞[M].清宣统三年京师刻本.
[86] 陈文述.颐道堂集[M].清嘉庆十二年刻道光增修本.
[87] 丁绍仪.听秋声馆词话[M].清同治八年刻本.
[88] 丁宿章.湖北诗征传略[M].清光绪七年孝感丁氏泾北草堂刻本.
[89] 郭麐.灵芬馆诗话[M].清嘉庆二十一年刻二十三年增修本.
[90] 洪亮吉.更生斋集[M].清光绪三年洪氏授经堂增修本.
[91] 洪亮吉.卷施阁集[M].清光绪三年洪氏授经堂刻洪北江全集增修本.
[92] 华长卿.梅庄诗钞[M].清同治九年华鼎元东观室都门刻本.
[93] 黄培芳.香石诗话[M].嘉庆十五年岭海楼刻嘉庆十六年重校本.
[94] 贾田祖.贾稻孙集[M].清乾隆四十九年刻本.
[95] 金武祥.粟香随笔[M].清光绪刻本.
[96] 李斗.扬州画舫录[M].清乾隆六十年自然盦刻本.
[97] 李元度.国朝先正事略[M].清同治八年循陔草堂刻本.
[98] 李兆洛.养一斋集[M].清道光二十三年活字印四年增修本.
[99] 梁章钜.归田琐记[M].清道光二十五年刻本.
[100] 林昌彝.衣讔山房诗集[M].清同治二年广州刻本.
[101] 林昌彝.射鹰楼诗话[M].清咸丰元年刻本.
[102] 刘彬华.岭南群雅[M].清嘉庆十八年玉壶山房刻本.
[103] 平步青.霞外攟屑[M].民国六年刻香雪崦丛书本.
[104] 祁寯藻.䜉䜣亭集[M].清咸丰七年刻本.
[105] 齐学裘.劫馀诗选[M].清同治八年天空海阔之居刻增修本.

[106] 钱保塘.历代名人生卒录[M].民国海宁钱氏清风室刊本.
[107] 钱泳.履园丛话[M].清道光十八年述德堂刻本.
[108] 邱炜萲.五百石洞天挥麈[M].清光绪二十五年邱氏粤垣刻本.
[109] 阮元.两浙輶轩录[M].清嘉庆仁和朱氏碧溪草堂钱塘陈氏种榆仙馆刻本.
[110] 沈涛.匏庐诗话[M].清道光四年刻本.
[111] 舒位.乾嘉诗坛点将录[M].清宣统三年长沙叶氏刻本.
[112] 舒位.瓶水斋诗集[M].清光绪十二年边保枢刻十七年增修本.
[113] 谭莹.乐志堂诗集[M].清咸丰九年吏隐园刻本.
[114] 王培荀.乡园忆旧录[M].清道光二十五年刻本.
[115] 王相.友声集[M].清咸丰八年信芳阁刻本.
[116] 王豫.淮海英灵续集[M].影印复旦大学图书馆藏清道光刻本.
[117] 王蕴章.然脂馀韵[M].上海：商务印书馆,1925.
[118] 吴衡照.莲子居词话[M].影印浙江大学图书馆藏清嘉庆刻本.
[119] 吴嵩梁.香苏山馆诗集[M].清德化李氏木犀轩刻本.
[120] 吴锡麒.有正味斋集[M].清嘉庆十三年刻有正味斋全集增修本.
[121] 吴修.续疑年录[M].清嘉庆刻本.
[122] 吴仰贤.小匏庵诗话[M].清光绪刻本.
[123] 吴翌凤.与稽斋丛稿[M].清嘉庆刻本.
[124] 吴鼒.吴学士诗文集[M].清光绪八年江宁藩署刻本.
[125] 谢章铤.赌棋山庄词话[M].清光绪十年刻赌棋山庄全集本.
[126] 徐宝善.壶园诗外集[M].清道光二十三年徐志导等刻本.
[127] 杨芳灿.芙蓉山馆全集[M].清光绪十七年活字印本.
[128] 姚莹.东溟文集[M].清同治六年安福县署刻中复堂全集本.
[129] 赵怀玉.亦有生斋集[M].清道光元年刻本.
[130] 叶昌炽.缘督庐日记抄[M].民国二十二年上海蟫隐庐石印本.
[131] 叶廷琯.鸥陂渔话[M].清同治九年刻本.
[132] 曾燠.赏雨茅屋诗集[M].清嘉庆二十四年刻增修本.
[133] 张鸣珂.寒松阁谈艺璅录[M].清宣统二年上海聚珍仿宋印书局本.
[134] 张维屏.花甲闲谈[M].清道光广州富文斋刻本.
[135] 张问陶.船山诗草[M].清嘉庆二十年刻道光二十九年增修本.
[136] 张祥河.小重山房诗词全集[M].清道光刻光绪增修本.
[137] 叶廷琯.楙花盦诗[M].清光绪刻滂喜斋丛书本.
[138] 张际亮.思伯子堂诗集[M].影印上海图书馆藏清刻本.
[139] 赵希璜.四百三十二峰草堂诗钞[M].清乾隆五十八年安阳县署刻增修本.
[140] 赵希璜.研栰斋文集[M].清嘉庆四年安阳县署刻本.
[141] 震钧.天咫偶闻[M].清光绪甘棠精舍刻本.
[142] 郑澍若.虞初续志[M].清咸丰元年小嫏嬛山馆刻本.
[143] 朱珪.知足斋集[M].清嘉庆九年阮元刻增修本.

[144]　朱庭珍.筱园诗话[M].清光绪十年刻本.
[145]　朱寿朋.光绪朝东华续录[M].清宣统元年上海集成图书公司本.
[146]　黄景仁.两当轩集[M].清咸丰八年黄氏家塾刻本.
[147]　黄景仁.两当轩诗集[M].清道光刻别下斋丛书本.
[148]　丁仁.八千卷楼书目[M].民国十二年铅印本.
[149]　黄景仁.悔存词钞[M].清嘉庆赵希璜书带草堂刻本.
[150]　法式善.存素堂诗初集录存[M].清嘉庆十二年王墉刻本.
[151]　法式善.存素堂文集[M].清嘉庆十二年程邦瑞刻增修本.
[152]　法式善.槐厅载笔[M].影印上海辞书出版社藏清嘉庆刻本.
[153]　葛嗣浵.爱日吟庐书画别录[M].民国二年葛氏刻本.
[154]　李铭皖,等.(同治)苏州府志[M].清光绪九年江苏书局刻本.
[155]　江藩.国朝汉学师承记[M].清嘉庆十七年刻本.
[156]　李祖陶.国朝文录续编[M].清同治七年李氏刻本.
[157]　刘锦藻.皇朝续文献通考[M].民国商务印书馆影印十通本.
[158]　陆继辂.崇百药斋续集[M].清道光四年合肥学舍刻本.
[159]　钱保塘.历代名人生卒录[M].民国海宁钱氏清风室刊本.
[160]　钱林.文献征存录[M].清咸丰八年有嘉树轩刻本.
[161]　阮元.揅经室集[M].四部丛刊影印清道光本.
[162]　阮元.定香亭笔谈[M].清嘉庆五年扬州阮氏琅嬛仙馆刻本.
[163]　阮元.儒林传稿[M].影印南京图书馆藏清嘉庆刻本.
[164]　沈兆沄.篷窗随录[M].影印清咸丰刻本.
[165]　孙原湘.天真阁集[M].清嘉庆五年刻增修本.
[166]　陶樑.国朝畿辅诗传[M].道光十九年红豆树馆刻本.
[167]　王昶.国朝词综[M].清嘉庆七年王氏三泖渔庄刻增修本.
[168]　翁方纲.复初斋文集[M].影印清李彦章校刻本.
[169]　吴省钦.白华前稿[M].影印清乾隆刻本.
[170]　李瀚章,曾国荃.(光绪)湖南通志[M].清光绪十一年刻本.
[171]　万青黎,周家楣,张之洞,缪荃孙.(光绪)顺天府志[M].清光绪十二年刻十五年重印本.
[172]　张之洞.书目答问[M].影印复旦大学图书馆藏清光绪刻本.
[173]　张之洞.张文襄公诗集[M].民国十七年刻张文襄公全集本.
[174]　李兆洛.(嘉庆)凤台县志[M].清嘉庆十九年刻本.
[175]　张埙.竹叶庵文集[M].影印复旦大学图书馆藏清乾隆间刻本.
[176]　钱谦益.牧斋有学集[M].四部丛刊影上海涵芬楼刻本.
[177]　朱彝尊.曝书亭全集[M].四部丛刊影上海涵芬楼藏原刊本.
[178]　王昶.春融堂集[M].清嘉庆王氏塾南书舍刊本.
[179]　洪亮吉.洪北江诗文集[M].四部丛刊初编本.
[180]　孙星衍.孙渊如诗文集[M].四部丛刊初编本.

[181] 杭世骏.道古堂诗文集[M].清乾隆刊本.
[182] 吴蔚光.素修堂诗集[M].清嘉庆十六年刊本.
[183] 翁方纲.复初斋诗文集[M].清光绪刊本.
[184] 赵怀玉.亦有生斋诗文集[M].清嘉庆刊本.
[185] 魏裔介.兼济堂文集[M].清文渊阁四库全书本.
[186] 杨懋建.京尘杂录[M].清光绪十二年上海同文书局石印本.
[187] 王昶.湖海诗传[M].清嘉庆八年三泖渔庄刻本.
[188] 张维屏.国朝诗人征略[M].清道光十年广东超华斋刻本.
[189] 陆继辂.合肥学舍札记[M].清嘉庆二十五年合肥学舍刻本.
[190] 黄景仁.两当轩全集[M].黄志述,辑.清咸丰八年黄氏家塾刻本.
[191] 王太岳.清虚山房集[M].清光绪十九年定兴鹿传霖刻本.
[192] 朱筠.笥河文集[M].清嘉庆八年椒花吟舫刻本.
[193] 黎简.五百四峰堂诗钞[M].影印上海辞书出版社藏清嘉庆元年刻本.
[194] 黄印.锡金识小录[M].清光绪二十二年王念祖活字本.
[195] 邵齐焘.玉芝堂诗集[M].清光绪五年湘南节署刻本.
[196] 弘历.御制文集[M].清文渊阁四库全书本.
[197] 朱珪.知足斋集[M].影印上海辞书出版社藏清嘉庆十一年刻本.
[198] 孙星衍.芳茂山人诗录[M].清光绪二十年思贤讲舍刻本.
[199] 王昶.蒲褐山房诗话[M].清稿本.
[200] 张应昌.诗铎[M].影印上海辞书出版社藏清同治八年秀芷堂刻本.
[201] 万斯同.明史[M].影印国家图书馆藏清钞本.
[202] 方东树.汉学商兑[M].清光绪十一年刻本.
[203] 戴震.孟子字义疏证[M].影印上海辞书出版社藏清乾隆刻微波榭丛书本.
[204] 戴震.原善[M].清嘉庆刻本.
[205] 沈钦韩.汉书疏证[M].清光绪二十六年浙江官书局刻本.
[206] 吕培,等.洪北江先生年谱[M].清光绪洪北江遗集本.
[207] 王士禛.唐人万首绝句选[M].清康熙刻本.
[208] 沈辰垣.历代诗馀[M].清文渊阁四库全书本.
[209] 蒲松龄.聊斋志异[M].清乾隆铸雪斋钞本.
[210] 永瑢,等.四库全书总目提要[M].北京：中华书局,1965.
[211] 黄逸之.黄仲则年谱[M].上海：商务印书馆,1934.
[212] 原北平故宫博物院文献馆.清代文字狱档[M].上海：上海书店(影印),1986.
[213] 黄宗羲.黄宗羲全集[M].吴光,编校.杭州：浙江古籍出版社,1985.
[214] 黄景仁.两当轩集[M].李国章,标点.上海：上海古籍出版社,1983.
[215] 袁枚.小仓山房诗文集[M].周本淳,标校.上海：上海古籍出版社,1988.
[216] 赵执信,翁方纲.谈龙录・石洲诗话[M].北京：人民文学出版社,1981.
[217] 赵翼.瓯北诗话[M].北京：人民文学出版社,1963.
[218] 洪亮吉.北江诗话[M].陈迩冬,校点.北京：人民文学出版社,1983.

[219] 谭献.复堂日记[M].范旭仑,整理.石家庄：河北教育出版社,2001.
[220] 龚自.珍龚自珍全集[M].王佩铮,校.上海：上海古籍出版社,1999.
[221] 江藩.国朝汉学师承记[M].钟哲,整理.北京：中华书局,1998.
[222] 洪亮吉.洪亮吉集[M].刘德权,点校.北京：中华书局,2001.
[223] 曹雪芹.红楼梦[M].北京：北京师范大学出版社,1987.
[224] 王国维.校注人间词话[M].徐调孚,校注.北京：中华书局,2003.
[225] 梁章钜.浪迹丛谈[M].陈铁民,点校.北京：中华书局,1981.
[226] 丁福保.历代诗话续编[M].北京：中华书局,1983.
[227] 李伯元.李伯元全集·南事四话·念宛斋集[M].南京：江苏古籍出版社,1997.
[228] 赵翼.瓯北集[M].李学颖,曹光甫,校点.上海：上海古籍出版社,1997.
[229] 刘声木.苌楚斋四笔[M].刘笃龄,点校.北京：中华书局,1998.
[230] 赵翼.瓯北诗话[M].霍松林,等,校点.北京：人民文学出版社,1998.
[231] 舒位.瓶水斋诗集[M].曹光甫,校点.上海：上海古籍出版社,1991.
[232] 包世臣.齐民四术[M].潘竟翰,点校.北京：中华书局,2001.
[233] 文庆,等.钦定国子监志[M].北京：北京古籍出版社,2000.
[234] 曹寅,等.全唐诗[M].北京：中华书局,1960.
[235] 施闰章.施愚山集[M].何庆善,杨应芹,点校.合肥：黄山书社,1992.
[236] 刘禺生.世载堂杂忆[M].钱实甫,点校.北京：中华书局,1997.
[237] 袁枚.随园诗话[M].顾学颉,校点.北京：人民文学出版社,1998.
[238] 纳兰性德.通志堂集[M].上海：上海古籍出版社(影康熙刻本),1979.
[239] 文廷式.文廷式集[M].汪叔子,编.北京：中华书局,1993.
[240] 吴伟业.吴梅村全集[M].李学颖,集评.上海：上海古籍出版社,1990.
[241] 王士禛.香祖笔记[M].湛之,点校.上海：上海古籍出版社,1982.
[242] 袁枚.小仓山房诗文集[M].周本淳,标校.上海：上海古籍出版社,1988.
[243] 昭梿.啸亭杂录[M].何应芳,点校.北京：中华书局,1980.
[244] 继昌.行素斋杂记[M].上海：上海书店(影印),1984.
[245] 赵翼.檐曝杂记[M].李解民,点校.北京：中华书局,1982.
[246] 李斗.扬州画舫录[M].汪北平,涂雨公,点校.北京：中华书局,1997.
[247] 张潮.幽梦影[M].合肥：黄山书社,1991.
[248] 顾嗣立.元诗选[M].北京：中华书局,1987.
[249] 吴敬梓.儒林外史[M].张慧剑,校注.北京：人民文学出版社,2000.
[250] 林昌彝.射鹰楼诗话[M].王镇远,等,标点.上海：上海古籍出版社,1988.
[251] 郑燮.郑板桥全集[M].北京：中国书店(据扫叶山房版影印),1986.
[252] 徐珂.清稗类钞[M].北京：中华书局,1984.
[253] 章炳麟.国故论衡[M].上海：上海古籍出版社,2011.
[254] 梁启超.清代学术概论[M].上海：上海古籍出版社,2011.
[255] 杨香池.偷闲庐诗话[M].上海：上海书店出版社,2002.

[256] 赵尔巽,等.清史稿[M].北京：中华书局,1977.
[257] 杨锺羲.雪桥诗话三集[M].民国求恕斋丛书本.
[258] 徐世昌.晚晴簃诗汇[M].北京：中国书店(影印),1988.
[259] 印鸾章.清鉴[M].北京：中国书店(影印),1985.
[260] 逯钦立.先秦汉魏晋南北朝诗[M].北京：中华书局,1983.
[261] 钱仲联.清诗纪事[M].南京：江苏古籍出版社,1987—1989.
[262] 佚名.清史列传[M].王锺翰,点校.北京：中华书局,1987.
[263] 钱锺书.宋诗选注[M].北京：人民文学出版社,1989.
[264] 沈粹芬,黄人,等.清文汇[M].北京：北京出版社,1996.
[265] 薛瑞兆,郭明志.全金诗[M].天津：南开大学出版社,1995.
[266] 唐圭璋.全宋词[M].北京：中华书局,1986.
[267] 北京大学古文献研究所.全宋诗[M].北京：北京大学出版社,1998.
[268] 清代诗文集汇编[M].上海：上海古籍出版社,2010.
[269] 鲁迅.汉文学史纲要[M].北京：人民文学出版社,1973.
[270] 郭绍虞.中国文学批评史[M].上海：上海古籍出版社,1979.
[271] 段玉明.中国市井文化与传统曲艺[M].长春：吉林教育出版社,1992.
[272] 章培恒,骆玉明.中国文学史新著[M].上海：复旦大学、上海文艺出版社,2007.
[273] 黄霖.近代文学批评史[M].上海：上海古籍出版社,1993.
[274] 刘明今.方法论[M].上海：复旦大学出版社,2000.
[275] 严明.中国诗学与明清诗话[M].北京：文津出版社,2003.
[276] 孙小力.明代诗学书目汇考[M].//中国诗学(第九辑).北京：人民文学出版社,2004.
[277] 陈广宏.竟陵派研究[M].上海：复旦大学出版社,2006.
[278] 郑利华.明代中期文学演进与城市形态[M].上海：复旦大学出版社,1995.
[279] 许隽超.黄仲则年谱考略[M].上海：上海古籍出版社,2008.
[280] 叶嘉莹.迦陵论词丛稿[M].石家庄：河北教育出版社,2000.
[281] 郭英德.明清文学史讲演录[M].桂林：广西师范大学出版社,2005.
[282] 俞平伯.红楼梦研究[M].上海：上海古籍出版社,2005.
[283] 黄葆树,陈弼,章谷.黄仲则研究资料[M].上海：上海古籍出版社,1986.
[284] 钱锺书.谈艺录[M].北京：中华书局,1919.
[285] 戴逸.乾隆帝及其时代[M].北京：中国人民大学出版社,1992.
[286] 张仲谋.清代文化与浙派诗[M].北京：东方出版社,1997.
[287] 章尚正.中国山水文学研究[M].上海：学林出版社,1997.
[288] 袁行霈.中国文学史[M].北京：高等教育出版社,1999.
[289] 张健.清代诗学研究[M].北京：北京大学出版社,1999.
[290] 李圣华.晚明诗歌研究[M].北京：人民文学出版社,2002.
[291] 陈文新.中国文学流派意识的发生和发展[M].武汉：武汉大学出版社,2003.

[292]　胡忆肖.黄景仁诗词选[M].武汉：华中工学院出版社，1988.
[293]　止水.黄仲则诗选[M].广州：广东人民出版社，1985.
[294]　杨旭辉.清代经学与文学[M].南京：凤凰出版社，2006.
[295]　尚小明.学人游幕与清代学术[M].北京：社会科学文献出版社，1994.
[296]　曹虹.阳湖文派研究[M].北京：中华书局，1996.
[297]　游国恩，等.中国文学史[M].北京：人民文学出版社，1964.
[298]　石玲.袁枚诗论[M].济南：齐鲁书社，2003.
[299]　刘大杰.中国文学发展史[M].北京：上海古籍出版社，1997.
[300]　蒋寅.古典诗学的现代诠释[M].北京：中华书局，2003.
[301]　王国维.红楼梦评论[M].//王国维文集.北京：北京燕山出版社，1997.
[302]　张宏生.江湖诗派研究[M].北京：中华书局，1995.
[303]　南京师大古文献所.江苏艺文志・常州卷[M].南京：江苏人民出版社，1994.
[304]　张仲谋.近古诗歌研究[M].北京：中国社会科学出版社，2002.
[305]　黄葆树.纪念诗人黄仲则[M].上海：学林出版社，1983.
[306]　钱仲联.梦若庵论集[M].北京：中华书局，1993.
[307]　李泽厚.美的历程[M].天津：天津社会科学出版社，2001.
[308]　缪钺.冰茧庵丛稿[M].北京：上海古籍出版社，1985.
[309]　张宏生.清代词学的建构[M].南京：江苏古籍出版社，1999.
[310]　霍有明.清代诗歌发展史[M].西安：陕西人民出版社，1993.
[311]　张宗祥.清代文学[M].上海：商务印书馆，1930.
[312]　邬国平，王镇远.清代文学批评史[M].上海：上海古籍出版社，1995.
[313]　梁启超.清代学术概论[M].北京：东方出版社，1996.
[314]　王德昭.清代科举制度研究[M].北京：中华书局，1984.
[315]　李灵年，杨忠.清人别集总目[M].合肥：安徽教育出版社，2000.
[316]　柯愈春.清人诗文集总目提要[M].北京：北京古籍出版社，2001.
[317]　袁行云.清人诗集叙录[M].北京：文化艺术出版社，1994.
[318]　严迪昌.清诗史[M].杭州：浙江古籍出版社，2002.
[319]　朱则杰.清诗史[M].南京：江苏古籍出版社，2000.
[320]　刘世南.清诗流派史[M].北京：人民文学出版社，2004.
[321]　瞿秋白.瞿秋白诗文选[M].北京：人民文学出版社，1982.
[322]　宗白华.诗论[M].合肥：安徽教育出版社，1997.
[323]　王英志.性灵派研究[M].沈阳：辽宁大学出版社，1998.
[324]　蒋寅.学术的年轮[M].北京：中国文联出版公司，2000.
[325]　郁达夫.郁达夫文集[M].广州：花城出版社，1983.
[326]　张伯伟.中国古代文学批评方法研究[M].北京：中华书局，2002.
[327]　钱穆.中国历代政治得失[M].北京：三联书店，2001.
[328]　张仲礼.中国绅士——关于其在十九世纪中国社会中作用的研究[M].上海：上海社会科学院出版社，1991.

[329] 张仲礼.中国绅士的收入[M].费成康,等,译.上海：上海社科院出版社,2001.
[330] 张伯伟.中国诗学研究[M].沈阳：辽海出版社,2000.
[331] 黄仁生.杨维桢与元末明初文学思潮[M].北京：东方出版中心,2005.
[332] 李国钧.中国书院史[M].长沙：湖南教育出版社,1994.
[333] 林庚.中国文学简史[M].北京：北京大学出版社,1995.
[334] 中国第一历史档案馆.纂修四库全书档案[M].上海：上海古籍出版社,1997.
[335] 张首映.二十世纪西方文论史[M].北京：北京大学出版社,1999.
[336] 朱立元.接受美学导论[M].合肥：安徽教育出版社,2004.
[337] 王镇远.清诗选[M].上海：上海书店出版社,1993.
[338] 福建师范大学.清诗选[M].北京：人民文学出版社,1984.
[339] 钱仲联,钱学增.清诗三百首[M].长沙：岳麓书社出版社,1994.
[340] 费正清.剑桥中国晚清史[M].北京：中国社会科学出版社,1985.
[341] 艾尔曼.从理学到朴学——中华帝国晚期思想与社会变化面面观[M].赵刚,译.南京：江苏人民出版社,1995.
[342] M.H.艾布拉姆斯.镜与灯——浪漫主义文论及批评传统[M].北京：北京大学出版社,1989.
[343] 马斯洛(Maslow. A. H.).马斯洛说完美人格[M].高适,编译.武汉：华中科技大学出版社,2012.
[344] 松浦友久.中国诗歌原理(第五编)[M].孙昌武,李天刚,译.沈阳：辽宁教育出版社,1990.

后　记

拙著是在博士论文的基础之上增删而成的，勉强算作近年来学术跋涉的一个阶段性成果吧。在即将付梓之际，遵责编唐少波兄之嘱，作点后记。

第一次写后记还是在硕士论文完成的时候，转瞬之间，十三年已成既往。人生苦短，浮生若梦，人的一生又能有几个十年？

十年荏苒，路途蹭蹬。艰难时世中，欲取微芥之功，若非以狮子搏兔之力必不能如愿以偿。其间的千回百折，种种况味，非身历者不能道其万一。好在命运之神在费尽周章考验了我的耐心之后，似乎对我薄有眷顾。比起我论文中的研究对象——诗才冠绝群伦、一生辛苦辗转最终客死他乡的黄仲则，我幸运得多了。至少，我走到了今天，看见了幽深隧道尽头的微光，面向大海，春暖花开。我比前贤路已宽！春光老去，寒微晚成，也算苍天有眼。除了感念上苍有好生之德外，夫复何求？“献赋十年犹未遇，羞将白发对华簪”，嗟夫！

论文写作过程中的焦虑彷徨，下笔时的犹疑踌躇，以及期间的各种甘苦波折，随着时日的渐行渐远，已经趋于模糊淡化，差不多快要化作红尘竞奔中的一地鸡毛了。至于论文本身的优劣高下，自有他人轩轾，毋须自己饶舌。

“当此之时，人人自谓握灵蛇之珠，家家自谓抱荆山之玉”，时贤群彦各以名山事业高自期许，其心其志，令人感佩。其实，先贤也早已有过谆谆告诫，“大抵学问是荒江野老屋中，二三素心人商量培养之事，朝市之显学必成俗学”。平心而论，名山之思，虽心向往之，但自忖非己力所能及。古人曰：“取乎其上，得乎其中；取乎其中，得乎其下；取乎其下，则无所得矣。”求诸乎己，自然以圣贤教诲为鹄的。然则，“学问有利钝，文章有巧拙。钝学累功，不妨精熟；拙文研思，终归蚩鄙。但成学士，自足为人。必乏天才，勿强操笔”，“学为文章，先谋亲友，得其评裁，知可施行，然后出手；慎勿师心自任，取笑旁人也。自古执笔为文者，何可胜言。然至于宏丽精华，不过数十篇耳。但使不失体裁，辞意可观，便称才士；要须动俗盖世，亦俟河之清乎！”古圣先贤们的这些高言谠论，最初读到时稍有所悟。如今读来，真如电光石火，悚然心惊，似乎专为我辈而设，不得不佩服千载之上先哲们的真知灼见。虽然，于我辈而言，无论为学，还是为文，本不必大言欺人，故作惊人之论，亦不必故作高深，以艰深文其浅陋。有一分根据便说一分话，实事求是，实话实说，如此而已。

明人杨慎在《临江仙》词中曾叹道："滚滚长江东逝水，浪花淘尽英雄，是非成败转头空。青山依旧在，几度夕阳红。白发渔樵江渚上，惯看秋月春风，一杯浊酒喜相逢。古今多少事，都付笑谈中。"那种"前不见古人，后不见来者。念天地之悠悠，独怆然而涕下"的巨大孤独感和失落感，至今读来仍让人唏嘘不已。确实，面对茫茫宇宙和浩瀚时空，作为个体的人的悲欢离合，穷通得丧，实在太过渺小，纤如微介，细如尘埃，渺小到几乎可以忽略不计。至于一家一姓的荣辱，乃至于王朝的更迭、国祚的轮替，也都不过是过眼烟云，最终沦为史书中的断简残章，供后人凭吊和打捞，尘封的往事重见天日、还原真相的可能性几乎为零。"知其不可为而为之"，对于这一场注定徒劳无功的尝试，大家其实都心知肚明。但我们仍然乐此不疲，而且常常以一种义无反顾的勇气和锲而不舍的精神，踽踽独行，一条道上走到黑，不撞南墙绝不回头。对此，西谚称之为"西绪弗斯"情结，我们且听之任之吧。

秋风四起，秋意渐浓，窗外马路上的梧桐树叶开始零星飘落，楼下的几丛海棠也正舒枝吐蕊，开得热烈而恣意。忽然就忆起了鉴湖女侠的海棠诗："栽植恩深雨露同，一丛浅淡一丛浓。平生不借春光力，几度开来斗晚风？"其我之谓乎！一路走来，看山看水看世界，看世事沧桑、人世浮沉，也看人情冷暖、世态温凉。但无论如何，皇天后土，骨肉亲情，师友故旧，于我皆恩重如山，情深似海。清夜扪心，总有依依的眷恋与深深的感念长存心底，绵远悠长，不绝如缕，任日月轮回，不改初衷。

后之视今，亦犹今之视昔。不戚戚于贫贱，不汲汲于富贵。清风明月之际，在高高的窗口上，正有无限的风景。明月可以装饰我的窗子，但我能不能装饰别人的梦，就听天由命吧。

赵鸿飞

2018 年 9 月 18 日于沪上寓所

2019 年 6 月上旬校定